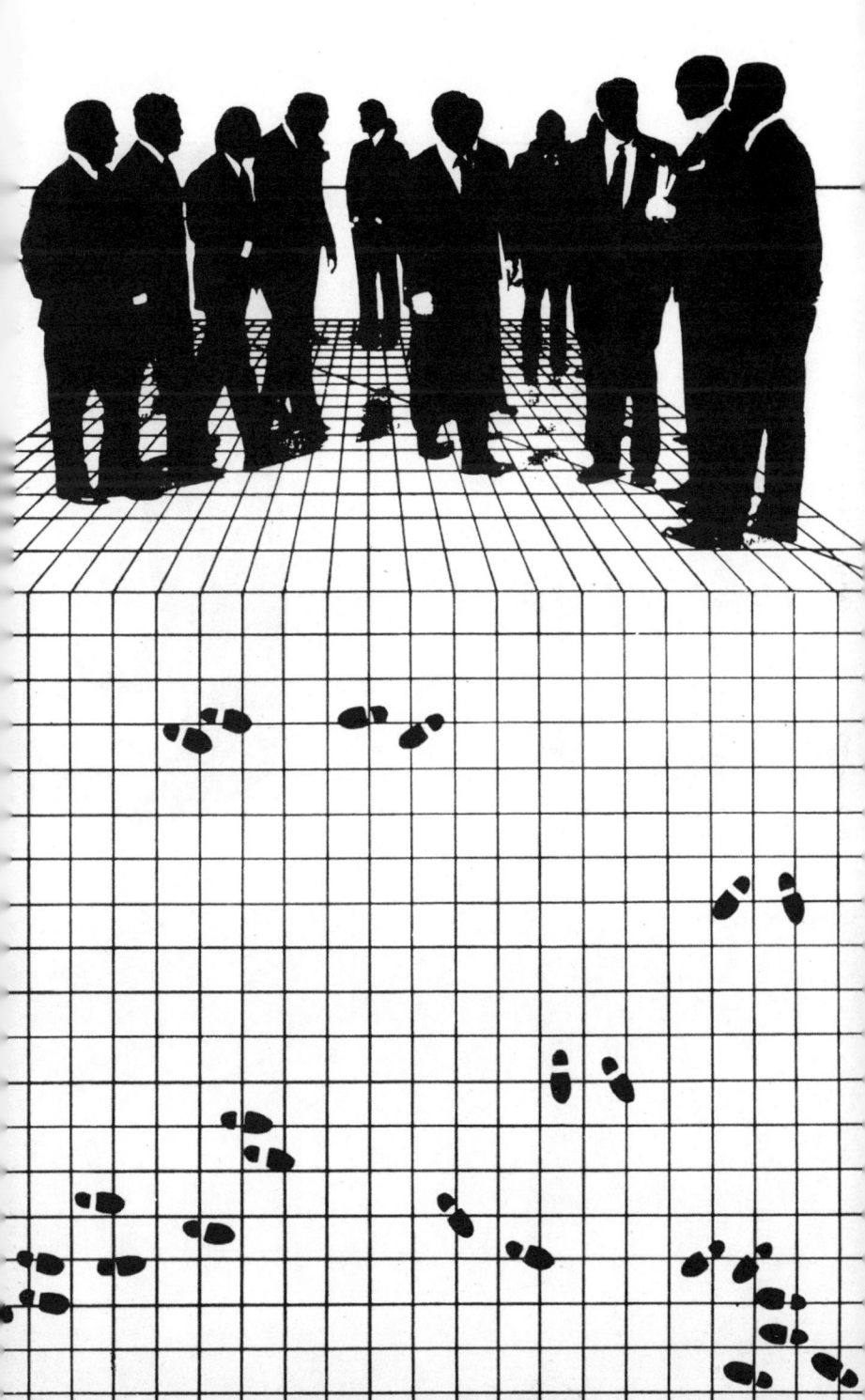

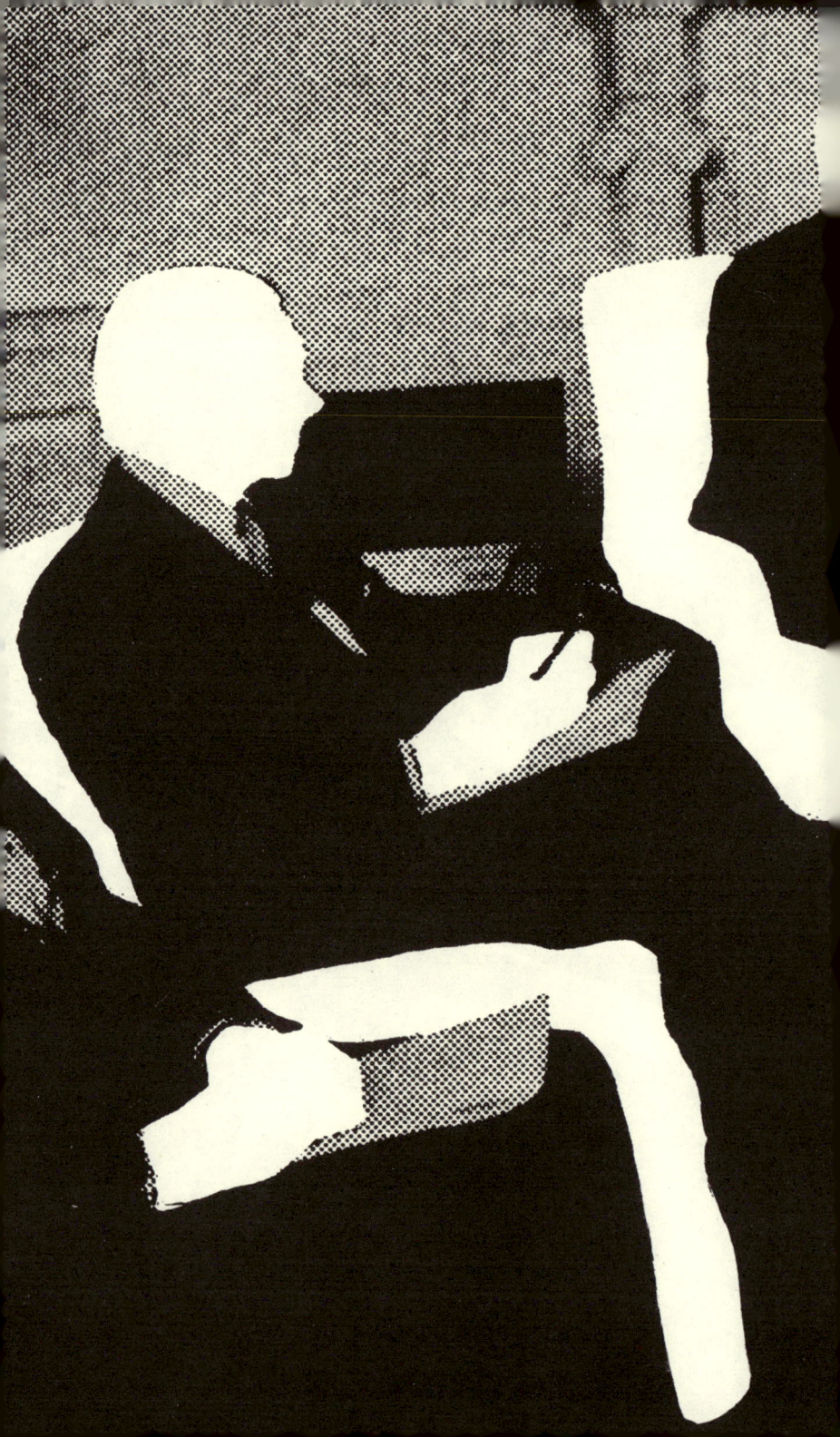

GEORGE ORWELL 1984

GEORGE ORWELL 1984

EDIÇÃO ESPECIAL

TRADUÇÃO
Alexandre Hubner
Heloisa Jahn

APRESENTAÇÃO E ORGANIZAÇÃO
Marcelo Pen

ENSAIO VISUAL
Regina Silveira

FORTUNA CRÍTICA
Golo Mann
Irving Howe
Raymond Williams
Thomas Pynchon
Homi K. Bhabha
Martha C. Nussbaum
Bernard Crick
George Packer

COMPANHIA DAS LETRAS

Copyright © by Espólio de Sonia Brownell Orwell
Copyright da fortuna crítica by Os autores
Todos os esforços foram feitos para contatar os detentores dos direitos autorais dos textos da fortuna crítica.

Grafia atualizada segundo o Acordo Ortográfico da Língua Portuguesa de 1990, que entrou em vigor no Brasil em 2009.

TÍTULO ORIGINAL
1984

TRADUÇÃO DA FORTUNA CRÍTICA
Denise Bottman/ Fernando Veríssimo ("Rumo a *1984*", de Thomas Pynchon)

ENSAIO VISUAL
Regina Silveira, Livro de artista, Offset, Edição de autor, São Paulo, 1977

CAPA E PROJETO GRÁFICO
Kiko Farkas e Felipe Sabatini / Máquina Estúdio

IMAGEM DA P. 21
Regina Silveira, Série Enigmas, 1982

IMAGENS DAS PP. 40 E 150
Regina Silveira, 15 Labirintos, Porto Rico, 1971

CAPAS DAS PP. 376 E 382
Cortesia de Arquivo Destino, © Editorial Planeta S.A.

FOTO DO AUTOR
Granger/ Alamy/ Fotoarena

PREPARAÇÃO
Ana Martini

REVISÃO
Jane Pessoa e Marina Nogueira

Dados Internacionais de Catalogação na Publicação (CIP)
(Câmara Brasileira do Livro, SP, Brasil)

Orwell, George, 1903-1950

    1984 / George Orwell; tradução Alexandre Hubner, Heloisa Jahn; apresentação e organização Marcelo Pen. — 1ª ed. — São Paulo: Companhia das Letras, 2019.

    "Com fortuna crítica"
    Título original: 1984.
    ISBN: 978-85-359-3296-6

    1. Ficção inglesa I. Pen, Marcelo. II. Título.

19-30628   CDD-823

Índice para catálogo sistemático:
1. Ficção : Literatura inglesa   823

Cibele Maria Dias – Bibliotecária – CRB-8/9427

6ª reimpressão

[2021]
Todos os direitos desta edição reservados à
EDITORA SCHWARCZ S.A.
Rua Bandeira Paulista, 702, cj. 32
04532-002 – São Paulo – SP
Telefone: (11) 3707-3500
www.companhiadasletras.com.br
www.blogdacompanhia.com.br
facebook.com/companhiadasletras
instagram.com/companhiadasletras
twitter.com/cialetras

ENSAIO VISUAL
REGINA SILVEIRA

24
APRESENTAÇÃO
1984: Recepção problemática
e o paradoxo do exílio
MARCELO PEN

1984

41   Parte 1

151   Parte 2

277   Parte 3

353   Apêndice: Os princípios da Novafala

369   ## *1984*: 70 ANOS EM CAPAS

FORTUNA CRÍTICA

386   *1984*
          GOLO MANN

394   *1984*: A história como pesadelo
          IRVING HOWE

414   *Mil novecentos e oitenta e quatro* em 1984:
          Como o romance nos ajuda a entender o ano?
          RAYMOND WILLIAMS

436   Rumo a *1984*
          THOMAS PYNCHON

456   O *duplifalar* e a minoria de um
          HOMI K. BHABHA

470   A morte da piedade:
          Orwell e a vida política americana
          MARTHA C. NUSSBAUM

500   *Mil novecentos e oitenta e quatro*:
          Contexto e controvérsia
          BERNARD CRICK

524   O *duplipensamento* é mais forte do que Orwell
          imaginava: O que *1984* significa atualmente
          GEORGE PACKER

535   **SOBRE O AUTOR E OS COLABORADORES**

APRESENTAÇÃO

1984: RECEPÇÃO PROBLEMÁTICA E O PARADOXO DO EXÍLIO

MARCELO PEN

Ninguém está verdadeiramente isento de tendências políticas. A opinião de que arte não deveria ter a ver com política é em si mesma uma atitude política.

GEORGE ORWELL, "Por que escrevo"[1]

Setenta anos depois de seu lançamento, a história da recepção de *1984* é quase tão intensa, tortuosa e controversa quanto a biografia de seu autor. George Orwell nasceu Eric Arthur Blair em Bengala, na Índia, onde seu pai trabalhava para o Departamento de Ópio do Serviço Público Indiano da Grã-Bretanha; estudou em instituições de elite e foi ele próprio durante cinco anos agente da polícia imperial na Birmânia; viveu com os miseráveis de Paris e Londres no final dos anos 1920; lutou pela causa republicana na Guerra Civil Espanhola ao lado de uma milícia minoritária de inspiração anarquista e trotskista, quando levou um tiro na garganta que quase lhe tirou a vida. Autointitulado socialista democrático, criticou o socialismo oficial da Inglaterra e denunciou o governo soviético, o que suscitou a desconfiança da esquerda britânica e dificultou a publicação, entre outros, de *A Fazenda dos Animais*. Escreveu *1984* em meio a crises de tuber-

[1] *Dentro da baleia e outros ensaios*. Org. de Daniel Piza. Trad. de José Antonio Arantes. São Paulo: Companhia das Letras, 2005.

culose, doença que o matou sete meses depois da publicação da obra. Tinha apenas 46 anos.

O romance obteve sucesso imediato. Até hoje, junto com *A Fazenda dos Animais*, vendeu quase 50 milhões de cópias em mais de sessenta países. Na época, o uso de 1984 como munição ideológica na Guerra Fria fez Orwell declarar: "Meu recente romance não consiste num ataque ao socialismo ou ao Partido Trabalhista Britânico (o qual apoio)". E completou que a escolha da Inglaterra como espaço onde se desenrola a ação serviria para mostrar que "*se não for combatido*, o totalitarismo pode triunfar em qualquer parte".[2] A alegação, somada a um comunicado de imprensa em que ele associa o totalitarismo gerado nos Estados Unidos ao americanismo, não impediu o incômodo da crítica progressista nem o impulso defensivo da crítica conservadora, a julgar, no segundo caso, pelos títulos dos ensaios de Christopher Hitchens, seu mais ferrenho apologista: *A vitória de Orwell*[3] e *Why Orwell Matters* [Por que Orwell tem importância].

A polêmica estende-se para o campo da teoria do conhecimento. Richard Rorty, por exemplo, baseia-se na ideia de que Orwell ofereceria, com 1984, um contexto e uma perspectiva alternativos (em oposição ao que seria a descrição de uma "realidade objetiva"), para defender sua tese de que o autor propõe relações a partir das quais podemos estabelecer nosso julgamento com base na ideia de solidariedade social e liberdade, e não no pressuposto de que, digamos, "a verdade está lá fora". Por outro lado, o filósofo James Conant assume posição contrária ao sugerir que o totalitarismo, na visão de Orwell, fundamenta-se em uma noção de "mentira institucionalizada", que nega qualquer possibilidade de liberdade de pensamento.[4]

---

2 Jeffrey Meyers, "Introduction". In: Id. (Org.), *George Orwell: The Critical Heritage*. Londres: Routledge, 1997, p. 24. (Os destaques são de Orwell.)
3 Trad. de Laura Teixeira Motta. São Paulo: Companhia das Letras, 2010.
4 Ver Richard Rorty, *Contingency, Irony, and Solidarity* (Cambridge: Cambridge University Press, 1989), e a resposta de James Conant, "Rorty and Orwell on Truth", em: Abbott Gleason, Jack Goldsmith e Martha C. Nussbaum (Orgs.), *On Nineteen Eighty-Four: Orwell And Our Future* (Princeton: Princeton University Press, 2005).

A controvérsia poderia soar acadêmica se não contivesse o germe de como 1984 costuma ser reavaliado nos dias atuais. Depois de Donald Trump prestar o juramento de investidura no cargo de presidente dos Estados Unidos diante de um grupo de apoiadores menor do que o esperado, sua assessoria de imprensa divulgou a notícia de que se tratou do "maior público jamais presente a uma cerimônia de posse". O argumento dos "fatos alternativos", empregado pela então conselheira do presidente para justificar a impostura, sem dúvida irritaria um defensor do senso comum e da evidência empírica, como Winston Smith. Como o irritariam a atual vigilância tecnológica ou o arsenal de fake news, que são acessadas, repassadas e entendidas como informação fidedigna. Ou o modo como a própria imprensa hoje se refere aos acontecimentos como narrativas, como se vivêssemos em meio a um acúmulo de versões divergentes diante das quais nosso único processo de adesão se dá por simpatia ou ideologia, uma perspectiva pragmática de mundo para a qual teóricos como Rorty decerto contribuíram.

Assim, o fantasma de alguma maneira deslocou-se da ameaça do totalitarismo — ou do fetichismo do Estado, na expressão de Irving Howe — para a sensação de que "o óbvio, o simplório, o verdadeiro" devem ser preservados. Se o fetichismo de Estado substituiu o fetichismo das mercadorias, viveríamos agora sob o fetichismo da alienação? Não deve ser coincidência que Dorian Lynskey tenha intitulado sua recente crônica sobre o romance de *O Ministério da Verdade*, referência ao órgão do governo do Grande Irmão responsável por destruir informações, falsear a história e propagar a mentira. "1984 continua sendo o livro ao qual nos voltamos quando a verdade é mutilada, a linguagem distorcida e o poder violado", afirma Lynskey, que salienta que as vendas do livro de Orwell dispararam 10 mil por cento em quatro dias após a afirmação da conselheira de Trump.[5]

E, se o debate compreende as áreas do direito, da psicologia, da história, das ciências sociais, muitas vezes com resultados conflitantes, o risco está em transformar Orwell em um "caso", como advertiu

---

[5] Dorian Lynskey, *The Ministry of Truth: The Biography of George Orwell's 1984*. Nova York: Doubleday, 2019, p. 13.

Raymond Williams em *Culture and Society*. "Nós viemos usando-o, desde sua morte, como base para uma discussão geral", observou ele, quase sessenta anos atrás.[6] Mas uma pergunta que também podemos fazer é se o romance não solicita que o debatamos, que constantemente o reatualizemos em função das urgências do momento. O que não significa que outras obras de valor para o pensamento ocidental, como a *Odisseia*, *Dom Quixote* ou *Dom Casmurro*, não possam ser historicamente reavaliadas e que delas se extraiam novos significados de acordo com o desenvolvimento histórico.

Poderíamos argumentar que *1984* ainda é relativamente recente diante dos outros exemplos, o que explica em parte a afirmação de Rorty de que os melhores romances de Orwell continuarão a ter apelo junto ao grande público na medida em que "descrevamos a política do século XX do modo como Orwell a descreveu". A despeito de opiniões contrárias, então, quem sabe essa não seria a nossa história? Quem sabe a diferença não estaria na intensidade com que a experimentamos, no sentido de que teríamos de tornar mais urgentes, por exemplo, as teses e os ensaios de Walter Benjamin sobre o conceito de história e o espírito humano, escritos nos anos 1930, para entender o nosso tempo? Vale ressaltar, aliás, que as famosas teses antifascistas de Benjamin foram redigidas quase no mesmo período em que Orwell viria a lutar na Espanha, um momento decisivo para moldar suas convicções e no qual, para muitos, encontram-se as sementes de *1984*.[7]

---

[6] Raymond Williams, *Culture and Society 1780-1950*. Nova York: Anchor, 1960, p. 304. [Ed. bras,: *Cultura e sociedade: De Coleridge a Orwell*. Trad. de Vera Joscelyne. Petrópolis: Vozes, 2011.]

[7] A ideia de que o acesso ao passado não se dá "tal como ele de fato foi", mas no ato de "apropriar-se de uma recordação como ela relampeja no momento de um perigo", por exemplo, é uma forma de entender o primeiro registro de Winston em seu diário: o gesto de uma mãe, judia, num bote com refugiados, envolvendo com os braços o filho pequeno, em uma tentativa inútil de protegê-lo contra os bombardeios. Ver: "Experiência e pobreza" e "Sobre o conceito de história", de Walter Benjamin, em *Obras escolhidas: Magia e técnica, arte e política* (São Paulo: Brasiliense, 2012).

Mas será que acessamos o romance da mesma maneira que lemos *O processo*, *O som e a fúria* ou *Grande sertão: veredas*? Há uma diferença na forma como as ideias ou opiniões são debatidas, ao modo de alguns romances russos do século XIX, ou mesmo, se quisermos, *Doutor Fausto*. Entretanto, mais do que detectar um dialogismo polifônico, o que encontramos muitas vezes em *1984* são monólogos. Quando algum personagem fala ou quando Winston tece suas considerações ou lê a *Teoria e prática do coletivismo oligárquico*, quase tudo mais se cala.[8]

Em certa medida, essa característica coincide com o argumento de vários críticos (como Williams, Ben Pimlott ou George Packer) de que há um forte componente ensaístico no livro, ou de que ele seria uma espécie de ensaio de não ficção disfarçado de ficção, o que também se associa à qualidade dos ensaios de Orwell, tendo em vista, entre outras, a afirmação de Howe de que o autor seria o melhor ensaísta britânico desde William Hazlitt. Por fim, devemos levar em consideração as palavras do próprio Orwell em "Por que escrevo", quando manifesta sua intenção, ao menos no que diz respeito aos dez últimos anos de sua vida, de "transformar escrita política em arte", acrescentando que a ausência de propósito político sempre o levou a escrever livros sem vida.[9]

1984 é tudo menos um livro sem vida. Podemos perdoar-lhe a simplicidade do enredo, a falta de profundidade psicológica das

---

8   Sobre o conceito de polifonia, dialogismo e plurilinguismo, ver Mikhail Bakhtin, *Problemas da poética de Dostoiévski* (Rio de Janeiro: Forense, 2013) e "O discurso no romance", em *Questões de literatura e de estética: A teoria do romance* (São Paulo: Annablume; Hucitec, 2002). Defendo que a dinâmica da cena final entre Winston e O'Brian também revela, no fundo, natureza diferente do diálogo, mas não a discutirei aqui.

9   Confira a fortuna crítica desta edição. O texto de Ben Pimlott pertence à edição de *1984* da Companhia das Letras publicada em 2009. Ver também: Irving Howe, "George Orwell: As the Bones Know", em *A Voice Still Heard: Selected Essays of Irving Howe* (New Haven: Yale University Press, 2014) e George Orwell, "Why I Write", em *Collected Essays* (Londres: Secker & Warburg, 1975), pp. 440 e 442.

personagens e mesmo algumas inverossimilhanças porque, afinal, não estamos lidando com um romance que se adéqua propriamente, em sua estrutura ampla (a despeito da defesa do próprio Orwell de que a prosa deva funcionar como uma vidraça), aos preceitos de um realismo ou naturalismo mais convencionais. Portanto, mais do que nos atermos à elaboração dos detalhes, sobretudo de qualidade sensorial (muito eficazes, a propósito) ou à descrição exaustiva do cotidiano sombrio e monótono, talvez devamos considerar o que Raymond Williams chamou de paradoxos do autor.

O primeiro deles (devemos estranhar?) nos é dado pelo pormenor realista: o vento das ruas, que, por mais que Winston Smith dele procure se esquivar, acaba soprando poeira para dentro do edifício onde mora o personagem, quando ele passa pelas portas de vidro da entrada. Se, para Williams, a poeira cáustica é o primeiro paradoxo (a grande tradição humana da democracia, da verdade e da cultura exposta pelos elementos como piada mordaz), eu diria que o vento em si constitui a primeira oscilação em uma notação de outro modo objetiva. Afinal, ele é descrito como "*vile*" (vil, perverso, cruel), uma qualidade humana, moralmente investida, na perspectiva tanto do herói quanto do narrador. Logo no parágrafo inicial, o vento adquire proporções simbólicas e políticas, sugerindo que *1984* ambiciona ser mais do que mera vidraça.

Na primeira nação a sofrer o choque do industrialismo, a matéria é poderosa e submete o sujeito a pressões extraordinárias. Como parte dessa tradição, Orwell sofreu esse tipo de pressão, mas viveu outras. De sorte que, para Williams, o efeito total de suas obras consiste em um efeito de paradoxo: "Ele foi um ser humano que comunicou um extremo de horror inumano". Na realidade, mais do que um paradoxo, uma série de paradoxos, cuja chave o crítico define depois como o "paradoxo do exílio". Trata-se de um exílio igualmente particular, o do sujeito que, privado dos meios para uma existência confortável ou rejeitando aqueles que a herdaram, encontra a sua medida de independência numa espécie de existência improvisada.[10]

---

10 Raymond Williams, *Culture and Society 1780-1950*, pp. 304-8.

Orwell rechaçou o imperialismo britânico ao qual serviu. Seu ódio ao totalitarismo deriva de sua experiência colonial. Mas, ainda que eu acredite que os fatos indiquem um quadro bem mais complexo (ele nunca cortou os laços com seus colegas de Eton e sua experiência como programador cultural na BBC entre 1941 e 1942 serviu-lhe como matéria para a criação do Ministério da Verdade), gostaria de perseguir um pouco a ideia por trás desse sentimento de exílio. Em outro contexto, Sérgio Buarque de Holanda definiu-o como a percepção de viver desterrado na própria terra.[11] Quero aqui relacioná-lo com o aspecto da linguagem.

George Orwell preocupava-se com a deterioração do seu idioma, como vemos, por exemplo, em "A política e a língua inglesa". Excluindo os aspectos mais normativos do ensaio de 1946 e a ideia um pouco ingênua de que o significado possa como que escolher a palavra a ser empregada pelo escritor, o que chama a atenção é sua preocupação com o que denomina "expressões prontas", frases feitas (*ready-made phrases*), que não apenas constroem uma sentença para quem escreve, mas até mesmo "pensam o pensamento" para ele.[12] Logo, mais do que a pobreza da língua, Orwell preocupa-se com a pobreza do pensamento que a língua padronizada, irrefletida causava, uma inquietação que revelaria sua face mais tenebrosa na ameaça da Novafala.

A mais poderosa arma para a abolição do pensamento independente e da reflexão crítica, a Novafala é o idioma que viria a substituir o inglês padrão, ou Velhafala. Por meio de uma série de mecanismos linguísticos implementados nessa língua fabricada, seria possível impedir qualquer ato de desobediência, pelo simples aniquilamento da ideia que leva à ação. A fala desvincula-se do pensamento, a articulação da consciência. E, se o roman-

---

11 Veja, a respeito das questões brasileiras, Sérgio Buarque de Holanda, *Raízes do Brasil* (São Paulo: Companhia das Letras, 2010), p. 31.
12 George Orwell, "Politics and the English Language", em *Collected Essays*. Ed. bras.: *Como morrem os pobres e outros ensaios*. Seleção de João Moreira Salles e Matinas Suzuki Jr. Trad. de Pedro Maia Soares. São Paulo: Companhia das Letras, 2001, p. 157.

ce vem coalhado de expressões da Novafala (a começar pelo nome do idioma, além dos termos "duplipensamento", "patofala", "desbom" e "despessoa"), ele de fato é vazado nos moldes da Velhafala, cujo vocabulário é por sinal descrito como "nosso" (*our own*), o que dá ensejo a algumas perguntas acerca do narrador e da temporalidade do romance.

Mais do que 1984, a data definitiva do romance é 2050, quando a Velhafala, o último elo com o passado, seria por fim suprimida. A supressão ocorreria quando se concluísse o trabalho de tradução para a Novafala e consequente desvirtuamento da literatura antiga, incluindo as obras de Milton, Swift, Byron e Dickens. Essa é parte da tradição orwelliana de que trata Williams, sendo também a do narrador. Sabemos que a ação do romance se passa no ano impreciso (o protagonista não tem certeza) e simbolicamente oposto (como se refletidos em um espelho, os dois últimos algarismos invertem os de 48, quando o romance foi escrito) de 1984, mas de onde fala o narrador, ou seja, em que espaço-tempo ele se encontra?

Como a maior parte dos verbos do apêndice "Princípios da Novafala" está no passado, muitos leitores de *1984*, como a escritora Margaret Atwood e o biógrafo Bernard Crick, acreditam que o romance sugira que o pior foi evitado. A conversão definitiva para a Novafala, a última fase do apagamento das mentes, nunca aconteceu. No entanto, falaria o narrador de um tempo seguro, posterior a 2050, ou, o que é mais provável, anterior a isso, ainda que nada nos conte sobre a derrocada do regime? O narrador afirma que "a história tinha sido reescrita", insinuando o avanço do projeto totalitário, mas observa que falhas do sistema permitiram a sobrevivência de fragmentos de literatura do passado, os quais "no futuro [...] se tornariam ininteligíveis e intraduzíveis". Algumas vezes percebemos o emprego de dêiticos — "agora (*now*)", "hoje em dia", "nossos dias" — associados à ininteligibilidade da Novafala: os vocábulos desse idioma seriam incompreensíveis "para os falantes do inglês de nossos dias" (no original, o vínculo soa mais forte: "*our own days*", os dias que nos são próprios, que nos *pertencem*).

O falante da Novafala não nos entenderia, nem nós o entendemos. Haveria uma cisão entre nós, criada pela linguagem. O narrador está de algum modo conosco e 2050 nunca ocorrerá na prática. É uma data hipotética, sinistra. Outra hipótese possível é que o apêndice apresente um outro narrador. Este, porém, assemelha-se muito ao principal, até certo ponto não apenas se sobrepondo a ele, mas ainda se intrometendo na narrativa, ao propor uma nota de rodapé justamente quando o colega de Winston, que trabalhava na preparação da nova edição do dicionário da Novafala, explica alguns dos princípios linguísticos do idioma. A nota convida o leitor que queira "saber mais" a interromper a leitura e seguir para o apêndice.

Em seu estudo *Origens do totalitarismo*, por vezes contraposto a *1984*, Hannah Arendt argumenta que o terror se baseia na solidão — distinta, segundo ela, do isolamento. Isolado, eu ainda me encontro comigo mesmo, uma companhia que garante que eu não perca contato com meus semelhantes; na solidão, esse meu próprio eu com quem me encontro me abandona, e fico solitário. Para ela, a solidão se associa ao desarraigamento das massas modernas, que se inicia com a Revolução Industrial e se intensifica com o imperialismo. Não sugiro que Orwell busque cortar raízes, mas proponho que as experiências vividas por ele no país que foi a vanguarda do industrialismo e cujo poder imperial ele conheceu de perto e tanto execrou o tornaram especialmente sensível aos regimes totalitários, cuja essência é a solidão.[13]

Sua condição também o levou ao exílio não apenas uma, mas várias vezes, o que lhe acentua a desconfiança, alguma paranoia e também um agudo senso de observação, como assinalou Williams. E tornou-o suscetível ao fenômeno da linguagem. A filósofa Barbara Cassin mostra como Arendt, refugiada do nazismo nos Estados Unidos, associa a língua à condição do exilado: a sua língua materna é o que, quando nada mais resta, ainda a conecta à terra natal.[14] Orwell viveu em outros paí-

---

[13] Hannah Arendt, *Origens do totalitarismo*. Trad. de Roberto Raposo. São Paulo: Companhia das Letras, 2006, pp. 527-8.

[14] Ver Barbara Cassin, *Nostalgia: When Are We Ever at Home?* (Nova York: Fordham University Press, 2016).

ses — Birmânia, Espanha, França — e chegou a aprender outras línguas, mas nunca abandonou o inglês e sempre regressou a seu país. Teria abandonado, porém, a condição de exilado? De alguma forma, ele parece sentir que o idioma do passado não é mais aquele falado por seus conterrâneos, quando adulto. Há uma cisão. E um perigo: que essa nova língua não represente mais o pensamento compromissado com a condição humana. Pior, que as expressões pré-fabricadas, que de certo modo podem ser associadas ao que Arendt chama de clichê e que ela conecta à banalidade do mal no nível da linguagem, comprometam a formação do raciocínio adequado, a energia do pensamento crítico.

O linguista e historiador da literatura francesa Victor Klemperer sabe o que isso quer dizer. Judeu casado com uma alemã, ele não apenas permaneceu na Alemanha durante o nazismo, como manteve o que denominou "Caderno de anotações do filólogo". Nele, transcreveu as mudanças impostas à língua alemã pela ideologia e propaganda nazista — controle esse que assegurou o triunfo do Terceiro Reich. A atividade clandestina de Klemperer, cujo "Caderno" é retirado de seus diários e no fundo constitui um diário, pode ser comparada à de Winston Smith.

Ambos escreveram com o objetivo de manter a sanidade, registrar a história e servir como testemunho do terror totalitário. Ambos precisaram ocultar os seus diários. Winston se pergunta para quem escreve, se para o futuro ou para o passado, para uma "época talvez imaginária". Klemperer apelida o seu diário de vara de equilibrista, sem a qual ele despencaria no abismo. Ele chama a linguagem do Reich de *Lingua Tertiii Imperii* ou LTI (língua do terceiro império), uma versão adulterada, corrompida e oca do alemão. Como a língua é responsável por dirigir mentalidades (para Arendt, a própria gramática é um modo de pensar), o filólogo investiga se em determinadas circunstâncias ela também não conteria traços de veneno, se as palavras não poderiam ser usadas como "minúsculas doses de arsênico", aparentemente inofensivas, embrenhando-se "na carne e no sangue das massas" dia após dia, até o momento em que o efeito se faz notar. A LTI não deixa de ser uma espécie de "Princípios da Novafala" assustadoramente real.[15]

Vale destacar certo fascínio do narrador com relação à Novafala, um cuidado que ultrapassa a fronteira do linguístico ao descrevê-la. Não há nada de errado nisso, em princípio. Ele não sucumbe a seu apelo venenoso, pois dirige o interesse a outra parte: às relações oriundas da tarefa do tradutor, a qual, mais do que qualquer obstáculo, obriga o governo a postergar a instauração definitiva do terror para 2050 e, no fim, parece derrotá-lo. A derrota se dá não porque a tradução seja inviável (nem que se converta o trecho da Declaração da Independência de Thomas Jefferson em termos de "pensamento-crime"), mas porque o próprio ato de traduzir corrói os alicerces do domínio total.

De acordo com Arendt, a correspondência entre as línguas, possibilitada pela tradução (ou pelo estudo do idioma estrangeiro), chama a atenção para algo que nos escapa na "genuína essência das coisas que produzimos e nomeamos", em suma, para a "equivocidade vacilante do mundo".[16] O exilado carrega consigo a consciência desse estado frágil, vacilante, multívoco do mundo.

---

[15] Publicado originalmente em 1947, o "Caderno" recebeu no Brasil o título *LTI: A Linguagem do Terceiro Reich* (São Paulo: Contraponto, 2009). Em sua introdução, a tradutora Miriam Bettina Paulina Oelsner explica que o estudo de filologia nazista empreendido por Klemperer mostra como "o significado das palavras foi desvirtuado; [...] a camada social cultural e instruída foi desvalorizada, estimulando o desinteresse cultural; o significado da palavra filosofia foi esvaziado por causa do perigo que o exercício do livre-pensar poderia suscitar". Entre as refrações semânticas e adulterações morfológicas, Klemperer nota a ampliação do uso do prefixo "ent-", que indica o seu contrário, como em *entdunkeln* (des-obscurecer) ou *entbittern* (des-amargar). Semelhante tanto ao nosso "des-" quanto ao inglês "*un-*", o prefixo lembra a tentativa da Novafala de formar palavras a partir do seu oposto: "desbom" (*ungood*) para ruim ou "despessoa" (*unperson*) para designar gente desaparecida, "abolida", cujo registro é apagado da história.

[16] Apud Barbara Cassin, *Nostalgia: When Are We Ever at Home?*, pp. 57-8.

Ser de fronteira, nem daqui nem de lá, ele enxerga mais. Winston desconfia que o colega dicionarista será expurgado. Haveria nele um entusiasmo com a tarefa da destruição das palavras, que parece exceder a conveniência do cargo. "Um dia ele vai desaparecer", pensa. "Está escrito na cara dele." Estranho uso de palavra: o bíblico "estar escrito". É evidente, pois é a lei. Mas também: o zelo lexicográfico se grava no rosto, como tatuagem. Pode ser que o tradutor esteja a priori condenado, como um personagem de Kafka. Mas a tarefa da tradução em si acaba também por condenar o caráter unívoco, absolutista do projeto totalitário. É mais um dos paradoxos de Orwell.

1984

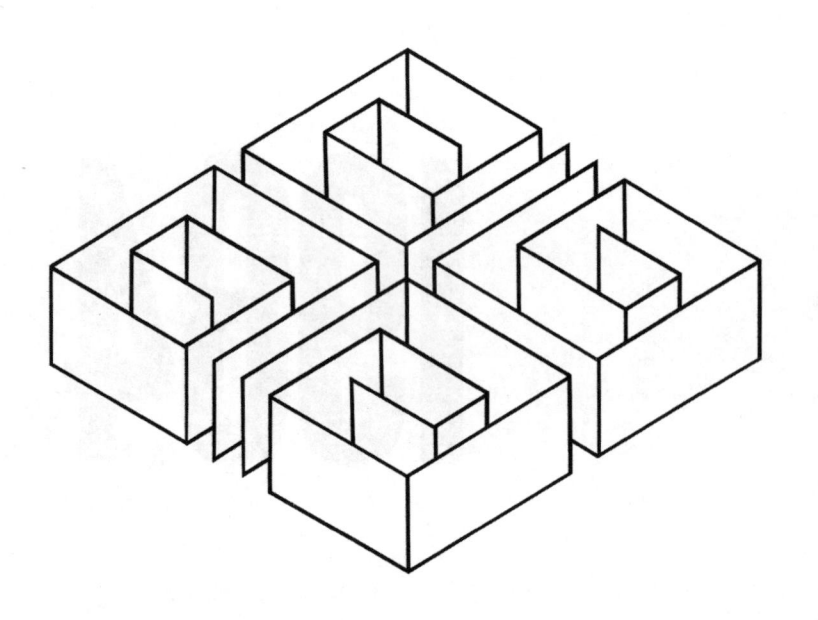

PARTE 1

I.

Era um dia frio e luminoso de abril, e os relógios davam treze horas. Winston Smith, queixo enfiado no peito no esforço de esquivar-se do vento cruel, passou depressa pelas portas de vidro das Mansões Victory, mas não tão depressa que evitasse a entrada de uma lufada de poeira arenosa junto com ele.

O vestíbulo cheirava a repolho cozido e a velhos capachos de pano trançado. Numa das extremidades, um pôster colorido, grande demais para ambientes fechados, estava pregado na parede. Mostrava simplesmente um rosto enorme, com mais de um metro de largura: o rosto de um homem de uns quarenta e cinco anos, de bigodão preto e feições rudemente agradáveis. Winston avançou para a escada. Não adiantava tentar o elevador. Mesmo quando tudo ia bem, era raro que funcionasse, e agora a eletricidade permanecia cortada enquanto houvesse luz natural. Era parte do esforço de economia durante os preparativos para a Semana do Ódio. O apartamento ficava no sétimo andar e Winston, com seus trinta e nove anos e sua úlcera varicosa acima do tornozelo direito, subiu devagar, parando para descansar várias vezes durante o trajeto. Em todos os patamares, diante da porta do elevador,

O pôster com o rosto enorme fitava-o da parede. Era uma dessas pinturas realizadas de modo a que os olhos o acompanhem sempre que você se move. O GRANDE IRMÃO ESTÁ DE OLHO EM VOCÊ, dizia o letreiro, embaixo.

No interior do apartamento, uma voz agradável lia alto uma relação de cifras que de alguma forma dizia respeito à produção de ferro-gusa. A voz saía de uma placa oblonga de metal semelhante a um espelho fosco, integrada à superfície da parede da direita. Winston girou um interruptor e a voz diminuiu um pouco, embora as palavras continuassem inteligíveis. O volume do instrumento (chamava-se teletela) podia ser regulado, mas não havia como desligá-lo completamente. Winston foi para junto da janela: o macacão azul usado como uniforme do Partido não fazia mais que enfatizar a magreza de seu corpo frágil, miúdo. Seu cabelo era muito claro, o rosto naturalmente sanguíneo, a pele áspera por causa do sabão ordinário, das navalhas cegas e do frio do inverno que pouco antes chegara ao fim.

Fora, mesmo visto através da vidraça fechada, o mundo parecia frio. Lá embaixo, na rua, pequenos rodamoinhos de vento formavam espirais de poeira e papel picado e, embora o sol brilhasse e o céu fosse de um azul áspero, a impressão que se tinha era de que não havia cor em coisa alguma a não ser nos pôsteres colados por toda parte. Não havia lugar de destaque que não ostentasse aquele rosto de bigode negro a olhar para baixo. Na fachada da casa logo do outro lado da rua, via-se um deles. O GRANDE IRMÃO ESTÁ DE OLHO EM VOCÊ, dizia o letreiro, enquanto os olhos escuros pareciam perfurar os de Winston. Embaixo, no nível da rua, outro pôster, esse com um dos cantos rasgado, adejava operosamente ao vento, ora encobrindo, ora expondo uma palavra solitária: Socing. Ao longe, um helicóptero, voando baixo sobre os telhados, pairou um instante como uma libélula e voltou a afastar-se a grande velocidade, fazendo uma curva. Era a patrulha policial, bisbilhotando pelas janelas das pessoas. As patrulhas, contudo, não eram um problema. O único problema era a Polícia das Ideias.

Por trás de Winston, a voz da teletela continuava sua lenga-lenga infinita sobre o ferro-gusa e o total cumprimento — com folga — das metas do Nono Plano Trienal. A teletela recebia e transmitia simultaneamente. Todo som produzido por Winston que ultrapassasse o nível de um sussurro muito discreto seria captado por ela; mais: enquanto Winston permanecesse no campo de visão enquadrado pela placa de metal, além de ouvido também poderia ser visto. Claro, não havia como saber se você estava sendo observado num momento específico. Tentar adivinhar o sistema utilizado pela Polícia das Ideias para conectar-se a cada aparelho individual ou a frequência com que o fazia não passava de especulação. Era possível inclusive que ela controlasse todo mundo o tempo todo. Fosse como fosse, uma coisa era certa: tinha meios de conectar-se a seu aparelho sempre que quisesse. Você era obrigado a viver — e vivia, em decorrência do hábito transformado em instinto — acreditando que todo som que fizesse seria ouvido e, se a escuridão não fosse completa, todo movimento examinado meticulosamente.

Winston mantinha as costas voltadas para a teletela. Era mais seguro; contudo, como sabia muito bem, mesmo as costas de uma pessoa podem ser reveladoras. A um quilômetro de distância, o Ministério da Verdade, onde ele trabalhava, erguia-se vasto e branco por sobre a paisagem encardida. Aquela, pensou com uma espécie de contrariedade difusa, aquela era Londres, principal cidade da Faixa Aérea Um, terceira mais populosa das províncias da Oceânia. Tentou localizar alguma lembrança de infância que lhe dissesse se Londres sempre fora assim. Será que sempre houvera aquele cenário de casas do século XIX caindo aos pedaços, paredes laterais escoradas com vigas de madeira, janelas remendadas com papelão, telhados reforçados com chapas de ferro corrugado, decrépitos muros de jardins adernando em todas as direções? E os lugares bombardeados, onde o pó de gesso dançava no ar e a salgueirinha crescia e se espalhava sobre as pilhas de entulho? E os locais onde as bombas haviam aberto clareiras maiores e onde tinham brotado colônias sórdidas de cabanas de madeira que mais pareciam galinheiros? Não adiantava, ele não conseguia se lembrar. Tudo o que lhe ficara da infância era uma série de tableaux superiluminados, desprovidos de paisagem de fundo e quase sempre ininteligíveis.

O Ministério da Verdade — Miniver, em Novafala* — era extraordinariamente diferente de todos os outros objetos à vista. Era uma enorme estrutura piramidal de concreto branco cintilante, erguendo-se, terraço após terraço, trezentos metros espaço acima. Do lugar onde Winston estava mal dava para ler, escarvados na parede branca em letras elegantes, os três slogans do Partido:

GUERRA É PAZ
LIBERDADE É ESCRAVIDÃO
IGNORÂNCIA É FORÇA

Comentava-se que o Ministério da Verdade continha três mil salas acima do nível do solo e ramificações equivalentes abaixo. Em Londres havia somente três outros edifícios de aparência e dimensões equivalentes. Eles tinham o efeito de reduzir tão drasticamente a arquitetura circundante que do telhado das Mansões Victory era possível avistar os quatro ao mesmo tempo. Eram as sedes dos quatro ministérios entre os quais se dividia a totalidade do aparato governamental. O Ministério da Verdade, responsável por notícias, entretenimento, educação e belas-artes. O Ministério da Paz, responsável pela guerra. O Ministério do Amor, ao qual cabia manter a lei e a ordem. E o Ministério da Pujança, responsável pelas questões econômicas. Seus nomes, em Novafala: Miniver, Minipaz, Minamor e Minipuja.

Desses, o realmente apavorante era o Ministério do Amor. O edifício não tinha nenhuma janela. Winston nunca entrara no Ministério do Amor, nunca chegara nem a meio quilômetro de distância. Era impossível entrar no prédio sem uma justificativa oficial, e mesmo nesses casos só transpondo um labirinto de novelos de arame farpado, portas de aço e ninhos ocultos de metralhadora. Mesmo as ruas que levavam até as barreiras externas eram percorridas por guardas com cara de gorila vestindo fardas negras e armados de cassetetes articulados.

---

* Novafala era o idioma oficial da Oceânia. Para saber mais sobre sua estrutura e etimologia, ver Apêndice.

Winston virou-se abruptamente. Compusera a própria fisionomia de modo a ostentar a expressão de tranquilo otimismo que convinha ter no rosto sempre que se encarasse a teletela. Atravessou a sala e entrou na minúscula cozinha. Para poder sair do Ministério naquele horário, sacrificara o almoço na cantina; sabia que o único alimento existente na cozinha era um naco de pão escuro que só seria consumido no café da manhã do dia seguinte. Tirou da prateleira uma garrafa de líquido incolor com uma simples etiqueta branca onde se lia GIM VICTORY. A bebida exalava um odor oleoso enjoativo semelhante ao da aguardente de arroz dos chineses. Winston serviu-se de pouco menos de uma xícara de chá, preparou-se para o impacto e engoliu o líquido como quem toma uma dose de remédio.

No mesmo instante seu rosto ficou rubro e lágrimas começaram a escorrer-lhe dos olhos. A substância parecia ácido nítrico e ao engoli-la a pessoa tinha a sensação de receber um golpe de cassetete na nuca. Logo em seguida, porém, a ardência no ventre esmoreceu e o mundo começou a parecer mais prazeroso. Tirou um cigarro de um maço amarrotado onde estava escrito CIGARROS VICTORY e imprudentemente segurou-o na vertical, o que fez com que o recheio de tabaco caísse ao chão. Na tentativa seguinte teve mais sorte. Voltou para a sala de estar e sentou-se junto a uma mesinha que ficava à esquerda da teletela. Abriu a gaveta da mesa e tirou um porta-penas, um vidro de tinta e um caderno grosso, formato in-quarto, sem nada escrito, de lombada vermelha e capa marmorizada.

Por alguma razão, a teletela da sala de estar ocupava uma posição atípica. Em vez de estar instalada, como de hábito, na parede do fundo, de onde podia controlar a sala inteira, ficava na parede mais longa, oposta à janela. Em um de seus lados havia uma reentrância pouco profunda na qual Winston estava agora instalado e que na época da construção dos apartamentos provavelmente se destinava a abrigar uma estante de livros. Sentando-se na reentrância e permanecendo bem ao fundo, Winston conseguia ficar fora do alcance da teletela, pelo menos no que dizia respeito à visão. Podia ser ouvido, claro, mas enquanto se mantivesse naquela posição não podia ser visto. Em parte fora a topografia pouco usual do aposento que lhe dera a ideia de fazer a coisa que estava prestes a fazer.

Mas essa coisa também lhe fora sugerida pelo caderno que acabara de tirar da gaveta. Era um caderno singularmente bonito. Seu papel acetinado, cor de creme, um pouco amarelecido pela idade, era de um tipo que já não se fabricava havia pelo menos quarenta anos. Dava para imaginar, porém, que o caderno era muito mais velho do que isso. Vira-o exposto na vitrine de uma lojinha de badulaques desmazelada de um setor miserável da cidade (qual setor, exatamente, já não se recordava) e fora no mesmo instante tomado pelo desejo avassalador de possuí-lo. Supunha-se que os membros do Partido não frequentassem estabelecimentos comerciais comuns ("dedicados ao livre comércio", diziam), mas a regra não era obedecida com rigor porque havia diversas coisas, por exemplo cadarço de sapato e lâmina de barbear, impossíveis de serem obtidas de outra forma. Depois de olhar rapidamente para os dois lados da rua, Winston se enfiara na loja e comprara o caderno por dois dólares e meio. Na ocasião, não tinha consciência de querê-lo para alguma coisa específica. Cheio de culpa, levara-o para casa dentro da pasta. Mesmo sem nada escrito nele, aquele era um bem comprometedor.

A coisa que estava prestes a fazer era começar um diário. Não que isso fosse ilegal (nada era ilegal, visto que já não existiam leis), mas se o fato fosse descoberto era praticamente certo que o punissem com a morte ou com pelo menos vinte e cinco anos de prisão em algum campo de trabalhos forçados. Winston encaixou uma pena no porta-penas e chupou-a para remover a graxa. A pena era um instrumento arcaico, pouco usado inclusive para assinaturas, e ele obtivera aquela, furtivamente e com alguma dificuldade, só por ter sentido que o belo papel creme merecia que escrevessem nele com uma pena de verdade, em vez de ser rabiscado com lápis-tinta. Na verdade, Winston não estava habituado a escrever à mão. Exceto no caso de um ou outro bilhete muito curto, o hábito era ditar tudo ao ditógrafo, o que, evidentemente, não se aplicava à circunstância presente. Mergulhou a caneta na tinta e vacilou por um segundo. Suas entranhas foram percorridas por um estremecimento. Marcar o papel era o ato decisivo. Em letras miúdas, desajeitadas, escreveu:

4 de abril de 1984.

Recostou-se na cadeira. Estava possuído por uma sensação de absoluto desamparo. Para começar, não sabia com certeza se *estava mesmo* em 1984. Devia ser por aí, visto que estava seguro de ter trinta e nove anos e acreditava ter nascido em 1944 ou 1945; mas nos tempos que corriam era impossível precisar uma data sem uma margem de erro de um ou dois anos.

Para quem, ocorreu-lhe perguntar-se de repente, estava escrevendo aquele diário? Para o futuro, para os não nascidos. Sua mente deu voltas por um momento em torno da data duvidosa na página, depois, com um solavanco, colidiu com um termo em Novafala: *duplipensamento*. Pela primeira vez deu-se conta da dimensão de seu projeto. Como fazer para comunicar-se com o futuro? Era algo impossível por natureza. Ou bem o futuro seria semelhante ao presente e não daria ouvidos ao que ele queria lhe dizer, ou bem seria diferente e sua iniciativa não faria sentido.

Ficou sentado por algum tempo contemplando estupidamente o papel. A teletela passara a transmitir uma música militar estridente. Estranho, parecia não apenas ter perdido a capacidade de se expressar, como inclusive ter esquecido o que originalmente pretendia dizer. Durante semanas se preparara para aquele momento e jamais lhe passara pela cabeça que pudesse ter necessidade de alguma outra coisa que não coragem. Escrever, em si, seria fácil. Bastava transferir para o papel o monólogo infinito e incansável que ocupava o interior de sua cabeça havia anos, literalmente. Naquele momento, porém, mesmo o monólogo estancara. Para rematar, sua úlcera varicosa começara a comichar, uma coisa torturante. Não ousava coçar-se, porque sempre que fazia isso a úlcera inflamava. Os segundos se sucediam. Só estava consciente da página vazia diante dele, da comichão na pele acima do tornozelo, do clangor da música e de uma leve tontura provocada pelo gim.

De repente começou a escrever de puro pânico, percebendo apenas de modo impreciso o que ia anotando. Sua letra miúda, infantil, se espalhava pela página em linhas incertas, abandonando primeiro as maiúsculas, depois até mesmo os pontos-finais.

4 de abril de 1984. Ontem à noite cineminha. Só filme de guerra. Um muito bom do bombardeio de um navio cheio de refugiados em algum lugar do Mediterrâneo. Público achando muita graça nos tiros dados num gordão que tentava nadar para longe perseguido por um helicóptero. primeiro ele aparecia chafurdando na água como um golfinho, depois já estava todo esburacado e o mar em volta ficou rosa e ele afundou tão de repente que parecia que a água tinha entrado pelos buracos. público urrando de tanto rir quando ele afundou. depois aparecia um bote salva-vidas cheio de crianças com um helicóptero pairando logo acima. tinha uma mulher de meia-idade talvez uma judia sentada na proa com um garoto de uns três anos no colo. garoto chorando de medo e escondendo a cabeça entre os seios dela como se tentasse se enterrar nela e a mulher envolvendo o garoto com os braços e tentando acalmá-lo só que ela mesma estava morta de medo, e o tempo todo cobria o garoto o máximo possível como se achasse que seus braços iam conseguir protegê-lo das balas. aí o helicóptero largou uma bomba de vinte quilos bem no meio deles clarão terrível e o bote virou um monte de gravetos. depois uma tomada sensacional de um braço de criança subindo subindo pelo ar um helicóptero com uma câmera no nariz deve ter acompanhado o braço subindo e muita gente aplaudiu nos assentos do partido mas uma mulher sentada no meio dos proletas de repente começou a criar caso e a gritar que eles não tinham nada que mostrar aquilo não na frente das crianças não deviam não era direito não na frente das crianças não era até que a polícia botou ela botou pra fora acho que não aconteceu nada com ela ninguém dá a mínima para o que os proletas falam típica reação de proleta eles nunca...

Winston parou de escrever, em parte porque estava com cãibra. Não sabia o que o levara a derramar aquela torrente de idiotices.

Mas o estranho era que enquanto ele fazia aquilo uma lembrança completamente diferente se definira em sua mente, a tal ponto que quase decidira registrá-la. Fora por causa desse outro incidente, percebia agora, que tomara a decisão repentina de ir para casa e começar o diário.

Acontecera naquela manhã no Ministério, se é que se podia dizer que algo assim tão nebuloso pudesse ser chamado de acontecimento.

Eram quase onze da manhã, e no Departamento de Documentação, onde Winston trabalhava, já arrastavam as cadeiras para fora das estações de trabalho para reuni-las no centro do salão, na frente da grande teletela, nos preparativos para os Dois Minutos de Ódio. Winston estava a ponto de se instalar em uma das fileiras centrais, quando de repente duas pessoas a quem conhecia de vista mas com quem nunca trocara uma só palavra entraram no aposento. Uma delas era uma garota com quem muitas vezes cruzava nos corredores. Não sabia seu nome, porém sabia que trabalhava no Departamento de Ficção. Supunha — já que a vira algumas vezes com as mãos sujas de óleo e munida de uma chave inglesa — que tivesse uma função de caráter mecânico em alguma das máquinas romanceadoras. Era uma garota de ar provocador, de uns vinte e sete anos, abundante cabelo preto, rosto sardento e movimentos bruscos, atléticos. Trazia uma faixa estreita, escarlate, símbolo da Liga Juvenil Antissexo, enrolada na cintura por cima do macacão, de modo a evidenciar sutilmente as formas harmoniosas de seus quadris. Winston sentira aversão por ela desde o primeiríssimo momento em que a vira. Sabia a razão. Era por causa da atmosfera de quadras de hóquei, banhos frios, caminhadas comunitárias e mente impoluta que, por alguma razão, a impregnava. Sentia aversão por quase todas as mulheres, sobretudo as jovens e bonitas. Os adeptos mais fanáticos do Partido, os devoradores de slogans, os espiões amadores e os farejadores de inortodoxia eram sempre mulheres, sobretudo as jovens. Mas aquela garota em especial lhe dava a impressão de ser mais perigosa do que a maioria. Numa ocasião em que os dois haviam se cruzado no corredor ela lhe dirigira um rápido olhar enviesado que parecera perfurar seu corpo e por um instante o deixara tomado do mais profundo horror. Passara-lhe pela cabeça, inclusive, que ela devia ser uma agente da Polícia das Ideias.

Isso, na verdade, era muito improvável. Mesmo assim ele continuava a sentir um desconforto esquisito, uma mistura de medo e hostilidade, sempre que ela estava por perto.

A outra pessoa era um homem chamado O'Brien, membro do Núcleo do Partido e ocupante de um cargo tão importante e remoto que Winston fazia apenas uma vaga ideia de qual fosse sua natureza. Por um momento, ao ver o macacão negro de um membro do Núcleo do Partido se aproximar, o grupo de pessoas que cercavam as cadeiras ficou em silêncio. O'Brien era um homem grande, corpulento, de pescoço grosso e rosto rude, jocoso, brutal. A despeito da aparência imponente, seu estilo não era desprovido de sedução. Tinha um jeito de reposicionar os óculos no alto do nariz que era curiosamente desarmante — de um modo impossível de definir, curiosamente civilizado. Era um gesto que, caso ainda fosse possível alguém pensar nestes termos, talvez lembrasse um nobre inglês do século XVIII oferecendo a caixa de rapé. Winston cruzara com O'Brien uma dúzia de vezes, talvez, ao longo de um número quase igual de anos. Sentia-se intensamente atraído por ele, e não apenas porque o contraste entre seus modos educados e seu físico de combatente de elite o intrigasse. Era muito mais em razão de uma crença secreta — talvez nem chegasse a ser crença, talvez fosse apenas uma esperança —: a de que a ortodoxia política de O'Brien não era impecável. Alguma coisa no rosto do outro o fazia acreditar piamente nisso. E, de novo, talvez não fosse nem inortodoxia o que estava escrito naquele rosto, mas tão só inteligência. Por isso ou por aquilo, O'Brien parecia ser uma pessoa com quem se podia conversar, se por acaso fosse possível lograr a teletela e ficar a sós com ele. Winston nunca fizera o menor esforço para tirar sua dúvida a limpo: na verdade, não havia como fazê-lo. Naquele momento O'Brien dirigiu os olhos para o relógio de pulso, viu que já eram quase onze horas e, óbvio, resolveu ficar no Departamento de Documentação até o término dos Dois Minutos de Ódio. Ocupou um assento na mesma fileira em que estava Winston, a dois lugares de distância. Uma mulher franzina, de cabelo ruivo, que trabalhava no cubículo vizinho ao de Winston, estava sentada entre os dois. A garota de cabelo escuro estava logo atrás.

Pouco depois um guincho pavoroso, estridente, como o som produzido por alguma máquina monstruosa girando sem lubrificação, escapou da vasta teletela posicionada no fundo da sala. Era um barulho que mexia com os nervos da pessoa e arrepiava os cabelos da nuca. O Ódio havia começado.

Como de costume, o rosto de Emmanuel Goldstein, o Inimigo do Povo, surgira na tela. Ouviram-se assobios em vários pontos da plateia. A mulher ruiva e franzina soltou um guincho em que medo e repugnância se fundiam. Goldstein era o renegado e apóstata que um dia, muito tempo antes (quanto tempo, exatamente, era coisa de que ninguém se lembrava), fora uma das figuras destacadas do Partido, quase tão importante quanto o próprio Grande Irmão, e que depois se entregara a atividades contrarrevolucionárias, fora condenado à morte e em seguida fugira misteriosamente e sumira do mapa. A programação de Dois Minutos de Ódio variava todos os dias, mas o principal personagem era sempre Goldstein. Ele era o traidor original, o primeiro conspurcador da pureza do Partido. Todos os crimes subsequentes contra o Partido, todas as perfídias, sabotagens, heresias, todos os desvios eram resultado direto de sua pregação. Desta ou daquela maneira ele continuava vivo e maquinando seus conluios: talvez em algum lugar do outro lado do mar, talvez até sob a proteção de seus benfeitores estrangeiros — era o que se dizia ocasionalmente — em algum esconderijo na própria Oceânia.

O diafragma de Winston estava contraído. Ele era incapaz de olhar para o rosto de Goldstein sem ser invadido por uma dolorosa combinação de emoções. Era um rosto judaico chupado, envolto por uma vasta lanugem de cabelo branco e munido de um pequeno cavanhaque — um rosto inteligente e apesar disso, por alguma razão, inerentemente desprezível, com uma espécie de tolice senil no longo nariz esguio, onde se equilibrava um par de óculos já perto da ponta. Parecia a cara de uma ovelha, e a voz, também, tinha uma qualidade algo ovina. Goldstein bradava seu discurso envenenado de sempre sobre as doutrinas do Partido — um discurso tão exagerado e perverso que não servia nem para enganar uma criança, e ao mesmo tempo suficientemente plausível para fazer com que o ouvinte fosse tomado pela sensação alarmada de que outras pessoas menos equilibradas do que ele próprio poderiam ser iludidas pelo que estava sendo afirmado. Goldstein atacava o Grande Irmão, denunciava a ditadura do Partido, exigia a imediata celebração da paz com a Eurásia, defendia a liberdade de expressão, a liberdade de imprensa, a liberdade de reunião, a liberdade de pensamento, gritava histericamente que a revolução fora traída — e tudo isso num rápido discurso polissilábico que era uma espécie de paródia do estilo habitual dos oradores do Partido, inclusive com palavras em Novafala: mais palavras em Novafala, aliás, do que qualquer membro do Partido costumava usar na vida real. E o tempo todo, para que ninguém alimentasse uma dúvida sequer sobre a realidade encoberta pela lenga-lenga especiosa de Goldstein, por trás de sua cabeça, na teletela, desfilavam as colunas intermináveis do exército eurasiano — fileira após fileira de homens de aspecto sólido e fisionomias asiáticas desprovidas de expressão, que emergiam na superfície da tela e desapareciam, para ser substituídos por outros exatamente iguais. O rumor abafado e ritmado das botas dos soldados formava o pano de fundo para a voz de trombone de Goldstein.

Não fazia nem meio minuto que o Ódio havia começado e metade das pessoas presentes no salão já começara a emitir exclamações incontroláveis de fúria. Impossível tolerar a visão do rosto ovino repleto de empáfia na tela e o poder aterrador do exército eurasiano logo atrás. Além disso, a visão ou mesmo a ideia de Goldstein produziam automaticamente medo e ira. Ele era um objeto de ódio ainda mais constante do que a Eurásia ou a Lestásia, já que sempre que a Oceânia entrava em guerra com uma dessas potências, costumava estar em paz com a outra. O estranho, porém, era que embora Goldstein fosse odiado e desprezado por todos, embora todos os dias, e mil vezes por dia, nos palanques, nas teletelas, nos jornais, nos livros, suas teorias fossem refutadas, esmagadas, ridicularizadas, expostas ao escárnio geral como o lixo lamentável que eram, apesar disso tudo, o ritmo de crescimento de sua influência parecia nunca arrefecer. Sempre havia novos trouxas à espera de ser seduzidos por ele. Não se passava um dia sem que espiões e sabotadores agindo a seu serviço fossem desmascarados pela Polícia das Ideias. Ele era o comandante de um vasto exército nas sombras, uma rede clandestina de conspiradores dedicados à derrubada do Estado. A Confraria, esse era seu suposto nome. Também circulavam histórias sobre um livro terrível, um compêndio de todas as heresias, do qual Goldstein era o autor e que circulava clandestinamente aqui e ali. Um livro sem título. Quando queriam referir-se a ele, as pessoas diziam apenas *o livro*. Mas só se tomava conhecimento dessas coisas por intermédio de boatos imprecisos. Nem a Confraria nem *o livro* eram assuntos que um membro comum do Partido estivesse inclinado a mencionar se pudesse evitá-lo.

Em seu segundo minuto, o Ódio virou desvario. As pessoas pulavam em seus lugares, gritando com toda a força de seus pulmões no esforço de afogar a exasperante voz estentórea que saía da tela. A mulher esguia e ruiva adquirira uma tonalidade rosa-vivo, e sua boca se abria e se fechava como a boca de um peixe fora d'água. Mesmo o rosto severo de O'Brien ficara rubro. Ele estava sentado muito ereto na cadeira; seu peito vigoroso estufava e estremecia como se estivesse enfrentando uma vaga. A garota de cabelo escuro sentada atrás de Winston começara a gritar "Porco! Porco! Porco!", e de repente apanhou um pesado dicionário de Novafala e arremessou-o contra a tela. O livro bateu no nariz de Goldstein e despencou: a voz, inexorável, prosseguia. Num momento de lucidez, Winston constatou estar berrando junto com os outros e percebeu que golpeava violentamente a trave de sua cadeira com os calcanhares. O mais horrível dos Dois Minutos de Ódio não era o fato de a pessoa ser obrigada a desempenhar um papel, mas de ser impossível manter-se à margem. Depois de trinta segundos, já não era preciso fingir. Um êxtase horrendo de medo e sentimento de vingança, um desejo de matar, de torturar, de afundar rostos com uma marreta, parecia circular pela plateia inteira como uma corrente elétrica, transformando as pessoas, mesmo contra sua vontade, em malucos a berrar, rostos deformados pela fúria. Mesmo assim, a raiva que as pessoas sentiam era uma emoção abstrata, sem direção, que podia ser transferida de um objeto para outro como a chama de um maçarico. Assim, em determinado instante a fúria de Winston não estava nem um pouco voltada contra Goldstein, mas, ao contrário, visava o Grande Irmão, o Partido e a

Polícia das Ideias; e nesses momentos seu coração se solidarizava com o herege solitário e ridicularizado que aparecia na tela, único guardião da verdade e da saúde mental num mundo de mentiras. Isso não o impedia de, no instante seguinte, irmanar-se àqueles que o cercavam; quando isso acontecia, tudo o que era dito a respeito de Goldstein lhe parecia verdadeiro. Nesses momentos, sua repulsa secreta pelo Grande Irmão se transformava em veneração, e o Grande Irmão adquiria uma estatura monumental, transformava-se num protetor destemido, firme feito rocha para enfrentar as hordas da Ásia, e Goldstein, a despeito de seu isolamento, de sua vulnerabilidade e da incerteza que cercava inclusive sua existência, virava um mago sinistro, capaz de destruir a estrutura da civilização com o mero poder de sua voz.

Em algumas ocasiões chegava a ser possível alterar o objeto do próprio ódio por meio de um ato voluntário. De chofre, graças a um esforço violento como aquele a que recorremos para erguer a cabeça do travesseiro durante um pesadelo, Winston conseguia transferir seu ódio ao rosto que aparecia na tela para a garota de cabelo escuro sentada logo atrás. Alucinações vívidas, belas, passavam-lhe pela mente. Haveria de golpeá-la até a morte com um cassetete de borracha. Haveria de amarrá-la nua a uma estaca e depois alvejá-la com flechas, como são Sebastião. Haveria de violentá-la e no momento do clímax cortaria sua garganta. De mais a mais, agora percebia mais claramente que antes *por que* a odiava. Odiava-a porque era jovem e bela e assexuada, porque queria ir para a cama com ela e nunca o faria, porque em torno de sua adorável cintura flexível que parecia lhe pedir que a envolvesse com o braço havia apenas a odiosa faixa escarlate, símbolo agressivo de castidade.

O Ódio chegou ao clímax. A voz de Goldstein se transformara efetivamente num balido de ovelha e por um instante seu rosto assumiu um semblante de ovelha. Depois o semblante de ovelha se dissolveu e foi substituído pelo rosto de um soldado eurasiano que parecia avançar, imenso e terrível, metralhadora roncando, como se pretendesse saltar para fora da superfície da tela, de modo que algumas pessoas sentadas na primeira fila se inclinaram para trás nos assentos. No mesmo instante, porém, levando todos os presentes a suspirar aliviados, o personagem hostil desapareceu para dar lugar ao rosto do Grande Irmão, cabelo preto, bigode preto, cheio de força e misteriosa calma, e tão imenso que quase enchia a tela inteira. Ninguém ouvia o que o Grande Irmão estava dizendo. Eram apenas algumas palavras de estímulo, o tipo de palavras pronunciadas no fragor da batalha, impossíveis de distinguir isoladamente, mas que restauram a confiança pelo mero fato de serem ditas. Em seguida o rosto do Grande Irmão se esfumou outra vez e os três slogans do Partido, em letras maiúsculas, ocuparam seu lugar.

GUERRA É PAZ
LIBERDADE É ESCRAVIDÃO
IGNORÂNCIA É FORÇA

O rosto do Grande Irmão, contudo, deu a impressão de permanecer na tela por vários segundos mais, como se o impacto que causara nas retinas de todos os presentes fosse vívido demais para desaparecer imediatamente. A mulher esguia e ruiva se jogara para a frente, apoiando-se no encosto da cadeira diante dela. Com um murmúrio trêmulo que parecia dizer "Meu Salvador!", estendeu os braços para a tela. Em seguida afundou o rosto nas mãos. Era visível que fazia uma oração.

Nesse momento todo o grupo ali presente prorrompeu num canto grave, lento, ritmado, em que entoava "G-I!... G-I!... G-I!..." — uma e outra vez, muito devagar, com uma longa pausa entre o "G" e o "I" —, um som grave, em surdina, às vezes curiosamente feroz, em cujo segundo plano parecia ouvir-se o ruído de pés descalços golpeando o chão e o latejar de tam-tans. Aquilo continuou por uns trinta segundos. Tratava-se de um refrão ouvido com frequência em momentos de emoção avassaladora. Em parte era uma espécie de hino à sabedoria e à majestade do Grande Irmão, mas antes de mais nada era um ato de auto-hipnose, um embotamento voluntário da consciência por intermédio de um ruído rítmico. Winston teve a sensação de gelar por dentro. Durante os Dois Minutos de Ódio ele não conseguia deixar de se integrar ao delírio coletivo, porém aquela entonação sub-humana de "G-I!... G-I!..."

sempre o deixava horrorizado. Claro que cantava com os outros: impossível não fazê-lo. Dissimular os próprios sentimentos, manter a expressão do rosto sob controle, fazer o que os outros fazem: tudo reações instintivas. Mas houve um espaço de uns dois segundos durante o qual a expressão de seus olhos talvez o tivesse traído. E foi exatamente nesse instante que a coisa significativa aconteceu — se é que de fato aconteceu.

Por um instante seus olhos se encontraram com os de O'Brien. O'Brien se erguera de seu assento. Tirara os óculos e estava recolocando-os no nariz naquele seu gesto característico. Mas houve uma fração de segundo em que os olhos dos dois se encontraram, e enquanto isso acontecia Winston compreendeu — sim, *compreendeu!* — que O'Brien pensava o mesmo que ele. Uma mensagem inequívoca fora transmitida. Era como se as duas mentes, de Winston e O'Brien, tivessem se aberto e os pensamentos fluído de um para o outro através dos olhos. "Estou com você", O'Brien parecia estar dizendo. "Sei exatamente o que está sentindo. Sei tudo sobre seu desprezo, seu ódio, seu asco. Mas não se preocupe, estou com você!" Em seguida o clarão de entendimento se dissipou e o rosto de O'Brien voltou a ser tão impenetrável quanto os de todos os outros.

Isso fora tudo, e ele já não estava seguro quanto ao que acontecera. Incidentes como aquele nunca tinham sequelas. Eles só serviam para manter viva, nele, a fé, ou a esperança, de que outros além dele fossem inimigos do Partido. Talvez, afinal, os boatos sobre a existência de vastas conspirações clandestinas fossem verdadeiros — talvez a Confraria realmente existisse! Era impossível, apesar da infinidade de prisões e confissões e execuções, ter certeza de que a Confraria não passava de invenção. Havia dias em que ele acreditava em sua existência, outros em que não acreditava. Nada confirmava o fato, além de vislumbres passageiros que talvez significassem alguma coisa, talvez não significassem nada: fragmentos de conversa ouvidos de forma difusa, rabiscos pouco legíveis nas paredes dos lavatórios — uma vez, inclusive, ao presenciar o encontro de dois estranhos, um mínimo movimento de mãos que lhe parecera um sinal de reconhecimento. Tudo não passava de hipótese: muito provavelmente imaginara aquilo.

Voltara para sua estação de trabalho sem tornar a olhar para O'Brien. A ideia de levar adiante aquele contato passageiro nem lhe passara pela cabeça. Teria sido perigoso ao extremo, mesmo que soubesse como agir para fazê-lo. Por um segundo, dois segundos, ele e O'Brien haviam trocado um olhar equívoco, e ponto-final. Mas mesmo isso era um acontecimento memorável na solidão cerrada em que eram obrigados a viver.

Winston saiu de seu torpor e endireitou o corpo na cadeira. Soltou um arroto. O gim em seu estômago começava a subir.

Seus olhos voltaram a fitar a página. Constatou que durante o tempo em que ficara ali sentado sentindo-se desamparado continuara a escrever, como numa ação automática. E já não era a letra retraída e desajeitada de antes. A pena deslizara voluptuosamente pelo papel macio, grafando em letras de fôrma graúdas e nítidas:

> ABAIXO O GRANDE IRMÃO
> ABAIXO O GRANDE IRMÃO
> ABAIXO O GRANDE IRMÃO
> ABAIXO O GRANDE IRMÃO
> ABAIXO O GRANDE IRMÃO

vezes sem fim, enchendo metade de uma página.

Não conseguiu evitar uma fisgada de pânico. Um absurdo, já que escrever aquelas palavras específicas não era mais perigoso do que o ato inicial de começar um diário; por um momento, porém, teve a tentação de arrancar as páginas inutilizadas e deixar todo o projeto de lado.

Não o fez, porém, porque sabia que era inútil. O fato de escrever ou deixar de escrever ABAIXO O GRANDE IRMÃO era irrelevante. Não fazia a menor diferença levar o diário adiante ou não. De toda maneira, a Polícia das Ideias haveria de apanhá-lo. Cometera — e teria cometido, mesmo que jamais houvesse aproximado a pena do papel — o crime essencial que englobava todos os outros. Pensamento-crime, eles o chamavam. O pensamento-crime não era uma coisa que se pudesse disfarçar para sempre. Você até conseguia se esquivar durante algum tempo, às vezes durante anos, só que mais cedo ou mais tarde, com toda a certeza, eles o agarrariam.

Era sempre à noite — as prisões invariavelmente aconteciam à noite. O tranco súbito que arranca do sono, a mão brutal sacudindo o ombro, as luzes ofuscando os olhos, o círculo de rostos impiedosos em torno da cama. Na vasta maioria dos casos não havia julgamento, não havia registro de prisão. As pessoas simplesmente desapareciam, sempre durante a noite. Seus nomes eram removidos dos arquivos, todas as menções a qualquer coisa que tivessem feito eram apagadas, suas existências anteriores eram negadas e em seguida esquecidas. Você era cancelado, aniquilado. *Vaporizado*, esse o termo costumeiro.

Por um momento, foi tomado por uma espécie de histeria. Começou a escrever, em garranchos apressados e sem capricho:

> vão me dar um tiro não me incomodo vão me dar um tiro na nuca não me incomodo abaixo o grande irmão eles sempre atiram na nuca não me incomodo abaixo o grande irmão...

Recostou-se outra vez na cadeira, um pouco envergonhado de si mesmo, e largou a pena. No instante seguinte estremeceu com violência. Alguém batia à porta.

Já!? Ficou ali sentado, imóvel feito um rato, na esperança inútil de que a pessoa junto à porta fosse embora depois da primeira tentativa. Mas não, bateram outra vez. O pior de tudo seria protelar. Seu coração batia como um tambor, porém seu rosto provavelmente estava desprovido de expressão, resultado de um longo hábito. Ergueu-se e se aproximou da porta arrastando os pés.

2.

Quando apoiou a mão na maçaneta, Winston percebeu que havia deixado o diário aberto em cima da mesa. Cobrindo o papel com letras garrafais, as frases ABAIXO O GRANDE IRMÃO quase podiam ser lidas do outro lado do aposento. Um descuido de uma estupidez inconcebível. Contudo, Winston se deu conta de que mesmo em pânico ele não quisera borrar o papel creme fechando o diário com a tinta ainda úmida.

Respirou fundo e abriu a porta. No mesmo instante sentiu uma onda cálida de alívio percorrer-lhe o corpo. Uma mulher pálida, de aparência emaciada, cabelo ralo e rosto enrugado estava parada do lado de fora.

"Ah, camarada", começou ela, num tom de voz monótono e queixoso, "tive a impressão de ouvir você chegar. Será que poderia ir até a minha casa dar uma olhada na pia da cozinha? Está entupida e..."

Era a sra. Parsons, mulher de um vizinho de andar. ("Sra." era uma forma de tratamento pouco favorecida pelo Partido — a ideia era chamar todo mundo de "camarada" —, porém com certas mulheres seu uso era quase instintivo.) Ela devia ter uns trinta anos, mas aparentava muito mais. Dava a impressão de ter poeira acumulada nas rugas do rosto. Winston a seguiu pelo corredor. Esses consertos de amador eram uma amolação quase diária. Os apartamentos das Mansões Victory eram antigos, haviam sido construídos em 1930, por volta disso, e estavam caindo aos pedaços. O reboco do teto e das paredes vivia despencando, o encanamento estourava com qualquer geada mais forte, havia goteiras no teto sempre que nevava, o sistema de calefação costumava ser regulado em potência baixa, isso quando não permanecia desligado por razões de economia. Os consertos que os moradores não conseguiam fazer sozinhos precisavam ser autorizados por comitês inacessíveis, capazes de retardar por dois anos uma singela troca de vidraça.

"Claro que só estou pedindo sua ajuda porque o Tom não está em casa", disse a sra. Parsons sem mais explicações.

O apartamento dos Parsons era maior que o de Winston, e sua esqualidez era de outro tipo. Tudo tinha um aspecto surrado, maltratado, como se um animal grande e violento tivesse acabado de passar por ali. Apetrechos esportivos — bastões de hóquei, luvas de boxe, uma bola de futebol furada, um calção suado pelo avesso — estavam largados pelo chão, e sobre a mesa via-se uma confusão de pratos sujos e livros de exercícios com as orelhas dobradas. As paredes ostentavam bandeiras vermelhas da Liga da Juventude e dos Espiões e um pôster em tamanho natural do Grande Irmão. Sentia-se o tradicional cheiro de repolho cozido comum ao prédio inteiro, só que temperado por um fedor ainda mais pronunciado de suor, que — percebia-se à primeira farejada, embora fosse difícil explicar por quê — era o suor de uma pessoa ausente no momento. Em outro cômodo alguém utilizava um pente e um pedaço de papel higiênico para tentar acompanhar o ritmo da marcha militar que continuava saindo da teletela.

"São as crianças", disse a sra. Parsons, lançando um olhar um tanto apreensivo para a porta. "Ainda não puseram os pés fora de casa hoje. E claro que..."

Ela tinha o hábito de deixar as frases pela metade. A pia da cozinha estava cheia quase até a borda de uma água imunda e esverdeada, cujo cheiro de repolho era simplesmente insuportável. Winston se ajoelhou e examinou o cotovelo do encanamento. Detestava ter de usar as mãos e detestava ter de se abaixar, coisa que sempre podia provocar um acesso de tosse. A sra. Parsons observava sem saber o que fazer.

"Claro que se o Tom estivesse em casa, resolvia o problema num instante", disse ela. "Ele adora fazer esse tipo de coisa. É muito habilidoso, o Tom."

Parsons trabalhava com Winston no Ministério da Verdade. Era um sujeito gordinho mas diligente, de uma estupidez paralisante, um amontoado de entusiasmos imbecis — um daqueles burros de carga absolutamente submissos e dedicados de quem dependia, mais até que da Polícia das Ideias, a estabilidade do Partido. Aos trinta e cinco anos, acabara de ser excluído, contra a vontade, da Liga da Juventude, e antes de ingressar na Liga da Juventude conseguira permanecer com os Espiões um ano mais que a idade prevista nos estatutos. No Ministério, desempenhava alguma função subalterna que não tivesse a inteligência como requisito; por outro lado, porém, era figura de proa no Comitê Esportivo e em todos os demais comitês responsáveis pela organização de caminhadas comunitárias, manifestações espontâneas, campanhas de economia e atividades voluntárias em geral. Com discreto orgulho, entre uma e outra baforada de seu cachimbo, anunciava para quem quisesse ouvi-lo que tivera participações no Centro Comunitário toda santa noite ao longo dos últimos quatro anos. Um cheiro opressivo de suor, uma espécie de testemunho inconsciente da vida extenuante que ele levava, acompanhava-o aonde quer que fosse e impregnava o lugar mesmo depois de ele ter saído.

"A senhora tem uma chave inglesa?", indagou Winston, tentando soltar a rosca do cotovelo.

"Uma chave inglesa", repetiu a sra. Parsons, tornando-se no mesmo instante invertebrada. "Não sei, não sei. Pode ser que as crianças..."

Ouviu-se um tropel de botinas e outra clarinada no pente quando as crianças irromperam na sala. A sra. Parsons apareceu com a chave inglesa. Winston deixou escorrer a água e tirou com repugnância o chumaço de cabelo humano que entupira o cano. Limpou os dedos o melhor que pôde na água fria da torneira e voltou para o outro aposento.

"Mãos ao alto!", berrou uma voz selvagem.

Um garoto de nove anos, bonito e com cara de brigão surgira de trás da mesa e o ameaçava com uma pistola de brinquedo, enquanto sua irmã menor, uns dois anos mais jovem, imitava-o utilizando um pedaço de madeira. Ambos trajavam os calções azuis, as camisetas cinza e os lenços vermelhos de amarrar no pescoço que compunham o uniforme dos Espiões. Winston ergueu as mãos acima da cabeça, mas com uma sensação incômoda — o jeito do menino era tão malévolo que a coisa não parecia ser de brincadeira.

"Você é um traidor!", gritou o menino. "É um criminoso do pensamento! Um espião eurasiano! Eu acabo com você, vaporizo você, mando você para as minas de sal!"

De repente as duas crianças estavam pulando em volta dele, gritando "Traidor!" e "Criminoso do pensamento!", a garotinha imitando o irmão em todos os movimentos. Por alguma razão aquilo era um pouco apavorante, como as cambalhotas dos filhotes de tigre que não tardarão a crescer e tornar-se devoradores de homens. Havia uma espécie de ferocidade calculista nos olhos do garoto, um desejo bastante óbvio de bater ou dar chutes em Winston, e a consciência de que não faltava muito para alcançar o tamanho suficiente para fazer isso. Ainda bem que ele não tinha nas mãos um revólver de verdade, pensou Winston.

Os olhos da sra. Parsons iam nervosamente de Winston para as crianças e destas para ele. À luz mais clara da sala de estar, ele reparou, não sem interesse, que de fato *havia* poeira acumulada nas rugas do rosto dela.

"Eles fazem tanta algazarra", disse ela. "Estão desapontados porque não puderam ver o enforcamento. Estou ocupada demais para levá-los e o Tom não vai chegar a tempo do trabalho."

"Por que a gente não pode ir ver o enforcamento?", rugiu o garoto com seu vozeirão.

"A gente quer ir no enforcamento! A gente quer ir no enforcamento!", cantarolou a garotinha, que continuava pulando ao redor de Winston.

Alguns prisioneiros eurasianos, praticantes de crimes de guerra, seriam enforcados no Parque naquela noite, lembrou-se Winston. Isso acontecia aproximadamente uma vez por mês, e era um espetáculo muito popular. As crianças faziam questão de que os pais as levassem para assistir. Despediu-se da sra. Parsons e avançou para a porta. Mas não dera seis passos no corredor quando algo o atingiu na nuca com uma pancada extremamente dolorosa. Foi como ser espetado com um pedaço de arame incandescente. Winston virou-se a tempo de ver a sra. Parsons arrastando o filho apartamento adentro enquanto o menino guardava um estilingue no bolso.

"Goldstein!", trovejou o garoto enquanto a mãe fechava a porta. Mas o que mais impressionou Winston foi o olhar de pânico impotente estampado no rosto cinzento da mulher.

De volta a seu apartamento, passou depressa diante da teletela e tornou a sentar-se à mesa, ainda massageando a nuca. A teletela já não transmitia música. Em vez disso, uma voz militar sincopada lia, com uma espécie de prazer atroz, uma descrição dos armamentos da nova Fortaleza Flutuante que acabara de ser ancorada entre a Islândia e as Ilhas Faroe.

Com crianças daquele tipo, pensou Winston, aquela infeliz mulher deve levar uma vida de terror. Mais um ou dois anos e eles começariam a vigiá-la noite e dia em busca do menor sintoma de inortodoxia. Quase todas as crianças eram horríveis atualmente. O pior de tudo era que, por meio de organizações como a dos Espiões, elas eram transformadas em selvagens incontroláveis de maneira sistemática — e nem assim mostravam a menor inclinação para rebelar-se contra a disciplina do Partido. Pelo contrário, adoravam o Partido e tudo que se relacionasse a ele. As canções, os desfiles, as bandeiras, as marchas, os exercícios com rifles de brinquedo, as palavras de ordem, o culto ao Grande Irmão — tudo isso, para elas, era uma espécie de jogo sensacional. Toda a sua ferocidade era voltada para fora, dirigida contra os inimigos do Estado, contra os estrangeiros, os traidores, os sabotadores, os criminosos do pensamento. Chegava a ser natural que as pessoas com mais de trinta anos temessem os próprios filhos. E com razão, pois era raro que uma semana se passasse sem que o *Times* trouxesse um parágrafo descrevendo como um pequeno bisbilhoteiro — "herói mirim" era a expressão usada com mais frequência — ouvira às escondidas os pais fazerem algum comentário comprometedor e os denunciara à Polícia das Ideias.

A ferroada do projétil lançado pelo estilingue já não doía. Winston pegou a caneta sem muito ânimo, perguntando-se se encontraria alguma outra coisa para escrever no diário. De repente voltou a pensar em O'Brien.

Alguns anos antes — quantos? Devia fazer uns sete anos — ele sonhara que estava andando num aposento completamente às escuras. E alguém sentado a um lado disse, quando ele passou: "Ainda nos encontraremos no lugar onde não há escuridão". Isso foi dito com muita tranquilidade, de forma quase despreocupada — era uma afirmação, não uma ordem. Ele seguira em frente sem se deter. O curioso é que na época, no sonho, as palavras não lhe causaram maior impressão. Só mais tarde e aos poucos elas começaram a adquirir um significado. Já não se lembrava se fora antes ou depois do sonho que vira O'Brien pela primeira vez; e tampouco se lembrava de quando identificara pela primeira vez a voz do sonho como sendo a de O'Brien. De todo modo, a identidade era inegável. O'Brien era a pessoa que falara com ele no escuro.

Winston nunca soubera com certeza — mesmo depois da troca de olhares daquela manhã, continuava sendo impossível ter certeza — se O'Brien era amigo ou inimigo. Se bem que isso não parecesse importar muito. Havia entre eles um elo de entendimento cuja importância era maior que o afeto ou a comunhão de ideias. "Ainda nos encontraremos no lugar onde não há escuridão", dissera ele. Winston não sabia o que isso significava, apenas que de uma maneira ou de outra aquilo acabaria se tornando realidade.

A voz transmitida pela teletela fez uma pausa. No ar estagnado pairou o toque de um clarim, nítido e belo. A voz prosseguiu com aspereza:

"Atenção! Atenção, por favor! Uma notícia-relâmpago acaba de chegar do fronte malabarense. Nossas forças obtiveram gloriosa vitória no sul da Índia. Estou autorizado a afirmar que a ação que noticiamos neste momento pode perfeitamente deixar a guerra a uma distância mensurável do final. Eis a notícia-relâmpago..."

Más notícias a caminho, pensou Winston. E de fato, logo depois da descrição sanguinolenta da aniquilação de um exército eurasiano, com um número elevadíssimo de soldados inimigos mortos ou feitos prisioneiros, veio o anúncio de que, a partir da semana seguinte, a ração de chocolate seria reduzida de trinta para vinte gramas.

Winstou arrotou de novo. O efeito do gim estava passando, substituído por uma sensação de esvaziamento. A teletela — fosse para comemorar a vitória, fosse para apagar a lembrança da porção de chocolate perdida — atacou com *Oceânia, glória a ti*. As pessoas deviam ouvi-la em posição de sentido.

Oceânia, glória a ti deu lugar a uma seleção musical mais leve. Winston se aproximou da janela, sempre de costas para a teletela. O dia continuava frio e sem nuvens. Em algum lugar ao longe uma bomba-foguete explodiu com um estrondo surdo, reverberante. Eram vinte ou trinta delas caindo sobre Londres todas as semanas.

Lá embaixo, na rua, o vento castigava o cartaz rasgado, agitando-o de um lado para outro, e a palavra *Socing*, condizentemente, aparecia e desaparecia. Socing. Os sagrados princípios do Socing. Novafala, duplipensamento, a mutabilidade do passado. Winston tinha a sensação de estar vagando pelas florestas do fundo do mar, perdido num mundo monstruoso em que o monstro era ele próprio. Estava sozinho. O passado estava morto, o futuro era inimaginável. Que certeza podia ter de que naquele momento uma criatura humana, uma que fosse, estivesse do lado dele? E como saber se o domínio do Partido não seria *para sempre*? À guisa de resposta, vieram-lhe à cabeça os três slogans estampados na fachada branca do Ministério da Verdade:

GUERRA É PAZ
LIBERDADE É ESCRAVIDÃO
IGNORÂNCIA É FORÇA

Tirou do bolso uma moeda de vinte e cinco centavos. Ali também, em letras minúsculas e precisas, estavam inscritos os mesmos slogans, e do outro lado da moeda via-se a cabeça do Grande Irmão. Até na moeda os olhos perseguiam a pessoa. Nas moedas, nos selos, nas capas dos livros, em bandeiras, em cartazes e nas embalagens dos maços de cigarro — em toda parte. Sempre aqueles olhos observando a pessoa e a voz a envolvê-la. Dormindo ou acordada, trabalhando ou comendo, dentro ou fora de casa, no banho ou na cama —

não havia saída. Com exceção dos poucos centímetros que cada um possuía dentro do crânio, ninguém tinha nada de seu.

O sol avançara e as infindáveis janelas do Ministério da Verdade, agora que já não recebiam luz direta, pareciam tão temíveis quanto as seteiras de uma fortaleza. O coração de Winston se encolheu diante do enorme vulto piramidal. O edifício era forte demais, não havia como tomá-lo. Nem mil bombas-foguetes seriam capazes de destruí-lo. Voltou a perguntar-se para quem estaria escrevendo o diário. Para o futuro, para o passado — para uma época talvez imaginária. E diante dele estava o extermínio, não a morte. O diário seria reduzido a cinzas e ele próprio viraria vapor. Somente a Polícia das Ideias leria o que ele havia escrito, antes de suprimirem tudo da existência e da memória. Como era possível fazer um apelo ao futuro, quando nem um rastro seu, nem mesmo uma palavra anônima rabiscada num pedaço de papel, tinha condições de sobreviver fisicamente?

A teletela deu as horas: duas da tarde. Winston devia sair em dez minutos. Precisava estar de volta ao trabalho às duas e meia.

Curiosamente, o anúncio das horas pareceu dar-lhe novo ânimo. Era um fantasma solitário afirmando uma verdade de que ninguém jamais ouviria falar. Só que, enquanto a afirmasse, de alguma maneira obscura a continuidade não se romperia. Não era fazendo-se ouvir, mas mantendo a sanidade mental que a pessoa transmitia sua herança humana. Voltou para a mesa, molhou a pena da caneta e escreveu:

> *Ao futuro ou ao passado, a um tempo em que o*
> *pensamento seja livre, em que os homens sejam*
> *diferentes uns dos outros, em que não vivam sós —*
> *a um tempo em que a verdade exista e em*
> *que o que for feito não possa ser desfeito:*
> *Da era da uniformidade, da era da solidão,*
> *da era do Grande Irmão, da era do*
> *duplipensamento — saudações!*

Ele já estava morto, refletiu. Parecia-lhe que só agora, quando começava a ser capaz de formular seus pensamentos, dera o passo decisivo. As consequências de toda ação estão contidas na própria ação. Escreveu:

> *O pensamento-crime não acarreta a morte:*
> *o pensamento-crime É a morte.*

Agora que se via como um homem morto, tornava-se importante continuar vivo o maior tempo possível. Dois dedos de sua mão direita estavam sujos de tinta. Era exatamente o tipo de detalhe que podia entregar uma pessoa. Algum fanático enxerido do Ministério (uma mulher, talvez, alguém como a mulher de cabelo ruivo ou a moça de cabelo preto do Departamento de Ficção) podia ficar intrigado e começar a se perguntar por que ele havia passado o intervalo do almoço escrevendo, por que teria usado uma caneta antiquada, *o que* teria escrito — e depois soltar alguma insinuação no local adequado. Foi até o banheiro e removeu cuidadosamente a tinta dos dedos com o sabonete marrom-escuro, um sabonete que raspava a mão como uma lixa e que, portanto, atendia muito bem a seus propósitos.

Guardou o diário na gaveta. Não fazia sentido pensar em escondê-lo, mas ele podia ao menos garantir que a eventual descoberta de sua existência não lhe passasse despercebida. Um fio de cabelo atravessado na extremidade das páginas era óbvio demais. Com a ponta do dedo, recolheu um grãozinho identificável de poeira esbranquiçada e o depositou num canto da capa, de onde certamente cairia se alguém mexesse no caderno.

3.

Winston sonhava com sua mãe. Devia estar com uns dez ou onze anos quando a mãe desaparecera, pensou. Era uma mulher alta, majestosa, mais para calada, de movimentos lentos e cabeleira clara magnífica. Do pai, lembrava-se com menos clareza: moreno, magro, sempre vestindo roupas escuras impecáveis (Winston se lembrava especialmente das solas finíssimas de seus sapatos), e de óculos. Sem dúvida os dois haviam sido engolidos por um dos primeiros grandes expurgos dos anos 1950.

Naquele momento a mãe estava sentada em algum lugar muito abaixo dele com sua irmã mais moça no colo. A única lembrança que Winston guardava da irmã era a de um bebê minúsculo, frágil, sempre em silêncio, com grandes olhos atentos. As duas tinham os olhos erguidos para ele. Estavam no interior de algum lugar subterrâneo — talvez o fundo de um poço ou de uma sepultura muito profunda —, mas era um lugar que, mesmo já estando tão abaixo do lugar onde ele estava, continuava a mover-se para baixo. As duas estavam no salão de um navio que naufragava, de olhos fixos nele, lá em cima, através da água que se turvava. Ainda havia ar no salão, elas ainda conseguiam vê-lo e ele a elas, mas o tempo todo as duas iam afundando, afundando nas águas verdes que um instante mais tarde haveria de ocultá-las para sempre. Ele estava fora, na luz, no espaço, enquanto elas eram sugadas para a morte, e estavam lá embaixo *porque* ele estava aqui em cima. Ele sabia e elas sabiam, ele via no rosto delas que elas sabiam. Não havia censura nem no rosto nem no coração delas, simplesmente a consciência de que teriam de morrer para que ele pudesse continuar vivo, e que isso era parte da ordem inevitável das coisas.

Ele não conseguia se lembrar do que acontecera, mas em seu sonho sabia que de alguma maneira a vida de sua mãe e a de sua irmã haviam sido sacrificadas à sua. Era um desses sonhos que, mesmo mantendo o cenário onírico característico, são uma continuação da vida intelectual da pessoa, e em que tomamos consciência de fatos e ideias que continuamos achando novos e valiosos depois que acordamos. A questão que naquele momento atingiu Winston como um golpe foi o fato de que a morte de sua mãe, quase trinta anos antes, fora trágica e dolorosa de um modo que já não seria possível. Ele se dava conta de que a tragédia pertencia aos tempos de antigamente, aos tempos em que ainda havia privacidade, amor e amizade, e em que os membros de uma família se amparavam uns aos outros sem precisar saber por quê. A memória de sua mãe atormentava seu coração porque ela morrera amando-o, quando ele era jovem e egoísta demais para poder retribuir seu amor, e porque, de alguma maneira, ele não se lembrava como, ela se sacrificara a uma concepção de lealdade privada e inalterável. Eram coisas que, ele percebia, não poderiam acontecer agora. Agora havia medo, ódio e dor, mas não dignidade na emoção, não tristezas profundas ou complexas. Winston tinha a sensação de ver todas essas coisas nos grandes olhos de sua mãe e de sua irmã, olhando para ele lá de baixo, através da água verde, centenas de braças abaixo, sem nunca parar de afundar.

No momento seguinte viu-se sobre uma relva curta e viçosa numa tarde de verão em que os raios oblíquos do sol douravam o solo. A paisagem que contemplava era uma recorrência tão frequente em seus sonhos que nunca se sentia totalmente seguro de tê-la ou não tê-la visto na vida real. Em suas divagações, chamava-a de Terra Dourada. Era um pasto antigo recortado pelas dentadas dos coelhos e percorrido por uma trilha sinuosa, com um ou outro promontório de toupeira. Na sebe irregular do outro lado do campo, a brisa balançava muito suavemente os ramos dos olmos, com suas folhas estremecendo de leve em densas massas que lembravam cabelos de mulher. Em algum lugar bem próximo mas que o olhar não alcançava, havia uma torrente límpida movendo-se devagar; nela, os robalinhos nadavam nas poças sob os chorões.

A garota de cabelo escuro vinha pelo campo na direção dele. Com um único movimento ela se despojou da roupa e jogou-a para um lado com desdém. Seu corpo era branco e liso, mas Winston não sentia desejo. Na verdade, mal olhou para aquele corpo, pois estava tomado de admiração pelo gesto da moça jogando a roupa para um lado. Com sua graça e displicência, era um gesto que parecia aniquilar toda uma cultura, todo um sistema de pensamento, como se o Grande Irmão, o Partido e a Polícia das Ideias pudessem ser todos jogados no nada com um único e glorioso movimento de braço. Aquele era um gesto que também pertencia aos tempos de antigamente. Winston acordou com a palavra "Shakespeare" nos lábios.

A teletela emitia um zumbido de rachar o crânio que se manteve no mesmo diapasão por trinta segundos. Com efeito, eram sete e quinze da manhã, hora em que os funcionários dos escritórios precisam se levantar. Winston arrancou o próprio corpo da cama com dificuldade — nu, pois os membros do Partido Exterior recebiam somente três mil cupons de vestuário por ano, e um pijama custava seiscentos — e apanhou uma camiseta encardida e um short que estavam jogados sobre uma cadeira. Atividades Físicas começaria em três minutos. No instante seguinte ele se viu dobrado ao meio por uma violenta crise de tosse que quase sempre o atacava logo depois que ele acordava. A tosse esvaziara seus pulmões tão completamente que ele só conseguiu voltar a respirar depois que se deitou de costas e aspirou o ar profundamente algumas vezes. Tinha as veias dilatadas pelo esforço de tossir e a úlcera varicosa começara a comichar.

"Grupo de trinta a quarenta!", ganiu uma voz feminina de furar os tímpanos. "Grupo de trinta a quarenta! Para seus lugares, por favor. Trinta a quarenta!"

Winston ficou em posição de sentido diante da teletela, na qual a imagem de uma mulher bastante jovem, muito magra mas musculosa, vestindo túnica e sapatos de ginástica, já ocupara seu lugar.

"Dobrando os braços, esticando os braços!", berrou ela. "Me acompanhem. *Um*, dois, três, quatro! *Um*, dois, três, quatro! Vamos lá, camaradas, quero ver um pouco mais de energia! *Um*, dois, três, quatro! *Um*, dois, três, quatro!..."

A dor do ataque de tosse não afastara por completo da cabeça de Winston a impressão deixada pelo sonho, e o movimento rítmico do exercício a recompôs em parte. Enquanto jogava mecanicamente os braços para diante e para trás, ostentando no rosto a expressão de prazer compenetrado vista como correta para a execução das Atividades Físicas, ele se esforçava para recuar o pensamento para o período difuso de sua primeira infância. Era extraordinariamente difícil. Até o fim da década de 1950, nenhum problema; daí em diante, tudo desbotava. Na ausência de todo e qualquer registro externo a que recorrer, até mesmo o contorno de sua própria vida perdia a nitidez. A pessoa conseguia evocar os acontecimentos mais notáveis, que muito provavelmente jamais haviam ocorrido. Lembrava-se de detalhes de incidentes sem conseguir recompor sua atmosfera, e havia longos períodos em branco aos quais não conseguia atribuir fato algum. Naquele tempo tudo era diferente. Mesmo os nomes dos países e suas formas no mapa, tudo era diferente. A Faixa Aérea Um, por exemplo, na época não era chamada assim: na época seu nome era Inglaterra, ou Grã-Bretanha, embora Londres — disso ele estava seguro — sempre tivesse se chamado Londres.

Winston não conseguia se lembrar de jeito nenhum de uma época em que seu país não estivesse em guerra, mas era evidente que existira um intervalo bastante prolongado de paz durante sua infância, porque uma de suas memórias mais antigas era de um ataque aéreo que aparentemente pegara todo mundo de surpresa. Talvez fosse na época em que Colchester fora atingida pela bomba atômica. Ele não se lembrava do ataque em si, mas lembrava-se da mão de seu pai apertando a sua enquanto os dois desciam, desciam, desciam correndo para chegar a algum lugar profundamente enterrado no chão, dando voltas e mais voltas numa escada em espiral que retinia debaixo de seus pés e que acabou cansando tanto as suas pernas que ele começou a choramingar e os dois foram forçados a parar para descansar. A mãe, com seu jeito lento e desconectado, vinha logo atrás deles. Trazia sua irmãzinha no colo — ou quem sabe fosse apenas uma trouxa de cobertores que ela carregava: não sabia muito bem se a irmã já havia nascido àquela altura. Por fim haviam chegado a um lugar barulhento, entupido de gente, que ele percebera ser uma estação de metrô.

Havia pessoas sentadas sobre toda a superfície do piso de pedra e também pessoas comprimidas umas contra as outras, sentadas em beliches de metal, umas por cima das outras. Winston, sua mãe e seu pai arrumaram um lugar no chão, e perto deles havia um velho e uma velha sentados lado a lado num beliche. O velho vestia um terno escuro bem-posto e tinha o cabelo muito branco coberto por um boné preto, de pano: seu rosto estava rubro e seus olhos azuis cheios de lágrimas. Cheirava a gim. Parecia que o gim exalava de sua pele como suor, e seria possível imaginar que as lágrimas que lhe brotavam dos olhos fossem puro gim. Mas embora estivesse um pouco bêbado, ele também sofria sob o peso de uma dor genuína e intolerável. À sua maneira infantil, Winston entendeu que alguma coisa terrível, alguma coisa que estava além do perdão e que jamais poderia ser remediada, acabara de suceder. Ao mesmo tempo, teve a impressão de que sabia que coisa era essa. Alguém que o velho amava, uma netinha, talvez, havia sido morto. O velho repetia a pequenos intervalos de tempo:

"A gente não devia ter confiado neles. Bem que eu falei, Mãe, não foi? É nisso que dá confiar neles. Eu disse e repeti. A gente não devia ter confiado naqueles canalhas."

Mas quem eram esses canalhas em quem eles não deviam ter confiado Winston já não conseguia se lembrar.

Desde mais ou menos aquela época, a guerra fora literalmente contínua, embora, a rigor, não tivesse sido o tempo todo a mesma guerra. Durante vários meses, em seus tempos de criança, houvera combates confusos nas ruas de Londres, e de alguns deles Winston guardava uma lembrança nítida. Só que seria praticamente impossível reconstruir a história de todo aquele período, dizer quem lutava contra quem neste ou naquele dado momento, pois não havia registros escritos e os relatos orais jamais se referiam a algum quadro político diferente do vigente. Naquele momento, por exemplo, em 1984 (se é que estavam em 1984), a Oceânia estava em guerra com a Eurásia e era aliada da Lestásia. Nunca, em nenhuma declaração pública ou privada, era admitido que as três potências alguma vez tivessem se agrupado de modo diferente. Na verdade, como Winston sabia muito bem, há não mais de quatro anos a Oceânia estava em guerra com a Lestásia e em aliança com a Eurásia. Só que isso não passava de uma amostra de conhecimento furtivo que ele por acaso possuía graças ao fato de sua memória não estar corretamente controlada. Em termos oficiais, a troca de aliados jamais acontecera. A Oceânia estava em guerra com a Eurásia: em consequência, a Oceânia sempre estivera em guerra com a Eurásia. O inimigo do momento sempre representava o mal absoluto, com o resultado óbvio de que todo e qualquer acordo passado ou futuro com ele era impossível.

O assustador, refletiu Winston pela décima milésima vez enquanto forçava os ombros dolorosamente para trás (com as mãos nos quadris, giravam o tronco da cintura para cima, um exercício considerado benéfico para os músculos das costas), o assustador era que talvez tudo aquilo fosse verdade. Se o Partido era capaz de meter a mão no passado e afirmar que esta ou aquela ocorrência *jamais acontecera* — sem dúvida isso era mais aterrorizante do que a mera tortura ou a morte.

O Partido dizia que a Oceânia jamais fora aliada da Eurásia. Ele, Winston Smith, sabia que a Oceânia fora aliada da Eurásia não mais de quatro anos antes. Mas em que local existia esse conhecimento? Apenas em sua própria consciência que, de todo modo, em breve seria aniquilada. E se todos os outros aceitassem a mentira imposta pelo Partido — se todos os registros contassem a mesma história —, a mentira tornava-se história e virava verdade. "Quem controla o passado controla o futuro; quem controla o presente controla o passado", rezava o lema do Partido. E com tudo isso o passado, mesmo com sua natureza alterável, jamais fora alterado. Tudo o que fosse verdade agora fora verdade desde sempre, a vida toda. Muito simples. O indivíduo só precisava obter uma série interminável de vitórias sobre a própria memória.

"Controle da realidade", era a designação adotada. Em Novafala: "duplipensamento".

"Descansar!", bramou a instrutora, com uma leve ponta de cordialidade.

Winston largou os braços ao longo do corpo e pouco a pouco voltou a encher os pulmões com ar. Sua mente deslizou para o labiríntico mundo do duplipensamento. Saber e não saber, estar consciente de mostrar-se cem por cento confiável ao contar mentiras construídas laboriosamente, defender ao mesmo tempo duas opiniões que se anulam uma à outra, sabendo que são contraditórias e acreditando nas duas; recorrer à lógica para questionar a lógica, repudiar a moralidade dizendo-se um moralista, acreditar que a democracia era impossível e que o Partido era o guardião da democracia; esquecer tudo o que fosse preciso esquecer, depois reinstalar o esquecido na memória no momento em que ele se mostrasse necessário, depois esquecer tudo de novo sem o menor problema: e, acima de tudo, aplicar o mesmo processo ao processo em si. Esta a última sutileza: induzir conscientemente a inconsciência e depois, mais uma vez, tornar-se inconsciente do ato de hipnose realizado pouco antes. Inclusive entender que o mundo em "duplipensamento" envolvia o uso do duplipensamento.

A instrutora ordenava que ficassem novamente em posição de sentido. "E agora vamos ver quais de nós são capazes de encostar a mão nos dedos dos pés!", disse entusiasmada. "Inclinem-se todos sem dobrar os joelhos, por favor, camaradas. *Um*-dois! *Um*-dois!..."

Winston abominava aquele exercício, que provocava dores agudas que iam de seus calcanhares a suas nádegas e que muitas vezes acabavam lhe provocando um novo ataque de tosse. A sensação semiprazerosa abandonou suas meditações. O passado, refletiu ele, não fora simplesmente alterado; na verdade fora destruído. Pois como fazer para verificar o mais óbvio dos fatos, quando o único registro de sua veracidade estava em sua memória? Tentou se lembrar do ano em que ouvira a primeira menção ao Grande Irmão. Achava que devia ter sido em algum momento dos anos 1960, mas era impossível ter certeza. Nas histórias do Partido, é evidente que o Grande Irmão aparecia como o líder e o guardião da Revolução desde seus primeiríssimos dias. Seus feitos haviam sido recuados gradualmente no tempo até atingir o mundo fabuloso dos anos 1940 e 50, quando os capitalistas, com seus estranhos chapéus cilíndricos, ainda circulavam pelas ruas de Londres a bordo de grandes automóveis cintilantes ou em carruagens puxadas por cavalos e equipadas com laterais de vidro. Impossível saber o que era verdade e o que era mentira nessa fábula. Winston não conseguia se lembrar sequer da data em que o próprio Partido passara a existir. Não lhe parecia que tivesse ouvido a palavra Socing antes de 1960, mas quem sabe na expressão utilizada pela Velhafala — ou seja, "Socialismo inglês" — ela um dia tivesse sido de uso corrente. Tudo se desmanchava na névoa. Às vezes, de fato, era possível apontar uma mentira específica. Não era verdade, por exemplo, que, como afirmavam os livros de história do Partido, o Partido tivesse inventado o avião. Winston se lembrava de que na sua mais tenra infância já existiam aviões. Só que era impossível provar o que quer que fosse. Nunca havia a menor prova de nada. Uma única vez em toda a sua vida ele tivera nas mãos uma prova documental irrefutável da falsificação de um fato histórico. E naquela ocasião...

"Smith!", berrou a voz rabugenta na teletela. "6079 Smith W! Isso mesmo, *você*! Incline-se mais, por favor! Você não está dando tudo o que pode. Não está se esforçando. Incline-se, por favor! *Assim!* Agora está melhor, camarada. Posição de descanso, todo o pelotão. Olhem para mim."

Um suor quente repentino brotara por todo o corpo de Winston. Seu rosto permanecia completamente inescrutável. Nunca dê mostras de desânimo! Nunca dê mostras de ressentimento! Uma simples chispa no olhar podia ser sua perdição. Ficou observando enquanto a instrutora erguia os braços acima da cabeça e — impossível dizer "graciosamente", mas com notável exatidão e eficiência — inclinou-se e encaixou a ponta dos dedos das mãos embaixo dos dedos dos pés.

"*Assim*, camaradas! É *assim* que eu quero que vocês façam o exercício. Olhem de novo como eu faço. Tenho trinta e nove anos e pari quatro filhos. Agora olhem." Ela voltou a dobrar o corpo. "Vocês podem ver que os *meus* joelhos não estão dobrados. Todos vocês são capazes de fazer isso. Basta querer", acrescentou ao endireitar o corpo. "Qualquer pessoa com menos de quarenta e cinco anos é perfeitamente capaz de tocar os dedos dos pés. Nem todos têm o privilégio de lutar na linha de frente, mas pelo menos podemos nos manter em forma. Pensem em nossos rapazes no fronte de Malabar! E nos marinheiros nas Fortalezas Flutuantes! Imaginem só o que *eles* têm de aguentar! Agora vamos tentar de novo. Assim está melhor, camarada, *muito* melhor", acrescentou em tom estimulante quando Winston, num arranco violento, conseguiu tocar os dedos dos pés sem dobrar os joelhos pela primeira vez em vários anos.

4.

Com o suspiro profundo e inconsciente que nem a proximidade da teletela o impedia de soltar quando seu dia de trabalho começava, Winston puxou o ditógrafo para junto de si, soprou a poeira do bocal e pôs os óculos. Em seguida, desenrolou e uniu com um clipe os quatro pequenos cilindros de papel que o tubo pneumático já despejara no lado direito de sua escrivaninha.

Nas paredes da estação de trabalho viam-se três orifícios. À direita do ditógrafo, um pequeno tubo pneumático para as mensagens escritas; à esquerda, um tubo de maior calibre para os jornais; e na parede lateral, ao alcance da mão de Winston, uma grande abertura retangular, protegida por uma grade de arame. Esta última destinava-se aos papéis a descartar. Aberturas similares se espalhavam aos milhares, ou dezenas de milhares, por todo o edifício, fazendo-se presentes não apenas em cada sala mas também, a pequenos intervalos, em todos os corredores. Por algum motivo, tinham recebido o apelido de buracos da memória. Quando a pessoa sabia que determinado documento precisava ser destruído, ou mesmo quando topava com um pedaço qualquer de papel usado, levantava automaticamente a tampa do buraco da memória mais próximo e o jogava ali dentro, e então o papel ia torvelinhando numa corrente de ar quente até cair numa das fornalhas descomunais que permaneciam ocultas nos recessos do edifício.

Winston examinou as quatro tiras de papel que acabara de desenrolar. Em cada uma delas via-se uma mensagem de apenas uma ou duas linhas, no jargão abreviado — não era Novafala propriamente dita, mas consistia sobretudo em palavras extraídas do vocabulário da Novafala — que os funcionários do Ministério empregavam em suas comunicações internas. Diziam:

> times 17.3.84 retificar discurso gi áfrica imprecisões
> times 19.12.83 checar edição hoje estimativas quarto trimestre pt 83 erros impressão
> times 14.2.84 retificar malcitado minância chocolate
> times 3.12.83 reportagem ordemdia gi duplomaisnãobom ref despessoas reescrever todamente mostrarsup antearquiv.

Com um vago sentimento de satisfação, Winston pôs a quarta mensagem de lado. Tratava-se de um serviço complicado e de muita responsabilidade, e o mais recomendável era deixá-lo para o fim. As outras três eram questões de rotina, ainda que a segunda provavelmente o obrigasse a um exame tedioso de incontáveis listas de números.

Winston discou "edições anteriores" na teletela e solicitou os exemplares do *Times* de que precisaria para se desincumbir de suas tarefas, e poucos minutos depois eles já deslizavam pelo tubo pneumático. As mensagens que Winston recebera diziam respeito a artigos ou reportagens que por esse ou aquele motivo fora julgado necessário alterar — ou, no linguajar oficial, retificar. Por exemplo, a leitura do *Times* de 17 de março dava a impressão de que, num discurso proferido na véspera, o Grande Irmão previra que as coisas permaneceriam calmas no fronte do sul da Índia, mas que o norte da África em breve assistiria a uma ofensiva das forças eurasianas. Na verdade, porém, o alto-comando da Eurásia lançara uma ofensiva sobre o sul da Índia, deixando o norte da África em paz. Assim, era necessário reescrever um parágrafo do discurso do Grande Irmão, de forma a garantir que a previsão que ele havia feito estivesse de acordo com aquilo que realmente acontecera. Ou ainda: o *Times* de 19 de dezembro publicara as estimativas oficiais do volume a ser atingido na produção de uma série de bens de consumo no quarto trimestre de 1983, que ao mesmo tempo era o sexto trimestre do Nono Plano Trienal. A edição do *Times* daquele dia trazia a informação sobre o volume de produção efetivamente atingido no período, e os números estavam em franco desacordo com os prognósticos anunciados em dezembro. A tarefa de Winston era retificar os números originais, fazendo-os corresponder aos resultados de fato obtidos. Já a terceira mensagem fazia referência a um erro muito simples, cuja correção não demandaria mais que alguns minutos de trabalho. Em fevereiro último, o Ministério da Pujança fizera publicamente a promessa (no linguajar oficial: "assumira o compromisso categórico") de não promover nenhum corte na ração de chocolate no decorrer de 1984. Na verdade, como Winston já sabia, no fim daquela semana a ração de chocolate seria reduzida de trinta para vinte gramas. Bastava substituir a promessa original pela advertência de que a ração de chocolate provavelmente sofreria uma redução em abril.

Tão logo se desincumbiu das mensagens, Winston juntou com clipes as ditografias de suas correções às respectivas edições do *Times* e as introduziu no tubo pneumático. Em seguida, com um movimento que ele fez o possível para que parecesse inconsciente, amassou as mensagens originais e duas ou três anotações que ele próprio fizera e as atirou todas no buraco da memória para que fossem devoradas pelas chamas.

Winston não sabia em detalhe o que acontecia no labirinto invisível a que os tubos pneumáticos conduziam, mas tinha uma visão geral da coisa. Depois de efetuadas todas as correções a que determinada edição do *Times* precisava ser submetida e uma vez procedida a inclusão de todas as emendas, a edição era reimpressa, o original era destruído e a cópia corrigida era arquivada no lugar da outra. Esse processo de alteração contínua valia não apenas para jornais como também para livros, periódicos, panfletos, cartazes, folhetos, filmes, trilhas sonoras, desenhos animados, fotos — enfim, para todo tipo de literatura ou documentação que pudesse vir a ter algum significado político ou ideológico. Dia a dia e quase minuto a minuto o passado era atualizado. Desse modo era possível comprovar com evidências documentais que todas as previsões feitas pelo Partido haviam sido acertadas; sendo que, simultaneamente, todo vestígio de notícia ou manifestação de opinião conflitante com as necessidades do momento eram eliminados. A história não passava de um palimpsesto, raspado e reescrito tantas vezes quantas fosse necessário. Uma vez executado o serviço, era absolutamente impossível provar a ocorrência de qualquer tipo de falsificação. A maior seção do Departamento de Documentação, muito mais ampla do que aquela em que Winston trabalhava, era composta de pessoas cuja única obrigação era localizar e recolher todos os exemplares de livros, jornais e outros documentos que tivessem sido substituídos e precisavam ser eliminados. Alguns números do *Times* que — devido a mudanças no alinhamento político ou em virtude de profecias equivocadas do Grande Irmão — podiam ter sido reescritos uma dúzia de vezes continuavam arquivados com sua data original de publicação, sem que houvesse outro exemplar para contradizê-lo. Os livros também eram recolhidos e reescritos vezes sem conta, e nas reedições jamais se admitia a introdução de modificações. Tampouco nas instruções que Winston recebia por escrito e das quais tratava de se livrar tão logo se desincumbia delas, reconhecia-se ou dava-se a entender que a tarefa solicitada implicava um ato de falsificação; a referência era sempre a deslizes, equívocos, erros de impressão ou citações improcedentes, os quais era necessário, em benefício da exatidão, corrigir.

Se bem que, pensou ele ao reajustar os números do Ministério da Pujança, aquilo nem falsificação era. Tratava-se apenas de substituir um absurdo por outro. Quase todo o material com que lidavam ali era desprovido da mais ínfima ligação com o mundo real — faltava até o tipo de ligação contido numa mentira deslavada. As versões originais das estatísticas não eram menos fantasiosas que suas versões retificadas. Na maioria das vezes, Winston e seus colegas eram simplesmente obrigados a tirá-las da cartola. As projeções do Ministério da Pujança, por exemplo, indicavam que a produção trimestral de botas chegaria a cento e quarenta e cinco milhões de pares. A produção efetiva ficara em sessenta e dois milhões. Ao reescrever as estimativas, porém, Winston baixara o número para cinquenta e sete milhões de pares, para dessa forma abrir espaço para as costumeiras declarações de que a cota de produção fora superada. De todo modo, os sessenta e dois milhões de pares não se aproximavam mais da verdade do que os cinquenta e sete milhões ou os cento e quarenta e cinco milhões. Era bem provável que nem um mísero par de botas tivesse sido produzido. Mais provável ainda era que ninguém soubesse quantos pares haviam sido produzidos, nem fizesse questão de saber. O que se sabia sem sombra de dúvida era que todos os trimestres uma quantidade astronômica de botas era produzida no papel, enquanto possivelmente metade da população da Oceânia andava descalça pelas ruas. E assim acontecia com todos os tipos de fatos documentados, importantes ou não. Tudo ia empalidecendo num mundo de sombras em que, por fim, até mesmo o ano em que estavam se tornava incerto.

Winston olhou para o outro lado da sala. Na estação de trabalho correspondente à sua, um homenzinho com ar escrupuloso e cavanhaque escuro chamado Tillotson trabalhava com perseverança. Tinha um jornal dobrado sobre os joelhos e os lábios bastante próximos do bocal do ditógrafo. Dava a impressão de estar preocupado em manter sigilo sobre as coisas que dizia, mantendo-as somente entre ele e a teletela. Ergueu os olhos, e seus óculos projetaram um brilho hostil na direção de Winston.

Winston mal conhecia Tillotson, e não fazia a menor ideia do tipo de trabalho que ele realizava. No Departamento de Documentação as pessoas não ficavam tagarelando sobre suas atividades. Na sala comprida e desprovida de janelas, com suas duas fileiras de estações de trabalho, o farfalhar interminável da papelada e o zum-zum de vozes murmurando junto ao bocal dos ditógrafos, havia bem umas dez pessoas que Winston não conhecia nem pelo nome, embora as visse diariamente correndo de lá para cá pelos corredores e gesticulando durante os Dois Minutos de Ódio.

Sabia que na estação de trabalho vizinha à sua a mocinha de cabelo ruivo se esfalfava dia após dia tentando simplesmente localizar e eliminar dos jornais e revistas o nome das pessoas que haviam sido vaporizadas e que, portanto, não podiam ter existido. Havia certa congruência nisso, visto o marido dela ter sido vaporizado anos antes. E, algumas estações de trabalho mais à frente, um sujeito afável, ineficiente e sonhador, de nome Ampleforth, com orelhas extremamente peludas e um surpreendente talento para manipular rimas e metros, vivia às voltas com a produção de versões adulteradas — denominadas textos definitivos — de poemas que haviam se tornado ideologicamente ofensivos, mas que, por uma ou outra razão, não podiam ser expurgados das antologias. E aquela sala, com seus cinquenta funcionários mais ou menos, não passava de uma subseção, de uma única célula, por assim dizer, da colossal complexidade do Departamento de Documentação. Mais adiante, acima, abaixo, havia outros magotes de funcionários às voltas com uma miríade inimaginável de atividades. Havia as imensas tipografias com seus subeditores, seus tipógrafos especialistas e seus estúdios altamente sofisticados para a realização de maquiagem de fotografias. Havia a seção de teleprogramas com seus engenheiros, seus produtores e suas equipes de atores especialmente selecionados por sua competência na imitação de vozes. Havia os exércitos de escriturários cujo trabalho consistia simplesmente na confecção de listas de livros e periódicos a serem recolhidos. Havia os vastos depósitos onde eram armazenados os documentos corrigidos, e as fornalhas ocultas em que os originais eram destruídos. E, em lugares indeterminados, totalmente anônimas, havia as cabeças dirigentes que coordenavam todo aquele esforço e estabeleciam as diretrizes políticas que tornavam necessário que este fragmento do passado fosse preservado, aquele adulterado e aquele outro destituído de toda e qualquer existência.

E, no fim das contas, o Departamento de Documentação não passava de um ramo do Ministério da Verdade cuja função primeira não era reconstruir o passado e sim abastecer os cidadãos da Oceânia com jornais, filmes, livros escolares, programas de teletela, peças dramáticas, romances — com todo tipo imaginável de informação, ensino ou entretenimento, de estátuas a slogans, de poemas líricos a tratados de biologia, de cartilhas de ortografia a dicionários de Novafala. E ao ministério cabia não apenas suprir as inúmeras necessidades do Partido como também reproduzir toda essa operação num nível inferior, em benefício do proletariado. Havia uma série de departamentos dedicados especificamente à literatura, à música, ao teatro e ao entretenimento proletário em geral. Ali eram produzidos jornais populares contendo apenas e tão somente esportes, crimes e astrologia, romances sem a menor qualidade, curtos e sensacionalistas, filmes com cenas e mais cenas de sexo, e canções sentimentais compostas de forma totalmente mecânica por uma modalidade especial de caleidoscópio conhecida como versificador. Havia inclusive uma subseção inteira — *Pornodiv* era seu nome em Novafala — dedicada à produção do tipo mais grosseiro de pornografia, que era despachado em embalagens fechadas e que nenhum integrante do Partido, salvo os envolvidos em sua produção, tinha a permissão de ver.

Enquanto Winston trabalhava, o tubo pneumático despejara mais três mensagens em sua escrivaninha, mas eram questões simples e ele as resolvera antes de ser interrompido pelos Dois Minutos de Ódio. Findo o Ódio, voltou à estação de trabalho, tirou da prateleira o dicionário de Novafala, empurrou o ditógrafo para o lado, limpou os óculos e se dedicou a sua principal atividade da manhã.

O trabalho era o maior prazer da vida de Winston. Suas tarefas compunham uma rotina majoritariamente enfadonha, mas vez por outra apareciam incumbências que, de tão difíceis e intrincadas, faziam-no correr o risco de perder-se nelas, como nas profundezas de um problema matemático. Eram obras delicadíssimas de contrafação, sem orientação alguma além de sua familiaridade com os princípios do Socing e uma ideia aproximada do que o Partido queria que fosse dito. Winston era bom nesse tipo de coisa. Uma vez ou outra já fora até encarregado de retificar os editoriais do *Times*, inteiramente escritos em Novafala. Desenrolou a mensagem que deixara de lado no começo do dia. Ela dizia:

> times 3.12.83 reportagem ordemdia gi
> duplomaisnãobom ref despessoas reescrever
> todamente mostrarsup antearquiv.

Isso poderia ser traduzido da seguinte maneira em Velhafala (ou Inglês Padrão):

> A reportagem sobre a ordem do dia pronunciada pelo Grande Irmão e publicada no *Times* do dia 3 de dezembro de 1983 ficou péssima e ainda faz referência a pessoas que não existem. Reescreva-a e apresente um rascunho a seus superiores antes de mandá-la para o arquivo.

Winston leu a matéria condenada. Aparentemente, a principal intenção da ordem do dia do Grande Irmão fora elogiar o trabalho da organização conhecida como FFCC, responsável por fornecer cigarros e outros itens para o conforto dos marinheiros das Fortalezas Flutuantes. Um certo camarada Withers, membro insigne do Núcleo do Partido, merecera menção especial e fora condecorado com a Ordem do Mérito Conspícuo, Segunda Classe.

Três meses depois, de uma hora para a outra e sem nenhum motivo aparente, a FFCC fora dissolvida. Supunha-se que Withers e seus sócios tivessem caído em desgraça, mas tanto os jornais como a teletela haviam silenciado sobre o assunto. Nada de extraordinário nisso, pois quase nunca os transgressores políticos eram levados a julgamento ou mesmo denunciados publicamente. Os grandes expurgos, que envolviam milhares de pessoas, com julgamentos públicos dos traidores e criminosos do pensamento que faziam confissões abjetas e em seguida eram executados, serviam como punições excepcionalmente exemplares e só aconteciam a cada dois ou três anos. O mais comum era que as pessoas que caíam em desgraça no Partido simplesmente desaparecessem e nunca mais se ouvisse falar delas. Ninguém fazia a menor ideia de que fim teriam levado. Em alguns casos podiam nem estar mortas. Winston possivelmente havia testemunhado o desaparecimento de trinta conhecidos seus ao longo dos anos, isso sem contar seus pais.

Winston acariciou suavemente o nariz com um clipe. Na estação de trabalho do outro lado da sala, circunspecto, o camarada Tillotson continuava debruçado sobre seu ditógrafo. Ergueu a cabeça por um momento: de novo o brilho hostil dos óculos. Winston ficou pensando que talvez o camarada Tillotson estivesse fazendo o mesmo trabalho que ele. Era perfeitamente possível. Tarefa tão complicada jamais seria confiada a uma única pessoa; por outro lado, deixá-la a cargo de uma comissão seria admitir abertamente que o que se pretendia ali era uma adulteração. Com toda a probabilidade havia no mínimo uma dúzia de pessoas elaborando versões rivais daquilo que o Grande Irmão de fato dissera em sua ordem do dia. E em breve algum mandachuva do Núcleo do Partido escolheria esta ou aquela versão, faria a reedição do texto e acionaria os indispensáveis e complexos processos de referência cruzada para que em seguida a mentira selecionada entrasse para os anais permanentes e se tornasse verdade.

Winston não sabia por que Withers caíra em desgraça. Talvez por corrupção ou incompetência. Talvez o Grande Irmão estivesse apenas se livrando de um subordinado popular demais. Talvez Withers ou alguém próximo a ele estivesse sob suspeita de abrigar tendências heréticas. Ou talvez — e o mais provável — a coisa acontecera apenas e tão somente porque expurgos e pulverizações eram elementos indispensáveis à mecânica governamental. As únicas pistas concretas estavam nas palavras "ref despessoas", que indicavam que Withers já estava morto. Não que esse fosse o desfecho automático sempre que alguém era detido. Às vezes o preso acabava sendo solto e era autorizado a viver um ou dois anos em liberdade antes de ser executado. Muito de vez em quando, uma pessoa que todos julgavam morta havia muito tempo fazia uma reaparição fantasmagórica num julgamento público, comprometendo centenas de outros com seu testemunho para então tornar a desaparecer, dessa vez para sempre. Withers, contudo, já era uma *despessoa*. Não existia; nunca havia existido. Winston concluiu que não bastaria simplesmente inverter a tendência do discurso do Grande Irmão. Era melhor fazê-lo versar sobre algo que não tivesse nada a ver com o assunto original.

Podia transformar o discurso na habitual cantilena contra traidores e criminosos do pensamento, mas isso era um pouco óbvio demais; por outro lado, se inventasse uma vitória no fronte ou um triunfo de superprodução no âmbito do Nono Plano Trienal, talvez estivesse criando uma complicação grande demais para os registros. De súbito apareceu na sua cabeça a imagem sob medida, por assim dizer, de um certo camarada Ogilvy, recentemente morto em combate em circunstâncias heroicas. Havia ocasiões em que o Grande Irmão dedicava sua ordem do dia à celebração de algum membro humilde e insignificante do Partido, cuja vida e morte eram então elevadas à condição de exemplos dignos de ser seguidos. Era chegada a hora de ele festejar o camarada Ogilvy. Na verdade nunca existira nenhum camarada Ogilvy, mas um punhado de linhas impressas e duas ou três fotos forjadas fariam com que ganhasse vida.

Winston refletiu por alguns instantes, depois puxou o ditógrafo para junto de si e começou a ditar no conhecido estilo do Grande Irmão: um estilo ao mesmo tempo militar e pedante e, graças a uma artimanha que consistia em formular perguntas e prontamente apresentar as respostas para elas ("Que ensinamentos tiramos desse fato, camaradas? O ensinamento — que aliás é também um dos princípios fundamentais do Socing — de que" etc. etc.), muito fácil de imitar.

Aos três anos de idade, o camarada Ogilvy rejeitara todos os seus brinquedos, exceto um tambor, uma submetralhadora e um helicóptero em miniatura. Aos seis, graças a uma autorização especial — um ano antes do que permitia o regulamento —, ingressara nas fileiras dos Espiões; aos nove, se tornara comandante de tropa. Aos onze, denunciara um tio à Polícia das Ideias depois de ter escutado às escondidas uma conversa que lhe parecera conter tendências criminosas. Aos dezessete, fora organizador distrital da Liga Juvenil Antissexo. Aos dezenove, projetara uma granada de mão adotada pelo Ministério da Paz e que no primeiro teste matara trinta e um prisioneiros eurasianos de uma só vez. Aos vinte e três, perdera a vida em combate. Perseguido por jatos inimigos ao sobrevoar o oceano Índico com despachos importantes, amarrara a metralhadora ao corpo, usando-a como lastro, e saltara do helicóptero em alto-mar com despachos e tudo — um fim, disse o Grande Irmão, impossível de contemplar sem uma certa inveja. Em seguida, o Grande Irmão acrescentou algumas observações sobre a pureza e a determinação que haviam marcado a vida do camarada Ogilvy. Era abstêmio, não fumava e sua única distração era a hora que passava diariamente na academia de ginástica. Além disso, fizera voto de celibato, pois acreditava que o casamento e as preocupações com a família eram incompatíveis com uma vida de absoluta dedicação ao dever. Quando se dispunha a conversar, era sempre sobre os princípios do Socing, e sua única aspiração na vida era derrotar o inimigo eurasiano e perseguir implacavelmente espiões, sabotadores, criminosos do pensamento e traidores em geral.

Winston ponderou a possibilidade de conceder ao camarada Ogilvy a Ordem do Mérito Conspícuo; no fim concluiu que não devia fazê-lo, considerando o trabalho desnecessário de referência cruzada que isso acarretaria.

Tornou a olhar de relance para o rival na estação de trabalho oposta à sua. Algo parecia lhe dizer com segurança que Tillotson estava às voltas com o mesmo trabalho que ele. Era impossível saber qual das versões acabaria sendo adotada, porém Winston acreditava firmemente que seria a sua. O camarada Ogilvy, que até uma hora antes não existia nem na imaginação, agora era um fato. Não deixava de ser curioso, pensou Winston, que fosse possível criar homens mortos, mas não homens vivos. O camarada Ogilvy, que nunca existira no presente, agora existia no passado, e tão logo o ato da falsificação caísse no esquecimento, existiria com a mesma autenticidade e com base no mesmo tipo de evidência que Carlos Magno ou Júlio César.

5.

Na cantina de teto baixo situada na parte subterrânea do edifício, longe da superfície do solo, a fila do almoço se arrastava, avançando muito devagar. O ambiente já estava superlotado e o barulho era ensurdecedor. O bafo do ensopado escapava pela grade do balcão, espalhando um cheiro azedo, metálico, que não encobria completamente os vapores do gim Victory. No outro extremo da sala havia um pequeno bar, não mais que um buraco na parede, onde era possível comprar gim por dez centavos a dose grande.

"Exatamente a pessoa que eu estava procurando", disse alguém atrás de Winston.

Winston se virou. Era seu amigo Syme, que trabalhava no Departamento de Pesquisas. Talvez o termo não fosse exatamente "amigo". Agora ninguém mais tinha amigos, só camaradas: mas a companhia de alguns camaradas era mais prazerosa que a de outros. Syme era filólogo, especialista em Novafala. Na realidade fazia parte da vasta equipe de especialistas encarregada de compilar a Décima Primeira Edição do *Dicionário de Novafala*. Era um sujeito minúsculo, menor ainda que Winston, de cabelo escuro e grandes olhos protuberantes ao mesmo tempo tristonhos e zombeteiros, que davam a impressão de interrogar a fisionomia do interlocutor enquanto falava com ele.

"Eu queria saber se você tem alguma lâmina de barbear", disse.

"Nenhuma!", respondeu Winston depressa, como quem se sente culpado. "Procurei por toda parte. Não tem em lugar nenhum."

Todo mundo vivia lhe pedindo lâminas de barbear. A bem da verdade, Winston tinha duas lâminas sem uso, que estava deixando de reserva. Fazia alguns meses que as lâminas estavam em falta. Sempre havia algum artigo necessário que as lojas do Partido não conseguiam fornecer. Às vezes botões, às vezes lã para cerzir, às vezes cadarço para sapatos; no momento era lâmina de barbear. Só se podia obter alguma — quando dava — virando furtivamente do avesso o mercado "livre".

"Faz seis semanas que uso a mesma lâmina", acrescentou, faltando com a verdade.

A fila deu um tranco e voltou a avançar alguns passos. Quando pararam, Winston se virou e voltou a encarar Syme. Cada um pegou uma bandeja de metal engordurada de uma pilha na beirada do balcão.

"Você foi ver o enforcamento dos prisioneiros ontem?", quis saber Syme.

"Eu estava trabalhando", respondeu Winston com indiferença. "Imagino que vão mostrar no noticiário."

"Um substituto muito inadequado", observou Syme.

Seus olhos zombeteiros perscrutaram o rosto de Winston. "Eu conheço você", os olhos pareciam dizer. "Você é transparente para mim. Sei muito bem por que você não foi ver o enforcamento daqueles prisioneiros." Num estilo intelectual, Syme era virulentamente ortodoxo. Mostrando satisfação malévola, gostava de falar de incursões de helicóptero contra povoados inimigos, de julgamentos e confissões de criminosos do pensamento, de execuções nos porões do Ministério do Amor. Conversar com ele era, em grande medida, tentar desviá-lo desse tipo de assunto e envolvê-lo, se possível, nos aspectos técnicos da Novafala, que conhecia muito bem e sobre os quais discorria com interesse. Winston voltou a cabeça um pouco para um lado para esquivar-se ao exame dos grandes olhos escuros.

"Foi um belo enforcamento", disse Syme, pensativo. "Acho que estraga tudo, essa história de amarrar os pés deles. Gosto de ver quando eles esperneiam. E principalmente, no fim, a língua espichada para fora, azul — um azul bem vivo. É meu detalhe predileto."

"Próximo!", berrou o proleta de avental branco de concha na mão. Winston e Syme passaram suas bandejas por baixo da grade. Num instante as duas receberam suas porções de almoço-padrão: uma marmita de metal de ensopado rosa-acinzentado, um naco de pão, um cubo de queijo, uma tigela de café Victory sem leite e um tablete de sacarina.

"Tem uma mesa lá adiante, embaixo daquela teletela", disse Syme. "Vamos apanhar um gim no caminho."

O gim foi servido em canecas de porcelana sem asa. Os dois avançaram em zigue-zague pelo refeitório apinhado e largaram as bandejas na mesa de tampo metálico a um canto, na qual alguém havia deixado uma poça de ensopado, uma nojeira líquida com aparência de vômito. Winston apanhou sua caneca de gim, fez uma pausa para criar coragem e engoliu de uma só vez a substância com gosto de óleo. Depois de piscar várias vezes para expulsar as lágrimas dos olhos, constatou de repente que estava com fome. Começou a engolir o ensopado em grandes colheradas, um caldo aguado preparado de forma desleixada, com cubos rosados esponjosos que eram, provavelmente, alguma coisa à base de carne. Nenhum dos dois abriu a boca enquanto as duas marmitas não ficaram vazias. Na mesa à esquerda de Winston, quase às suas costas, alguém falava depressa e sem interrupção, uma algaravia áspera que lembrava o grasnado de um pato e que sobressaía do tumulto geral da sala.

"Como vai o dicionário?", perguntou Winston, elevando o tom de voz para que o outro pudesse ouvi-lo.

"Devagar", disse Syme. "Estou nos adjetivos. Fascinante."

Ele se animara todo ao ver Winston mencionar a Novafala. Empurrou a marmita para um lado, segurou o naco de pão com uma das mãos delicadas e o queijo com a outra, depois inclinou-se por cima da mesa para conseguir falar sem ser obrigado a gritar.

"A Décima Primeira Edição é a edição definitiva", disse. "Estamos dando os últimos retoques na língua — para que ela fique do jeito que há de ser quando ninguém mais falar outra coisa."

Depois que acabarmos, pessoas como você serão obrigadas a aprender tudo de novo. Tenho a impressão de que você acha que nossa principal missão é inventar palavras novas. Nada disso! Estamos destruindo palavras — dezenas de palavras, centenas de palavras todos os dias. Estamos reduzindo a língua ao osso. A Décima Primeira Edição não conterá uma única palavra que venha a se tornar obsoleta antes de 2050."

Deu uma dentada faminta no pão e engoliu duas colheradas de ensopado, depois continuou falando, com uma espécie de paixão pedante. Seu rosto escuro e afilado se animara, seus olhos haviam perdido a expressão zombeteira e adquirido um ar quase sonhador.

"Que coisa bonita, a destruição de palavras! Claro que a grande concentração de palavras inúteis está nos verbos e adjetivos, mas há centenas de substantivos que também podem ser descartados. Não só os sinônimos; os antônimos também. Afinal de contas, o que justifica a existência de uma palavra que seja simplesmente o oposto de outra? Uma palavra já contém em si mesma o seu oposto. Pense em "bom", por exemplo. Se você tem uma palavra como "bom", qual é a necessidade de uma palavra como "ruim"? "Desbom" dá conta perfeitamente do recado. É até melhor, porque é um antônimo perfeito, coisa que a outra palavra não é. Ou então, se você quiser uma versão mais intensa de "bom", qual é o sentido de dispor de uma verdadeira série de palavras imprecisas e inúteis como "excelente", "esplêndido" e todas as demais? "Maisbom" resolve o problema; ou "duplimaisbom", se quiser algo ainda mais intenso. Claro que já usamos essas formas, mas na versão final da Novafala tudo o mais desaparecerá. No fim o conceito inteiro de bondade e ruindade será coberto por apenas seis palavras — na realidade por uma palavra apenas. Você consegue ver a beleza da coisa, Winston? Claro que a ideia partiu do "G. I.", acrescentou, como alguém que se lembra de um detalhe que não havia mencionado.

Uma espécie de ansiedade inconsistente perpassou o rosto de Winston ao ouvir falar no Grande Irmão. Mesmo assim, Syme detectou instantaneamente uma certa falta de entusiasmo.

"Você não sente muita admiração pela Novafala, Winston", disse ele, quase triste. "Até mesmo quando escreve, continua pensando em Velhafala. Li alguns daqueles artigos que você publica no

Times de vez em quando. São muito bons, mas são traduções. No fundo você preferiria continuar usando a Velhafala, com todas as suas inexatidões e nuances inúteis de significado. Não compreende a beleza da destruição de palavras. Você sabia que a Novafala é a única língua do mundo cujo vocabulário encolhe a cada ano?"

Winston sabia, claro. Sorriu com simpatia — esperava —, sentindo-se inseguro quanto ao que diria, se abrisse a boca para falar. Syme arrancou com os dentes outro fragmento de pão escuro, mastigou-o depressa e continuou:

"Você não vê que a verdadeira finalidade da Novafala é estreitar o âmbito do pensamento? No fim teremos tornado o pensamento-crime literalmente impossível, já que não haverá palavras para expressá-lo. Todo conceito de que pudermos necessitar será expresso por apenas *uma* palavra, com significado rigidamente definido, e todos os seus significados subsidiários serão eliminados e esquecidos. Na Décima Primeira Edição já estamos quase atingindo esse objetivo. Só que o processo continuará avançando até muito depois que você e eu estivermos mortos. Menos e menos palavras a cada ano que passa, e a consciência com um alcance cada vez menor. Mesmo agora, claro, não há razão ou desculpa para cometer pensamentos-crime. É pura e simplesmente uma questão de autodisciplina, de controle da realidade. Mas, no fim, nem isso será necessário. A Revolução estará completa quando a linguagem for perfeita. A Novafala é o Socing, e o Socing é a Novafala", acrescentou com uma espécie de satisfação mística. "Alguma vez lhe ocorreu, Winston, que lá por 2050, no máximo, nem um único ser humano vivo será capaz de entender uma conversa como a que estamos tendo agora?"

"Só os...", começou Winston, vacilante, depois se calou.

Estava a ponto de dizer "Só os proletas", mas voltou atrás, sem saber com certeza se o comentário não seria de alguma forma inortodoxo. Syme, contudo, adivinhou o que ele ia dizer.

"Os proletas não são seres humanos", disse, despreocupado. "Lá por 2050 — ou antes, talvez — todo conhecimento real de Velhafala terá desaparecido. Toda a literatura do passado terá sido destruída. Chaucer, Shakespeare, Milton, Byron existirão somente em suas versões em Novafala, em que, além de transformados em algo diferente, estarão transformados em algo contraditório com o que eram antes. A literatura do Partido será outra. Os slogans serão outros. Como podemos ter um slogan como 'Liberdade é escravidão' quando o conceito de liberdade foi abolido? Todo o clima de pensamento será diferente. Na realidade *não* haverá pensamento tal como o entendemos hoje. Ortodoxia significa não pensar — não ter necessidade de pensar. Ortodoxia é inconsciência."

Um dia desses, pensou Winston, assaltado por uma convicção profunda, Syme será vaporizado. É inteligente demais. Vê as coisas com excessiva clareza e é franco demais quando fala. O Partido não gosta desse tipo de gente. Um dia ele vai desaparecer. Está escrito na cara dele.

Winston acabara com sua porção de queijo e pão. Virou-se um pouco de lado na cadeira para tomar seu café. Na mesa à esquerda o homem de voz estridente continuava falando sem dar trégua aos companheiros. Uma jovem que talvez fosse sua secretária e que estava de costas para Winston ouvia o que ele afirmava e parecia concordar enfaticamente com tudo. De vez em quando Winston pescava alguma observação do tipo "Acho que você tem toda a razão; concordo cem por cento com você", manifestada por uma voz feminina jovem e um bocado tola. Porém a outra voz nunca se interrompia por um instante que fosse, nem mesmo quando a garota falava. Winston conhecia o homem de vista, mas só sabia que ocupava um cargo importante no Departamento de Ficção. Era um homem de uns trinta anos, de pescoço musculoso e grande boca móvel. Jogava a cabeça um pouco para trás e, devido ao ângulo em que estava sentado, seus óculos refletiam a luz e punham diante de Winston dois círculos opacos no lugar dos olhos. O detalhe um tanto horrível da cena era o fato de ser praticamente impossível distinguir uma só palavra na torrente de ruídos que jorrava da boca daquele homem. Em uma única ocasião Winston entendeu uma frase — "completa e total eliminação do goldsteinismo" —, cuspida a grande velocidade e, aparentemente, formando um só bloco, como uma linha de tipos soldados uns aos outros. O restante era mero ruído, um grasnado ininterrupto. Isso não impedia, porém, que, mesmo sem conseguir escutar o que o homem dizia, você se assegurasse do sentido geral de suas palavras. Ele devia estar denunciando Goldstein e exigindo medidas mais severas contra os criminosos do pensamento e os sabotadores, devia estar lançando vitupérios contra as atrocidades do exército Eurasiano, devia estar enaltecendo o Grande Irmão ou os heróis do fronte malabarense — dava tudo no mesmo. Fosse o que fosse, de uma coisa você podia estar seguro: cada palavra de seu discurso era pura ortodoxia, puro Socing. Enquanto fitava o rosto sem olhos com aquele maxilar que se mexia incansavelmente para cima e para baixo, Winston teve a estranha sensação de que aquele não era um ser humano de verdade, mas alguma espécie de simulacro. O que falava não era o cérebro do homem, era sua laringe. O material que ele produzia era formado por palavras, contudo não era fala no sentido lato: era um ruído emitido sem a participação da consciência, como o grasnado de um pato.

Syme silenciara por um momento; usava o cabo da colher para desenhar na poça de ensopado. A voz da outra mesa continuava grasnando a toda a velocidade, facilmente audível a despeito do rumor ambiente.

"Tem uma palavra em Novafala", disse Syme, "que não sei se você conhece. *Patofala*, grasnar feito um pato. É uma dessas palavras interessantes com dois sentidos contraditórios. Quando aplicada a um adversário, é ofensa; aplicada a alguém com quem você concorda, é elogio."

Syme será vaporizado, sem sombra de dúvida, pensou Winston de novo. A reflexão estava impregnada de uma espécie de tristeza, embora Winston soubesse muito bem que Syme o desprezava e não sentia maior afeto por ele, e que era totalmente capaz de denunciá-lo como criminoso do pensamento se visse razão para isso. Havia algo de sutilmente errado em Syme. Ele era desprovido de discrição, de indiferença, de uma espécie de estultícia salvadora. Ninguém poderia dizer que ele fosse inortodoxo. Acreditava nos princípios do Socing, venerava o Grande Irmão, se rejubilava com as vitórias, odiava os hereges, não apenas com sinceridade como com uma espécie de zelo incansável, com uma atualidade de informações de que os membros comuns do Partido não chegavam nem perto. Ainda assim, era como se houvesse algo de suspeito nele. Dizia coisas que teria sido melhor não dizer, lera livros demais, frequentava o Café da Castanheira, covil de pintores e músicos. Não havia lei, escrita ou não escrita, que proibisse alguém de ir ao Café da Castanheira; mesmo assim o lugar aparentemente dava azar. Os antigos líderes do Partido, agora desacreditados, costumavam reunir-se no local antes do expurgo final. Diziam que o próprio Goldstein fora visto ali algumas vezes, anos e décadas atrás. Não era difícil prever o futuro de Syme. Mesmo assim, não havia dúvida de que se Syme percebesse, nem que fosse por três segundos, a natureza das opiniões secretas dele, Winston, imediatamente o entregaria à Polícia das Ideias. Qualquer um faria isso, aliás: mas Syme seria o primeiro. Não era apenas uma questão de zelo. Ortodoxia era inconsciência.

Syme ergueu os olhos. "Lá vem o Parsons", disse.

Alguma coisa em seu tom de voz parecia acrescentar "aquele rematado idiota". Parsons, vizinho de Winston nas Mansões Victory, efetivamente dedicava-se a atravessar o salão — um homenzinho rechonchudo, de estatura média, louro e com cara de sapo. Com trinta e cinco anos, já possuía pneus de gordura incipientes no pescoço e na cintura, mas seus movimentos eram enérgicos e juvenis. Tudo em sua aparência evocava um meninozinho em dimensão aumentada, a tal ponto que, embora vestisse o macacão regulamentar, era quase impossível não pensar nele como se estivesse envergando o short azul, a camisa cinza e o lenço vermelho dos Espiões. Ao evocar sua imagem, o que aparecia era sempre uma figura com covinhas nos joelhos e mangas arregaçadas mostrando os bracinhos rechonchudos. Com efeito, sempre que participava de uma caminhada comunitária ou de outra atividade física qualquer, Parsons aproveitava o pretexto para retomar o uso do short. Ao ver Winston e Syme, cumprimentou os dois com um "Alô, alô!" entusiasmado e sentou-se à mesa, exalando um odor intenso de suor. Todo o seu rosto rosado estava coberto por gotículas de transpiração. Sua capacidade de transpirar era fora do comum. No Centro Comunitário, sempre se podia descobrir se ele havia passado por lá para jogar pingue-pongue: era só verificar se o cabo da raquete estava úmido. Syme agora tinha na mão uma tira de papel com uma longa coluna de palavras, que estudava com um lápis-tinta entre os dedos.

"Olhe só como ele trabalha no horário de almoço!", disse Parsons cutucando Winston. "Dedicado, hein? O que você tem aí, garotão? Alguma coisa cerebral demais para mim, suponho. Smith, meu garotão, deixe eu lhe dizer por que estou atrás de você. É por causa daquela contri que você esqueceu de me passar."

"Que contri é essa?", perguntou Winston, enfiando automaticamente a mão no bolso para pegar dinheiro. Cerca de um quarto do salário do indivíduo tinha de ser reservado para contribuições voluntárias difíceis de controlar, de tão numerosas.

"Para a Semana do Ódio. Lembra? Coleta de porta em porta. Sou o tesoureiro do nosso quarteirão. Estamos suando a camisa para produzir um espetáculo sensacional. Escreva o que vou lhe dizer: se nossa querida Mansões Victory não estiver com a maior coleção de bandeiras da rua, não vai ser por falta de esforço da minha parte. Você me prometeu dois dólares."

Winston localizou e entregou ao outro duas cédulas imundas e amarrotadas, que Parsons registrou numa caderneta com a letra desenhada dos analfabetos.

"Aliás, garotão" disse ele, "ouvi dizer que aquele delinquente que eu tenho lá em casa acertou você com o estilingue ontem. Não se preocupe que já passei uma bela de uma descompostura nele por causa disso. Na verdade eu disse a ele que se o fato se repetir ele fica sem o estilingue."

"Acho que ele estava um pouco chateado por ter perdido a execução", disse Winston.

"Ah, bom... Quer dizer, ele tem razão, não é mesmo? São dois delinquentes muito do sem-vergonha, aqueles meus filhos, mas que são espertos, lá isso são! Só pensam numa coisa: nos Espiões. E na guerra, claro. Você sabe o que a minha menina aprontou no sábado passado, quando o pelotão dela estava fazendo uma caminhada para os lados de Berkhampsted? Convenceu duas outras meninas a acompanhá-la, escapou do grupo e as três passaram a tarde seguindo um homem esquisito. Ficaram na cola dele por duas horas, atravessaram o bosque e depois, quando chegaram a Amersham, entregaram o sujeito às patrulhas."

"Por que elas fizeram isso?", perguntou Winston, um tanto surpreso. Parsons prosseguiu, triunfante:

"Minha garota estava convencida de que o cara era algum tipo de agente inimigo. Achou que talvez ele tivesse sido lançado de paraquedas. Mas a questão é esta, garotão. Por que você acha que ela começou a desconfiar do sujeito? É que ela percebeu que ele calçava uns sapatos estranhos — disse que nunca tinha visto alguém usar aquele tipo de sapato. Quer dizer, tudo indicava que ele fosse estrangeiro. Muito esperta para uma moleca de sete anos, hein?"

"E o que aconteceu com o homem?", quis saber Winston.

"Ah, isso eu não sei. Mas não ficaria nem um pouco surpreso se..." Parsons imitou o gesto de quem aponta um fuzil e estalou a língua como se desse o tiro.

"Boa!", disse Syme distraído, sem levantar os olhos de sua tira de papel.

"Claro que não podemos nos dar ao luxo de correr riscos", concordou Winston, conscencioso.

"O que estou querendo dizer é que estamos no meio de uma guerra", observou Parsons.

Como para confirmar a afirmação, um toque de trombeta emitido pela teletela passou por cima da cabeça deles. Só que dessa vez não se tratava da proclamação de uma vitória militar, mas simplesmente de uma declaração do Ministério da Pujança.

"Camaradas!", gritou uma garbosa voz juvenil. "Atenção, camaradas! Temos novidades gloriosas para vocês. Vencemos a batalha da produção! Os proventos oriundos da produção de todos os tipos de bens de consumo acabam de ser calculados e mostram que o nível de vida subiu nada menos que vinte por cento em relação ao ano passado. Esta manhã, em todo o território da Oceânia, houve manifestações espontâneas incontroláveis, com os trabalhadores retirando-se de fábricas e escritórios, desfilando pelas ruas com bandeiras e exteriorizando sua gratidão para com o Grande Irmão pela vida nova e feliz a que sua sábia liderança nos conduziu. Aqui estão alguns dos totais obtidos. Gêneros alimentícios..."

A expressão "vida nova e feliz" foi repetida diversas vezes. Ultimamente essa expressão estava na moda no Ministério da Pujança. Parsons, atento desde o toque da trombeta, ouvia, sentado em silêncio, numa espécie de gravidade boquiaberta, numa espécie de tédio edificado. Era incapaz de acompanhar os números, mas percebia que de alguma forma eles justificavam um estado de satisfação. Segurava um cachimbo grande e sujo, cheio até a metade de tabaco carbonizado. Com o tabaco racionado a cem gramas por semana, poucas vezes era possível encher um cachimbo por completo. Winston fumava um cigarro Victory que mantinha cuidadosamente na horizontal. A nova ração só seria distribuída no dia seguinte e restavam-lhe apenas quatro cigarros. Naquele momento tinha os ouvidos fechados para os ruídos mais afastados e estava escutando o que a teletela transmitia. Foi informado de que houvera inclusive manifestações de agradecimento ao Grande Irmão pelo fato de ter elevado a ração de chocolate para vinte gramas por semana. Sendo que ainda ontem, refletiu, fora anunciada a *redução* da ração para vinte gramas por semana. Seria possível as pessoas engolirem aquela, passadas apenas vinte e quatro horas do anúncio? Sim, engoliam. Parsons engoliu sem dificuldade, com a estupidez de uma besta. A criatura sem olhos da outra mesa engoliu fanática, apaixonadamente, com um desejo furioso de seguir, denunciar e vaporizar todo aquele que viesse a sugerir que na semana anterior a ração era de trinta gramas. Syme também — de uma maneira mais complexa, que envolvia duplipensamento —, Syme engoliu. Winston era o *único*, então, a possuir memória?

Estatísticas fabulosas continuavam brotando da teletela. Em comparação com o ano anterior, havia mais comida, mais roupas, mais casas, mais móveis, mais panelas, mais combustível, mais navios, mais helicópteros, mais livros, mais bebês — mais tudo, exceto enfermidade, crime e loucura. Ano após ano e minuto após minuto, toda a gente e todas as coisas subiam rapidamente uma escala ascendente. Como Syme antes dele, Winston, de colher na mão, remexia o molho de cor esmaecida que respingara pela mesa, dando forma regular a uma longa trilha da substância. Meditava, irritado, sobre a textura física da vida. A vida teria sido sempre assim? A comida teria sempre tido aquele gosto? Percorreu a cantina com o olhar. Um salão de teto baixo, apinhado, de paredes encardidas em decorrência do contato com incontáveis corpos; mesas de metal amassadas e cadeiras posicionadas tão perto umas das outras que o sujeito se sentava com os cotovelos encostados nos dos vizinhos. Colheres tortas, bandejas escalavradas, tigelas brancas grosseiras; todas as superfícies engorduradas, sujeira em cada rachadura; e um cheiro azedo que misturava gim de segunda, café de segunda, ensopado com gosto metálico e roupas sujas. O tempo todo, no estômago, na pele, havia uma espécie de protesto, uma sensação de logro: a sensação de que você havia sido despojado de alguma coisa que tinha o direito de possuir. Era verdade que ele não se lembrava de nada que fosse profundamente diferente. Era a mesma coisa em todos os momentos que conseguia evocar com alguma acurácia: não havia comida suficiente, todas as meias e roupas de baixo estavam cheias de buracos, todos os móveis eram bambos e danificados, os aposentos mal aquecidos, o metrô superlotado, as casas caíam aos pedaços, o pão era escuro, o chá uma raridade, o café tinha um gosto asqueroso, os cigarros eram insuficientes — nada era barato e abundante, exceto o gim sintético. E embora, evidentemente, tudo piorasse à medida que o corpo envelhecia, não seria um sinal de que tudo aquilo *não* era a ordem natural das coisas o fato de que o coração da pessoa ficava apertado com o desconforto e a sujeira e a escassez, com os invernos intermináveis, com as meias grudentas, com os elevadores que nunca funcionavam, a água fria, o sabão áspero, os cigarros que se quebravam, a comida com seus estranhos gostos ruins? Por que razão o indivíduo acharia aquilo intolerável se não tivesse algum tipo de memória ancestral de que um dia as coisas haviam sido diferentes?

Tornou a percorrer a cantina com o olhar. Quase todos ali eram feios e continuariam feios mesmo que vestissem outra roupa que não os macacões azuis de praxe. Do outro lado da sala, sentado sozinho a uma mesa, um homem miúdo, curiosamente semelhante a um besouro, tomava café com os olhinhos dardejando, cheios de suspeita, para todos os lados. Como era fácil, pensou Winston, se você evitasse olhar ao redor, acreditar que o tipo físico estabelecido como ideal pelo Partido — jovens altos e musculosos e donzelas de peito farto, louras, vigorosas, queimadas de sol, despreocupadas — existia e até predominava. Na realidade, até onde ele era capaz de julgar, a maioria dos habitantes da Faixa Aérea Um era mirrada, escura e pouco favorecida. Era curioso como aquele tipo que lembrava um besouro proliferava nos ministérios: homens baixinhos, atarracados, que ganhavam peso muito cedo na vida, de pernas curtas, movimentos rápidos e esquivos e rostos obesos e inescrutáveis, sempre com olhos muito pequenos. Esse era o tipo que parecia florescer mais facilmente nos domínios do Partido.

O pronunciamento do Ministério da Pujança chegou ao fim com outro toque de trombeta e foi substituído por uma música metálica. Parsons, em quem o bombardeio de números provocara discreto entusiasmo, retirou o cachimbo da boca.

"Não há dúvida de que o Ministério da Pujança trabalhou bem este ano", disse, balançando a cabeça com ar entendido. "Aliás, Smith, meu garotão, será que você não tem uma lâmina de barbear para me passar?"

"Não tenho", disse Winston. "Estou usando a mesma lâmina há seis semanas."

"Ah... Bom, não custa perguntar, não é mesmo, garotão?"

"Sinto muito", disse Winston.

A voz de grasnado da outra mesa, temporariamente interrompida durante o pronunciamento do Ministério, retomara sua cantilena, tão estridente quanto antes. Por alguma razão, Winston de repente se viu pensando na sra. Parsons, com seu cabelo espigado e poeira nos vincos do rosto. Em dois anos mais aquelas crianças estariam denunciando a mãe à Polícia das Ideias. A sra. Parsons seria vaporizada. Syme seria vaporizado. Winston seria vaporizado. O'Brien seria vaporizado. Parsons, por outro lado, jamais seria vaporizado. A criatura sem olhos com voz de grasnado jamais seria vaporizada. Os homenzinhos com jeito de besouro que percorriam com tanta destreza os corredores labirínticos dos ministérios — esses também jamais seriam vaporizados. E a garota de cabelo escuro, a garota do Departamento de Ficção, tampouco seria vaporizada. Ele tinha a impressão de saber, por instinto, quem iria sobreviver e quem haveria de perecer: embora não fosse fácil determinar o que, exatamente, garantia essa sobrevivência.

Naquele exato momento, foi arrancado de seu devaneio por um violento safanão. A garota da mesa ao lado virara o corpo e olhava para ele. Era a garota de cabelo escuro. Ela lhe dirigia um olhar enviesado, mas de curiosa intensidade. No instante em que os olhos dos dois se encontraram, ela desviou de novo o olhar.

As costas de Winston ficaram cobertas de suor. Um golpe terrível de horror varou seu corpo. Foi uma coisa que passou quase na mesma hora, deixando atrás de si uma espécie de inquietação torturante. Por que a garota olhava para ele? Por que o seguia? Infelizmente, era incapaz de recordar se ela já estava sentada na outra mesa quando ele chegara ou se aparecera depois. De um modo ou de outro, no dia anterior, durante os Dois Minutos de Ódio, ela estava sentada logo atrás dele, quando não havia uma necessidade aparente de que lá estivesse. Muito provavelmente o verdadeiro objetivo era ouvir o que ele dizia e assegurar-se de que estava gritando com empenho adequado.

Seu pensamento anterior veio-lhe à mente: talvez ela não fizesse parte da Polícia das Ideias, mas o problema era que o maior perigo estava justamente no espião amador. Ele não sabia por quanto tempo ela ficara olhando para ele, talvez tivesse feito isso por cinco minutos, e era possível que suas feições não estivessem perfeitamente sob controle. Era terrivelmente perigoso deixar os pensamentos à solta num lugar público qualquer ou na esfera de visão de uma teletela. Qualquer coisinha podia ser sua perdição. Um tique nervoso, um olhar inconsciente de ansiedade, o hábito de falar sozinho — tudo que pudesse produzir uma impressão de anormalidade, de que tinha alguma coisa a esconder. Fosse como fosse, ostentar uma expressão inadequada no rosto (parecer incrédulo no momento em que uma vitória era anunciada, por exemplo) era em si uma infração passível de castigo. Havia inclusive uma palavra para isso em Novafala: *rostocrime*.

A garota voltara a dar-lhe as costas. Talvez não o estivesse seguindo, afinal de contas. Talvez fosse coincidência ter se sentado tão perto dele por dois dias consecutivos. O cigarro de Winston se apagara e ele o depositou com todo o cuidado sobre a borda da mesa. Acabaria de fumá-lo depois do trabalho, se conseguisse evitar que o tabaco caísse do interior do cilindro de papel. Era muito provável que a pessoa da mesa ao lado fosse uma espiã da Polícia das Ideias, e muito provavelmente em três dias ele estaria nos porões do Ministério do Amor, mas isso não era razão para desperdiçar uma bagana. Syme dobrara sua tira de papel e voltara a guardá-la no bolso. Parsons recomeçara a falar.

"Ô garotão, já lhe contei da vez em que aqueles dois delinquentes que eu tenho lá em casa tocaram fogo na saia da velha lá do mercado, porque viram ela embrulhar salsicha num pôster do G. I.?", perguntou, mordiscando o tubo do cachimbo e soltando uma risada. "Foram atrás dela sem que ela percebesse e tocaram fogo na saia dela com uma caixa de fósforos. Acho que ela ficou bem queimada. Que bandidos, não é mesmo? Mas umas verdadeiras raposas, de tão espertos. O treinamento que essas crianças recebem nos Espiões é de primeira, hoje em dia. Bem melhor que no meu tempo, inclusive. Adivinhe o que deram a eles, um dia desses? Cornetas acústicas para escutar pelas fechaduras! Minha garotinha apareceu lá em casa com o equipamento e fez o teste na fechadura da sala. Sabe que ela consegue ouvir duas vezes mais do que encostando a orelha no buraco? Claro que é um instrumento de brinquedo, mas ensina as crianças a fazer as coisas, não é mesmo?"

Nesse momento a teletela emitiu um assobio estridente. Era o sinal de que estava na hora de voltar para o trabalho. Os três homens puseram-se em pé de um salto para entrar na disputa pelos elevadores, e com isso o restinho de tabaco caiu do cigarro de Winston.

6.

Winston escrevia em seu diário:

> *Foi há três anos. Numa noite escura, numa ruazinha estreita, perto de uma das grandes estações de trem. Ela estava parada perto de uma porta encravada no muro, debaixo da lâmpada de um poste que não iluminava nada. Tinha um rosto jovem, muito maquiado. Foi a maquiagem, aliás, o que mais me atraiu, a brancura que aquilo dava ao rosto dela, como se fosse uma máscara, e o vermelho vivo dos lábios. As mulheres do Partido nunca se pintam. Não tinha mais ninguém na rua e nenhuma teletela à vista. Ela disse que o preço era dois dólares. Eu...*

Por enquanto estava difícil prosseguir. Winston fechou os olhos e os comprimiu com os dedos, tentando expulsar a imagem que insistia em voltar. Sentia a tentação quase irresistível de proferir a plenos pulmões uma sequência de palavras obscenas. Ou de bater com a cabeça na parede, chutar a mesa e jogar o vidro de tinta pela janela — qualquer ato colérico, barulhento ou doloroso que pudesse apagar a lembrança que o atormentava.

O pior inimigo de uma pessoa, refletiu, era seu sistema nervoso. A qualquer momento a tensão que se acumulava em seu interior corria o risco de traduzir-se num sintoma observável. Lembrou-se de um sujeito com o qual cruzara na rua semanas antes: um homem de aspecto bastante normal, membro do Partido, com cerca de trinta e cinco, quarenta anos, um pouco alto e magro, levando uma pasta na mão. Estavam a alguns metros de distância um do outro quando, sem mais nem menos, o lado esquerdo do rosto do desconhecido sofrera uma espécie de espasmo e ficara todo contorcido. A coisa se repetira no momento em que os dois se cruzavam: era apenas uma contração muscular, um estremecimento, rápido como o clique de um obturador fotográfico, mas obviamente acontecia com frequência. Winston recordava ter pensado na ocasião: esse pobre coitado está perdido. E o assustador era o fato de que a coisa podia ser inconsciente. O perigo mais letal de todos era falar dormindo. Até onde Winston podia ver, contra isso não havia como precaver-se.

Respirou fundo e recomeçou a escrever:

> *Fui atrás dela. Atravessamos um pátio interno e chegamos a uma cozinha num porão. Havia uma cama encostada à parede e em cima da mesa via-se uma lamparina com a chama bem baixa. Ela...*

Sentia os nervos à flor da pele. Gostaria de cuspir. Junto com a visão da mulher na cozinha do porão, vinha-lhe a imagem de Katharine, sua mulher. Winston era casado — ou pelo menos fora casado. Provavelmente continuava casado, pois até onde sabia Katharine não estava morta. Tinha a impressão de respirar outra vez o cheiro pesado e quente daquela cozinha, um cheiro resultante da mistura de percevejos com roupas sujas e perfume abominavelmente barato, mas mesmo assim envolvente, porque as mulheres do Partido não se perfumavam nunca — era inimaginável que o fizessem. Só as proletas usavam perfume. E na cabeça de Winston aquelas fragrâncias estavam inextricavelmente associadas à fornicação.

Aquela mulher fora seu primeiro deslize em cerca de dois anos. Ir para a cama com prostitutas era proibido, claro, mas essa era uma daquelas normas que a pessoa por vezes se animava a desrespeitar. Era arriscado, no entanto não punha a vida de ninguém em risco. Ser apanhado com uma prostituta podia significar cinco anos num campo de trabalhos forçados; não mais que isso, porém, se o sujeito não tivesse cometido nenhuma outra infração. E não envolvia grandes complicações, contanto que você não se deixasse flagrar em pleno ato. Os bairros mais pobres eram muito bem servidos de mulheres que se dispunham a vender o próprio corpo. Algumas se vendiam até por uma garrafa de gim, bebida que os proletas não estavam autorizados a consumir. O Partido tinha uma tendência, inclusive, a estimular tacitamente a prostituição, vendo nessa prática uma forma de dar vazão a impulsos que não podiam ser de todo suprimidos. A devassidão enquanto tal não preocupava muito, desde que fosse furtiva e sem alegria e envolvesse apenas mulheres necessitadas que não suscitassem senão desprezo. O crime imperdoável era a promiscuidade entre membros do Partido. No entanto — e não obstante esse delito constar invariavelmente da lista de crimes confessados pelos réus por ocasião dos grandes expurgos — era difícil imaginar que uma coisa daquelas pudesse acontecer na prática.

A intenção do Partido não era apenas impedir que homens e mulheres desenvolvessem laços de lealdade que eventualmente pudessem escapar de seu controle. O objetivo verdadeiro e não declarado era eliminar todo prazer do ato sexual. O inimigo era menos o amor que o erotismo, tanto dentro como fora do matrimônio. Todos os casamentos entre membros do Partido tinham de ser aprovados por uma comissão especialmente nomeada para esse fim, e — conquanto o princípio jamais fosse exposto com clareza — a permissão era sempre recusada quando havia sinais de atração física entre o homem e a mulher em questão. O único propósito reconhecido do casamento era gerar filhos para servir ao Partido. A relação sexual devia ser encarada como uma operaçãozinha ligeiramente repulsiva, uma espécie de lavagem intestinal. Isso tampouco era dito com todas as letras, sendo antes inculcado sub-repticiamente na cabeça dos membros do Partido desde a mais tenra infância. Havia inclusive organizações que defendiam o celibato absoluto para ambos os sexos. Todas as crianças seriam geradas por inseminação artificial (*semart*, em Novafala) e criadas por instituições públicas. Winston estava consciente de que esse era um plano que não devia ser levado inteiramente a sério, mas de todo modo era algo que se encaixava na ideologia geral do Partido. O Partido tratava de aniquilar o impulso sexual e, não podendo aniquilá-lo, queria pelo menos distorcê-lo e aviltá-lo. Winston não sabia o motivo disso, mas parecia-lhe natural que assim fosse. E, no que tocava às mulheres, os esforços do Partido eram em larga medida bem-sucedidos.

Tornou a pensar em Katharine. Devia fazer nove, dez, quase onze anos que os dois haviam se separado. Era curioso como ele raramente pensava nela. Podia passar dias sem se lembrar de que havia sido casado. Tinham vivido juntos apenas quinze meses. O Partido não permitia o divórcio, mas estimulava a separação na ausência de filhos.

Katharine era uma moça alta, loura, muito ereta e dona de movimentos esplêndidos. Tinha um rosto atrevido, com feições aduncas, um rosto que a pessoa talvez se sentisse inclinada a chamar de nobre — até descobrir que não havia praticamente nada por trás dele. Muito cedo na vida em comum dos dois, Winston concluíra — embora talvez essa conclusão fosse uma simples decorrência do fato de que a conhecia mais intimamente do que à maioria das pessoas — que Katharine era dotada da mente mais estúpida, vulgar e vazia com que já deparara. A cabeça dela era incapaz de formular um só pensamento que não fosse um slogan, assim como não havia imbecilidade que ela não engolisse se o Partido assim o quisesse. "A trilha sonora humana", apelidara-a para si mesmo. E, contudo, teria tolerado viver com ela se não fosse aquele pequeno detalhe — o sexo.

Assim que Winston a tocava, Katharine parecia estremecer e retesar-se toda. Abraçá-la era como abraçar um boneco articulado de madeira. E o estranho era que, mesmo quando ela o estreitava contra si, Winston tinha a sensação de que Katharine ao mesmo tempo o repelia com todas as suas forças. A impressão era transmitida pela rigidez dos músculos da mulher. Ela ficava estendida na cama de olhos fechados, sem resistir nem cooperar, apenas *submetendo-se*. Era extraordinariamente constrangedor e, passado algum tempo, horrível. E mesmo assim Winston teria tolerado viver com ela se os dois tivessem feito um acordo no sentido de manter-se celibatários. No entanto, curiosamente, fora a própria Katharine quem descartara essa possibilidade. Não havendo impedimento, era dever dos dois, afirmava ela, gerar uma criança. De modo que a coisa continuou sucedendo uma vez por semana, com grande regularidade, sempre que não fosse impossível. Katharine chegava mesmo a lembrá-lo pela manhã, como se aquilo fosse um compromisso que os dois tivessem mais tarde, algo de que não podiam se esquecer. Ela usava dois nomes para se referir à coisa. Um era "fazer nenê"; o outro, "nosso dever para com o Partido" (sim, ela usara mesmo essa frase). Não tardou para que Winston passasse a sentir verdadeiro pavor ao ver chegar o dia marcado. Felizmente, porém, não veio nenhuma criança, Katharine acabou concordando em desistir de tentar e pouco depois os dois se separaram.

Winston soltou um suspiro inaudível. Tornou a empunhar a caneta e escreveu:

> *Ela se jogou na cama e, no mesmo instante, sem nenhum tipo de preliminar, da maneira mais grosseira e detestável que se possa conceber, levantou a saia. Eu...*

Winston tornou a ver-se naquele aposento mal iluminado, com o cheiro de percevejo e perfume barato nas narinas e no coração um sentimento de derrota e rancor que mesmo naquele momento vinha mesclado com a lembrança do corpo de Katharine, aquele corpo branco, congelado para todo o sempre pelo poder hipnótico do Partido. Por que tinha de ser sempre assim? Por que ele não podia ter uma mulher que fosse sua, em vez daquele engalfinhamento asqueroso de tempos em tempos? Viver um amor verdadeiro, porém, era algo quase impensável. As mulheres do Partido eram todas iguais. Nelas a castidade estava tão profundamente entranhada quanto a lealdade ao Partido. Graças a um condicionamento cuidadoso, iniciado desde muito cedo, com jogos e água fria, com as porcarias que lhes vociferavam na escola, nos Espiões e na Liga da Juventude, com as palestras, os desfiles, as canções, os slogans e a música marcial, todo sentimento natural fora arrancado delas. O lado racional de Winston lhe dizia que devia haver exceções, porém seu coração não acreditava nisso. Eram todas inexpugnáveis, como o Partido queria que fossem. E o que ele desejava, ainda mais que ser amado, era pôr abaixo aquele muro de virtude, nem que fosse apenas por uma vez na vida. O ato sexual bem realizado era sublevação. Desejar era pensamento-crime. Se ele tivesse despertado o desejo de Katharine, se tivesse conseguido fazê-lo, teria sido como uma sedução, mesmo ela sendo mulher dele.

Mas era preciso escrever o resto da história. Winston prosseguiu:

> *Aumentei um pouco a chama da lamparina. Com a luz, vi que ela...*

Depois da escuridão, a luz débil da lamparina a querosene lhe parecera fortíssima. Pela primeira vez podia ver claramente a mulher. Dera um passo na direção dela e em seguida estacara, tomado de desejo e horror. Tinha consciência — uma consciência dolorida — do risco que assumira ao ir até lá. Era perfeitamente possível que os policiais o surpreendessem quando estivesse de saída; podiam inclusive estar, naquele instante mesmo, à sua espera do lado de fora. Se fosse embora sem chegar a fazer o que tinha ido fazer ali...!

Era preciso escrever aquilo, era preciso confessá-lo. O que ele percebera de repente à luz da lamparina era que a mulher era *velha*. Ela rebocara o rosto com tantas camadas de maquiagem que o rosto parecia uma máscara de papelão prestes a sofrer uma rachadura. Viam-se mechas brancas em seus cabelos, porém o detalhe verdadeiramente pavoroso era que ela abrira um pouco a boca e ali dentro não havia nada além de um negrume cavernoso. Não possuía um dente sequer.

Winston escreveu apressado, em garranchos:

Com a luz, vi que ela era bem velha, devia ter pelo menos uns cinquenta anos. Mas fui em frente e fiz a coisa mesmo assim.

Tornou a comprimir as pálpebras com os dedos. Escrevera, finalmente, mas não fizera diferença. A terapia não funcionara. A ânsia de proferir palavras obscenas a plenos pulmões continuava intensa como nunca.

———

7.

Se é que há esperança, escreveu Winston, *a esperança está nos proletas.*
    Se é que havia esperança, a esperança *só podia* estar nos proletas, porque só ali, naquelas massas desatendidas, naquele enxame de gente, oitenta e cinco por cento da população da Oceânia, havia possibilidade de que se gerasse a força capaz de destruir o Partido. Impossível derrubar o Partido de dentro para fora. Seus inimigos, se é que o Partido possuía algum, não tinham como agrupar-se ou mesmo como identificar-se uns aos outros. Mesmo que a legendária Confraria existisse, algo possível — mas não provável —, era inconcebível que seus membros algum dia pudessem reunir-se em grupos maiores que duas ou três pessoas. O estado de rebelião significava um certo olhar, uma certa inflexão de voz; no máximo uma ou outra palavra cochichada. Os proletas, porém, se de algum modo acontecesse o milagre de que se conscientizassem da força que possuíam, não teriam necessidade de conspirar. Bastava que se sublevassem e se sacudissem, como um cavalo se sacode para expulsar as moscas. Se quisessem, podiam acabar com o Partido na manhã seguinte. Mais cedo ou mais tarde eles teriam a ideia de acabar com o Partido, não teriam? E apesar de tudo...!

Lembrou-se de uma vez em que ia andando por uma rua apinhada quando um brado imenso formado por centenas de vozes — vozes femininas — se elevara de uma rua lateral um pouco à frente. Era um grito enorme, formidável, de ira e desespero, um "Oh-o-o-o-oh!" profundo e clamoroso que ecoava como a reverberação de um sino. O coração de Winston dera um salto. Começou!, pensara. Uma revolta! Os proletas estão se libertando, finalmente! Quando chegou ao ponto onde ocorria o tumulto, viu uma multidão formada por duzentas ou trezentas mulheres reunidas em torno das barracas de uma feira com uma expressão trágica no rosto, como se fossem os passageiros condenados de um navio que estivesse naufragando. Mas justo naquele momento o desespero generalizado se fragmentou, formando uma infinitude de confrontos individuais. Aparentemente, até pouco antes uma das barracas comercializava panelas de lata. Eram umas porcarias de umas panelas frágeis, de péssima qualidade, mas panela era coisa difícil de encontrar. De repente o estoque disponível se esgotara. As mulheres que haviam conseguido comprar as suas, empurradas e golpeadas pelas restantes, tentavam se afastar dali com seus troféus, enquanto dezenas de outras reclamavam em torno da barraca, acusando o feirante de favoritismo e de ter um estoque de panelas escondido em algum lugar. Gritos irromperam em outro ponto. Duas mulheres gordas, uma delas de cabelo longo e escorrido, haviam agarrado a mesma panela e cada uma tentava com todas as suas forças obrigar a outra a largá-la. As duas ficaram puxando a panela para lá e para cá até que o cabo se soltou. Winston observou a cena com repulsa. Por outro lado, pensou, por um momento passageiro, que força quase aterrorizante se manifestara naquele grito de não mais que umas poucas centenas de gargantas! Por que razão aquelas gargantas não poderiam ser capazes de gritar daquele jeito em relação a alguma coisa realmente importante?

Escreveu:

> *Enquanto eles não se conscientizarem, não serão rebeldes autênticos e, enquanto não se rebelarem, não têm como se conscientizar.*

A frase, pensou, quase poderia ter sido copiada de um dos manuais do Partido. É claro que o Partido se vangloriava de ter libertado os proletas da escravidão. Antes da Revolução eles eram oprimidos de maneira revoltante pelos capitalistas. Passavam fome, eram açoitados, as mulheres eram obrigadas a trabalhar nas minas de carvão (para falar a verdade, as mulheres continuavam trabalhando nas minas de carvão), as crianças eram vendidas para as fábricas a partir dos seis anos de idade. Mas, ao mesmo tempo, fiel aos princípios do duplipensamento, o Partido ensinava que os proletas eram inferiores naturais que deviam ser mantidos dominados, como os animais, mediante a aplicação de umas poucas regras simples. Na realidade pouco se sabia sobre os proletas. Não era necessário saber grande coisa. Desde que continuassem trabalhando e procriando, suas outras atividades careciam de importância. Abandonados a si mesmos, tal como o gado solto nos pampas argentinos, haviam regredido ao estilo de vida que lhes parecia natural — uma espécie de modelo ancestral. Nasciam, cresciam pelas sarjetas, começavam a trabalhar aos doze anos, aos trinta chegavam à meia-idade, em geral morriam aos sessenta. Trabalho físico pesado, cuidados com a casa e os filhos, disputas menores com os vizinhos, filmes, futebol, cerveja e, antes de mais nada, jogos de azar, preenchiam o horizonte de suas mentes. Não era difícil mantê-los sob controle. Alguns representantes da Polícia das Ideias circulavam entre eles, espalhando boatos falsos e identificando e eliminando os raros indivíduos considerados capazes de vir a ser perigosos; mas não era feita nenhuma tentativa no sentido de doutriná-los com a ideologia do Partido. Não era desejável que os proletas tivessem ideias políticas sólidas. Deles só se exigia um patriotismo primitivo, que podia ser invocado sempre que fosse necessário fazê-los aceitar horários de trabalho mais longos ou rações mais reduzidas. E mesmo quando eles ficavam insatisfeitos, como às vezes acontecia, sua insatisfação não levava a lugar nenhum, porque, desprovidos de ideias gerais como eram, só conseguiam fixar-se em queixas específicas e menores. Os grandes males invariavelmente escapavam a sua atenção. A vasta maioria dos proletas não tinha nem sequer uma teletela em casa. Até mesmo a polícia civil pouco se interessava por eles.

Londres era assolada pela criminalidade, um verdadeiro mundo paralelo de ladrões, bandidos, prostitutas, traficantes de drogas e trambiqueiros de todos os tipos; mas como tudo isso acontecia entre os próprios proletas, não fazia a menor diferença. Em todas as questões morais, nada os impedia de adotar seu código ancestral. O puritanismo sexual do Partido não lhes era imposto. A promiscuidade não era passível de punição, o divórcio era permitido. Aliás, até mesmo a prática religiosa seria permitida caso os proletas mostrassem algum indício de sentir necessidade ou desejo de religião. Eles estavam abaixo de qualquer suspeita. Como afirmava o slogan do Partido: "Proletas e animais são livres".

Winston estendeu a mão e coçou com cuidado sua úlcera varicosa. A comichão havia recomeçado. Você sempre acabava voltando para o mesmo ponto: de que modo o sujeito ia saber como era realmente a vida antes da Revolução? Tirou da gaveta um livro de história para crianças que a sra. Parsons havia lhe emprestado e começou a copiar um trecho no diário:

> *Antigamente* [estava escrito], *antes da gloriosa Revolução, Londres não era a bela cidade que conhecemos hoje. Era um lugar escuro, sujo, miserável, onde quase ninguém possuía o suficiente para comer e onde centenas de milhares de pobres não tinham botinas nos pés ou sequer um teto para abrigar seu sono. As crianças da sua idade, leitor, precisavam trabalhar doze horas por dia para patrões desumanos, que as cobriam de chicotadas se trabalhassem muito devagar e só as alimentavam com casca de pão velho e água. Mas no meio de toda essa terrível pobreza havia uns poucos casarões bonitos onde viviam pessoas ricas servidas por até trinta empregados. Essas pessoas ricas eram os capitalistas. Os capitalistas eram gordos e feios e tinham cara de ruins, como o da ilustração da página ao lado. Você pode notar que ele veste um casaco preto comprido que se chamava sobrecasaca, e um chapéu esquisito, brilhante, em forma de chaminé, e que tinha o nome de cartola. Esse era o uniforme dos*

capitalistas, e ninguém mais estava autorizado a usá-lo. Os capitalistas eram donos de tudo o que havia no mundo e todos os outros homens eram seus escravos. Eles eram donos de todas as terras, de todas as casas, de todas as fábricas e de todo o dinheiro. Se alguém lhes desobedecesse, os capitalistas podiam jogar a pessoa numa prisão, ou então mandá-la embora do emprego e obrigá-la a morrer de fome. Quando uma pessoa comum dirigia a palavra a um capitalista, tinha de curvar-se e fazer reverências, além de tirar o boné e chamar o capitalista de "Senhor". O chefe de todos os capitalistas era chamado de Rei e...

Mas Winston conhecia o resto da lenga-lenga. Haveria menção sobre bispos com suas camisas de cambraia, juízes com seus mantos de arminho, o pelourinho, o cepo, a roda, o chicote, o Banquete do Prefeito de Londres e a prática de beijar o pé do papa. Também havia uma coisa chamada *jus primae noctis*, que provavelmente não seria citada num livro para crianças. Era a lei que determinava que todo capitalista tinha o direito de ir para a cama com toda e qualquer mulher que trabalhasse em uma de suas fábricas.

Como saber quais daquelas coisas eram mentiras? *Talvez* fosse verdade que as condições de vida do ser humano médio fossem melhores hoje do que eram antes da Revolução. Os únicos indícios em contrário eram o protesto mudo que você sentia nos ossos, a percepção instintiva de que suas condições de vida eram intoleráveis e de que era impossível que em outros tempos elas não tivessem sido diferentes. Pensou que as únicas características indiscutíveis da vida moderna não eram sua crueldade e falta de segurança, mas simplesmente sua precariedade, sua indignidade, sua indiferença. A vida — era só olhar em torno para constatar — não tinha nada a ver com as mentiras que manavam das teletelas, tampouco com os ideais que o Partido tentava atingir. Porções consideráveis dela, mesmo da vida de um membro do Partido, eram neutras e apolíticas, simplesmente questão de suar a camisa realizando trabalhos horrorosos, de lutar para conseguir um lugar no metrô, de cerzir uma meia velha, de arrumar um saquinho de sacarina, de economizar uma bagana. O ideal definido pelo Partido era uma coisa imensa, terrível e luminosa — um mundo de aço e concreto cheio de máquinas monstruosas e armas aterrorizantes —, uma nação de guerreiros e fanáticos avançando em perfeita sincronia, todos pensando os mesmos pensamentos e bradando os mesmos slogans, perpetuamente trabalhando, lutando, triunfando, perseguindo — trezentos milhões de pessoas de rostos iguais. A realidade eram cidades precárias se decompondo, nas quais pessoas subalimentadas se arrastavam de um lado para outro em seus sapatos furados no interior de casas do século XIX com reformas improvisadas, sempre cheirando a repolho e a banheiros degradados. Winston tinha a sensação de ter uma visão de Londres, imensa e semidestruída, cidade com um milhão de latas de lixo, e fundida a essa visão estava a imagem da sra. Parsons, aquela mulher com vincos no rosto e cabelo espigado, lidando desamparada com um encanamento entupido.

Estendeu a mão e voltou a coçar o tornozelo. Noite e dia as teletelas massacravam os ouvidos das pessoas com estatísticas que provavam que hoje a população tinha mais comida, mais roupa, melhores casas, melhores opções de lazer — que vivia mais, trabalhava menos, era mais alta, mais saudável, mais forte, mais feliz, mais inteligente, mais culta do que as pessoas de cinquenta anos antes. Não havia como provar ou deixar de provar uma só dessas afirmações. O Partido insistia, por exemplo, que atualmente quarenta por cento dos proletas adultos eram alfabetizados: antes da Revolução, segundo diziam, o total era de apenas quinze por cento. O Partido insistia que hoje o índice de mortalidade infantil era de apenas cento e sessenta a cada mil habitantes — e assim por diante. Era como uma equação simples com duas incógnitas. Podia muito bem ser que literalmente todas as palavras contidas nos livros de história, inclusive aquelas aceitas sem o menor questionamento, fossem pura fantasia. Até onde ele sabia, talvez jamais tivesse existido uma lei de *jus primae noctis*, ou uma criatura conhecida como capitalista, ou um acessório com as características de uma cartola.

Tudo se esmaecia na névoa. O passado fora anulado, o ato da anulação fora esquecido, a mentira se tornara verdade. Somente uma vez na vida ele possuíra — *depois* do acontecimento: era isso o que contava — um indício concreto, inquestionável, de um ato de falsificação. Esse indício estivera entre seus dedos por trinta segundos. Em 1973, talvez tivesse sido em 1973 — de qualquer modo foi mais ou menos na época em que ele e Katharine se separaram. Mas o dado realmente relevante ocorrera sete ou oito anos antes.

Na verdade a história tivera início em meados dos anos 1960, época dos grandes expurgos, quando os líderes revolucionários originais haviam sido eliminados de uma vez por todas. Em 1970 já não restava um só deles, com exceção do próprio Grande Irmão. Os demais, àquela altura, haviam sido denunciados como traidores e contrarrevolucionários. Goldstein fugira e ninguém sabia onde ele se escondia; quanto aos outros, alguns tinham simplesmente desaparecido, enquanto a maioria fora executada depois de julgamentos públicos espetaculares, no decorrer dos quais confessavam seus crimes. Entre os últimos sobreviventes estavam três homens chamados Jones, Aaronson e Rutherford. Provavelmente esses três homens haviam sido presos em 1965. Como acontecia tantas vezes, levaram um sumiço de um ano mais ou menos, de modo que ninguém sabia se estavam vivos ou mortos; reapareceram de repente, para reconhecer a própria culpa da maneira usual. Confessaram colaboração com o inimigo (na época o inimigo também era a Eurásia), apropriação indébita de verbas públicas, assassinato de vários membros leais ao Partido, intrigas visando prejudicar a liderança do Grande Irmão — intrigas essas iniciadas bem antes da Revolução — e atos de sabotagem responsáveis pela morte de centenas de milhares de pessoas. Depois de confessar essas coisas, os três haviam sido perdoados, reconduzidos às fileiras do Partido e agraciados com postos que na verdade eram sinecuras, mas que transmitiam a sensação de ser importantes. Os três haviam publicado artigos longos e abjetos no *Times*, analisando as razões de sua deserção e jurando corrigir-se.

Algum tempo depois da libertação, Winston por acaso avistou o trio no Café da Castanheira. Lembrou-se da espécie de fascínio aterrorizado com que os observara com o rabo do olho durante algum tempo. Eram homens bem mais velhos que ele, relíquias do mundo de antes, praticamente as últimas grandes figuras remanescentes dos primeiros e heroicos tempos do Partido. O glamour da luta clandestina e da guerra civil ainda envolvia suavemente suas figuras. Tinha a sensação — embora àquela altura fatos e datas já tivessem começado a perder a nitidez em sua mente — de que soubera seus nomes muitos anos antes de ter tomado conhecimento da existência do Grande Irmão. Ao mesmo tempo, sabia que eram fora da lei, inimigos, intocáveis, condenados, com absoluta certeza, à extinção em um ano ou dois. Ninguém que algum dia tivesse caído nas mãos da Polícia das Ideias se dava bem no final. Eles eram cadáveres à espera de ser mandados de volta para o túmulo.

Não havia ninguém nas mesas próximas à deles. Não era prudente ser visto na vizinhança de gente daquela espécie. Estavam sentados em silêncio diante de copos de gim perfumado com cravo, especialidade do café. Dos três, o que mais impressionou Winston devido a sua aparência foi Rutherford. Outrora caricaturista famoso, Rutherford desenhava cenas brutais, que haviam contribuído para inflamar a opinião pública antes e durante a Revolução. Mesmo agora, a longos intervalos, seus cartuns saíam no *Times*, só que já não passavam de uma imitação banal de seu estilo anterior, eram pouco convincentes, desprovidos de vigor. Continuavam abordando os mesmos temas, só que requentados: favelas, crianças famintas, arruaças, capitalistas de cartola — mesmo no interior das barricadas, os capitalistas, aparentemente, não abriam mão de suas cartolas —, um esforço infinito, desesperado, no sentido de reinstalar-se no passado. Era um homem monstruoso, com uma juba de cabelo ensebado e grisalho, rosto balofo, marcado, grossos lábios negroides. Um dia devia ter sido imensamente forte; agora seu grande corpo estava adernado, vergado, arqueado, despencando em todas as direções. Rutherford parecia estar ruindo à vista de todos, como uma montanha desmoronando.

Eram três da tarde, hora solitária. Winston já não se lembrava de como era possível que estivesse no café a uma hora daquelas. O lugar estava quase deserto. Uma música metálica escorria das teletelas. Os três homens estavam sentados quase imóveis no canto deles, sem abrir a boca. Sem que ninguém pedisse, o garçom serviu uma nova rodada de gim. Havia um tabuleiro de xadrez na mesa ao lado da deles, com as peças posicionadas, mas sem nenhuma partida iniciada. Nesse momento, durante cerca de meio minuto ao todo, aconteceu uma coisa estranha com as teletelas. A melodia que estava sendo tocada mudou, e a tonalidade da música também mudou. Como se a música tivesse sido invadida... Algo difícil, porém, de descrever. Era uma nota estranha, fragmentada, um clangor: Winston inventou um nome para aquele som: nota amarela. Depois uma voz começou a cantarolar na teletela:

> *Sob a ramada da castanheira*
> *Vendi você, você a mim, após:*
> *Ali estão eles, cá estamos nós*
> *Sob a ramada da castanheira.*

Os três homens não se moveram, mas quando Winston voltou a fitar o rosto arrasado de Rutherford, viu que os olhos dele estavam rasos de lágrimas. E pela primeira vez observou, com uma espécie de arrepio interno, e ao mesmo tempo sem saber *o porquê* daquele arrepio, que tanto Aaronson como Rutherford tinham o nariz quebrado.

Dias depois, os três voltaram a ser presos. Ao que parece, haviam tornado a envolver-se em novas conspirações desde o instante em que foram postos em liberdade. No segundo julgamento, voltaram a confessar todos os antigos crimes, mais uma sucessão de novos. Foram executados, e o destino deles ficou registrado nos anais do Partido como advertência para a posteridade. Cerca de cinco anos depois que esses fatos se passaram, em 1973, Winston estava desenrolando uma pilha de documentos que acabavam de ser ejetados do tubo pneumático sobre o tampo de sua mesa, quando encontrou um fragmento de papel que evidentemente fora enfiado entre os outros e depois esquecido. No instante em que desamassou o papelzinho, entendeu sua importância. Era a metade de uma página arrancada de um número do *Times* de cerca de dez anos antes — a metade superior da página, de modo que a data aparecia ali — e continha uma fotografia dos delegados presentes a determinada efeméride do Partido realizada em Nova York. Destacavam-se, no centro do grupo, Jones, Aaronson e Rutherford. Não havia confusão possível; de todo modo o nome de cada um constava na legenda, embaixo.

A questão era que nos dois julgamentos eles haviam confessado que naquela data se encontravam em solo eurasiano. Teriam partido de um campo de pouso secreto em território canadense e voado até algum ponto da Sibéria, onde haviam se reunido com membros do Estado-Maior Eurasiano, a quem haviam revelado importantes segredos militares. A data se fixara na memória de Winston porque casualmente coincidia com o solstício de verão; mas a história toda também devia estar registrada em outros incontáveis lugares. Só havia uma conclusão possível: as confissões eram mentirosas.

Claro, isso em si não era nenhuma grande revelação. Mesmo naquela época, Winston não imaginava que as pessoas varridas da face da Terra nos expurgos haviam efetivamente cometido os crimes de que eram acusadas. Mas era uma prova concreta; um fragmento do passado abolido, como um osso fóssil que aparece no estrato errado e destrói uma teoria geológica. Bastava para pulverizar o Partido inteiro, se de uma ou outra maneira pudesse ter sido publicado para que o mundo visse e tomasse conhecimento de seu significado.

Winston não interrompera seu trabalho. Assim que percebeu que fotografia era aquela e o que ela revelava, cobriu-a com outra folha de papel. Por sorte, no momento em que a desenrolara ela estava de cabeça para baixo do ponto de vista da teletela.

Pôs a prancheta sobre o joelho e empurrou a cadeira para trás, de modo a ficar tão longe quanto possível da teletela. Não era difícil manter um rosto inexpressivo; até mesmo a respiração podia ser controlada, com algum esforço. Uma coisa, porém, você não conseguia controlar: o batimento do coração, e a teletela era suficientemente sensível para captá-lo. Deixou passar o que imaginou fossem dez minutos, atormentado o tempo todo pelo temor de que algum acidente — uma súbita corrente de ar que soprasse por cima da escrivaninha, por exemplo — o traísse. Depois, sem tornar a expô-la, introduziu a fotografia no buraco da memória, junto com outros papéis inúteis. Mais um minuto, provavelmente, e a foto teria virado cinzas.

Essa cena se passara dez, onze anos antes. Hoje, provavelmente, ele teria guardado a fotografia. Era curioso que tê-la segurado entre os dedos lhe parecesse fazer diferença mesmo hoje, quando a foto propriamente dita, bem como o acontecimento que ela registrava, não passavam de uma lembrança. Será que o controle do Partido sobre o passado teria ficado menos poderoso, pensou, pelo fato de que uma prova material que já não existia *havia um dia existido*? Mas hoje, supondo que de algum modo fosse possível ressuscitá-la das cinzas, a fotografia talvez nem chegasse a constituir uma prova. Na época em que ele fizera sua descoberta, a Oceânia já não estava em guerra com a Eurásia, portanto devia ter sido para agentes provenientes da Lestásia que os três homens mortos haviam traído seu país. Desde então haviam surgido novas acusações — duas, três, ele já não se recordava quantas. Muito provavelmente as confissões haviam sido reescritas e reescritas tantas vezes que os fatos e as datas originais haviam perdido toda a importância. O passado não apenas mudava como mudava sem cessar. O que mais o afligia, o que lhe dava uma sensação de pesadelo, era nunca ter chegado a entender direito *por que* a grande impostura fora empreendida. As vantagens imediatas de falsificar o passado eram óbvias, mas a razão profunda era misteriosa. Voltou a erguer a caneta e escreveu:

Entendo COMO, mas não entendo POR QUÊ.

Considerou a hipótese, como tantas vezes antes, de ele próprio ser um doente mental. Talvez um doente mental fosse simplesmente uma minoria de um. Houvera um tempo em que se considerava sinal de loucura acreditar que a Terra girava em torno do Sol. Hoje, o sinal de loucura era acreditar que o passado era inalterável. Ele podia ser o *único* a acreditar naquilo e, se fosse o único, seria um doente mental. Mas a ideia de que talvez fosse um doente mental não chegava a perturbá-lo muito: o horror estava em também existir a possibilidade de que estivesse errado.

Apanhou o livro de história para crianças e contemplou o retrato do Grande Irmão estampado no frontispício. Os olhos hipnóticos fitavam os dele. Era como se alguma força monumental exercesse pressão sobre Winston — uma coisa que invadia seu crânio, golpeava seu cérebro, aterrorizava-o a ponto de fazê-lo abandonar suas crenças, quase convencendo-o a rechaçar as provas que seus sentidos lhe forneciam. No fim o Partido haveria de anunciar que dois mais dois são cinco, e você seria obrigado a acreditar. Era inevitável que mais cedo ou mais tarde o Partido fizesse tal afirmação: a lógica de sua posição o exigia. Além da validade da experiência, a própria existência da realidade externa era tacitamente negada por sua filosofia. A heresia das heresias era o bom senso. E o aterrorizante não era o fato de poderem matá-lo por pensar de outra maneira, mas o fato de poderem ter razão. Porque, afinal de contas, como fazer para saber que dois e dois são quatro? Ou que a força da gravidade funciona? Ou que o passado é imutável? Se tanto o passado como o mundo externo existem apenas na mente, e se a própria mente é controlável — como fazer então?

Mas não! De repente sua coragem pareceu cristalizar-se por decisão própria. O rosto de O'Brien, que nenhuma associação de ideias parecia convocar, entrara flutuando em sua mente. Ele concluiu, com mais certeza de que antes, que O'Brien estava do seu lado. Escrevia aquele diário para O'Brien — *na intenção* de O'Brien. Era como uma carta interminável que ninguém jamais leria, mas que era dirigida a uma pessoa específica e se nutria desse fato.

O Partido lhe dizia para rejeitar as provas materiais que seus olhos e ouvidos lhe oferecessem. Essa era sua instrução final, a mais essencial de todas. O coração de Winston ficou pesado quando lhe veio ao espírito o imenso poderio reunido contra ele, a facilidade com que qualquer intelectual do Partido o derrotaria num debate, os argumentos sutis que não teria capacidade de entender, quanto mais de contestar. E, ainda assim, a razão estava com ele. Os outros estavam errados e ele certo. O óbvio, o tolo e o verdadeiro tinham de ser defendidos. Os truísmos são verdadeiros, não se esqueça disso. O mundo sólido existe, suas leis não mudam. As pedras são duras, a água é úmida e os objetos, sem base de apoio, caem na direção do centro da Terra. Com a sensação de estar falando com O'Brien e também de expor um axioma importante, escreveu:

> *Liberdade é a liberdade de dizer que dois mais dois são quatro. Se isso for admitido, tudo o mais é decorrência.*

―

8.

Das profundezas de uma viela, um cheiro de café sendo torrado — café de verdade, não café Victory — se espalhou pela rua. Winston fez uma pausa involuntária. Viu-se, por dois segundos talvez, de volta ao mundo semiesquecido da infância. Uma porta bateu, dando a impressão de estancar o cheiro tão abruptamente quanto se ele fosse um som.

Winston andara vários quilômetros pelas ruas e sua úlcera varicosa latejava. Era a segunda vez em três semanas que deixava de comparecer aos encontros noturnos do Centro Comunitário: atitude temerária, pois sabia-se que o comparecimento de cada um era meticulosamente monitorado. Em princípio, os membros do Partido não dispunham de tempo livre e só ficavam sozinhos quando estavam na cama. Supunha-se que quando não estivessem trabalhando, comendo ou dormindo estariam participando de algum tipo de recreação comunitária; fazer alguma coisa que sugerisse gosto pela solidão, mesmo que fosse apenas sair para dar uma volta sozinho, sempre envolvia algum risco. Havia um termo para isso em Novafala: *vidaprópria*, com o sentido de individualismo e excentricidade. Naquele fim de tarde, porém, ao sair do

Ministério, Winston se deixou tentar pela fragrância que pairava no ar de abril. O azul do céu tinha uma calidez que ele ainda não sentira naquele ano, e de repente a noite no Centro, sempre arrastada e barulhenta, com suas brincadeiras exaustivamente enfadonhas, suas palestras, sua camaradagem forçada, movida a gim, pareceu-lhe uma ideia intolerável. Winston cedeu ao impulso e, em vez de seguir para o ponto de ônibus, perdeu-se no labirinto londrino, caminhando primeiro para o sul, depois para o leste, depois para o norte de novo, errando por ruas desconhecidas sem se preocupar muito com o destino de seus passos.

"Se é que há esperança", escrevera no diário, "a esperança está nos proletas." Essas palavras insistiam em voltar-lhe à mente: afirmação de uma verdade mística e de um absurdo evidente. Ele estava em algum lugar das favelas indistintas e pardacentas que se estendiam a norte e a leste do que no passado fora a estação de Saint Pancras. Avançava por uma rua margeada por duas fileiras de sobradinhos com entradas ruinosas que davam direto na calçada e que, curiosamente, lembravam um pouco buracos de ratos. Entre as pedras do calçamento, formavam-se aqui e ali poças de água suja. Um mar de gente circulava pelas passagens escuras que davam acesso aos sobradinhos e pelos becos transversais à rua: mocinhas na flor da idade com os lábios grosseiramente besuntados de batom e rapazes correndo atrás das mocinhas e mulheres inchadas que andavam gingando e indicavam o que seria das mocinhas dali a dez anos e velhos recurvados arrastando os pés virados para fora e crianças descalças e maltrapilhas que brincavam nas poças d'água e às vezes saíam em disparada, afugentadas pelos gritos coléricos das mães. Possivelmente um quarto das janelas que davam para a rua estava quebrado ou tinha sido tampado com tábuas. A maioria das pessoas não reparava em Winston; algumas o observavam com uma espécie de curiosidade contida. Duas mulheres monstruosas, de antebraços cor de tijolo cruzados sobre o avental, conversavam diante de uma porta. Quando ele se aproximou, fragmentos da conversa chegaram a seus ouvidos.

"'É', eu falei pra ela, 'você tem toda a razão', foi o que eu disse. 'Mas eu queria ver você no meu lugar, aposto que tinha feito igual. Criticar é fácil', eu falei, 'mas você não tem os problemas que eu tenho.'"

"É verdade", disse a outra, "é isso mesmo, é isso mesmo."

As vozes estridentes calaram-se de repente. As mulheres o estudaram com um silêncio hostil enquanto ele passava. Mas não era bem hostilidade; só uma espécie de cautela, um retesamento momentâneo, como o provocado pela passagem de um animal estranho. Numa rua como aquela, o macacão azul do Partido não tinha como ser uma visão comum. Os policiais da patrulha provavelmente o parariam se topassem com ele. "Posso ver seus documentos, camarada? O que está fazendo aqui? A que horas saiu do trabalho? É esse o caminho que costuma fazer para ir para casa?" — e assim por diante. Não que houvesse diretrizes proibindo a pessoa de fazer trajetos inusitados ao voltar para casa; mas era o suficiente para a Polícia das Ideias ficar alerta, caso fosse informada.

De repente a rua inteira entrou em ebulição. Gritos de alerta soavam por toda parte. As pessoas entravam nas casas correndo feito coelhos. Alguns metros à frente de Winston, uma moça saiu correndo por uma porta com a velocidade de um raio, agarrou um menininho que brincava numa poça d'água, envolveu-o no avental e voltou correndo para dentro, tudo num movimento só. No mesmo instante, um homem com um terno que lembrava uma sanfona surgiu de uma ruazinha transversal e precipitou-se na direção de Winston, apontando freneticamente para o céu.

"Cuidado! A maria-fumaça!", gritou. "Cuidado, patrão! Lá vem ela! Depressa, se jogue no chão!"

"Maria-fumaça" era o apelido que por alguma razão os proletas davam aos mísseis. Winston se atirou de bruços no chão. Os proletas quase sempre acertavam quando davam esse tipo de alarme. Pareciam possuir uma espécie de instinto que os prevenia com vários segundos de antecedência da aproximação de um míssil, muito embora os mísseis voassem em velocidade superior à do som. Winston cobriu a cabeça com os braços. Sobreveio um rugido que pareceu fazer o calçamento tremer; uma chuva de pequenos objetos caiu sobre suas costas. Ao levantar-se, percebeu que estava coberto por uma camada de caquinhos de vidro provenientes da janela mais próxima.

Retomou a caminhada. O míssil destruíra um conjunto de casas da rua, duzentos metros adiante. Uma coluna de fumaça preta pairava no céu, e mais abaixo via-se uma nuvem de poeira em meio à qual uma multidão já se formava em torno dos escombros. Um pouco adiante dele, na rua, havia um monte de entulho e entre os pedaços de reboco viu uma raia vermelho-viva. Quando se aproximou, viu que era uma mão decepada. Afora o coto ensanguentado, estava tão branca que parecia um molde de gesso.

Chutou aquele troço para a sarjeta e depois, querendo evitar a multidão, entrou por uma ruazinha à direita. Em três ou quatro minutos estava fora da área atingida pelo míssil e a vida sórdida e tumultuosa das ruas seguia seu curso como se nada tivesse acontecido. Eram quase oito da noite e os estabelecimentos que vendiam bebidas alcoólicas aos proletas ("pubs", era como os chamavam) estavam lotados de fregueses. De suas portas de vaivém encardidas, que se abriam e fechavam sem parar, vinha um cheiro de urina, serragem e cerveja rançosa. Num canto formado pela fachada saliente de uma casa viam-se três homens bem próximos uns dos outros, o do meio segurando um jornal dobrado que os outros dois examinavam por cima dos ombros dele. Ainda antes de chegar suficientemente perto para distinguir a expressão que tinham no rosto, Winston notou, através de cada detalhe de seus corpos, como estavam absorvidos. Percebia-se que a notícia que liam era coisa séria. Estava a alguns passos de distância quando de repente o grupo se desfez e teve início uma altercação violenta entre dois dos homens. Por alguns instantes, pareceram prestes a chegar às vias de fato.

"Você tá surdo ou o quê? Tô falando que faz mais de um ano que não dá nada com sete no final!"

"Deu o sete, sim, eu sei que deu!"

"Não deu não! Lá em casa eu tenho tudo anotado. Faz mais de dois anos que anoto esses números num pedaço de papel. Anoto tudo, não fica nada de fora. E tô falando que faz um tempão que não dá nada com sete no final..."

"Mas eu garanto que *deu* o sete! Se você quiser, te falo até a droga do número. O final eu sei que era quatro zero sete. Isso em fevereiro — na segunda semana de fevereiro."

"Fevereiro uma ova! Tenho esses números lá em casa, direitinho. E tô falando que..."

"Ah, parem de encher o saco!", disse o terceiro sujeito.

Falavam da Loteria. Trinta metros adiante, Winston olhou para trás. Continuavam discutindo, semblantes febris, fanatizados. A Loteria, com seus prêmios semanais milionários, era o único acontecimento público que efetivamente despertava o interesse dos proletas. Era muito provável que para milhões deles a Loteria fosse o principal, se não o único, motivo para continuar vivos. Era seu deleite, sua loucura, seu analgésico, seu estimulante intelectual. Quando o assunto era Loteria, até gente que mal sabia ler e escrever parecia capaz de cálculos complexos e de impressionantes façanhas mnemônicas. Um verdadeiro exército de indivíduos ganhava a vida vendendo sistemas, prognósticos e amuletos da sorte. O trabalho de Winston nada tinha a ver com a Loteria, cuja administração estava sob a responsabilidade do Ministério da Pujança, porém ele sabia (aliás, todos no Partido sabiam) que os prêmios eram em boa parte imaginários. Só as quantias pequenas eram realmente pagas, pois os vencedores dos maiores prêmios eram pessoas inexistentes. Na ausência de intercomunicação efetiva entre as diversas regiões da Oceânia, não era difícil operar o esquema.

Contudo, se é que havia esperança, a esperança estava nos proletas. Era preciso agarrar-se a isso. Dito assim, parecia até razoável; o que transformava a afirmação em ato de fé era olhar para os seres humanos que circulavam pelas vias públicas. A rua em que Winston estava era em declive. Ele tinha a sensação de já ter passado por ali antes e achava que não longe dali havia uma avenida mais movimentada. De algum lugar mais à frente vinha uma algazarra de vozes alteradas. A rua fazia uma curva acentuada e terminava numa escadaria que dava acesso a uma viela mais abaixo, onde alguns feirantes tinham suas bancas com verduras murchas. Nesse instante, voltou à lembrança de Winston que lugar era aquele. A viela ia dar na principal avenida dos arredores e na travessa seguinte, a menos de cinco minutos de caminhada, ficava a lojinha em que ele comprara o caderno que agora lhe servia de diário. E fora numa pequena papelaria próxima dali que comprara a caneta e o vidro de tinta.

Ficou um momento parado no alto da escadaria. Do outro lado da viela via-se um barzinho imundo, cujas janelas pareciam embaçadas, mas que na realidade estavam apenas cobertas de poeira. Um homem muito velho, recurvado porém ágil, com bigodes grisalhos que se eriçavam para a frente como os de um camarão, empurrou a porta de vaivém e entrou. Enquanto Winston observava, ocorreu-lhe que o velho, que devia ter no mínimo oitenta anos, já era um homem de meia-idade na época da Revolução. Ele e uns poucos outros como ele eram os últimos elos existentes com o extinto mundo do capitalismo. A geração mais velha fora quase totalmente eliminada pelos grandes expurgos dos anos 1950 e 60, e o terror imposto aos que continuaram vivos os reduzira havia muito a um estado de completa rendição intelectual. Se havia alguém vivo capaz de oferecer um relato verídico de como era a situação nas primeiras décadas do século, esse alguém só podia ser um proleta. De repente voltou-lhe à cabeça a passagem do livro de história que copiara no diário; Winston foi dominado por uma ideia maluca. Iria até o pub, faria amizade com o velho e o interrogaria. Pretendia dizer-lhe: "Fale-me sobre a sua vida quando o senhor era garoto. Como eram as coisas naquele tempo? Melhores ou piores do que agora?".

Com passos apressados para não ter tempo de ficar com medo, Winston desceu a escadaria e atravessou a ruazinha estreita. Aquilo era loucura, claro. Como de hábito, não havia nenhuma norma expressa que proibisse a pessoa de conversar com os proletas e frequentar seus pubs, mas aquela era uma atitude inusitada demais para passar despercebida. Se a patrulha aparecesse, Winston podia alegar um mal-estar súbito, porém era improvável que acreditassem nele. Empurrou a porta e foi afrontado por um cheiro péssimo de cerveja rançosa, um cheiro de queijo velho. Assim que entrou, o volume do vozerio reduziu-se à metade. Sentia atrás das costas todos os olhares cravados em seu macacão azul. Um jogo de dardos em andamento do outro lado do salão chegou a ser interrompido por uns trinta segundos. O velho que Winston seguira estava junto ao balcão discutindo com o barman, um rapaz grande, forte, dono de um nariz adunco e antebraços colossais. Formando um semicírculo ao redor, alguns outros fregueses assistiam à cena de copo na mão.

"Falei com educação, não falei?", dizia o velho, empertigando os ombros, belicoso. "Está me dizendo que não tem uma caneca de um quartilho nesta porcaria de boteco?"

"E que droga de quartilho é essa?", retrucou o barman, inclinando-se para a frente, as pontas dos dedos apoiadas no balcão.

"Ó o sujeito! Diz que é dono de botequim e não sabe o que é quartilho! Ora, um quartilho é um quarto de galão. Daqui a pouco vou ter que te ensinar o abecê."

"Nunca ouvi falar", disse laconicamente o barman. "Nós, aqui, só temos copos de um litro e copos de meio litro. Estão nessa prateleira bem na sua frente."

"Eu quero um quartilho", insistiu o velho. "É a coisa mais fácil do mundo tirar um quartilho. No meu tempo não tinha esse negócio de litro."

"No seu tempo as pessoas viviam em cima das árvores", disse o barman, olhando de relance para os outros fregueses.

Estouraram risadas, e o mal-estar causado pela chegada de Winston aparentemente se dissipou. O rosto do velho, com a barba grisalha por fazer, assumira um tom róseo muito vivo. Ele se virou, resmungando sozinho, e deu de cara com Winston. Winston agarrou-o gentilmente pelo braço.

"Posso lhe oferecer um drinque?"

"Ora, muito obrigado", disse o outro, empertigando novamente os ombros. Parecia não ter reparado no macacão azul de Winston. "Um quartilho!", acrescentou para o barman com agressividade. "Um quartilho da loura."

O barman serviu duas doses de meio litro de uma cerveja marrom-escura em copos grossos que ele lavara num balde debaixo do balcão. Nos bares dos proletas só se bebia cerveja, pois os comerciantes não estavam autorizados a servir gim; se bem que, na prática, quem quisesse tomar gim poderia obter a bebida sem dificuldade. O arremesso de dardos estava novamente a mil e no grupo de homens junto ao balcão o assunto agora eram os bilhetes da Loteria. A presença de Winston foi esquecida por algum tempo. Sob a janela via-se uma mesa de pinho onde ele e o velho podiam conversar sem receio de ser ouvidos. Era tremendamente perigoso, mas pelo menos não havia teletela no lugar, coisa de que Winston se certificara tão logo pusera os pés ali dentro.

"O desgraçado podia ter me tirado um quartilho", rosnou o velho ao sentar-se atrás de seu copo. "Meio litro pra mim é pouco.

Fico querendo mais. E um litro é muito. Me faz mijar que só vendo. Pra não falar no preço."

"As coisas devem ter mudado muito desde seus tempos de jovem", disse Winston, sondando o terreno.

Os olhos azul-claros do velho deslocaram-se do tabuleiro de dardos para o balcão e do balcão para a porta do banheiro dos homens como se imaginasse que fora no interior daquele bar que as mudanças tinham acontecido.

"A cerveja era melhor", disse por fim. "E mais barata! Quando eu era rapaz, a cerveja cristal — loura, era como a chamávamos — custava quatro *pence* o quartilho. Isso antes da guerra, claro."

"Que guerra foi essa?", indagou Winston.

"Todas elas", disse o velho, impreciso. Pegou o copo e tornou a empertigar os ombros. "E agora um brinde à sua saúde!"

O pomo de adão pontudo de sua garganta descarnada fez um movimento surpreendentemente rápido para cima e para baixo, e a cerveja desapareceu do copo. Winston foi até o balcão e voltou com mais dois copos de meio litro. O velho parecia ter se esquecido do seu preconceito contra beber um litro de cerveja.

"O senhor é bem mais velho que eu", disse Winston. "Provavelmente quando eu nasci já era um homem-feito. Deve se lembrar de como eram as coisas nos velhos tempos, antes da Revolução. A bem da verdade, as pessoas da minha idade não sabem nada sobre essa época. Só temos os livros para nos contar, e os livros talvez não digam a verdade. Gostaria de saber o que o senhor pensa a respeito. Os livros de história dizem que a vida antes da Revolução era completamente diferente de como é hoje. Imperava a mais terrível opressão, injustiça, miséria — uma coisa inimaginável de tão ruim. Aqui em Londres, parece que a maioria das pessoas nascia e morria sem ter como se alimentar direito. Metade não tinha nem botinas para calçar. Trabalhavam doze horas por dia, paravam de estudar aos nove anos e dormiam dez em um quarto. Também dizem que havia um número extremamente pequeno de indivíduos, um número que não ultrapassava a casa dos milhares — chamavam-se capitalistas —, que eram ricos e poderosos. Possuíam tudo o que podia ser possuído. Moravam em casarões suntuosos, tinham trinta empregados, circulavam pelas ruas em automóveis e

carruagens puxadas por duas parelhas de cavalos, bebiam champanhe, usavam cartola..."
O semblante do velho se iluminou de repente.
"Cartolas!", disse. "Que coisa engraçada o senhor falar nisso. Ontem mesmo eu estava pensando nelas. Sei lá por que cargas-d'água fui lembrar. Tava só pensando. Faz uma porção de tempo que não vejo uma cartola. Os caras deram fim nelas. A última vez que pus uma na cabeça foi no enterro da minha cunhada. E isso foi em... Bom, não vou lembrar a data, mas deve de ter sido uns cinquenta anos atrás. Era alugada, claro."
"As cartolas não têm tanta importância", disse Winston com paciência. "A questão é que esses capitalistas — eles e um punhado de advogados e gente da Igreja, e assim por diante, um pessoal que vivia às custas deles — eram os donos do mundo. Tudo o que existia era em proveito deles. Vocês — as pessoas comuns, os trabalhadores — eram escravos deles. Eles podiam fazer o que quisessem com vocês. Podiam mandar vocês para o Canadá feito gado. Podiam dormir com as filhas de vocês, se quisessem. Podiam mandar açoitar vocês. Vocês tinham de tirar o boné quando passavam por eles. Todo capitalista era acompanhado por um bando de lacaios que..."
O semblante do velho tornou a se iluminar.
"Os lacaios!", disse. "Taí uma palavra que eu não escutava desde o tempo do onça. Os lacaios! Isso, sim, me leva de volta ao passado. Lembro que eu costumava — ah, faz tempo pra burro — eu costumava ir ao Hyde Park no domingo à tarde pra escutar os discursos daqueles caras. Os do Exército da Salvação, os católicos, os judeus, os indianos — tinha de tudo. E tinha um sujeito... Ah, não vou saber o nome dele agora, mas estou pra ver um homem pra falar bem que nem aquele. Falava as coisas na lata! 'São um bando de lacaios!', ele dizia. 'Os lacaios da burguesia! Os sabujos da classe dominante!' Os parasitas — essa era outra. E hienas também — me lembro bem que ele chamava os sujeitos de hienas. Tava falando do Partido Trabalhista, clarovocê."
Winston ficou com a impressão de que estavam tendo uma conversa de surdos.
"O que eu queria saber de verdade é o seguinte", disse. "O senhor tem a impressão de ser mais livre agora do que naquela época?

Sente-se mais bem tratado como ser humano? Antigamente os ricos, as pessoas que estavam por cima..."

"A Câmara dos Lordes", interveio o velho, nostálgico.

"Tudo bem, a Câmara dos Lordes. O que eu estou perguntando é se essas pessoas tratavam o senhor como inferior só porque eram ricas e o senhor pobre. É verdade, por exemplo, que tinha de chamá-los de '*sir*' e tirar o boné quando passava por eles?"

O velho parecia mergulhado em reflexões. Bebeu aproximadamente um quarto de sua cerveja antes de responder.

"É", disse. "Queriam que a gente pusesse a mão no boné pra eles. Demonstração de respeito, né? Eu não gostava, mas volta e meia fazia. Era, vamos dizer, obrigado a fazer."

"E costumava acontecer — só estou falando o que li nos livros de história —, era comum que essas pessoas e seus empregados abrissem caminho na calçada empurrando vocês para a sarjeta?"

"Teve uma vez que me empurraram", disse o velho. "Lembro como se fosse ontem. Foi na noite da Boat Race* — trombei com um rapaz na avenida Shaftesbury. Eu estava na maior estica: camisa social, cartola, sobretudo preto. Vinha meio que ziguezagueando pela calçada e sem querer trombei com ele. Aí ele disse: 'Por que não olha por onde anda?'. E eu: 'Tá achando que é o dono da rua?'. E ele: 'Olha que eu torço esse seu pescoço, se der uma de atrevido comigo'. E eu: 'Você tá mamado. Não torra, senão eu chamo a polícia', eu disse. E o senhor não vai acreditar, o sujeitinho pôs as mãos no meu peito e me deu um empurrão tão forte que por pouco não vou parar debaixo de um ônibus que ia passando. Ah, mas naquela época eu era jovem e ia dar um murro bem dado na cara dele, se..."

Uma sensação de impotência se apossou de Winston. A memória do velho não passava de um amontoado de pormenores insignificantes. Podia passar o dia inteiro interrogando-o e nenhuma informação relevante viria à tona. Os relatos históricos do Partido podiam até certo ponto ser verdade; podiam ser até completamente verdade. Fez uma última tentativa.

---

* Tradicional regata de remo disputada no rio Tâmisa, em Londres, entre equipes representando as universidades de Cambridge e Oxford. (N. T.)

"Talvez eu não tenha sido claro", disse. "O que estou tentando dizer é o seguinte. O senhor já viveu muitos anos; metade da sua vida se passou antes da Revolução. Em 1925, por exemplo, o senhor já era adulto. Pelo que consegue se lembrar, diria que em 1925 a vida era melhor do que agora ou pior? Se pudesse escolher, preferiria viver naquela época ou na de agora?"

O velho olhou pensativo para o tabuleiro dos dardos. Terminou de beber a cerveja com goles mais vagarosos do que antes. Quando abriu a boca para falar, tinha um ar tolerante, filosófico, como se a cerveja tivesse abrandado sua rudeza.

"Eu sei o que o senhor quer que eu fale", disse. "Quer que eu fale que preferia ser jovem de novo. Se perguntar pra todo mundo, a maioria vai dizer que preferia ser jovem de novo. Os jovens são fortes, têm saúde pra dar e vender. Quando chega na minha idade, a pessoa tá sempre com algum problema. Os meus pés me matam e a minha bexiga está que é uma desgraça. Tenho de levantar seis, sete vezes à noite. Por outro lado, ficar velho tem muita vantagem. A gente não se preocupa tanto. Não quer mais saber de mulher, e isso é um troço fantástico. Acredite se quiser, mas faz quase trinta anos que não tenho mulher. E nem queria ter, sabia? A verdade é essa."

Winston encostou as costas no parapeito da janela. Não adiantava insistir. Estava prestes a pedir mais dois copos de cerveja quando o velho de repente se levantou e precipitou-se com seus passos arrastados na direção do mictório fedorento que ficava a um lado do salão. O meio litro adicional já estava fazendo efeito. Por um ou dois minutos, Winston ficou olhando para o seu copo vazio e mal se deu conta quando seus pés o levaram de volta para a rua. Dali a no máximo vinte anos, refletiu, aquela questão tão enorme e tão simples, "Antes da Revolução a vida era melhor do que agora?", deixaria de uma vez por todas de ser respondível. Mas no fundo a pergunta já era irrespondível, visto que os poucos e esparsos sobreviventes do mundo antigo que ainda era possível encontrar mostravam-se incapazes de comparar uma era com a outra. Recordavam milhões de coisas fúteis, a briga com um colega de trabalho, as horas passadas em busca de uma bomba de bicicleta extraviada, a expressão do rosto de uma irmã falecida muitos anos antes, os redemoinhos de poeira que o vento levantou certa manhã setenta anos antes; porém todos os fatos relevantes permaneciam fora do alcance de sua visão. Eram como a formiga, que consegue ver pequenos objetos, mas não enxerga os grandes. E quando a memória falhava e os registros escritos eram falsificados — quando isso acontecia, as alegações do Partido, ou seja, de que era responsável pela melhoria das condições da existência humana, tinham de ser aceitas, pois não havia e nunca mais haveria parâmetros com os quais confrontar essa afirmação.

Nesse instante o fio de seu raciocínio interrompeu-se abruptamente. Winston estacou e olhou para cima. Estava numa rua estreita com umas poucas lojinhas escuras espalhadas entre prédios residenciais. Suspensas acima de sua cabeça viam-se três bolas de metal desbotado que davam a impressão de um dia terem sido douradas. Teve a sensação de que conhecia aquele lugar. Mas claro! Estava na frente da lojinha onde comprara o diário.

Sentiu uma pontada de medo. Comprar o caderno já fora um ato suficientemente impulsivo, e Winston prometera a si mesmo nunca mais chegar perto daquele lugar. E no entanto, no mesmo instante em que resolvia deixar seu pensamento à solta, seus pés, por iniciativa própria, levavam-no de volta àquele lugar. Era justamente na esperança de se proteger de impulsos suicidas daquele tipo que ele resolvera escrever o diário. Ao mesmo tempo, percebeu que embora fossem cerca de nove da noite o estabelecimento continuava aberto. Com a sensação de que daria menos na vista se estivesse lá dentro do que parado na calçada, entrou na lojinha. Se perguntassem, poderia responder muito plausivelmente que estava procurando lâminas de barbear.

O dono do lugar acabara de acender o lampião a óleo que estava pendurado no teto e que soltava um cheiro sujo porém amistoso. Era um homem de uns sessenta anos, de compleição frágil e recurvada, nariz comprido e benevolente e olhos benignos distorcidos pelas lentes grossas dos óculos. O cabelo estava quase branco, porém as sobrancelhas eram bastas e continuavam pretas. Seus óculos, seus movimentos delicados e irrequietos e o fato de usar um velho paletó de veludo preto conferiam-lhe certa aparência de intelectualidade, como se tivesse sido uma espécie de literato ou, quem sabe, músico. Tinha uma voz suave, como que amortecida, e sua fala era menos degradada que a da maioria dos proletas.

"Reconheci o senhor na calçada", foi logo dizendo o sujeito. "Foi o senhor que comprou aquele álbum de recordações para moças. Papel excelente aquele, não é? Chamavam-no de vergê creme. Não fazem papel assim há uns... Ah, já lá se vão uns cinquenta anos, sem exagero." Perscrutava Winston por cima dos óculos. "Posso ajudá-lo em alguma coisa? Ou só quer dar uma olhada?"

"Eu ia passando", disse Winston, sem maiores detalhes. "E resolvi entrar. Não estou procurando nada em especial."

"Está muito bem", disse o outro, "pois não creio mesmo que pudesse atendê-lo em muita coisa." Desculpou-se com um gesto da mão de palma delicada. "O senhor vê como é; a loja está vazia. Cá entre nós, o comércio de antiguidades está por um fio. Acabou a procura, e o estoque também chegou ao fim. Móveis, louças, copos — aos poucos foi tudo se quebrando. E obviamente a maioria das coisas de metal já foi fundida. Faz anos que não vejo um castiçal de latão."

O interior acanhado da loja estava desconfortavelmente atulhado, porém não havia quase nada ali de algum valor. O espaço de circulação era exíguo, pois ao longo de todas as paredes se apoiava uma quantidade infinita de molduras empoeiradas. Na janela viam-se bandejas de porcas e parafusos, formões estragados, canivetes com lâminas quebradas, relógios foscos, que nem sequer davam a impressão de estar em condições de voltar a marcar as horas, e uma miscelânea de outras quinquilharias. Somente sobre uma mesinha no canto amontoava-se um conjunto de bugigangas — caixinhas de rapé laqueadas, broches de ágata e coisas assim — que parecia talvez conter algo de interessante. Ao se aproximarem da mesa, os olhos de Winston foram atraídos por uma coisa arredondada e lisa que brilhava suavemente à luz do lampião. Segurou-a nas mãos.

Era um pedaço de vidro pesado, curvo de um lado e chato do outro, quase na forma de um hemisfério. Em seu interior, ampliado pela superfície curva, via-se um objeto esquisito, cor-de-rosa e espiralado que lembrava uma rosa ou uma anêmona-do-mar.

"O que é isso?", indagou Winston, fascinado.

"É um coral", disse o velho. "Devem ter tirado do oceano Índico. Costumavam incrustar essas coisas em vidro. Isso aí tem no mínimo uns cem anos. Pelo aspecto, deve ter até mais."

"É bonito", disse Winston.

"É bonito", disse o outro apreciativamente. "Mas hoje em dia pouquíssima gente diria isso." Tossiu. "Agora, se por acaso o senhor estiver pensando em comprá-lo, são quatro dólares. Lembro de um tempo em que um objeto como esse chegaria a oito libras, e oito libras valiam... Bom, não sei fazer a conta, só sei que era um dinheirão. Mas alguém lá liga para antiguidades autênticas hoje em dia, mesmo as poucas que sobraram?"

Winston pagou depressa os quatro dólares e enfiou o objeto cobiçado no bolso. Fora seduzido não tanto por sua beleza, mas principalmente pela impressão de que aquilo pertencia a uma era muito diferente da atual. O vidro delicado, com bolinhas que lembravam gotas de chuva, não se assemelhava a nenhum tipo de vidro que conhecesse. A coisa era duplamente atrativa por conta de sua aparente inutilidade, embora Winston intuísse que sua finalidade original fosse servir como peso de papéis. Pesava bastante no bolso, mas por sorte não formava uma protuberância que chamasse muito a atenção. Era um objeto esquisito e até mesmo comprometedor para estar entre os pertences de um membro do Partido. Uma vaga atmosfera de suspeição pairava sobre tudo que fosse antigo e, no limite, belo. O velho ficara perceptivelmente mais animado depois de receber os quatro dólares. Winston se deu conta de que ele teria se contentado com três ou mesmo com dois dólares.

"Lá em cima tem outra salinha em que talvez o senhor queira dar uma espiada", disse. "Não tem muita coisa lá. Só uma peça ou outra. Mas, se formos subir, vamos precisar de luz."

Acendeu outro lampião e, com as costas inclinadas, conduziu Winston por uma escada íngreme e gasta e por um corredor minúsculo até chegar a um aposento que não dava para a rua, e sim para um pátio com piso de seixos arredondados e uma floresta de coifas de chaminé. Winston percebeu que os móveis continuavam dispostos como se o cômodo fosse habitado no dia a dia. Havia um tapete comprido no chão, um ou dois quadros nas paredes e uma poltrona funda e amassada ao lado da lareira. Um relógio de vidro antiquado, com mostrador de doze horas, tiquetaqueava sobre a borda da lareira. Debaixo da janela, e ocupando quase um quarto do aposento, via-se uma cama enorme, ainda dotada de colchão.

"Moramos neste quarto até minha mulher morrer", disse o velho, como quem se desculpa. "Estou vendendo a mobília aos poucos. Veja essa cama de mogno: tirando os percevejos, é uma cama belíssima. Mas receio que o senhor a considere um pouco grandalhona demais."

O sujeito segurava o lampião bem alto, a fim de iluminar o aposento inteiro, e àquela luz débil e cálida o lugar parecia curiosamente aconchegante. Como um raio, passou pela cabeça de Winston a ideia de que talvez fosse fácil alugar aquele quarto por alguns dólares por semana — se ousasse assumir o risco. Era uma maluquice, um despropósito, uma ideia a ser descartada tão logo concebida; porém o quarto despertara nele uma espécie de nostalgia, uma espécie de lembrança ancestral. Winston tinha a impressão de saber exatamente como seria a sensação de estar sentado num lugar como aquele, numa poltrona ao lado da lareira, com os pés apoiados no guarda-fogo e uma chaleira sobre a chapa lateral, completamente sozinho, totalmente seguro, a salvo de toda vigilância, fora do alcance de vozes molestadoras, sem ouvir som algum além do assobio da chaleira e do tique-taque cordial do relógio.

"Não tem teletela!", murmurou Winston, sem conseguir reprimir o comentário.

"Ah", disse o velho, "eu nunca tive essas coisas. É muito caro. E, de certa forma, nunca senti falta. Veja só que bela mesinha de abas dobráveis ali no canto. Mas o senhor teria que trocar as dobradiças se pretendesse usar as abas."

No outro canto, havia uma pequena estante de livros, e Winston já começara a gravitar em sua direção. A busca e a destruição de livros nos bairros proletas tinham sido tão diligentes e exaustivas quanto em todos os outros lugares. Era extremamente improvável a existência de um único livro publicado antes de 1960 em todo o território da Oceânia. O velho, ainda segurando o lampião, estava parado diante de um quadro emoldurado em pau-rosa pregado na parede do outro lado da lareira, do lado oposto ao da cama.

"Agora, se tiver algum interesse em gravuras antigas...", principiou delicadamente.

Winston se aproximou para examinar o quadro. Era uma gravura em aço de um edifício oval com janelas retangulares e uma pequena torre na fachada. Havia um guarda-corpo em volta do prédio e, nos fundos, algo que lembrava uma estátua. Winston contemplou a imagem por alguns instantes. Parecia-lhe vagamente familiar, porém não se lembrava da estátua.

"A moldura foi fixada à parede", disse o velho, "mas acho que eu conseguiria desaparafusá-la para o senhor."

"Conheço esse prédio", disse por fim Winston. "Hoje está em ruínas. Fica no meio da rua, bem na frente do Palácio da Justiça."

"Isso mesmo. Bem em frente ao Fórum. Foi bombardeado em... Ah, já faz tantos anos. Antigamente era uma igreja. São Clemente dos Dinamarqueses, era como a chamavam." Forjou um sorriso de desculpas, como se tivesse consciência de estar dizendo uma coisa um pouco ridícula, e acrescentou: "*Sem casca nem semente, dizem os sinos da São Clemente!*".

"Como assim?", disse Winston.

"Ah, *Sem casca nem semente, dizem os sinos da São Clemente*. Uma quadrinha da minha infância. Não me lembro mais como continuava, mas sei que terminava assim: *Vá para a cama e seja um bom moço, ou a cuca vem e te corta o pescoço.* Era uma espécie de dança. As pessoas se davam as mãos e ficavam com os braços levantados, formando uma espécie de túnel, e a gente passava embaixo, e quando cantavam: *Ou a cuca vem e te corta o pescoço* os outros abaixavam os braços e pegavam você. Era uma quadrinha só com nome de igrejas. De todas as igrejas de Londres — quer dizer, das principais."

Winston ficou imaginando sem muito empenho a que século pertenceria a igreja. Era sempre difícil determinar a idade dos edifícios londrinos. Tudo que fosse grande e portentoso, se tivesse uma aparência razoavelmente nova, recebia de forma automática o carimbo de obra posterior à Revolução, ao passo que todas as coisas que evidentemente datavam de épocas anteriores eram atribuídas a um período indistinto denominado Idade Média. Os séculos de capitalismo, dizia-se, não haviam produzido nada de valor. Conhecer a história pela arquitetura era tão inviável quanto conhecê-la pelos livros. Estátuas, inscrições, lápides comemorativas, nomes de ruas — tudo o que poderia lançar alguma luz sobre o passado fora sistematicamente alterado.

"Nunca imaginei que esse edifício tivesse sido uma igreja", disse.

"Ainda há uma porção delas por aí", disse o velho, "só que hoje são usadas com outros fins. Mas, puxa vida, como era mesmo que continuava essa quadrinha? Ah! Já sei!

> *Sem casca nem semente, dizem os sinos da*
> *São Clemente,*
> *Esses vinténs são pra mim, cantam os sinos da*
> *São Martim...*

"Lembrei desse pedaço, mas do resto não me lembro. Um vintém era uma moedinha de cobre parecida com a de um centavo."

"Onde era a igreja de São Martim?", quis saber Winston.

"A de São Martim? Essa ainda existe. Fica na praça Victory, ao lado da galeria de pintura. Um prédio com uma espécie de pórtico triangular, colunas na frente e uma escadaria enorme."

Winston conhecia bem o lugar. Era um museu usado para vários tipos de exibições propagandísticas: modelos em escala de mísseis e Fortalezas Flutuantes, figuras de cera representando as atrocidades cometidas pelos inimigos e coisas assim.

"São Martim dos Campos, era como a chamavam", acrescentou o velho, "embora eu não me lembre de campo nenhum por aquelas bandas."

Winston não comprou a gravura. Seria algo ainda mais impróprio do que o peso de papel de vidro. E não poderia levá-la para casa — a menos que a retirasse da moldura. Todavia, deixou-se ficar mais alguns minutos conversando com o velho, cujo sobrenome, conforme descobriu, não era Weeks — como se poderia talvez deduzir pelo letreiro na fachada da loja —, mas Charrington. Aparentemente o sr. Charrington era um viúvo de sessenta e três anos que morava naquela loja havia trinta anos. Ao longo de todo aquele tempo tivera a intenção de alterar o nome gravado na vitrine, porém jamais conseguira levar a cabo sua intenção.

Enquanto conversavam, os versos relembrados da quadrinha teimavam em vir à cabeça de Winston: *Sem casca nem semente, dizem os sinos da São Clemente, Esses vinténs são pra mim, cantam os sinos da São Martim!* Curioso, mas quando dizia isso a si mesma, a pessoa tinha de fato a impressão de ouvir os sinos; os sinos de uma Londres perdida que ainda existia em algum lugar, disfarçada e esquecida. Um campanário fantasmagórico após o outro, parecia-lhe ouvi-los repicar. Contudo, até onde se lembrava, na vida real nunca ouvira as badaladas de um sino de igreja.

Despediu-se do sr. Charrington e desceu a escada sozinho, pois não queria que o velho o visse inspecionando detidamente a rua antes de sair. Já tomara a decisão de que, passado um tempo razoável — um mês, digamos —, se arriscaria a visitar a loja outra vez. Não haveria de ser mais perigoso do que escapulir de uma noite no Centro. O verdadeiro ato de loucura fora voltar ali depois da aquisição do diário e sem saber se podia confiar no proprietário da loja. Agora, que se dane...!

Sim, pensou novamente, ele voltaria. Compraria outros restos de belas bugigangas. Compraria a gravura da São Clemente dos Dinamarqueses, depois a retiraria da moldura e a levaria para casa escondida debaixo da jaqueta de seu macacão. Arrancaria da memória do sr. Charrington o restante daquele poema. Até o projeto insano de alugar o cômodo do andar de cima tornou a relampejar fugazmente em sua cabeça. Por cinco segundos, talvez, o entusiasmo o deixou desatento, e Winston saiu para a calçada sem antes dar uma espiada pela janela. Tinha até começado a cantarolar baixinho, numa melodia improvisada:

Sem casca nem semente, dizem os sinos da
São Clemente,
Esses vinténs são pra mim, cantam os...

Súbito, seu coração pareceu virar gelo e seus intestinos, água. Um vulto de macacão azul vinha pela calçada, a não mais de dez metros de distância. Era a moça do Departamento de Ficção, a garota de cabelo preto. Embora começasse a escurecer, Winston não teve dificuldade em reconhecê-la. Ela o encarou por um breve instante, depois se afastou com passos rápidos, como se não o tivesse visto.

Completamente paralisado, Winston ficou alguns segundos sem conseguir sair do lugar. Depois virou-se para a direita e começou a caminhar com passos duros, sem se dar conta de que ia na direção errada. Fosse como fosse, aquilo resolvia uma questão. Agora não havia mais dúvida de que a garota o espionava. Decerto o seguira até ali; não era verossímil que fosse um simples fruto do acaso ela estar na mesma noite passando pela mesma ruazinha obscura, a quilômetros de distância dos bairros em que viviam os membros do Partido. Seria muita coincidência. Se era de fato uma agente da Polícia das Ideias ou apenas uma espiã amadora movida pelo excesso de zelo, pouco importava. Bastava que estivesse a observá-lo. Provavelmente também o vira entrar no pub.

Era difícil caminhar. No interior do bolso, a bola de vidro chocava-se contra sua coxa a cada passo que ele dava, e Winston sentiu a tentação de jogá-la fora. O pior era a dor de barriga. Por alguns minutos teve a sensação de que acabaria morrendo se não entrasse logo num banheiro. Mas num lugar como aquele certamente não havia banheiros públicos. Depois o espasmo passou, deixando em seu lugar uma dorzinha chata.

A rua era um beco sem saída. Winston estacou e passou vários segundos sem saber direito o que fazer; em seguida deu meia-volta e começou a refazer seus passos. Ao dar meia-volta, ocorreu-lhe que a moça cruzara com ele havia não mais que três minutos e que, se corresse, provavelmente conseguiria alcançá-la. Poderia persegui-la até um lugar sossegado e depois esmagar seu crânio com uma pedra do calçamento. O pedaço de vidro que tinha no bolso já seria pesado o suficiente para o serviço. Só que foi obrigado a abandonar o plano na mesma hora, pois mesmo a ideia de fazer algum tipo de esforço físico lhe era insuportável. Não conseguia correr, e não seria capaz de atacar ninguém. Além do mais, ela era jovem e forte e trataria de defender-se. Pensou também em ir às pressas para o Centro Comunitário e ficar por lá até o lugar fechar, forjando assim um álibi parcial para aquela noite. Mas isso também era impossível. Uma lassidão mortal se apossara dele. A única coisa que Winston queria era voltar rapidamente para casa, sentar-se e ficar quieto num canto.

Passava das dez da noite quando chegou ao apartamento. Às onze e meia, o fornecimento de luz seria cortado na central. Foi até a cozinha e tomou quase uma xícara de gim Victory, depois sentou-se à mesa da alcova e tirou o diário da gaveta. Não o abriu de imediato, porém. Na teletela, uma voz feminina estridente entoava uma canção patriótica. Winston olhava fixamente para a capa marmorizada do caderno, tentando eliminar aquela voz de sua consciência.

Era à noite que eles prendiam as pessoas, sempre à noite. O ideal era a pessoa se matar antes que a capturassem. Algumas incontestavelmente faziam isso. Muitos dos desaparecimentos na realidade eram suicídios. Entretanto, era preciso uma coragem desesperada para se matar num mundo em que em parte alguma era possível obter armas de fogo ou venenos de ação rápida e segura. Com uma espécie de perplexidade, Winston refletiu sobre a inutilidade biológica da dor e do medo, a perfídia do corpo humano, que invariavelmente se entregava à inércia justo no momento em que se fazia necessário um esforço especial. Poderia ter silenciado a moça de cabelo preto se tivesse agido com rapidez; mas, exatamente porque o perigo que corria era tão extremo, perdera a capacidade de agir. Ocorreu-lhe que em momentos de crise o embate da pessoa nunca era com um inimigo externo, mas sempre com seu próprio corpo. Naquele momento mesmo, e apesar do gim, a dorzinha chata que sentia no estômago o impedia de encadear os pensamentos. E o mesmo acontece, observou ele, em todas as situações aparentemente heroicas ou trágicas. No campo de batalha, na câmara de tortura, num navio prestes a ir a pique, os motivos pelos quais a pessoa luta são sempre esquecidos, porque o corpo se dilata até ocupar o universo inteiro, e mesmo quando a pessoa não está paralisada pelo medo nem grita de dor, a vida é uma luta incessante contra a fome ou o frio ou a insônia, contra um estômago embrulhado ou uma dor de dente.

Abriu o diário. Era importante escrever alguma coisa. Na teletela, a mulher principiara outra canção. Sua voz parecia cravar-se no cérebro de Winston como cacos pontiagudos de vidro. Winston tentou pensar em O'Brien, por quem, ou para quem, o diário estava sendo escrito, mas em vez disso começou a pensar no que aconteceria com ele depois que a Polícia das Ideias o levasse. Não faria diferença se o matassem na mesma hora. Era previsível que fosse morto. Contudo, antes da morte (ninguém falava sobre isso, e no entanto a coisa era do conhecimento geral), seria preciso passar pela rotina da confissão: rastejar pelo chão, implorar clemência, ouvir o estalido dos ossos se partindo, ter os dentes quebrados, ver os chumaços de cabelo ensanguentado. Por que submeter as pessoas àquilo, se o fim era sempre o mesmo? Por que não encurtar a vida delas em alguns dias ou semanas? Ninguém jamais se livrara da detenção e ninguém jamais deixara de confessar. A partir do momento em que a pessoa sucumbia ao pensamento-crime, fatalmente estaria morta dali a determinado tempo. Por que então aquele horror — que não modificava nada — tinha de estar embutido no futuro?

Winston tentou — com um pouco mais de sucesso do que antes — evocar a imagem de O'Brien. "Ainda nos encontraremos no lugar onde não há escuridão", dissera-lhe O'Brien. Sabia o significado dessas palavras, ou pelo menos achava que sabia. O lugar onde não havia escuridão era o futuro idealizado, esse que ninguém jamais veria, mas que, graças à presciência, era possível compartilhar misticamente. Contudo, com a voz da teletela resmungando nos ouvidos, Winston não conseguia seguir em frente com o fio desse raciocínio. Levou um cigarro à boca. Não demorou para que metade do tabaco lhe caísse na língua, um pó amargo que era difícil voltar a cuspir. O rosto do Grande Irmão assomou-lhe na mente, desalojando o de O'Brien. Da mesma forma como fizera alguns dias antes, tirou uma moeda do bolso e pôs-se a contemplá-la. A efígie lhe devolvia o olhar com uma expressão grave, serena, protetora — mas que tipo de sorriso se escondia por trás daquele bigode preto? Qual dobres fúnebres, as palavras lhe voltaram à mente:

GUERRA É PAZ
LIBERDADE É ESCRAVIDÃO
IGNORÂNCIA É FORÇA

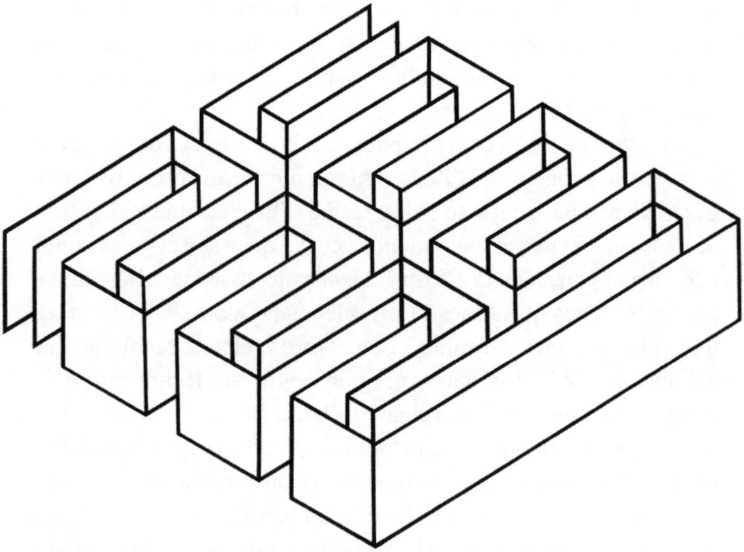

PARTE 2

I.

A manhã ia pelo meio, e Winston deixara sua estação de trabalho para ir ao banheiro.

Uma figura solitária avançava em sua direção vinda da outra ponta do longo corredor muito iluminado. Era a garota de cabelo escuro. Haviam se passado quatro dias desde que ele a vira na frente da lojinha de badulaques. Quando ela chegou mais perto, ele viu que seu braço direito estava numa tipoia, fato que não se percebia de longe porque a tipoia era da cor do macacão. Decerto ela esmagara a mão ao manobrar um dos grandes caleidoscópios nos quais os enredos dos romances eram "montados". Era um acidente comum no Departamento de Ficção.

Estavam a uns quatro metros um do outro quando a garota tropeçou e caiu quase estatelada no chão, batendo o rosto e não conseguindo conter um grito agudo de dor. Devia ter caído em cheio sobre o braço machucado. Winston estacou. A garota tinha se ajoelhado e estava se levantando. Seu rosto adquirira um tom amarelo leitoso. Sobre esse fundo, a boca se destacava mais vermelha do que nunca. Tinha os olhos fixos nos dele, com uma expressão suplicante que parecia mais de medo que de dor.

Uma emoção estranha agitou o coração de Winston. Diante dele estava uma inimiga que pretendia matá-lo. Diante dele, também, estava um ser humano que sofria, talvez com algum osso quebrado. Instintivamente, fez um gesto na direção dela com a intenção de ajudar. No momento em que ela caíra sobre o braço ferido, fora como se ele sentisse a dor em seu próprio corpo.

"Você se machucou?"

"Não foi nada. Meu braço. Daqui a pouco passa."

Ela falou como se tivesse o coração alvoroçado. Visivelmente, ficara muito pálida.

"Você não quebrou nada?"

"Não, estou bem. Na hora doeu, só isso."

Ela estendeu a mão livre e ele a ajudou a se levantar. Ela recuperara alguma cor e parecia bem melhor.

"Não foi nada", ela repetiu. "Só uma pancada no pulso. Obrigada, camarada."

E dizendo isso afastou-se na direção em que ia antes, com uma vivacidade que parecia indicar que de fato não fora nada. Todo o incidente não deve ter durado mais que meio minuto. Não permitir que os sentimentos transparecessem no rosto era, agora, mais instinto do que hábito; além disso, o fato ocorrera bem na frente de uma teletela. Mesmo assim fora muito difícil não manifestar uma surpresa passageira, pois nos dois ou três segundos em que ele a ajudava a se levantar a garota enfiara algo em sua mão. Não havia dúvida de que fora intencional. Uma coisa pequena e achatada. Ao passar pela porta do banheiro, ele a transferiu para o bolso e apalpou-a com a ponta dos dedos. Era um pedacinho de papel dobrado em quatro.

Em pé diante do mictório, com um movimento dos dedos conseguiu desdobrar o papel. Óbvio que devia haver algum tipo de mensagem escrita ali. Por um momento ficou tentado a entrar num dos reservados para poder lê-la, mas sabia muito bem que seria uma rematada loucura. Os reservados eram o lugar mais ininterruptamente vigiados pelas teletelas.

Voltou para sua estação de trabalho, sentou-se, jogou o fragmento de papel no meio de outros papéis sobre a escrivaninha, como se ele não tivesse a menor importância, pôs os óculos e virou o ditógrafo na direção da boca. "Cinco minutos", disse a si mesmo. "No mínimo cinco minutos!" Sentia o coração bater no peito num clamor de dar medo. Por sorte a tarefa do momento era pura rotina — a retificação de uma extensa lista de números — e não necessitava de maior atenção de sua parte.

Fosse o que fosse que estava escrito no papel, devia ter algum tipo de sentido político. Até onde ele podia perceber, havia duas possibilidades. A primeira e mais provável era que a garota fosse uma agente da Polícia das Ideias, como ele imaginara desde o início. Winston não sabia por que a Polícia das Ideias teria interesse em entregar suas mensagens daquela maneira, mas vai ver tinha suas razões. A coisa escrita no papel podia ser uma ameaça, uma convocação, uma ordem de suicídio, uma armadilha de algum tipo. No entanto, outra possibilidade mais dramática assomava a todo momento em seus pensamentos, embora ele fizesse força para reprimi-la. Era que não fosse uma mensagem enviada pela Polícia das Ideias, mas por algum tipo de organização clandestina. Quem sabe a Confraria de fato existisse? Quem sabe a garota fizesse parte dela? Não havia dúvida de que era uma ideia absurda, porém ela se instalara em sua cabeça no exato instante em que sentira aquele pedaço de papel na mão. Só minutos depois a outra explicação, muito mais provável, lhe ocorrera. E mesmo agora, apesar de seu intelecto lhe dizer que provavelmente a mensagem significaria sua morte — mesmo agora, não era nisso que ele acreditava, e a esperança insensata persistia, e seu coração retumbava, e era com dificuldade que ele evitava que sua voz tremesse enquanto ele murmurava seus números no ditógrafo.

Fez um rolo com o maço de trabalho concluído e enfiou-o no tubo pneumático. Haviam se passado oito minutos. Acomodou os óculos no nariz, suspirou e puxou para si o maço de trabalho de que se ocuparia em seguida, com o pedaço de papel em cima. Alisou o papel. Estava escrito, numa caligrafia graúda e imatura:

Amo você.

Winston passou vários segundos em estado de choque, incapaz até de jogar a peça incriminatória no buraco da memória. Quando o fez, mesmo sabendo muito bem qual era o risco de demonstrar interesse excessivo, não resistiu ao impulso de lê-lo novamente, só para ter certeza de que aquelas palavras estavam mesmo ali.

Passou o resto da manhã com muita dificuldade para trabalhar. Pior ainda do que ser obrigado a direcionar a mente para uma série de tarefas minuciosas e insignificantes era a necessidade de disfarçar seu estado de agitação diante da teletela. Tinha a sensação de que um fogo ardia em sua barriga. O almoço na cantina quente, apinhada e barulhenta foi uma tortura. Winston alimentara a esperança de ficar algum tempo sozinho durante o almoço, mas por azar o imbecil do Parsons se instalara ao lado dele, com o odor penetrante de seu suor quase superando o cheiro metálico do ensopado, e fez comentários ininterruptos sobre os preparativos para a Semana do Ódio. Estava entusiasmado com um modelo em papel machê da cabeça do Grande Irmão, de dois metros de largura, que estava sendo construído especialmente para a ocasião pelo grupo de Espiões de sua filha. O mais irritante era que na balbúrdia das vozes Winston mal conseguia ouvir o que Parsons dizia, e tinha de ficar o tempo todo pedindo-lhe que repetisse essa ou aquela observação idiota. Uma única vez viu a garota de relance, sentada com duas outras garotas a uma mesa na outra extremidade do salão. Parecia não tê-lo visto, e ele não voltou a olhar naquela direção.

A tarde foi mais suportável. Logo depois do almoço recebeu uma tarefa delicada, difícil, que exigiria várias horas de trabalho e o obrigava a deixar tudo o mais de lado. Tratava-se de falsificar uma série de relatórios de produção de dois anos antes, de modo a mostrar sob uma luz desfavorável um membro destacado do Núcleo do Partido sobre o qual no momento pairavam nuvens. Era o tipo de coisa que Winston sabia fazer, e por mais de duas horas conseguiu manter a garota afastada do pensamento. Depois a lembrança do rosto dela voltou, e junto com a lembrança o desejo avassalador, intolerável, de ficar sozinho. Enquanto não conseguisse ficar sozinho, seria impossível refletir sobre a novidade. Aquela era uma das noites em que ele deveria passar no Centro Comunitário. Engoliu outra refeição insípida na cantina e saiu correndo para o Centro, participou da asneira pretensiosa de um "grupo de discussão", jogou duas partidas de pingue-pongue, engoliu vários copos de gim e passou meia hora sentado ouvindo uma palestra intitulada "O Socing e o jogo de xadrez". Sua alma se contorcia de tédio, mas dessa vez não teve vontade de esquivar-se da noite no Centro. A visão das palavras *amo você* fizera transbordar nele o desejo de continuar vivo, e a ideia de correr riscos menores pareceu-lhe de repente uma burrice. Só depois das onze da noite, quando já estava em casa deitado na cama — no escuro, onde a pessoa fica protegida até da teletela, desde que guarde silêncio —, teve condições de pensar de forma continuada.

Era um problema físico que precisava ser solucionado: como entrar em contato com a garota e combinar um encontro. Já não acreditava na possibilidade de que ela pudesse estar preparando algum tipo de armadilha para ele. Sabia que não pela indisfarçável agitação da garota ao lhe entregar o bilhete. Era evidente que estava fora de si de pânico, e tinha todos os motivos para isso. Ao mesmo tempo, a hipótese de esquivar-se dela jamais lhe passou pela cabeça. Havia apenas cinco noites flertara com a ideia de afundar seu crânio com uma pedra; mas isso não era importante. Pensou em seu corpo jovem nu, tal como o vira em sonhos. Havia pensado que ela fosse uma tola como todas as outras, que sua cabeça estava lotada de mentiras e ódio e seu ventre cheio de gelo. Foi tomado por uma espécie de febre ao pensar que poderia perdê-la, que aquele corpo claro e juvenil poderia escapar para longe dele! O que ele temia acima de todas as coisas era que ela simplesmente mudasse de ideia se ele não entrasse depressa em contato com ela. Mas a dificuldade física do encontro era monumental. Era como tentar fazer uma jogada numa partida de xadrez quando já era líquido e certo que você ia levar o xeque-mate. Para qualquer lado que você se virasse, a teletela o encarava. Na verdade, todas as maneiras possíveis de estabelecer comunicação com ela lhe ocorreram nos cinco minutos seguintes à leitura do bilhete; mas agora, com tempo para pensar, analisou-as uma a uma, como alguém que posiciona uma série de ferramentas sobre uma mesa.

Claro que o tipo de encontro ocorrido naquela manhã não poderia se repetir. Se ela trabalhasse no Departamento de Documentação, talvez fosse relativamente mais simples, mas ele possuía uma noção muito vaga da localização, no edifício, do Departamento de Ficção, e não dispunha de nenhum pretexto para ir até lá. Se pelo menos soubesse onde ela morava e a que horas saía do trabalho, poderia dar um jeito de encontrá-la em algum ponto de seu trajeto para casa; mas tentar segui-la na saída do trabalho era perigoso, pois seria preciso demorar-se nas cercanias do Ministério, coisa que sem dúvida seria observada. Quanto a mandar uma carta utilizando o serviço dos correios, fora de questão. Devido a uma rotina que nem chegava a ser secreta, todas as cartas em trânsito eram abertas. Na verdade, pouquíssimas pessoas escreviam cartas. Nas raras ocasiões em que era necessário enviar uma mensagem, havia cartões impressos com uma longa lista de frases: bastava riscar aquelas que não correspondiam ao que você desejava comunicar. De todo modo, ele não sabia nem o nome da garota, quanto mais seu endereço. Por fim, concluiu que o lugar mais seguro era a cantina. Se conseguisse pegá-la sentada sozinha a uma mesa, em algum ponto mais para o meio do salão, não muito perto das teletelas e com suficiente barulho de conversa ao redor — e se essas condições se mantivessem por, digamos, trinta segundos, talvez fosse possível trocar algumas palavras com ela.

Durante toda uma semana depois da entrega do bilhete, a vida transcorreu como um sonho inquieto. No dia seguinte a garota só apareceu na cantina quando ele já estava saindo, depois do toque da sirene. Era possível que o horário dela tivesse sido trocado para um turno posterior. Os dois se cruzaram sem se olhar. Um dia depois ela estava na cantina em seu horário habitual, mas acompanhada de três outras garotas e bem em frente a uma teletela. Em seguida, por três pavorosos dias, ela simplesmente não apareceu. A cabeça e o corpo de Winston pareciam dominados por uma sensibilidade intolerável, uma espécie de transparência, que transformava num suplício cada movimento, cada som, cada contato, cada palavra que ele era obrigado a dizer ou ouvir. Nem adormecido ele conseguia fugir inteiramente da imagem dela. Naqueles dias não escreveu no diário. Se é que havia alívio em algum lugar, era em seu trabalho, durante o qual às vezes conseguia desligar por dez minutos seguidos. Não fazia a mínima ideia do que pudesse ter acontecido com ela. Não havia como averiguar.

Ela podia ter sido vaporizada, podia ter se suicidado, podia ter sido transferida para o outro extremo da Oceânia. De todas as hipóteses possíveis, a pior e a mais provável era que simplesmente tivesse mudado de ideia e resolvido evitá-lo.

No dia seguinte ela reapareceu. O braço já não estava na tipoia; em torno do pulso, trazia uma tira de esparadrapo. O alívio de tornar a vê-la foi tão grande que ele não conseguiu se conter e olhou diretamente para ela por vários segundos. No dia seguinte esteve bem perto de conseguir falar com ela. Ao chegar à cantina viu-a sentada a uma mesa bem afastada da parede e completamente sozinha. Era cedo, o lugar ainda não estava tão cheio. A fila foi avançando e Winston já ia se aproximando do balcão quando o avanço se interrompeu por dois minutos porque alguém lá na frente começou a se queixar de não haver recebido seu tablete de sacarina. A garota continuava sentada sozinha quando Winston apanhou sua bandeja e começou a andar em direção à mesa dela. Foi andando como quem não quer nada, enquanto seus olhos procuravam um lugar livre em alguma mesa mais à frente. Ela estava a uns três metros dele. Dois segundos mais e tudo estaria resolvido. Nisso uma voz atrás dele exclamou: "Smith!". Winston fingiu que não tinha ouvido. "Smith!", repetiu a voz, agora mais alto. Não adiantava. Ele se virou. Um jovem louro, com cara de bobo, chamado Wilsher, que ele mal conhecia, convidava-o com um sorriso a ocupar um lugar vago na mesa dele. Não era seguro recusar. Depois de ser reconhecido, não podia ir sentar-se à mesa de uma garota desacompanhada. Chamaria muito a atenção. Winston se instalou com um sorriso amistoso. O rosto louro, tolo, abriu-se para ele. Winston teve uma visão delirante dele próprio cravando uma picareta bem no meio daquele rosto. Minutos depois a mesa da garota foi toda ocupada.

Mas ela provavelmente o vira aproximar-se e talvez tivesse entendido o sinal. No dia seguinte Winston teve o cuidado de chegar cedo. Não deu outra: ela estava sentada a uma mesa mais ou menos no mesmo lugar da véspera e, também daquela vez, sozinha. A pessoa imediatamente à frente de Winston na fila era um homenzinho miúdo, de movimentos rápidos, rosto achatado e frágil e olhos desconfiados. Assim que se afastou do balcão carregando sua bandeja, Winston viu o homenzinho avançar para a mesa da garota. Mais uma vez, suas esperanças naufragavam. Havia um lugar vago numa mesa um pouco mais afastada, mas alguma coisa na aparência do homenzinho sugeria que ele devia ser alguém suficientemente atento ao próprio conforto para escolher a mesa mais vazia. Winston continuou andando, de coração apertado. Não havia sentido — a não ser que conseguisse pegar a garota sozinha. Naquele momento ouviu-se um estrondo portentoso. O homenzinho estava de quatro no chão. A bandeja voara longe; dois riozinhos de sopa e café escorriam pelo chão. O homenzinho se ergueu, dirigindo um olhar malévolo para Winston, a quem visivelmente considerava o possível culpado por seu tropeção. Mas acabou dando tudo certo. Cinco segundos mais tarde, com o coração batendo forte, Winston estava sentado à mesa da garota.

Não olhou para ela. Retirou os alimentos da bandeja e começou a comer assim que se sentou. Era da maior importância falar imediatamente, antes que aparecesse alguém, mas fora tomado por um medo terrível. Uma semana se passara desde a primeira vez que ela se aproximara dele. Talvez ela tivesse mudado de ideia, certamente mudara de ideia. Impossível que aquele caso terminasse bem; era o tipo de coisa que não acontece na vida real. Talvez naquele momento ele tivesse desistido de falar com a garota se não houvesse visto Ampleforth, o poeta de orelhas peludas, vagar desorientado pela sala com uma bandeja, procurando um lugar para depositá-la. Mesmo com seu jeito pouco efusivo, Ampleforth tinha afeto por Winston e sem dúvida viria sentar-se à mesa dele se chegasse a avistá-lo. Winston tinha um minuto no máximo para agir. Ele e a garota comiam com aplicação. O prato do dia era um ensopado ralo — na verdade uma sopa — de vagem. Num murmúrio, Winston começou a falar. Nenhum dos dois ergueu os olhos; com aplicação, recolhiam o alimento aguado com a colher e o enfiavam na boca, e entre uma e outra colherada trocaram as poucas palavras indispensáveis numa voz baixa e sem expressão.

"A que hora você sai do serviço?"

"Seis e meia."

"Onde podemos nos encontrar?"

"Na praça Victory, perto do monumento."

"Está cheio de teletelas..."
"Não faz mal, se houver bastante gente."
"Algum código?"
"Não. Só se aproxime de mim se eu estiver no meio de uma porção de gente. E não olhe para mim. Fique perto, só isso."
"A que horas?"
"Sete."
"Está certo."

Ampleforth não viu Winston e se instalou em outra mesa. A garota e Winston não voltaram a conversar e, tanto quanto possível, em se tratando de duas pessoas sentadas uma diante da outra na mesma mesa, não trocaram olhares. A garota acabou rapidamente de almoçar e foi embora; Winston ficou mais um pouco para fumar um cigarro.

Antes da hora combinada Winston já estava na praça Victory. Ficou dando voltas na base da enorme coluna canelada sobre o topo da qual a estátua do Grande Irmão fitava os céus ao sul, onde derrotara a aviação eurasiana (alguns anos antes fora a aviação lestasiana) na Batalha da Faixa Aérea Um. Na rua que passava logo à frente, estava a estátua de um homem a cavalo que supostamente representava Oliver Cromwell. Às sete e cinco a garota ainda não aparecera. Mais uma vez, Winston foi tomado por um medo terrível. Ela não viria, mudara de ideia! Andou devagar para o lado norte da praça e sentiu uma espécie de prazer esmaecido ao identificar a igreja de São Martim, cujos sinos, na época em que ela possuía sinos, entoavam "Esses vinténs são pra mim". Nisso viu a garota parada junto à base do monumento, lendo ou fingindo que lia um pôster afixado numa coluna. Não era seguro aproximar-se dela enquanto não se juntasse um grupo de pessoas naquele ponto da praça. Havia teletelas ao longo de todo o frontão. Mas justo naquele momento ouviram-se uma gritaria e uma barulhada de veículos pesados vindo de algum ponto à esquerda. De repente, teve a impressão de que todo mundo atravessava a praça correndo. A garota, ágil, contornou os leões da base do monumento e juntou-se aos outros. Winston foi atrás. Enquanto corria, ouviu as pessoas comentarem aos gritos que um comboio de prisioneiros eurasianos estava passando.

Uma massa compacta de gente bloqueava o lado sul da praça. Winston, normalmente o tipo de homem que gravitava no limite externo de qualquer tipo de tumulto, distribuiu cotoveladas, enfiou-se, espremeu-se entre os corpos até chegar ao centro da multidão. Em pouco tempo, viu-se a um braço de distância da garota, mas teve seu avanço bloqueado por um proleta gigantesco acompanhado de uma mulher tão gigantesca quanto ele, supostamente sua esposa, que pareciam formar uma muralha impenetrável de carne. Winston se contorceu, entrou de lado e, com um empurrão violento, conseguiu enfiar o ombro entre os dois. Por um momento parecia que seus intestinos estavam sendo moídos e que virariam pasta entre aqueles dois quadris musculosos; depois, quando deu por si, conseguira passar, suando um pouco. Estava ao lado da garota, ombro a ombro. Os dois olhavam fixamente para a frente.

Uma longa fila de caminhões, com guardas de expressão impenetrável em posição de sentido e armados de metralhadoras posicionados nos quatro cantos dos veículos, descia a rua devagar. Nos caminhões, aglomerados e de cócoras, iam homenzinhos amarelos vestindo uniformes verdolengos esfarrapados. Seus tristes rostos mongólicos, voltados para o exterior da carroceria do caminhão, olhavam sem ver, totalmente desprovidos de curiosidade. De vez em quando, sempre que um caminhão dava uma sacolejada mais forte, ouvia-se o clangor de metal contra metal: todos os prisioneiros traziam grilhões. Um após outro, passavam aqueles caminhões lotados de rostos tristes. Winston sabia que estavam ali, mas só os via intermitentemente. O ombro da garota e seu braço até a altura do cotovelo estavam comprimidos contra os dele. Sua face estava tão próxima que ele quase conseguia sentir sua calidez. Ela se assenhorara de imediato da situação, exatamente como fizera na cantina. Começou a falar na mesma voz inexpressiva de antes, mal movendo os lábios, num murmúrio logo afogado pelo rumor das vozes e dos caminhões.

"Você está me ouvindo?"

"Estou."

"Consegue uma folga no domingo à tarde?"

"Consigo."

"Então ouça com atenção. Você vai precisar se lembrar disto. Vá até a estação Paddington..."

Com uma espécie de precisão militar que deixou Winston atônito, ela explicou o itinerário que ele deveria seguir. Uma viagem de meia hora de trem; virar à esquerda, ao sair da estação; dois quilômetros de caminhada pela estrada; uma porteira sem a viga de cima; uma trilha que cruzava um campo; uma passagem gramada; uma vereda entre arbustos; uma árvore morta coberta de musgo. Era como se ela tivesse um mapa dentro da cabeça.

"Você vai conseguir se lembrar de tudo isso?", murmurou por fim a garota.

"Vou."

"Você vira à esquerda, depois à direita, depois de novo à esquerda. E a porteira está sem a viga de cima."

"Está bem. A que horas?"

"Às três da tarde mais ou menos. Talvez você precise esperar. Vou chegar por outro caminho. Tem certeza de que vai se lembrar de tudo?"

"Tenho."

"Então se afaste de mim o mais rápido que puder."

Ela nem precisava ter dito isso, só que durante algum tempo nenhum dos dois conseguiu se desembaraçar da multidão. O cortejo de caminhões continuava passando, as pessoas, insaciáveis, continuavam olhando boquiabertas. No início houvera algumas vaias e assobios, mas vinham somente dos membros do Partido que se encontravam no meio do povo — e em pouco tempo se interromperam. A emoção predominante era a pura e simples curiosidade. Os estrangeiros, fossem eles da Eurásia ou da Lestásia, eram uma espécie de animal estranho. Era absolutamente impossível vê-los sob outra forma que não a de prisioneiros, e mesmo como prisioneiros tudo que se conseguia era olhar para eles durante um momento curtíssimo. Além disso, ninguém nunca sabia qual era o destino deles, sem contar os poucos que acabavam enforcados como criminosos de guerra; os outros simplesmente evaporavam, enviados talvez para campos de trabalho forçado. Rostos mongólicos e redondos haviam dado lugar a rostos de um tipo mais europeu, sujos, barbados e exaustos. De trás de malares maltratados, olhos se enfiavam nos olhos de Winston, às vezes com uma estranha intensidade, para em seguida voltarem a se afastar. O comboio chegava ao fim. No último caminhão, viu um homem idoso, rosto coberto por um emaranhado de pelos grisalhos, em pé, punhos cruzados à frente, como alguém habituado a andar com os braços amarrados. Estava quase na hora de Winston e a garota se separarem. No último momento, porém, ainda cingidos pela multidão, a mão dela buscou a dele e a apertou por um segundo.

Impossível que as duas mãos tivessem se encontrado por mais de dez segundos, mas ainda assim parecia que fora por muito tempo. Winston teve tempo de conhecer cada detalhe daquela mão. Apalpou os dedos compridos, as unhas naturalmente bem-feitas, a palma, com sua fieira de calos, enrijecida pelo trabalho, a carne macia da parte interna do punho. Pelo mero fato de tocá-la, seria capaz de reconhecê-la com o olhar. No mesmo instante ocorreu-lhe que não sabia qual era a cor dos olhos dela. Provavelmente castanhos, mas pessoas de cabelo escuro às vezes têm olhos azuis. Virar a cabeça e olhar para ela teria sido absoluta loucura. De mãos dadas, invisíveis no meio dos corpos que se comprimiam, os dois haviam mantido os olhos firmemente voltados para a frente e, em vez dos olhos da garota, eram os olhos magoados do prisioneiro idoso que fitavam Winston, perdidos no meio de seu matagal de pelos.

―

2.

Winston avançava pelo caminho em meio a um mosqueado de luz e sombra, pisando em poças douradas sempre que os galhos das árvores se distanciavam uns dos outros. Sob as árvores à esquerda, o solo era um nevoeiro de jacintos. O ar parecia beijar a pele. Era dia 2 de maio. De algum lugar mais para o interior do bosque vinha o arrulho de torcazes.

Estava um pouco adiantado. Não encontrara dificuldades em relação à viagem, e a experiência com que a garota lidava com as coisas era tão evidente que ele não sentia tanto medo quanto normalmente sentiria. Ao que tudo indicava, podia confiar nela para encontrar um lugar seguro. Em geral, não se podia supor que a pessoa estivesse muito mais segura no campo do que em Londres. Não havia teletelas, claro, mas sempre se corria o risco de que o lugar fosse vigiado por microfones escondidos, que haveriam de captar e identificar a voz de quem aparecesse por ali; além disso, não era fácil viajar sozinho sem atrair a atenção. Para distâncias inferiores a cem quilômetros, não era necessário visto no passaporte, porém às vezes havia patrulhas nas estações ferroviárias e os guardas pediam os documentos de qualquer membro do Partido que encontrassem pela frente, submetendo-os a perguntas inconvenientes. Contudo, nenhuma patrulha aparecera, e à saída da estação Winston dirigira vários olhares cautelosos para trás, para se certificar de que não estava sendo seguido. O trem ia cheio de proletas, todos com ânimo domingueiro por conta do tempo estival. O vagão com assentos de madeira em que Winston viajou estava superlotado com os numerosos integrantes de uma única família, os quais incluíam desde uma avó desdentada até um bebê com um mês de vida. Tencionavam passar a tarde com os "contraparentes" no interior e, como explicaram abertamente a Winston, comprar um pouco de manteiga no mercado negro.

O caminho se alargou e, um minuto depois, Winston chegou à trilha mencionada pela garota — uma simples picada aberta pelo gado que mergulhava mato adentro. Winston não tinha relógio, mas ainda não deveriam ser três horas. Os jacintos formavam uma camada tão densa debaixo de seus pés que era impossível não pisar neles. Winston se ajoelhou e começou a colher alguns, em parte para passar o tempo, em parte com a vaga ideia de que gostaria de ter um ramo de flores para oferecer à garota quando se encontrassem. Reunira um grande buquê e estava aspirando seu perfume levemente enjoativo quando um som logo atrás dele o fez gelar da cabeça aos pés: a inconfundível crepitação de gravetos sob o peso de um pé. Continuou colhendo os jacintos. Era a melhor coisa a fazer. Podia ser a garota — ou talvez tivesse sido mesmo seguido. Olhar para trás seria uma confissão de culpa. Pegou uma flor, depois outra. Uma mão pousou delicadamente em seu ombro.

Winston olhou para cima. Era a garota. Ela balançou a cabeça, sinalizando com clareza que ele devia manter-se em silêncio; depois abriu caminho entre os arbustos e enveredou rapidamente pela trilha estreita que conduzia ao interior do bosque. Era evidente que já fizera aquele caminho antes, pois se esquivava dos trechos enlameados como se os conhecesse muito bem. Ainda com o ramo de flores na mão, Winston a seguiu. Sua primeira sensação foi de alívio, mas conforme observava os movimentos do corpo esbelto e vigoroso à sua frente, com a faixa escarlate justa o bastante para revelar a curva dos quadris, a consciência de sua própria inferioridade começou a oprimi-lo. Mesmo naquele momento parecia-lhe bastante provável que, ao se virar e olhar para ele, a garota acabaria por bater em retirada. A doçura que pairava no ar e o verdor das folhas o intimidavam. Já no caminho da estação até ali, os raios do sol de maio o haviam feito sentir-se sujo e anêmico, um ser que levava a vida entre quatro paredes, com a poeira fuliginosa de Londres impregnada nos poros. Ocorreu-lhe que até aquele momento ela provavelmente não o vira ao ar livre em plena luz do dia. Chegaram à árvore caída que ela mencionara. A garota saltou por cima do tronco e empurrou os arbustos para os lados, revelando uma passagem oculta. Quando foi atrás dela, Winston percebeu que estavam numa clareira natural, uma colinazinha minúscula coberta pela relva e circundada por árvores novas e altas, que a escondiam por completo. A garota estacou e virou-se.

"Aqui estamos", disse.

Winston olhava para ela à distância de alguns passos. Não ousava aproximar-se.

"Eu não queria falar nada no caminho", continuou ela, "porque podia haver algum microfone escondido. Há sempre o risco de um daqueles pulhas reconhecerem a voz da gente. Aqui é seguro."

Ele continuava sem coragem de se aproximar dela. "Aqui é seguro?", repetiu estupidamente.

"É, sim. Veja as árvores." Eram pequenos freixos que haviam sido cortados e que depois tinham brotado de novo, formando uma floresta de postes, nenhum deles mais grosso que o pulso de uma pessoa. "Não há nada suficientemente grande para ocultar um microfone. Além do mais, já estive aqui antes."

Estavam só fazendo rodeios. Àquela altura Winston já dera um jeito de se aproximar mais dela. A garota permanecia diante dele com o corpo muito ereto e um sorriso no rosto, um sorriso que parecia levemente irônico, como se se perguntasse por que ele estava demorando tanto para tomar uma atitude. Os jacintos haviam se espalhado pelo chão. Pareciam ter caído por vontade própria. Winston pegou na mão dela.

"Você acredita", disse, "que até agora eu não sabia a cor dos seus olhos?" Eram castanhos, observou, um tom bem claro de castanho, com cílios escuros. "Agora que está vendo como eu de fato sou, é capaz de continuar olhando para mim?"

"Claro, sem o menor problema."

"Tenho trinta e nove anos. Tenho uma mulher da qual não consigo me livrar. Tenho varizes. Tenho cinco dentes postiços."

"Não me importo nem um pouco", disse a garota.

No momento seguinte, não se sabia por obra de quem, ela estava nos braços dele. No início Winston não sentiu nada, só a mais rematada incredulidade. O corpo jovem se estreitou contra o seu, a cabeleira preta colava-se a sua face e — sim! ela realmente havia soerguido o rosto e ele estava beijando aquela boca generosa e vermelha. Com os braços em volta do pescoço dele, ela o chamava de meu querido, meu amor, meu adorado. Winston a fizera se deitar no chão; a garota não oferecia a menor resistência, ele podia fazer o que quisesse com ela. A verdade, porém, era que ele não experimentava nenhuma outra sensação física além daquele simples contato. Tudo o que sentia era incredulidade e orgulho. Estava contente por aquilo estar acontecendo, mas não sentia desejo físico. Tudo fora muito rápido, a juventude e a beleza dela o amedrontavam, estava acostumado demais a viver sem mulher — não sabia por quê. A garota ergueu o tronco e tirou um jacinto do cabelo. Sentou-se encostada nele, cingindo-lhe a cintura com o braço.

"Não se aflija, querido. Não há pressa nenhuma. Temos a tarde inteira. Não é maravilhoso este esconderijo? Descobri-o uma vez em que me perdi durante uma caminhada comunitária. Se alguém vier nesta direção, a gente escuta a centenas de metros de distância."

"Como é o seu nome?", perguntou Winston.

"Julia. O seu eu sei. Você se chama Winston — Winston Smith."

"Como descobriu?"

"Acho que sou melhor que você para descobrir as coisas, amor. Me conte, qual era sua opinião sobre mim antes do dia em que lhe entreguei o bilhete?"

Winston não se sentia nem um pouco inclinado a mentir para ela. Começar revelando o pior era até uma espécie de oferenda amorosa.

"Eu sentia ódio só de olhar para você", disse. "Queria estuprá-la e depois matá-la. Duas semanas atrás, pensei seriamente em arrebentar a sua cabeça com um paralelepípedo. Se quer mesmo saber, eu achava que você tinha alguma ligação com a Polícia das Ideias."

A garota riu com gosto, claramente tomando as palavras de Winston como um elogio à excelência de seu disfarce.

"A Polícia das Ideias?! Não, não me diga que pensou mesmo isso!"

"Bom, talvez não exatamente isso. Mas, com esse seu jeito... você é tão jovem, tão forte, tão saudável, entende?... pensei que talvez..."

"Pensou que eu me dedicava de corpo e alma ao Partido. Uma garota de palavras e gestos puros. Faixas, desfiles, slogans, jogos, caminhadas comunitárias — aquela coisa toda. E achou que na primeira oportunidade eu provocaria sua execução, denunciando-o como criminoso do pensamento?"

"É, mais ou menos isso. Você sabe que há muitas garotas assim."

"A culpa é desta coisa nojenta", disse ela, arrancando a faixa escarlate da Liga Juvenil Antissexo e arremessando-a contra o tronco de uma árvore. Em seguida, como se o ato de levar a mão à cintura a lembrasse de alguma coisa, apalpou o bolso do macacão e tirou lá de dentro uma pequena barra de chocolate. Partiu-a ao meio e deu um dos pedaços a Winston. Antes mesmo de levá-lo à boca ele percebeu pelo cheiro que se tratava de um tipo muito incomum de chocolate. Era escuro e lustroso e estava embalado em papel prateado. As barras de chocolate normalmente eram coisas marrons, foscas, farelentas, cujo gosto, até onde era possível descrevê-lo, lembrava a fumaça saída dos incineradores de lixo. Mas em algum momento de sua vida Winston já havia provado um chocolate semelhante ao pedaço que ela lhe oferecera. Tão logo o odor lhe chegou às narinas, emergira de sua memória algo que ele não conseguia definir, mas que era forte e perturbador.

"Onde conseguiu isto?", indagou.

"No mercado negro", respondeu ela, indiferente. "Acho que sou mesmo esse tipo de garota, para quem vê de fora. Sou boa nos esportes. Fui comandante de tropa enquanto pertenci aos Espiões. Faço trabalhos voluntários para a Liga Juvenil Antissexo três vezes por semana, à noite. Horas e horas colando a droga da baboseira deles por todos os cantos de Londres. Nas paradas, sou uma das que sempre carregam as faixas. Estou sempre de cara alegre e nunca falto com meu dever. É o que eu digo: 'Nunca deixe de berrar junto com a multidão'. Só assim você está em segurança."

O primeiro fragmento de chocolate se derretera na língua de Winston. O sabor era delicioso. Só que aquela lembrança continuava rondando as fronteiras de sua consciência, algo intensamente sentido mas não reduzível a contornos definidos, como um objeto que se via com o rabo do olho. Afastou-a de si, ciente apenas de que se tratava da lembrança de um ato que ele gostaria de reverter, mas não podia.

"Você é muito jovem", disse. "Dez ou quinze anos mais jovem que eu. O que você viu de atraente num homem como eu?"

"Foi alguma coisa no seu rosto. Achei que valia a pena arriscar. Sou boa em identificar pessoas que não se ajustam. Assim que o vi, soube que você estava contra *eles*."

Eles parecia ser uma referência ao Partido, e principalmente ao Núcleo do Partido, sobre o qual ela falava com um ódio tão franco e sarcástico que Winston se sentia inquieto, mesmo sabendo que, se havia um lugar em que os dois sabiam estar seguros, esse lugar era ali. Uma coisa que o atordoava nela era o linguajar grosseiro. Supostamente os membros do Partido não praguejavam, e o próprio Winston só raras vezes o fazia. Pelo menos em voz alta. Julia, porém, parecia incapaz de falar do Partido, e sobretudo do Núcleo do Partido, sem usar palavras como as que costumavam ser rabiscadas a giz nas paredes manchadas de umidade dos becos. Não que aquilo o desagradasse. Não passava de um sintoma da revolta que ela sentia contra o Partido e seus métodos, e de certa maneira parecia natural e saudável, como o espirro de um cavalo que sente o cheiro de feno ruim. Tinham saído da clareira e atravessavam novamente o trecho salpicado de luz e sombra, com os braços em torno das respectivas cinturas sempre que o caminho se alargava o suficiente para permitir que caminhassem lado a lado. Winston notou que a cintura dela parecia muito mais delicada agora que a faixa fora removida. Só falavam por murmúrios. Fora da clareira, disse Julia, convinha fazer silêncio. Finalmente chegaram ao limite do pequeno bosque. Julia o deteve.

"Não apareça em campo aberto. Pode haver alguém à espreita. Enquanto ficarmos atrás das árvores, não corremos nenhum perigo."

Estavam à sombra de um grupo de aveleiras. A luz do sol, filtrada pela profusão de folhas, ainda estava quente sobre seus rostos. Winston olhou para as pradarias diante deles e foi atingido por um lento e curioso choque de reconhecimento. Conhecia o lugar de vista. Uma pastagem antiga, já bastante rasa, cortada por uma trilha sinuosa e com um ou outro montículo de terra feito pelas toupeiras. Na sebe irregular que se via do outro lado do campo, a brisa balançava muito suavemente os ramos dos olmos, e as folhas estremeciam de leve em densas massas que lembravam cabelos de mulher. Em algum lugar bem próximo mas que o olhar não alcançava devia haver uma torrente formando poças verdes onde nadavam robalinhos.

"Não tem um riozinho perto daqui?", sussurrou ele.

"Tem, sim. Na verdade ele fica na borda da próxima pastagem. Está cheio de peixes, e dos grandões. Dá para vê-los balançando a cauda nas poças sob os salgueiros."

"É a Terra Dourada... Quase", murmurou ele.

"Terra Dourada?"

"Na verdade não tem importância. É uma paisagem que me apareceu algumas vezes em sonhos."

"Olhe!", sussurrou Julia.

Um tordo pousara num galho a menos de cinco metros de onde eles estavam, quase na altura dos olhos dos dois. Talvez não os tivesse visto. Estava ao sol, eles na sombra. Abriu as asas, tornou a fechá-las cuidadosamente, baixou a cabeça por um momento como se estivesse fazendo uma espécie de mesura para o sol, depois começou a cantoria. Na quietude da tarde, o volume sonoro era surpreendente. Winston e Julia se abraçaram, fascinados. A melodia prosseguia ininterrupta, minuto após minuto, com variações impressionantes, que jamais se repetiam, quase como se o passarinho estivesse deliberadamente exibindo seu virtuosismo. Às vezes ele se interrompia por alguns segundos, abria e tornava a fechar as asas, depois estufava o peito mosqueado e reiniciava seu canto. Winston observava com uma espécie de vaga reverência. Para quem ou com que finalidade cantava aquele passarinho?

Não havia parceiras nem rivais por perto. O que o levara a pousar nos limites de um bosque solitário e verter sua música para o nada? Perguntou a si mesmo se era verdade que não havia um microfone escondido por ali. A conversa entre ele e Julia transcorrera toda em voz baixa, e o aparelho não teria sido capaz de captar suas palavras, mas captaria o canto do tordo. Era bem possível que, na outra ponta do instrumento, um homenzinho com aspecto de besouro estivesse escutando atentamente — escutando *aquilo*. Todavia, a enxurrada melódica foi aos poucos expulsando de sua mente todo tipo de conjectura. Era como algo líquido sendo despejado sobre seu ser, inundando-o por inteiro, algo que se misturava com a luz do sol filtrada pela folhagem. Winston já não pensava; era pura sensação. A cintura da garota, cingida pela curva de seu braço, era macia e cálida. Puxou-a para si e os dois ficaram frente a frente com os peitos encostados, e o corpo dela pareceu fundir-se ao dele. Por onde quer que ele passasse as mãos, parecia-lhe que ela se abria como água. Suas bocas se colaram uma à outra; foi bem diferente dos beijos sôfregos que haviam trocado antes. Quando seus rostos se afastaram de novo, ambos soltaram suspiros profundos. O passarinho se assustou e alçou voo num estrépito de asas.

Winston encostou os lábios no ouvido de Julia. "*Agora*", sussurrou.

"Aqui não", sussurrou ela em resposta. "Vamos voltar para o esconderijo. É mais seguro."

Depressa, pisando num ou noutro graveto, refizeram o caminho que levava à clareira. Assim que se viram no interior do círculo de árvores novas, Julia se virou e o encarou. Estavam ambos ofegantes, mas o sorriso voltara aos cantos de seus lábios. Ela o fitou por alguns instantes, depois buscou o zíper do macacão. E então sim! Foi quase como no sonho de Winston. Com uma destreza semelhante à que ele imaginara, Julia arrancou as roupas e, ao atirá-las para o lado, fez isso com o gesto grandioso que parece aniquilar toda uma cultura. Seu corpo cintilava muito branco ao sol. Mas por um instante ele não olhou para o corpo dela; tinha os olhos ancorados no rosto sardento de sorriso tênue e atrevido. Ajoelhou-se diante dela e segurou suas mãos.

"Já fez isso antes?"

"Claro que sim. Centenas de vezes... bom, um monte de vezes."

"Com membros do Partido?"
"É, sempre com membros do Partido."
"Com gente do Núcleo do Partido?"
"Não, com aqueles pulhas, não. Mas há uma porção deles que *faria* isso — na primeira oportunidade. Eles não são os santinhos que parecem ser."
O coração de Winston deu um salto. Ela perdera a conta das vezes que fizera aquilo; oxalá tivessem sido mesmo centenas — milhares de vezes. Tudo o que sugeria corrupção deixava-o repleto de uma doida esperança. Sabe lá... Talvez sob a superfície o Partido estivesse podre, talvez seu culto ao zelo e à abnegação não passasse de um biombo ocultando o mais completo desregramento. Se pudesse infectar aquele bando todo com lepra ou sífilis, com que alegria o faria! Tudo o que contribuísse para apodrecer, fragilizar, minar! Puxou Julia para baixo, de modo que ficaram ambos ajoelhados um de frente para o outro.

"Ouça. Quanto maior o número de homens que você teve, maior é o meu amor. Compreende isso?"

"Perfeitamente."

"Detesto a pureza, odeio a bondade. Não quero virtude em lugar nenhum. Quero que todo mundo seja devasso até os ossos."

"Bom, então acho que você vai gostar de mim, querido. Sou devassa até os ossos."

"Você gosta de fazer isso? Não me refiro apenas a estar comigo; falo da coisa em si."

"Adoro."

Acima de tudo, era o que Winston queria ouvir. Não apenas o amor por uma pessoa, mas o instinto animal, o desejo simples e indiferenciado: essa era a força capaz de estraçalhar o Partido. Deitou-a sobre a relva, entre os jacintos caídos. Dessa vez não houve nenhuma dificuldade. Pouco depois, o movimento ascendente e descendente dos peitos dos dois se regularizou e, numa espécie de abandono prazeroso, separaram-se. O sol parecia ter ficado mais quente. Estavam ambos sonolentos. Winston estendeu o braço para apanhar os dois macacões jogados no chão e usou-os para cobrir parcialmente o corpo de Julia. Pegaram no sono quase de imediato e dormiram por cerca de meia hora.

Winston foi o primeiro a acordar. Sentou-se e fitou o rosto sardento de Julia, ainda serenamente adormecido, apoiado na palma da mão dela. Salvo pela boca, não se podia dizer que fosse bonita. Olhando de perto, viam-se uma ou duas rugas em torno de seus olhos. O cabelo preto e curto era extraordinariamente denso e macio. Ocorreu-lhe que ainda não sabia o sobrenome dela nem onde morava.

O corpo jovem, robusto, agora desamparadamente adormecido, despertou nele um sentimento compassivo, protetor. Porém a ternura impensada que o tomara enquanto o tordo cantava não voltara por completo. Puxou os macacões para um lado e estudou o dorso branco e macio de Julia. Antigamente, pensou, um homem olhava para o corpo de uma garota, via que ele era desejável, e a coisa ficava por aí. Hoje, porém, não havia como sentir um puro amor ou um puro desejo. Nenhuma emoção era pura, pois tudo estava misturado ao medo e ao ódio. A união dos dois fora uma batalha; o gozo, uma vitória. Era um golpe assentado contra o Partido. Um ato político.

3.

"Podemos voltar aqui", disse Julia. "Em geral não há problema em usar um esconderijo duas vezes. Mas durante um mês ou dois não dá, claro."

Tão logo ela acordou, sua atitude havia mudado. Tornou-se atenta e prática, vestiu-se, amarrou a faixa escarlate na cintura e começou a organizar os detalhes da viagem de volta. Parecia natural que a tarefa coubesse a ela. Não havia como negar que Winston não possuía seu tino prático; além disso, ela parecia conhecer perfeitamente os arredores de Londres — um conhecimento acumulado ao longo de incontáveis caminhadas comunitárias. O roteiro que forneceu a Winston era completamente diferente do da vinda, levando-o até outra estação ferroviária. "Nunca volte pelo mesmo caminho da chegada", disse, como quem enuncia uma regra geral importantíssima. Ela partiria na frente e Winston deveria esperar meia hora para depois segui-la.

Ela especificara um lugar onde os dois poderiam se encontrar depois do trabalho, na quarta noite a partir daquele dia. Era uma rua num dos bairros mais pobres da cidade, onde havia uma feira livre que costumava ser muito apinhada de gente e barulhenta.

Ela ficaria perambulando de banca em banca, fingindo procurar cadarços para sapatos ou linha de costura. Se considerasse que a área estava livre, assoaria o nariz quando ele se aproximasse. Se não o fizesse, ele deveria passar por ela sem reconhecê-la. Mas, com um pouco de sorte, não haveria problema em conversarem durante quinze minutos no meio das pessoas para combinar o encontro seguinte.

"E agora tenho de ir", ela disse assim que Winston compreendeu as instruções. "Preciso estar de volta às sete e meia. Estou encarregada de tomar conta da Liga Juvenil Antissexo por duas horas. Vamos distribuir panfletos ou coisa do tipo. Não é um horror? Dê uma conferida em mim, por favor. Estou com algum galhinho no cabelo? Tem certeza? Então até mais, amor!

Ela se jogou nos braços dele, beijou-o com certa violência, um momento depois enveredou por entre as arvorezinhas e desapareceu no bosque quase sem fazer ruído. Ele continuava desconhecendo seu sobrenome e seu endereço. Só que não fazia diferença, pois era inconcebível que algum dia eles pudessem se encontrar em ambientes fechados ou trocar qualquer tipo de comunicação escrita.

Na verdade eles jamais voltaram à clareira no bosque. Acontece que no decorrer de maio houve uma única ocasião em que conseguiram voltar a fazer amor. O fato se deu num outro esconderijo conhecido de Julia: o campanário de uma igreja em ruínas localizada numa área rural praticamente deserta, onde trinta anos antes caíra uma bomba atômica. Era um excelente esconderijo depois que você chegava lá, o problema era chegar lá: o trajeto era muito perigoso. Fora isso, só conseguiam encontrar-se nas ruas, cada noite num lugar diferente e nunca por mais de meia hora. Na rua, em geral era possível conversar, por assim dizer. Enquanto andavam pelas calçadas entupidas de gente, sem ser lado a lado e nunca olhando um para o outro, travavam uma conversa estranha, intermitente, que se interrompia e se reatava como o facho de um farol: ora forçada ao silêncio pela aproximação de um uniforme do Partido ou pela vizinhança de uma teletela, ora retomada minutos depois no meio de uma frase, ora cortada abruptamente quando os dois se afastavam um do outro no local previamente combinado, ora prosseguida quase sem introdução no dia seguinte.

Julia parecia bastante habituada a esse tipo de conversa, que chamava de "conversa em prestações". Além disso, era surpreendentemente capaz de falar sem mover os lábios. Só uma vez, ao longo de quase um mês de encontros cotidianos, conseguiram trocar um beijo. Desciam em silêncio uma ruazinha lateral (Julia nunca falava quando estavam fora das ruas principais) quando se ouviu um estrondo ensurdecedor, a terra balançou, o ar escureceu e Winston viu-se deitado de lado, ferido e aterrorizado. Uma bomba-foguete devia ter caído nas cercanias. De repente percebeu o rosto de Julia a poucos centímetros do dele, mortalmente branco, branco como giz. Até os lábios dela estavam brancos. Estava morta! Ele a apertou contra si e constatou que beijava um rosto vivo e quente. Só que algum material coberto de poeira impedia que os lábios dos dois se unissem. Seus rostos estavam cobertos de uma camada espessa de estuque.

Havia noites em que eles chegavam aos lugares combinados, depois tinham de passar um pelo outro sem dar mostras de reconhecer-se porque uma patrulha acabava de dobrar a esquina ou um helicóptero pairava logo acima. Ainda que fosse menos perigoso, continuaria sendo difícil arranjar tempo para encontros. Winston tinha uma semana de trabalho de sessenta horas, a de Julia era ainda mais carregada, e o dia de folga de ambos variava segundo a pressão do trabalho — e raramente coincidia. De todo modo, Julia só tinha poucas noites inteiramente livres. Passava uma quantidade impressionante de tempo assistindo a palestras e apresentações, distribuindo panfletos para a Liga Juvenil Antissexo, preparando faixas para a Semana do Ódio, fazendo coletas para a campanha da poupança e outras atividades similares. Valia a pena, dizia. Tudo pura camuflagem. Se você obedecesse às regras desimportantes, poderia desobedecer às importantes. Chegou ao ponto de convencer Winston a comprometer outra de suas noites dedicando meio expediente semanal à fábrica de munições, onde o trabalho era realizado voluntariamente por membros zelosos do Partido. Assim, uma noite por semana Winston passava quatro horas de um tédio paralisante aparafusando pedacinhos de metal que provavelmente eram partes de fusíveis de bomba, numa oficina mal iluminada e cheia de correntes de ar onde o barulho das marteladas se confundia de forma horripilante com a música das teletelas.

No encontro do campanário, as falhas em suas conversas fragmentárias foram preenchidas. Era uma tarde esplendorosa. No quartinho quadrado logo acima dos sinos o ar estava quente e imóvel e tinha um cheiro atordoante de fezes de pombo. Os dois passaram horas conversando, sentados no chão empoeirado e coberto de galhinhos, com um ou outro levantando-se de vez em quando para dar uma espiada pelas seteiras e certificar-se de que ninguém se aproximava.

Julia tinha vinte e seis anos. Vivia numa pensão com trinta outras garotas ("Sempre no meio de fedor de mulher. Como eu detesto mulher!", dizia entre parênteses) e trabalhava, como ele bem imaginara, nas máquinas romanceadoras do Departamento de Ficção. Gostava de seu trabalho, que consistia basicamente em fazer funcionar e manter em bom estado um motor elétrico potente mas complexo. Era "ininteligente", mas gostava de trabalhar com as mãos e ficava à vontade lidando com as máquinas. Era capaz de descrever todo o processo de composição de um romance, desde a diretriz geral emitida pelo Comitê de Planejamento até os retoques finais realizados pelo Pelotão Reescritor. Mas não estava interessada no produto final. Não era "muito ligada em leitura", disse. Os livros eram simplesmente um produto que precisava ser fabricado, como geleias ou cadarços.

Não se lembrava de nada anterior ao início dos anos 1960 e só conhecera uma pessoa que falava frequentemente dos dias anteriores à Revolução: um avô desaparecido quando ela tinha oito anos. Na escola, fora capitã do time de hóquei e ganhara o troféu de ginástica por dois anos seguidos. Fora líder de tropa dos Espiões e secretária setorial da Liga da Juventude antes de se filiar à Liga Juvenil Antissexo. Sempre demonstrara ter ótimo caráter. Chegara a ser selecionada — sinal infalível de boa reputação — para trabalhar na Pornodiv, divisão do Departamento de Ficção encarregada de produzir pornografia barata para distribuir entre os proletas. A divisão recebera o apelido de Casa da Nojeira, dado pelas pessoas que trabalhavam lá, explicou. Ficara lá durante um ano, ajudando a produzir opúsculos em pacotes lacrados com títulos como *Casos de espancamento* ou *Uma noite num internato de garotas*, que seriam comprados furtivamente por jovens proletários convencidos de que estavam adquirindo algo ilegal.

"Como são esses livros?", perguntou Winston, curioso.

"Uma tremenda de uma porcaria. Na verdade são muito chatos. São apenas seis histórias, muito recortadas e reaproveitadas. Bom, só trabalhei nos caleidoscópios, claro. Nunca fiz parte do Pelotão Reescritor. Não sou literata, querido — nem para isso eu dou."

Winston ficou sabendo, atônito, que todos os trabalhadores da Pornodiv, exceto o chefe da divisão, eram moças. Supostamente os homens, cujos instintos sexuais eram menos controláveis que os das mulheres, corriam maior risco de ser corrompidos pelo lixo com que lidavam.

"Eles não gostam nem de ter mulher casada trabalhando lá", acrescentou Julia. "Todo mundo sempre pensa que as garotas são tão puras... Bom, aqui está uma que não é."

Ela tivera seu primeiro caso aos dezesseis anos. O parceiro era um homem de sessenta anos, membro do Partido, que mais tarde cometera suicídio para evitar a prisão. "Aliás, uma boa providência", observou Julia. "Do contrário teria sido obrigado a divulgar meu nome na hora da confissão." Depois, houvera vários outros. Para ela, a vida era uma coisa muito simples. Você fica querendo se divertir e "eles", ou seja, o Partido, faz de tudo para evitar que você se divirta. Você faz de tudo para infringir as regras. Ela parecia achar muito natural que "eles" quisessem privar você de seus prazeres, assim como era natural que você quisesse evitar ser flagrado. Odiava o Partido, e dizia isso com palavras grosseiras, mas não o criticava globalmente. Só se interessava pela doutrina do Partido quando ela dizia respeito a sua vida particular. Winston percebeu que nunca usava palavras em Novafala, com exceção das que haviam migrado para a linguagem corrente. Nunca ouvira falar na Confraria e se recusava a acreditar em sua existência. Todo tipo de revolta organizada contra o Partido lhe parecia uma bobagem. A coisa mais inteligente a fazer era infringir as regras e dar um jeito de continuar vivo. Ele ficou pensando que devia haver muitas outras garotas como ela na geração mais nova. Pessoas que haviam crescido no mundo da Revolução, ignorantes de tudo o mais, aceitando o Partido como uma coisa tão inalterável quanto o céu, deixando de rebelar-se contra sua autoridade, mas tratando de esquivar-se, como um coelho escapa de um cão.

Não discutiram a hipótese de casamento. Tratava-se de uma coisa muito remota para que valesse a pena pensar nela. Impossível imaginar algum comitê capaz de sancionar um casamento daqueles, mesmo que fosse possível dar um jeito em Katharine, a mulher de Winston. Mesmo como devaneio, aquele era um caso sem esperança.

"Como era a sua mulher?", indagou Julia.

"Era... Sabe aquela palavra em Novafala, *benepensante*? Com o sentido de 'naturalmente ortodoxo', 'incapaz de ter um mau pensamento'?"

"Não, eu não conhecia a palavra, mas conheço muito bem esse tipo de gente."

Winston começou a contar a história de seu casamento, porém, por estranho que parecesse, tudo levava a crer que Julia já estava a par dos pontos essenciais. Descreveu para Winston, quase como se ela própria tivesse visto ou sentido aquilo, o modo como o corpo de Katharine se enrijecia quando ele a tocava, aquele jeito dela de parecer que o estava rechaçando com todas as suas forças mesmo quando enlaçava o corpo dele. Winston não sentia dificuldade em conversar sobre essas coisas com Julia: fazia muito tempo que Katharine deixara de ser uma lembrança dolorosa para tornar-se simplesmente uma lembrança desagradável.

"Eu teria aguentado, se não fosse por uma coisa", disse ele. Contou da pequena cerimônia frígida da qual Katharine o obrigava a participar semanalmente, sempre na mesma noite. "Ela tinha horror daquela coisa, mas nada no mundo a impediria de fazer aquilo. Ela costumava chamar de... você nunca imaginaria."

"Nosso dever para com o Partido", disse Julia no mesmo instante.

"Como você sabia?"

"Também já frequentei a escola, querido. Palestras mensais sobre sexo, para jovens acima de dezesseis anos. E o Movimento da Juventude. Enfiam esse negócio na sua cabeça por anos a fio. Admito que em muitos casos funciona. Mas é óbvio que nunca se sabe; as pessoas são tão hipócritas..."

Julia começou a especular sobre o assunto. Com ela, tudo sempre ia dar em sua própria sexualidade. Assim que essa questão era abordada de alguma forma, ela demonstrava uma grande perspicácia. Diferentemente de Winston, entendera o significado profundo do puritanismo sexual do Partido. Não era apenas que o instinto sexual criasse um mundo próprio fora do controle do Partido — um instinto que, por isso, se possível, tinha de ser destruído. O mais importante era que a privação sexual levava à histeria, desejável porque podia ser transformada em fervor guerreiro e veneração ao líder. Eis como Julia descrevia a questão:

"Quando você faz amor, está consumindo energia; depois se sente feliz e não dá a mínima para coisa nenhuma. E eles não toleram que você se sinta assim. Querem que você esteja estourando de energia o tempo todo. Toda essa história de marchar para cima e para baixo e ficar aclamando e agitando bandeiras não passa de sexo que azedou. Se você está feliz na própria pele, por que se excitar com esse negócio de Grande Irmão, Planos Trienais, Dois Minutos de Ódio e todo o resto da besteirada?"

Tudo muito verdadeiro, ele pensou. Havia uma conexão íntima e direta entre castidade e ortodoxia política. Porque, de que maneira manter no diapasão certo o medo, o ódio e a credulidade imbecil que o Partido necessitava encontrar em seus membros se algum instinto poderoso não fosse represado e depois usado como força motriz? A pulsão sexual era perigosa para o Partido, e o Partido a utilizava em interesse próprio. A pulsão de paternidade também fora instrumentada de forma semelhante, embora fosse impossível abolir a família — e, na verdade, as pessoas eram estimuladas a gostar dos filhos quase nos moldes de antigamente. As crianças, por sua vez, eram voltadas sistematicamente contra os pais e aprendiam a espioná-los e a relatar seus desvios. Com efeito, a família se transformara numa extensão da Polícia das Ideias. Era um instrumento graças ao qual todos podiam ficar noite e dia cercados por informantes que os conheciam intimamente.

De repente, os pensamentos de Winston voltaram-se para Katharine. Não havia dúvida de que Katharine o denunciaria à Polícia das Ideias se ela por acaso se mostrasse suficientemente inteligente para conseguir detectar a inortodoxia das opiniões dele.

Mas na verdade o que o levou a se lembrar dela naquele momento foi o calor sufocante da tarde, um calor que fizera a testa dele transpirar. Começou a contar a Julia alguma coisa que havia acontecido, ou melhor, que não havia acontecido em outra tarde abafada de verão, onze anos antes.

Fazia três ou quatro meses que estavam casados. Em algum lugar de Kent, os dois haviam se desgarrado numa caminhada comunitária. Aconteceu porque retardaram o passo. Não mais de dois ou três minutos, mas tomaram a direção errada e acabaram se vendo impedidos de avançar quando chegaram à beira do paredão de uma antiga mina de giz. Era um paredão a pique de dez ou vinte metros, com rochas no fundo. Não havia ninguém a quem pudessem pedir informações sobre o caminho. Assim que percebeu que estavam perdidos, Katharine ficou muito preocupada. O fato de afastar-se, por um momento que fosse, do grupo ruidoso de caminhantes dava-lhe a sensação de estar agindo incorretamente. Queria voltar correndo pelo caminho por onde tinham vindo e começar a procurar na outra direção. Naquele momento, porém, Winston percebeu alguns tufos de salgueirinhas crescendo nas rachaduras da colina sobre a qual eles se encontravam. Um dos tufos era de duas cores — magenta e vermelho-tijolo —, aparentemente crescendo da mesma raiz. Winston jamais vira uma coisa como aquela e chamou Katharine para que ela fosse ver.

"Olhe, Katharine! Olhe só essas flores. Aquela moita lá embaixo, perto do fundo. Está vendo que são de duas cores diferentes?"

Ela já se virara para voltar por onde haviam vindo, mas assim mesmo, tensa, foi até onde ele estava. Chegou a inclinar-se sobre o paredão para ver o lugar que ele apontava. Winston estava um pouco atrás dela e apoiou a mão em sua cintura para dar-lhe mais segurança. Nesse momento ocorreu-lhe de repente que os dois estavam completamente sozinhos. Não havia uma única criatura humana em lugar nenhum, nenhuma folha se mexia, não havia nem passarinho por perto. O risco de haver um microfone escondido num lugar daqueles era muito pequeno, e, mesmo que houvesse, só captaria sons. Era o momento mais quente, mais modorrento da tarde. O sol ardente os fustigava, o suor lhes escorria pelo rosto. Foi então que surgiu a ideia...

"Por que você não deu um bom empurrão nela?", disse Julia. "Eu teria feito isso."

"Sim, querida, você teria feito isso. Eu também, se naquela época eu fosse a pessoa que sou hoje. Ou talvez eu fosse, não tenho certeza."

"Você se arrepende de não ter empurrado Katharine?"

"Me arrependo. Tudo considerado, me arrependo."

Estavam sentados um ao lado do outro no piso empoeirado. Ele a puxou para mais perto. A cabeça dela se apoiou no ombro dele e o cheiro agradável do cabelo de Julia se sobrepôs ao das fezes de pombo. Ela era muito jovem, pensou ele, ainda esperava alguma coisa da vida, não entendia que empurrar uma pessoa inconveniente precipício abaixo não resolvia coisa alguma.

"Na verdade não teria feito diferença", ele disse.

"Então por que você se arrepende de não tê-la empurrado?"

"Só porque prefiro fazer uma afirmação positiva a outra negativa. Nesse jogo que estamos jogando, não temos como vencer. Alguns tipos de fracasso são melhores do que outros. Só isso."

Ele sentiu que os ombros dela se encolhiam de leve, discordando. Ela sempre o contradizia quando ele falava alguma coisa daquele tipo. Não aceitava como uma lei da natureza o indivíduo sair sempre derrotado. De certa maneira, Julia percebia que ela própria estava condenada, que mais cedo ou mais tarde a Polícia das Ideias haveria de apanhá-la e matá-la, mas com outra parte de sua mente acreditava que havia algum jeito de construir um mundo secreto onde fosse possível viver do jeito que se quisesse. Só era preciso sorte, esperteza e ousadia. Não entendia que essa coisa chamada felicidade não existisse, que a única vitória estaria num futuro distante, muito depois da morte da pessoa, que a partir do momento em que se declarava guerra ao Partido era melhor pensar em si próprio como um cadáver.

"Os mortos somos nós", disse ele.

"Ainda não morremos", disse Julia de modo trivial.

"Fisicamente, não. Seis meses, um ano, talvez cinco anos. Tenho medo da morte. Você é jovem; portanto, em princípio, tem mais medo da morte do que eu. É claro que iremos protelá-la o máximo possível. Mas a diferença é muito pequena. Enquanto os seres humanos permanecerem humanos, morte e vida serão a mesma coisa."

"Ah, que bobagem. Com quem você prefere ir para a cama: comigo ou com um esqueleto? Você não sente prazer em estar vivo? Não gosta de sentir: Este sou eu, esta é minha mão, esta é minha perna, sou real, sou sólido, estou vivo? Não gosta *disto*?

Virou o corpo e comprimiu o peito contra o dele. Ele sentiu seus seios, maduros e ao mesmo tempo firmes, por baixo do macacão. O corpo dela parecia verter um pouco de sua juventude e de seu vigor para dentro do corpo dele.

"Sim, eu gosto", disse ele.

"Então pare de falar em morrer. E agora ouça, meu querido, temos que combinar nosso próximo encontro. Que tal voltarmos àquele lugar no bosque? Já deixamos passar um bom tempo. Só que dessa vez você precisa chegar lá por um caminho diferente. Já planejei tudo. Você toma o trem... Mas olhe aqui, vou fazer um desenho para você."

E com seu jeito prático ela juntou um pouco de poeira e formou um pequeno quadrado. Em seguida, pôs-se a desenhar um mapa no chão com um galhinho retirado de um ninho de pombo.

4.

Winston percorreu com o olhar o comodozinho esquálido que ficava em cima da loja do sr. Charrington. Ao lado da janela, a cama imensa estava arrumada com cobertores puídos e um travesseiro sem fronha. O relógio antiquado, com o mostrador de doze horas, tiquetaqueava sobre a borda da lareira. No canto, sobre a mesa de abas dobráveis, o peso de papel de vidro que ele comprara em sua última visita luzia suavemente na semiescuridão.

No guarda-fogo, viam-se um velho fogareiro a querosene, uma panela e duas xícaras, tudo fornecido pelo sr. Charrington. Winston acendeu o fogareiro e pôs um pouco de água para ferver. Trouxera um envelope cheio de café Victory e algumas pastilhas de sacarina. Os ponteiros do relógio marcavam sete e vinte; e eram, de fato, dezenove e vinte. Ela chegaria às dezenove e trinta.

Loucura, loucura, seu coração não se cansava de dizer: insensatez deliberada, gratuita e suicida! De todos os crimes que um membro do Partido podia cometer, aquele era o mais difícil de encobrir. Na realidade, a ideia começara por assomar à sua mente na forma de uma visão do peso de papel de vidro refletido na superfície da mesa de abas dobráveis. Como ele previra, o sr.

Charrington não apresentara empecilhos para alugar o quarto. Ficara perceptivelmente satisfeito com o dinheirinho extra que haveria de ganhar. Tampouco se mostrara escandalizado ou se tornara agressivamente malicioso quando ficara claro que Winston pretendia usar o quarto para encontros amorosos. Em vez disso, olhou para um ponto a meia distância e falou de generalidades com um ar tão delicado que dava a impressão de ter se tornado parcialmente invisível. A privacidade, disse, era uma coisa muito valiosa. Todo mundo queria ter um lugar em que pudesse estar a sós de vez em quando. E quando alguém encontrava um lugar assim, não era senão um gesto da mais trivial cordialidade que aqueles que soubessem do fato guardassem a informação para si mesmos. O antiquário chegou a acrescentar, dando a impressão de quase se dissolver no ar ao fazê-lo, que a casa tinha duas entradas, sendo uma delas pelo quintal, que dava para um beco.

Havia alguém cantando sob a janela. Protegido pela cortina de musselina, Winston olhou para fora. O sol de junho ainda brilhava alto no céu, e no pátio ensolarado uma mulher gigantesca, sólida como um pilar normando, com braços fortes e vermelhos e avental de tecido grosseiro em volta da cintura, andava pesadamente de lá para cá entre uma tina e um varal, pendurando uma série de quadrados brancos que Winston identificou como fraldas de bebê. Sempre que sua boca não estava entupida com pregadores de roupa, ela se punha a cantar num contralto vigoroso:

> *Era um capricho e nada mais,*
> *Doce como um dia de abril,*
> *Mas seu olhar azul de anil*
> *Roubou para sempre a minha paz!*

Fazia várias semanas que só se ouvia aquilo em Londres. Era uma das inúmeras canções, todas muito parecidas, compostas para uso dos proletas por uma subseção do Departamento de Música. Os versos eram elaborados — sem nenhuma intervenção humana — por um instrumento conhecido como versificador. Porém o canto da mulher era tão melódico que transformava aquela bobagem, aquela porcaria intragável, num som quase agradável. Winston ouvia a mulher cantando, o ruído produzido pelo atrito de seus sapatos nas lajes, os gritos das crianças na rua e em algum lugar muito longe o ronco surdo do trânsito — e ainda assim o quarto parecia curiosamente silencioso, graças à ausência da teletela.

Loucura, loucura, loucura!, tornou a pensar. Era inconcebível que pudessem frequentar aquele lugar por mais do que algumas semanas sem serem descobertos. Mesmo assim, a ideia de terem um esconderijo que fosse realmente só deles, um quartinho de fácil acesso, representara para ambos uma tentação forte demais. Depois da visita ao campanário da igreja, haviam passado algum tempo sem conseguir organizar novos encontros. O período de trabalho fora drasticamente ampliado em virtude dos preparativos para a Semana do Ódio. Ainda faltava mais de um mês, mas a enormidade e a complexidade do evento exigiam de todos cotas extras de trabalho. Por fim, Winston e Julia conseguiram uma tarde livre no mesmo dia. Tinham combinado voltar à clareira no bosque. Na noite da véspera, encontraram-se rapidamente na rua. Como de hábito, ao se aproximar de Julia em meio à multidão, Winston mal olhou para ela; porém ao vê-la de relance, achou-a mais pálida que de costume.

"Nossos planos furaram", murmurou ela, tão logo lhe pareceu seguro falar. "Não vai dar amanhã."

"Como assim?"

"Amanhã à tarde. Não vou poder ir."

"Por que não?"

"Ah, o de sempre. Começou mais cedo desta vez."

Por alguns instantes, Winston ficou profundamente encolerizado. Ao longo daquele mês, desde que haviam começado a se relacionar, a natureza do desejo que sentia por ela se modificara. No começo a coisa era muito pouco sensual. Na primeira vez, o sexo tinha sido apenas e tão somente um ato da vontade. Mas depois da segunda vez tudo se modificara. Ele — ou o ar em volta dele — parecia ter-se impregnado do cheiro do cabelo de Julia, do gosto de sua boca, da maciez de sua pele. Ela se tornara uma necessidade física: algo que ele não apenas desejava, mas a que sentia ter direito. Quando Julia disse que não poderia ir ao encontro, Winston teve a sensação de que ela o estava enganando. Naquele exato momento, porém, a multidão empurrou um de encontro ao outro e as mãos deles acidentalmente se encontraram. Julia apertou de leve a ponta dos dedos de Winston, um toque que parecia ser um convite não ao desejo, mas à afeição. Winston pensou que, quando um homem vivia com uma mulher, um contratempo como aquele devia ser uma ocorrência natural, recorrente; e uma ternura profunda, como não havia sentido por ela antes, de súbito se apossou dele. Desejou que fossem um casal com dez anos de vida em comum. Desejou poder andar com ela pelas ruas exatamente como faziam agora, porém às claras e sem medo, conversando sobre assuntos triviais e comprando coisinhas para a casa. Desejou sobretudo dispor de um lugar qualquer onde pudessem estar a sós sem sentir a obrigação de fazer amor toda vez que se encontrassem. Não fora efetivamente naquele instante, mas em algum momento do dia seguinte lhe ocorrera a ideia de alugar o cômodo do sr. Charrington. Quando fez a sugestão a Julia, ela concordou com uma rapidez inesperada. Ambos sabiam que era uma imprudência. Era como se estivessem dando intencionalmente um passo na direção de suas sepulturas. Sentado na borda da cama, Winston tornou a pensar nas celas do Ministério do Amor. Curioso como aquele horror predeterminado se afastava da consciência da pessoa e depois voltava. Um horror localizado ali, num ponto futuro, que antecipava a morte com a mesma certeza com que o 99 antecipava o 100. Um destino que não se podia evitar, muito embora talvez fosse possível postergá-lo; todavia, em vez disso, a pessoa volta e meia optava, graças a um ato consciente e voluntário, por abreviar o tempo de sua ocorrência.

Nesse instante, passos rápidos soaram na escada. Julia irrompeu no quarto. Trazia uma sacola de ferramentas, uma sacola de lona marrom rústica, como a que por vezes ele a vira carregando de um lado para outro no Ministério. Winston precipitou-se para tomá-la nos braços, porém ela se desprendeu dele com alguma ansiedade, em parte porque ainda estava com a sacola nas mãos.

"Só um segundo", disse. "Quero que veja o que tenho aqui. Você trouxe aquela porcaria de café Victory? Imaginei que traria. Pode jogar fora, não vamos mais precisar dele. Olhe isto."

Julia ficou de joelhos, abriu a sacola com alvoroço e jogou no chão algumas chaves inglesas e uma chave de fenda que ocupavam a parte de cima da sacola. A parte inferior estava forrada com esmerados pacotes de papel. O primeiro pacote que ela pôs nas mãos de Winston tinha uma consistência estranha e todavia vagamente familiar. Seu conteúdo era pesado, parecia areia e cedia onde a pessoa o tocasse.

"Não vá me dizer que é açúcar!", exclamou ele.

"Açúcar de verdade. Não é sacarina, não; é açúcar. E aqui temos um belo pão — pão mesmo, não aquela coisa horrorosa que estamos acostumados a comer — e um vidrinho de geleia. E aqui uma lata de leite. Mas veja! É disto que eu mais me orgulho. Tive de embrulhar em um pano porque..."

Porém não foi preciso que ela explicasse por que tivera de embrulhar aquilo em um pano. O cheiro já inundava o aposento, um cheiro forte, pronunciado, que parecia a Winston uma emanação dos primeiros anos de sua infância, mas que ainda agora era possível sentir ocasionalmente, ao se sair por um vestíbulo antes de uma porta ser fechada ou difundindo-se misteriosamente por uma rua apinhada de gente, inalado por um instante e no momento seguinte extinto de novo.

"É café", murmurou ele, "café de verdade."

"É o café do Núcleo do Partido. Tem um quilo aqui", disse ela.

"Como você conseguiu essas coisas?"

"É tudo reservado para o consumo do Núcleo do Partido. Os pulhas têm de tudo, para eles nunca falta nada. Mas é claro que os garçons, as empregadas e outras pessoas acabam passando a mão numa coisa ou outra e — veja, arrumei um pacotinho de chá também."

Winston estava de cócoras ao lado dela. Rasgou um canto do pacote.

"É chá mesmo. Não folhas de amora-preta."

"Tem aparecido muito chá ultimamente. Conquistaram a Índia ou coisa assim", disse Julia distraída. "Mas escute, amor. Quero que você fique de costas para mim por três minutos. Vá se sentar do outro lado da cama. E não olhe antes de eu mandar você se virar."

Winston, absorto, olhou para fora através da cortina de musselina. Lá embaixo, no quintal, a mulher de braços vermelhos continuava a marchar de um lado para outro, entre a tina e o varal. Tirou mais pregadores da boca e cantou com muito sentimento:

Dizem que o tempo tudo cura
E que no fim sempre se esquece,
Mas risos e choros — até parece
Que a vida passa e eles perduram!

A mulher parecia saber de cor e salteado todos os versos daquela canção melosa. Sua voz adejava com o doce ar estival, extremamente melodiosa, transportando uma espécie de melancolia feliz. Tinha-se a impressão de que ela se sentiria perfeitamente satisfeita se a noite de junho fosse infinita e o estoque de roupas inesgotável, obrigando-a a passar mil anos ali, pendurando fraldas no varal e cantarolando bobagens. De repente ocorreu a Winston como era curioso que ele nunca tivesse ouvido um membro do Partido cantar sozinho, espontaneamente. Seria uma atitude pouco ortodoxa, uma excentricidade perigosa, como falar consigo mesmo. Talvez as pessoas só tivessem um assunto sobre o qual cantar quando viviam em algum patamar próximo da inanição.

"Pode olhar agora", disse Julia.

Winston se virou e levou quase um segundo para reconhecê-la. Imaginava que a veria nua. Mas ela não estava nua. A transformação ocorrida era muito mais surpreendente que isso. Julia se maquiara.

Devia ter entrado furtivamente em alguma loja dos bairros proletários e comprado um estojo completo de maquiagem. Seus lábios estavam muito vermelhos; suas maçãs, rosadas; seu nariz, empoado; havia até algo sutilmente aplicado sob os olhos para deixá-los mais brilhantes. O trabalho não tinha sido muito bem-feito, porém os padrões de Winston nesse quesito não eram elevados. Ele nunca tinha visto nem imaginado uma mulher do Partido com cosmético no rosto. A melhora na aparência de Julia era impressionante. Com algumas pinceladas de cor nos lugares certos, ela ficara não apenas mais bonita como, sobretudo, muito mais feminina. Os cabelos curtos e o macacão de menino somente reforçavam o efeito. Ao tomá-la nos braços, uma onda de violetas sintéticas inundou as narinas de Winston. Ele se lembrou da semiescuridão de uma cozinha de subsolo e da boca cavernosa de uma mulher. Era exatamente o mesmo perfume; porém no momento aquilo não pareceu ter a menor importância.

"E perfumada!", disse.

"Sim, amor, perfumada. E sabe qual vai ser a próxima coisa que eu vou fazer? Vou arrumar um vestido de verdade em algum lugar e vou usá-lo em vez destas malditas calças. E meias de seda, e sapatos de salto alto! Neste quarto serei uma mulher, não uma camarada do Partido!"

Tiraram a roupa e subiram na imensa cama de mogno. Foi a primeira vez que Winston ficou nu na presença dela. Até então, sentira muita vergonha de seu corpo macilento e descarnado, com veias salientes e varicosas nas panturrilhas e a mancha descorada no tornozelo. Não havia lençóis, o cobertor sobre o qual se deitaram era surrado e liso, e as dimensões da cama, assim como as molas do colchão, deixaram os dois abismados. "Deve estar cheio de percevejos, mas e daí?", disse Julia. Não havia mais cama de casal em lugar nenhum; só nas casas dos proletas. Na infância, Winston por vezes dormira numa cama de casal; Julia, até onde se lembrava, jamais se deitara numa.

Pouco depois, adormeceram. Quando Winston acordou, os ponteiros do relógio marcavam quase nove da noite. Não se mexeu, pois Julia dormia com a cabeça apoiada em seu braço. A maior parte da maquiagem se transferira para o rosto dele ou para o travesseiro, porém uma leve nódoa de ruge ainda revelava a beleza de seu malar. Um raio amarelo do sol poente passava pelo pé da cama e iluminava a lareira, onde a panela de água estava em franca ebulição. No quintal, a mulher já não cantava, porém ainda se ouviam os gritos das crianças na rua. Impossível que tivesse havido um tempo em que tudo aquilo parecesse corriqueiro. Julia despertou, esfregou os olhos e apoiou-se no cotovelo para olhar para o fogareiro.

"Metade da água já evaporou", disse. "Vou me levantar e fazer um café num instante. Temos uma hora. A que horas apagam as luzes no seu prédio?"

"Às onze e meia."

"Na pensão é às onze. Mas a gente tem que chegar antes disso porque... Ei! Sai daí, bicho nojento!"

Julia se curvou de repente na cama, pegou um sapato no chão e o arremessou na direção de um dos cantos do quarto com um movimento brusco do braço, feito um menino, o mesmo movimento que Winston a vira fazer ao atirar o dicionário em Goldstein, naquela manhã, durante os Dois Minutos de Ódio.

"Que foi?", perguntou, surpreso.

"Um rato. Eu vi quando ele pôs o focinho asqueroso para fora do lambri. Tem um buraco ali embaixo. Pelo menos dei um bom susto nele."

"Ratos!", murmurou Winston. "Neste quarto!"

"Estão em todos os lugares", disse Julia com indiferença, tornando a se deitar. "Já apareceram até na cozinha da pensão. Algumas áreas de Londres estão infestadas deles. Sabia que eles atacam as crianças? Atacam mesmo. Há ruas em que as mães não se atrevem a deixar os bebês sozinhos nem por dois minutos. São uns ratões marrons, esses que atacam. E o pior é que eles sempre..."

"*Por favor, pare!*", disse Winston, fechando os olhos com força.

"Querido! Você está pálido. Está se sentindo mal? Esses bichos deixam você com náuseas?"

"Um rato... O pior dos horrores que há no mundo!"

Julia estreitou-se contra ele e o cingiu com as pernas, como se pretendesse tranquilizá-lo com o calor de seu corpo. Winston não abriu imediatamente os olhos. Tivera por alguns instantes a sensação de estar de volta a um pesadelo que desde a infância o afligia ocasionalmente. Era sempre mais ou menos a mesma coisa. Ele se via diante de uma muralha de escuridão, e do outro lado havia uma coisa insuportável, algo horrível demais para ser encarado. No sonho, seu sentimento mais profundo era sempre o da autoilusão, porque no fundo ele sabia o que havia atrás da muralha. Se fizesse um esforço abominável, como o de arrancar um pedaço do próprio cérebro, seria capaz até de arrastar a coisa para a luz. Sempre acordava sem descobrir o que era, porém tinha alguma relação com o que Julia estava dizendo quando ele a interrompeu.

"Desculpe", disse. "Não foi nada. É que não gosto de rato, só isso."

"Não se preocupe, amor, não vamos deixar esses bichos nojentos entrarem aqui. Vou tampar o buraco com um pedaço de pano antes de irmos embora. E da próxima vez trago um pouco de argamassa e fecho tudo bem direitinho."

O momento negro de pânico já estava quase esquecido. Um pouco envergonhado de si mesmo, Winston sentou-se na cama, apoiando as costas na cabeceira. Julia se levantou, vestiu o macacão e fez o café. O cheiro que saía da panela era tão forte e estimulante que eles fecharam a janela, com medo de que alguém do lado de fora o sentisse e desconfiasse de alguma coisa. Ainda melhor que o gosto do café era a textura sedosa que o açúcar lhe conferia, algo de que Winston tinha quase se esquecido depois de anos de sacarina. Com uma mão no bolso e um pedaço de pão com geleia na outra, Julia circulou pelo quarto, olhando com indiferença para a estante de livros, observando qual seria a melhor forma de consertar a mesa de abas dobráveis, deixando-se cair na poltrona surrada para ver se ela era confortável, examinando o absurdo relógio de doze horas com uma espécie de deleite tolerante. Levou o peso de papel de vidro para a cama para poder vê-lo sob uma luz melhor. Winston tirou-o de suas mãos, fascinado como sempre pelo aspecto delicado do vidro, com as bolinhas que lembravam gotas de chuva.

"Você tem ideia do que seja isto?", indagou Julia.

"Acho que não é nada — quer dizer, acho que nunca foi usado para nada. É justamente por isso que gosto dele. É um pedacinho da história que se esqueceram de alterar. Uma mensagem de cem anos atrás, se alguém soubesse como lê-la."

"E aquele quadro ali" — Julia fez um gesto com a cabeça, indicando a gravura na parede oposta —, "será que tem cem anos?"

"Deve ter mais. Eu diria que tem uns duzentos. Mas não dá para saber. Hoje é impossível descobrir a idade do que quer que seja."

Julia foi observar a gravura mais de perto. "Foi aqui que aquele bicho botou o focinho para fora", disse, chutando o lambri logo abaixo do quadro. "Que prédio é esse? Já vi em algum lugar."

"É uma igreja; quer dizer, era. Chamava-se São Clemente dos Dinamarqueses." Lembrou-se do pedaço da quadrinha que o sr.

Charrington havia lhe ensinado e acrescentou, meio nostálgico: "*Sem casca nem semente, dizem os sinos da São Clemente!*".

Para sua perplexidade, Julia completou:

> *Esses vinténs são pra mim, cantam os sinos*
> *da São Martim,*
> *E o culpado, quem é, afinal?, perguntam*
> *os sinos do Tribunal...*

"Não me lembro mais como continuava. Só sei que terminava assim: *Vá para a cama e seja um bom moço, ou vem a cuca e te corta o pescoço!*"

Era como as duas partes de uma contrassenha. Mas devia haver outro verso depois de *os sinos do Tribunal...* Talvez desse para desencavá-lo da memória do sr. Charrington, se o provocasse com o estímulo adequado.

"Quem lhe ensinou isso?", perguntou Winston.

"Meu avô. Costumava cantar para mim quando eu era pequena. Foi pulverizado quando eu tinha oito anos... Enfim, desapareceu. Eu gostaria de saber o que era um limão", acrescentou, despreocupada. "Laranjas eu já vi. São uma espécie de fruta amarela e redonda, de casca grossa."

"Me lembro dos limões", disse Winston. "Eram muito comuns nos anos 1950. Tão azedos que só de sentir o cheiro a pessoa ficava arrepiada."

"Aposto que está cheio de percevejos atrás desse quadro", disse Julia. "Vou tirá-lo daqui e dar uma boa limpada nele um dia desses. Acho que deve estar na hora de irmos embora. Preciso tirar a maquiagem. Que droga! Depois eu limpo o batom do seu rosto."

Winston permaneceu mais alguns minutos deitado. O quarto estava escurecendo. Virou-se para a luz e ficou admirando o peso de papel de vidro. A fonte inesgotável de interesse não era o fragmento de coral, mas o próprio interior do vidro. Havia tamanha profundidade ali, e no entanto o vidro era quase tão transparente quanto o ar. Era como se a superfície do vidro fosse o arco do céu, encerrando um mundo minúsculo em sua atmosfera completa. Winston tinha a sensação de que seria capaz de entrar ali e de que na verdade estava ali dentro, ele, a cama de mogno, a mesinha de abas dobráveis, o relógio, a gravura de aço e o próprio peso de papel. O peso de papel era o quarto onde ele estava, e o coral era a vida dele e a de Julia, fixadas numa espécie de eternidade no coração do cristal.

5.

Syme sumira. Uma bela manhã ele não apareceu no trabalho: algumas pessoas desavisadas comentaram sua ausência. No dia seguinte ninguém mais falou nele. No terceiro dia, Winston entrou no vestíbulo do Departamento de Documentação para dar uma olhada no quadro de avisos. Uma das notas trazia uma lista impressa dos membros do Comitê de Xadrez, do qual Syme fizera parte. Tinha quase exatamente o mesmo aspecto de antes — nada estava riscado —, mas faltava um nome. Era o que bastava. Syme deixara de existir; aliás, nunca existira.

Estava um calor de matar. No labiríntico Ministério, as salas sem janelas, ventiladas por aparelhos de ar condicionado, mantinham a temperatura habitual, mas do lado de fora os calçamentos esfolavam os pés dos caminhantes e o mau cheiro do metrô na hora do pico era tremendo. Os preparativos para a Semana do Ódio iam de vento em popa, e os funcionários de todos os ministérios trabalhavam além do horário. Desfiles, reuniões, paradas militares, conferências, exposições de personagens de cera, exibições de filmes, programas de teletela — era preciso organizar tudo; era preciso construir estandes e imagens, criar slogans, compor músicas, fazer circular boatos, forjar fotografias. A seção de Julia no Departamento de Ficção fora desligada da produção de romances e estava criando em regime de urgência uma série de panfletos sobre atrocidades. Winston, além de fazer seu trabalho regulamentar, passava longos períodos, todos os dias, verificando arquivos antigos do *Times* e alterando e embelezando trechos de notícias que depois seriam citadas nos discursos. Tarde da noite, quando levas de proletas desordeiros perambulavam pelas ruas, a cidade exibia um ar estranhamente febril. As bombas-foguetes estouravam com maior frequência do que nunca e às vezes, à distância, bem longe, ouviam-se explosões fortíssimas que ninguém sabia explicar e sobre as quais corriam boatos dantescos.

A nova melodia destinada a ser a canção-tema da Semana do Ódio (a Canção do Ódio, como a chamavam) já estava composta e era transmitida incessantemente pelas teletelas. Tinha um ritmo selvagem, que lembrava latidos e que não podia exatamente ser chamada de música, assemelhando-se à batida de um tambor. Rugida, mais que cantada, por centenas de vozes ao som de pés em marcha, era aterrorizante. A música caíra no gosto dos proletas, e na madrugada das ruas competia com "Era um capricho e nada mais". Os filhos dos Parsons tocavam a Canção do Ódio a qualquer hora do dia ou da noite, usando um pente e um pedaço de papel higiênico — algo francamente intolerável. As noites de Winston estavam mais ocupadas do que nunca. Grupos de voluntários, organizados por Parsons, preparavam a rua para as celebrações da Semana do Ódio costurando faixas, pintando cartazes, erguendo mastros nos telhados e, perigosamente, estendendo arames de um lado a outro da rua para neles pendurar bandeirolas. Parsons gabava-se de que as Mansões Victory sozinhas exibiriam quatrocentos metros de bandeiras. Estava em seu elemento natural e feliz como um passarinho. O calor e o trabalho manual lhe haviam fornecido, inclusive, um pretexto para, depois do trabalho, retomar o uso do short e da camisa aberta. Estava em toda parte a todo momento, empurrando, puxando, serrando, martelando, improvisando, animando todo mundo com exortações amistosas e desprendendo de cada dobra de seu corpo o que poderia ser descrito como uma reserva inesgotável de suor acre.

Um novo pôster surgira de repente nas ruas de Londres. Não tinha dizeres e mostrava simplesmente a figura monstruosa de um soldado eurasiano de três ou quatro metros de altura, avançando com um rosto mongólico desprovido de expressão, botas imensas, apontando uma metralhadora que apoiava no quadril. Onde quer que você se posicionasse com relação ao pôster, o cano da metralhadora, ampliado pela perspectiva, parecia estar sempre apontando para você. O pôster fora colado em todos os espaços disponíveis de todas as paredes da cidade, suplantando em número os retratos do Grande Irmão. Os proletas, normalmente apáticos no que dizia respeito à guerra, estavam sendo incitados a entrar em um de seus surtos periódicos de patriotismo. Para completar a cena, ultimamente as bombas-foguetes estavam matando mais do que o normal. Uma delas atingiu um cinema apinhado em Stepney, sepultando várias centenas de vítimas sob os escombros. Toda a população vizinha se reuniu para um cortejo fúnebre interminável, que levou várias horas e que na realidade era um encontro de indignados. Outra bomba caiu num terreno baldio usado como playground, e dezenas de crianças foram destroçadas. Houve novas demonstrações de ira, a imagem de Goldstein foi queimada, centenas de cópias do pôster do soldado eurasiano foram arrancadas e jogadas nas fogueiras e diversas lojas foram saqueadas no decorrer do tumulto. Em seguida circulou o boato de que as bombas-foguetes estavam sendo manobradas por controle remoto por espiões, e um casal idoso suspeito de ser de procedência estrangeira teve sua casa incendiada e pereceu sufocado pela fumaça.

No aposento dos altos da loja do sr. Charrington, sempre que conseguiam chegar lá, Julia e Winston ficavam deitados lado a lado numa cama desprovida de lençóis sob a janela aberta, nus por causa do calor. O rato nunca mais voltara, mas com o calor os percevejos haviam se multiplicado tremendamente. Pelo jeito, não fazia diferença. Sujo ou limpo, aquele quarto era o paraíso. Nem bem chegavam, aspergiam tudo com pó de pimenta comprado no mercado negro, arrancavam a roupa e faziam amor com corpos suarentos, depois adormeciam e despertavam para constatar que os percevejos haviam se unido e preparavam um contra-ataque maciço.

Quatro, cinco, seis — sete vezes eles se encontraram durante o mês de junho. Winston abandonara o hábito de beber gim a todo momento. Parecia ter perdido a necessidade daquilo. Engordara um pouco, sua úlcera varicosa melhorara, deixando apenas uma mancha marrom na pele acima do tornozelo, as crises matutinas de tosse haviam cessado. O processo de viver deixara de ser intolerável, ele já não sentia o impulso de fazer caretas para a teletela ou de gritar insultos a plenos pulmões. Agora que possuíam um esconderijo seguro, quase um lar, nem parecia uma provação o fato de se verem só de vez em quando, e por um par de horas de cada vez. O importante era que o quartinho nos altos da loja existisse. Saber que estava lá, inviolado, era quase o mesmo que estar nele. O quarto era um mundo, um bolsão do passado onde animais extintos podiam se mover. Para Winston, o sr. Charrington também era um animal extinto. A caminho do andar superior, Winston costumava parar para conversar com o sr. Charrington por alguns minutos. Pelo visto, o velho nunca, ou quase nunca, saía de casa e, por outro lado, quase não tinha fregueses. Levava uma existência fantasmagórica entre a lojinha minúscula e sombria e uma cozinha ainda mais exígua nos fundos, onde preparava suas refeições, e que continha, entre outras coisas, um gramofone incrivelmente antigo, com uma trompa enorme. Ele parecia feliz com a oportunidade de conversar. Circulando entre as mercadorias sem valor, com seu nariz comprido, seus óculos grossos e seus ombros caídos envergando o paletó de veludo, ele sempre dava a impressão de ser um colecionador, mais que um comerciante. Com uma espécie de entusiasmo apagado, manipulava este ou aquele exemplar de lixo — uma rolha de porcelana, a tampa pintada de uma caixa de rapé quebrada, um medalhão sem valor contendo um cacho de cabelo de algum bebê morto havia muito tempo —, nunca demonstrando desejo de que Winston comprasse a coisa, mas simplesmente de que a admirasse. Falar com ele era como ouvir a musiquinha de uma caixa de música gasta. Dos recantos da memória, ele extraíra novos fragmentos de quadrinhas esquecidas. Havia uma sobre vinte e quatro melros, outra sobre uma vaca de chifre torto, outra sobre a morte do coitado do pintarroxo. "Fiquei pensando que talvez o senhor se interessasse", dizia, com um riso constrangido, sempre que aparecia com um novo fragmento. Só que nunca conseguia se lembrar de mais que uns poucos versos de toda e qualquer quadrinha.

Os dois sabiam — de certa maneira, estava sempre na cabeça deles — que o que estava acontecendo não iria se manter por muito tempo. Em certos momentos a morte iminente lhes parecia tão palpável quanto a cama onde estavam deitados, e eles se abraçavam com uma espécie de sensualidade desesperada, como uma alma penada agarrando-se à última migalha de prazer minutos antes de o relógio dar a hora fatal. Mas também havia vezes em que acreditavam na ilusão não só da segurança como da permanência. Enquanto estivessem naquele quarto, pensavam Winston e Julia, ninguém poderia lhes fazer mal. Era difícil e perigoso chegar lá, mas o quarto em si era um santuário. Era como quando Winston fitava o centro do peso de papel com o sentimento de que seria possível penetrar naquele mundo vítreo e de que, uma vez lá dentro, o tempo deixaria de transcorrer. Muitas vezes fantasiavam fugas. Teriam sorte indefinidamente e levariam seu caso adiante, exatamente como agora, pelo resto de suas vidas. Ou então Katharine morreria e, graças a manobras sutis, Winston e Julia conseguiriam se casar. Ou então cometeriam suicídio juntos. Ou então desapareceriam, se disfarçariam de modo a não ser reconhecidos, aprenderiam a falar com sotaque proletário, arrumariam emprego numa fábrica e viveriam suas vidas numa viela qualquer sem que ninguém se desse conta. Ideias absurdas — os dois sabiam. Na verdade, não havia escapatória. Nem o único daqueles planos que era praticável, o do suicídio, eles pretendiam levar a cabo. Ir tocando dia após dia, semana após semana, prolongando um presente sem futuro, parecia um impulso irrefreável, tal como nossos pulmões sempre haverão de aspirar o alento seguinte enquanto houver ar disponível.

Outras vezes falavam em rebelar-se ativamente contra o Partido, mas sem ter a menor ideia de como dar o primeiro passo nesse sentido. Mesmo que a fantasiosa Confraria fosse real, restava a dificuldade de saber como fazer para encontrá-la. Ele falou a ela da estranha intimidade que existia, ou parecia existir, entre ele e O'Brien e do impulso que às vezes sentia de simplesmente se apresentar a O'Brien, informá-lo de que era inimigo do Partido e pedir-lhe ajuda. Por estranho que pareça, ela não achou que fazer isso fosse uma atitude absurdamente temerária. Estava acostumada a julgar as pessoas pelo rosto, e pareceu-lhe perfeitamente natural que Winston julgasse O'Brien digno de confiança baseado num único lampejo de olhar. Além do mais, ela partia do princípio de que todo mundo, ou praticamente todo mundo, secretamente odiava o Partido e não hesitaria em infringir as leis se julgasse seguro fazê-lo. Mas recusava-se a acreditar que existisse, ou que fosse possível existir, uma oposição ampla e organizada. Todas aquelas histórias sobre Goldstein e seu exército clandestino eram simplesmente um monte de asneiras, dizia, asneiras que o Partido tinha inventado por suas próprias razões e nas quais você precisava fingir que acreditava. Vezes sem conta, nos comícios e manifestações espontâneas do Partido, ela pedira a plenos pulmões a execução de pessoas cujos nomes jamais ouvira antes e em cujos supostos crimes não acreditava nem por sombra. Sempre que havia julgamentos públicos ela ocupava seu lugar em meio aos destacamentos da Liga da Juventude que cercavam os tribunais da manhã à noite, entoando de quando em quando "Morte aos traidores!". Durante os Dois Minutos de Ódio era sempre a primeira a insultar Goldstein aos gritos. Contudo, nem sabia direito quem era Goldstein e que doutrinas ele supostamente representava. Crescera durante a vigência da Revolução e era jovem demais para ter alguma recordação dos confrontos ideológicos dos anos 1950 e 60. Algo como um "movimento político independente" estava excluído de sua imaginação; e, fosse como fosse, o Partido era invencível. Ele sempre existiria, sempre seria o mesmo. A única forma de rebelar-se contra ele era mediante a desobediência secreta ou, na melhor das hipóteses, praticando atos isolados de violência, por exemplo matando alguém ou explodindo alguma coisa.

Em certos aspectos ela era muito mais atilada do que Winston e muito menos suscetível à propaganda do Partido. Uma vez, quando por acaso, devido a um pretexto qualquer, ele mencionara a guerra contra a Eurásia, ela o surpreendera ao dizer despreocupadamente que em sua opinião aquela guerra não estava acontecendo. Que era provável que as bombas-foguetes que caíam diariamente sobre a cidade fossem disparadas pelo próprio governo da Oceânia, "só para manter a população amedrontada". Essa ideia jamais ocorrera assim, ao pé da letra, a Winston. Ela também despertara uma espécie de inveja nele ao dizer-lhe que durante os Dois Minutos de Ódio sua maior dificuldade era evitar cair na risada. Mas ela só questionava os ensinamentos do Partido quando eles interferiam de alguma maneira em sua vida. Muitas vezes dispunha-se a aceitar a mitologia oficial simplesmente porque a diferença entre verdade e mentira não lhe parecia importante. Acreditava, por exemplo, depois de aprender isso na escola, que o Partido inventara o avião. (Em seus próprios tempos de escola, no final dos anos 1950, Winston recordava que o Partido só reivindicava a invenção do helicóptero; uma década depois, na época em que Julia estava na escola, já reivindicava a invenção do avião; uma geração mais e estaria reivindicando a invenção da máquina a vapor.) E quando ele dissera a Julia que os aviões já existiam muito antes de ele nascer, portanto muito antes da Revolução, ela achara esse fato extremamente desinteressante. Afinal de contas, que interesse havia em saber quem tinha inventado o avião? Ele ficou ainda mais chocado quando descobriu, graças a uma observação casual, que ela não se lembrava que quatro anos antes a Oceânia estava em guerra com a Lestásia e em paz com a Eurásia. Era verdade que ela considerava toda aquela história de guerra um logro; mas aparentemente não chegara a perceber que o nome do inimigo tinha mudado. "Pensei que sempre havíamos estado em guerra com a Eurásia", disse, sem maiores inquietações. Ele se assustou um pouco. A invenção do avião era muito anterior ao nascimento dela, mas a troca de inimigos na guerra ocorrera apenas quatro anos antes, um bom tempo depois de ela se tornar adulta. Os dois discutiram a questão por cerca, talvez, de quinze minutos. No fim ele conseguiu obrigar a memória dela a recuar até que ela se lembrasse vagamente de que houvera um tempo em que o inimigo era a Lestásia, e não a Eurásia. Mas ela continuava achando aquela questão desprovida de interesse. "E daí?", disse, impaciente. "É sempre uma merda de guerra depois da outra, e a gente sabe que no fundo é tudo mentira."

Às vezes ele conversava com ela sobre o Departamento de Registros e as fraudes desavergonhadas que cometia em seu trabalho. Essas coisas não pareciam horrorizá-la. Ela não sentia o abismo abrir-se debaixo de seus pés ao pensar em mentiras que se tornam verdades. Ele contou a história de Jones, Aaronson e Rutherford e do momentoso pedaço de papel que um dia fora parar em suas mãos. Ela não ficou nem um pouco abalada. No início, para falar a verdade, nem entendeu direito do que ele estava falando.

"Eles eram seus amigos?", perguntou.

"Não, eu nem os conhecia. Eram gente do Núcleo do Partido. Além disso, muito mais velhos que eu. Eram dos velhos tempos, de antes da Revolução. Eu só os conhecia de vista, e de passagem."

"Então por que tanta preocupação? As pessoas são mortas o tempo todo, não é mesmo?"

Ele se esforçou para que ela entendesse. "Mas aquele era um caso excepcional. Não se tratava apenas de alguém sendo morto. Você se dá conta de que o passado, a partir de ontem, foi abolido? Se sobrevive em algum lugar, é em um ou outro objeto sólido, sem palavras associadas, como aquele pedaço de vidro que está ali. A esta altura não sabemos absolutamente nada sobre a Revolução e os anos que a antecederam. Todos os registros foram destruídos ou falsificados, todos os livros foram reescritos, todos os quadros foram repintados, todas as estátuas, todas as ruas, todos os edifícios foram renomeados, todas as datas foram alteradas. E o processo continua dia a dia, minuto a minuto. A história se interrompeu. Nada existe além de um presente interminável no qual o Partido sempre tem razão. Eu *sei*, naturalmente, que o passado foi falsificado, mas eu jamais teria condições de provar esse fato, mesmo que tenha sido eu mesmo o autor da falsificação. Depois que a coisa está feita, nunca resta nenhuma prova. A única prova está dentro da minha cabeça, e não tenho nenhuma certeza de que outro ser humano partilhe minhas lembranças. Aquela foi a única ocasião, em toda a minha vida, em que tive em meu poder provas concretas *depois* do fato acontecido — anos depois do fato acontecido."

"E que diferença faz?"

"Nenhuma, porque alguns minutos depois eu me desfiz da prova. Mas se a mesma coisa acontecesse hoje, eu a conservaria."

"Pois eu não!", disse Julia. "Não me importo de correr riscos, mas só se for por alguma coisa que valha a pena, não por pedaços de jornal velho. O que você teria feito com o recorte, se tivesse ficado com ele?"

"Pouca coisa, talvez. Mas era uma prova. Talvez ela criasse algumas dúvidas aqui e ali, supondo-se que eu tivesse coragem de mostrá-la a alguém. Não acredito que a gente consiga mudar alguma coisa em nosso tempo de vida, mas dá para imaginar pequenos núcleos de resistência pipocando aqui e ali — pequenos grupos de pessoas se unindo, e gradualmente aumentando, e mesmo deixando alguns registros atrás de si, para que a geração seguinte possa prosseguir do ponto onde paramos."

"Outra coisa em que não estou interessada é na próxima geração, meu querido. Só estou interessada em *nós*."

"Você só é rebelde da cintura para baixo", disse ele.

Ela achou aquela frase brilhantemente inteligente e envolveu-o nos braços, deliciada.

Julia não tinha o menor interesse nas diversas ramificações da doutrina do Partido. Sempre que ele começava a falar nos princípios do Socing, do duplipensamento, da mutabilidade do passado e da recusa da realidade objetiva, e a usar palavras em Novafala, ela se entediava, ficava confusa e dizia que nunca prestava atenção naquele tipo de coisa. Se era sabido que tudo aquilo não passava de besteira, por que se preocupar com o assunto? Ela sabia quando aplaudir e quando vaiar e isso era tudo o que precisava saber. Se ele insistisse em discutir aquelas coisas, ela tinha o hábito desconcertante de cair no sono. Era uma dessas pessoas que conseguem adormecer a qualquer momento e em qualquer posição. Conversando com ela, ele percebeu como era fácil exibir um ar de ortodoxia sem fazer a menor ideia do que fosse "ortodoxia". De certa maneira, a visão de mundo do Partido era adotada com maior convicção entre as pessoas incapazes de entendê-la. Essas pessoas podiam ser levadas a acreditar nas violações mais flagrantes da realidade porque nunca entendiam por inteiro a enormidade do que se solicitava delas, e não estavam suficientemente interessadas nos acontecimentos públicos para perceber o que se passava. Graças ao fato de não entenderem, conservavam a saúde mental. Limitavam-se a engolir tudo, e o que engoliam não lhes fazia mal, porque não deixava nenhum resíduo, exatamente como um grão de milho passa pelo corpo de uma ave sem ser digerido.

6.

Finalmente aconteceu. Chegara a tão aguardada mensagem. Winston tinha a impressão de que esperara a vida inteira por aquilo.

Estava atravessando o longo corredor do Ministério quando, ao se aproximar do ponto onde Julia colocara discretamente o bilhete em sua mão, percebeu que alguém com um porte mais avantajado que o seu caminhava às suas costas. A pessoa, fosse quem fosse, pigarreou, sinalizando que pretendia lhe falar. Winston estacou e virou-se. Era O'Brien.

Enfim estavam frente a frente, e parecia que seu único impulso era fugir dali. Sentia o coração aos pulos. Não seria capaz de dizer uma só palavra, porém O'Brien seguira em frente no mesmo movimento, apenas colocando, por um instante, uma mão amigável no braço de Winston, de modo que os dois agora caminhavam lado a lado. Começou a falar com a polidez grave que lhe era peculiar e que o diferenciava da maioria dos membros do Núcleo do Partido.

"Estava à espera de uma oportunidade para conversar com você", disse O'Brien. "Li o artigo sobre a Novafala que você publicou no *Times* outro dia. Tem um interesse bastante erudito pelo novo idioma, não tem?"

Winston recobrara parcialmente a presença de espírito. "Estou longe de ser um erudito", respondeu. "Sou apenas um diletante. Não é minha área. Nunca tive nada a ver com a elaboração do idioma."

"Mas o usa com muita elegância", disse O'Brien. "E não sou o único que acha isso. Recentemente tive uma conversa com um amigo seu que sem dúvida é especialista no assunto. Agora me foge à memória o nome dele."

O coração de Winston deu outro solavanco dolorido. Era inconcebível que aquilo fosse outra coisa que não uma referência a Syme. Mas Syme não apenas estava morto como fora abolido, era uma *despessoa*. Fazer qualquer referência que o identificasse era mortalmente perigoso. O comentário de O'Brien só podia ser uma senha, uma mensagem cifrada. Ao compartilhar um pequeno ato de pensamento-crime, transformara a ambos em cúmplices. Continuavam avançando pelo corredor, mas nisso O'Brien se deteve. Com a singular e apaziguadora cordialidade que sempre conseguia conferir ao gesto, ajeitou os óculos no nariz. Depois prosseguiu:

"O que eu realmente pretendia lhe dizer é que notei que no seu artigo você faz uso de duas palavras que se tornaram obsoletas. Se bem que faz pouquíssimo tempo que elas foram descartadas. Já viu a décima edição do *Dicionário de Novafala*?"

"Não", disse Winston. "Não sabia que já tinha saído. No Departamento de Documentação ainda estamos usando a nona edição."

"Acho que a décima só vai ser publicada daqui a alguns meses. Mas uns poucos exemplares foram distribuídos antecipadamente. Eu recebi um. Pensei que talvez você se interessasse em dar uma espiada."

"Claro que sim", disse Winston, percebendo de imediato aonde aquilo iria levar.

"Algumas das novas mudanças são extremamente engenhosas. A diminuição do número de verbos — acho que esse é o aspecto que você considerará mais atraente. Bom, vejamos. Que tal se eu mandar um mensageiro com o dicionário para você? O problema é que sempre acabo me esquecendo dessas coisas. E se você desse um pulo no meu apartamento um dia desses? Espere um minuto. Vou lhe dar o endereço."

Estavam em frente a uma teletela. Um tanto distraidamente, O'Brien apalpou dois de seus bolsos e sacou uma caderneta de couro e um lápis-tinta dourado. Bem embaixo da teletela, depois de posicionar-se de forma a que todo aquele que estivesse observando a cena na outra ponta do sistema pudesse ler o que ele estava escrevendo, O'Brien rabiscou um endereço, arrancou a folha e entregou-a a Winston.

"Geralmente estou em casa à noite", disse. "Caso não esteja, minha empregada lhe entregará o dicionário."

E foi embora, deixando Winston com o pedaço de papel na mão. Apesar de que daquela vez não houvesse necessidade de ocultá-lo, Winston memorizou cuidadosamente o conteúdo e horas depois jogou-o no buraco da memória, junto com uma maçaroca de outros papéis.

A conversa não durara mais que alguns minutos. O episódio só podia ter um significado. Fora planejado com o intuito de informar a Winston o endereço de O'Brien. Isso fora necessário porque a única maneira de se descobrir onde determinada pessoa morava era perguntando diretamente a ela. Não havia nenhum tipo de lista de endereços. "Se um dia quiser falar comigo, me encontrará neste endereço", fora o que O'Brien lhe dissera. Talvez houvesse até uma mensagem escondida no dicionário. De toda forma, uma coisa era certa. A conspiração com que Winston sonhara de fato existia, e ele acabara de se aproximar de seus limites externos.

Winston sabia que cedo ou tarde atenderia à convocação de O'Brien. Talvez no dia seguinte, talvez depois de um longo interlúdio — quanto a isso não tinha certeza. O que estava acontecendo era apenas o desdobramento de um processo iniciado anos antes. O primeiro passo fora um pensamento secreto e involuntário; o segundo, a abertura do diário. Passara dos pensamentos às palavras, e agora passava das palavras às ações. O último passo seria alguma coisa que teria lugar no Ministério do Amor. Winston aceitara o fato. O fim estava contido no princípio. Porém era assustador; ou, mais exatamente, era como uma prévia da morte, como estar um pouco menos vivo. Quando conversava com O'Brien e as palavras começaram a fazer sentido para ele, uma sucessão de arrepios percorrera-lhe o corpo. Tinha a sensação de estar pisando na terra úmida de um túmulo, e o fato de sempre ter sabido que o túmulo estava ali à sua espera não melhorava muito as coisas.

―

7.

Winston acordara com lágrimas nos olhos. Julia, sonolenta, rolou para perto dele murmurando alguma coisa que talvez fosse "Qual é o problema?".

"Sonhei...", começou ele, e em seguida se calou. Era complexo demais para traduzir em palavras. Havia o sonho em si, e havia uma lembrança associada ao sonho que aflorara em sua mente alguns segundos depois de ele acordar.

Sem abrir os olhos, Winston continuou deitado, ainda embebido pela atmosfera do sonho. Era um sonho vasto, luminoso, no qual sua vida inteira parecia estender-se diante dele como uma paisagem depois da chuva numa tarde de verão. Tudo o que acontecera, acontecera no interior do peso de papel de vidro, mas a superfície do vidro era a abóbada celeste, e no interior da abóbada celeste tudo estava inundado de uma luz muito clara e suave que permitia que se visse a distâncias intermináveis. O sonho também estava embutido num gesto com o braço feito por sua mãe — na verdade, em certo sentido o sonho era exatamente aquele gesto —, e repetido trinta anos depois pela mulher judia que vira no noticiário tentando proteger o garotinho das balas, antes que os helicópteros os atingissem e destroçassem.

"Você sabe", disse ele, "que até este momento eu achava que tinha assassinado minha mãe?"

"Por que você assassinou sua mãe?", perguntou Julia, meio adormecida.

No sonho ele se recordara da última vez que vira a mãe, e instantes depois de acordar o aglomerado de pequenos acontecimentos que envolvia a coisa toda voltara-lhe à lembrança. Era uma recordação que ele devia ter afastado deliberadamente da consciência ao longo de muitos anos. Não estava certo da data, mas ele não devia ter mais que dez anos, talvez doze, quando aquilo se passara.

Seu pai desaparecera algum tempo antes; quanto tempo antes, era incapaz de se recordar. Lembrava-se melhor das circunstâncias penosas, tumultuadas da época: os pânicos periódicos envolvendo os ataques aéreos, a necessidade de abrigar-se nas estações de metrô, pilhas de escombros por toda parte, os decretos incompreensíveis afixados nas esquinas, as gangues juvenis, todos usando camisas da mesma cor, as filas intermináveis em frente às padarias, as rajadas intermitentes de metralhadora ao longe — acima de tudo, o fato de nunca haver comida suficiente. Lembrava-se de passar longas tardes com outros meninos escarafunchando latas de lixo e montes de detrito, recolhendo talos de repolho, cascas de batata, às vezes até restos azedos de pão, dos quais eles cuidadosamente retiravam as cinzas; e lembrava-se também de esperar pela passagem dos caminhões que viajavam por determinada estrada e que sabidamente transportavam ração para gado e que, ao passarem por um remendo malfeito da estrada, com o solavanco, às vezes deixavam cair alguns fragmentos de bolo de linhaça.

Quando seu pai desaparecera, a mãe não demonstrara surpresa nem dor violenta. De um momento para o outro ficara diferente, só isso. Parecia ter perdido toda a vivacidade. Até Winston percebia claramente que ela estava à espera de alguma coisa que sabia que iria acontecer. Fazia tudo o que tinha de fazer — cozinhava, lavava, remendava, arrumava a cama, varria o assoalho, tirava o pó do aparador —, sempre muito devagar e com uma estranha ausência de movimentos supérfluos, como o manequim de um pintor que se movesse por conta própria. Seu grande corpo bem-feito parecia recolher-se naturalmente à inação. Passava horas sem fim sentada quase imóvel na cama, embalando a irmã menor de Winston, uma criança miudinha, doentia, muito silenciosa, de uns dois ou três anos, cujo rosto a magreza tornara simiesco. Muito ocasionalmente, a mãe tomava Winston nos braços e o apertava contra o peito durante muito tempo, sempre sem dizer nada. Ele se dava conta, a despeito de sua pouca idade e de seu egoísmo, que sua atitude de alguma maneira se relacionava àquela coisa jamais mencionada que estava a ponto de acontecer.

Lembrava-se do quarto onde viviam, um quarto escuro, cheirando a fechado, que uma cama coberta por uma colcha branca ocupava quase por inteiro. Atrás do guarda-fogo havia um fogareiro a gás e uma prateleira onde ficavam os mantimentos, e fora, no alpendre, havia uma pia marrom de argila, usada pelos ocupantes de vários quartos. Lembrava-se do corpo majestoso da mãe inclinado sobre o fogareiro enquanto ela mexia alguma coisa numa panela. Acima de tudo, lembrava-se da fome incessante que sentia e dos confrontos sórdidos, ferozes, da hora das refeições. Perguntava agressivamente à mãe, uma e outra vez, por que não havia mais comida, gritava, enfurecia-se com ela (lembrava-se até das modulações da própria voz, uma voz que prematuramente começava a mudar e que às vezes explodia de maneira peculiar), ou então recorria a um tom patético e choramingas para ver se ela lhe dava mais do que sua cota. A mãe não se incomodava de lhe dar mais do que sua cota. Para ela, era evidente que ele, "o menino", deveria receber a porção maior; mesmo assim, quanto mais ela lhe dava, mais ele queria. A cada refeição ela insistia com ele que não fosse egoísta, que se lembrasse de que a irmãzinha estava doente e também precisava comer, mas não adiantava. Ele chorava de raiva quando ela parava de pôr comida em seu prato, tentava arrancar a panela e a concha das mãos dela, roubava parte do que estava no prato da irmã. Sabia que fazia as duas passar fome, mas não conseguia agir de outra forma; achava até que tinha o direito de fazer aquilo. A fome exasperante que sentia parecia justificar seus atos. Entre uma refeição e outra, se a mãe não montasse guarda, surrupiava coisas do escasso estoque de alimentos da prateleira.

Um dia distribuíram uma ração de chocolate. Havia semanas ou meses que não aparecia chocolate. Lembrava-se muito nitidamente daquele fragmento precioso de chocolate. Era uma barrinha de duas onças (naquele tempo ainda se falava em onça) para os três. Era óbvio que a barrinha deveria ser dividida em três partes iguais. De repente, como se estivesse ouvindo outra pessoa falar, Winston ouviu a própria voz exigindo aos berros que a mãe lhe desse a barra inteira. A mãe lhe disse para não ser guloso. Seguiu-se uma discussão longa e irada que não saía do lugar, com gritos, gemidos, lágrimas, advertências, barganhas. A irmãzinha, agarrada à mãe com as duas mãos, exatamente como um filhote de macaco, olhava para ele por cima do ombro dela com olhos enormes e tristes. No fim a mãe separou três quartos do chocolate e entregou a Winston, dando em seguida o resto à filha. A menininha agarrou o que lhe davam e ficou olhando para o chocolate sem expressão, talvez por não saber o que fosse aquilo. Por um momento, Winston a fitou. Depois, com um bote rápido e súbito, tomou o pedaço de chocolate da mão da irmã e correu para a porta.

"Winston, Winston!", gritara a mãe. "Volte aqui! Devolva o chocolate de sua irmã!"

Ele estacou, mas não retrocedeu. Os olhos ansiosos da mãe estavam fixos em seu rosto. Mesmo naquela hora ela pensava na coisa que não sabia qual era e que estava a ponto de acontecer. A irmã, consciente de que lhe tinham subtraído alguma coisa, começara a soltar um fiozinho de choro. A mãe envolveu a criança com o braço e pressionou seu rosto contra o peito. Alguma coisa naquele gesto fez Winston entender que a irmã estava morrendo. Virou-se e disparou escada abaixo; em sua mão, o chocolate começava a derreter.

Foi a última vez que viu a mãe. Depois que devorou o chocolate, ficou um pouco envergonhado e perambulou pelas ruas durante várias horas, até que a fome o fez voltar para casa. Quando chegou, a mãe havia desaparecido. Era algo que naquela época estava se tornando normal. Não faltava nada no quarto, só a mãe e a irmã. Não haviam levado nenhuma roupa, nem mesmo o agasalho da mãe. Até agora Winston não tinha certeza de que a mãe havia morrido. Era perfeitamente possível que apenas a houvessem mandado para um campo de trabalhos forçados. Quanto à irmã, talvez tivesse sido removida, como o próprio Winston, para uma das colônias para crianças sem lar (Centros de Coleta, era como as chamavam) surgidas como resultado da guerra civil; ou então, talvez tivesse sido mandada para o campo de trabalhos junto com a mãe, ou simplesmente abandonada em algum lugar para morrer.

O sonho ainda estava nítido em sua mente, sobretudo o gesto protetor com que a mãe envolvera a filha com o braço — e que parecia conter todo o seu significado. A mente de Winston recuou até outro sonho, de dois meses antes. Exatamente na mesma posição em que a mãe um dia se sentara sobre a cama gasta com sua colcha branca, abraçando a filha que se agarrava a ela, no sonho a mãe aparecia sentada no interior do navio naufragado, muito abaixo do lugar onde ele estava, afundando cada vez mais, mas sempre erguendo os olhos para ele através da água que ia ficando turva.

Contou a Julia a história do desaparecimento da mãe. Sem abrir os olhos, ela rolou na cama e se instalou numa posição mais confortável.

"Estou vendo que você era um verdadeiro diabinho naquela época", disse, engrolando um pouco as palavras. "Todas as crianças são uns diabinhos."

"É. Mas o importante da história..."

Pela respiração, dava para perceber que Julia ia adormecer outra vez. Ele teria gostado de continuar falando sobre a mãe. Pelo que se lembrava dela, não achava que tivesse sido uma mulher excepcional, muito menos inteligente; contudo possuía uma espécie de nobreza, uma espécie de pureza, pelo mero fato de seguir padrões muito particulares de comportamento. Seus sentimentos eram próprios dela e não podiam ser alterados por fatores externos. Jamais teria ocorrido a sua mãe que, por ser ineficaz, um ato pudesse perder o sentido. Quando você ama alguém, ama essa pessoa e mesmo não tendo mais nada a oferecer, continua oferecendo-lhe o seu amor. Como não havia mais chocolate, a mãe abraçara a filha com força. Não adiantava, não alterava coisa nenhuma, não fazia aparecer mais chocolate, não evitava a morte da criança nem a dela mesma; mas, para a mãe, era natural fazer aquilo. A mulher do barco também cobrira o menininho com o braço, tão eficaz para defendê-lo das balas quanto uma folha de papel. O que o Partido fizera de terrível fora convencer as pessoas de que meros impulsos, meros sentimentos, não servem para nada, destituindo-as, ao mesmo tempo, de todo e qualquer poder sobre o mundo material. A partir do momento em que você caísse nas garras do Partido, o que você sentia ou deixava de sentir, o que fazia ou deixava de fazer, não fazia nenhuma diferença. Dessa ou daquela forma você sumia e nunca mais ninguém ouvia falar de você nem de seus atos. Você era simplesmente retirado do curso da história. Para pessoas de até duas gerações passadas, porém, isso não teria grande importância, pois ninguém pretendia mudar a história. Eram pessoas regidas por lealdades particulares, as quais não eram questionadas. O que importava eram as relações individuais, e um gesto completamente desamparado, um abraço, uma lágrima, uma palavra dirigida a um moribundo podiam ter seu próprio valor. Os proletas — ocorreu-lhe de repente — haviam permanecido nesse estado. Não eram leais nem a um partido, nem a um país, nem a uma ideia: eram leais uns aos outros. Pela primeira vez na vida não desprezou os proletas nem pensou neles apenas como uma força inerte que um dia despertaria para a vida para reformar o mundo. Os proletas haviam permanecido humanos. Não estavam enrijecidos por dentro. Haviam se aferrado às emoções primitivas que ele próprio era obrigado a reaprender mediante um esforço consciente. E ao pensar nessas coisas lembrou-se, aparentemente sem dar muita importância, de como algumas semanas antes vira uma mão decepada caída no calçamento e a chutara para a sarjeta como se fosse um talo de repolho.

"Os proletas são seres humanos", disse alto. "Nós não somos humanos."

"Por que não?", perguntou Julia, novamente acordada.

Ele pensou um pouco. "Alguma vez já lhe ocorreu", observou, "que o melhor para nós seria simplesmente ir embora daqui antes que seja tarde demais e nunca mais nos vermos?"

"Claro, meu querido, isso já me ocorreu diversas vezes. Só que mesmo assim não vou fazer isso."

"Temos tido sorte", disse Winston, "mas é impossível que continuemos tendo sorte por muito mais tempo. Você é jovem. Parece normal e inocente. Se ficar afastada de pessoas como eu, talvez ainda viva por mais cinquenta anos."

"Não. Já planejei tudo. Tudo que você fizer, também vou fazer. E não precisa ficar tão desanimado. Sou muito boa em saber me manter viva."

"Podemos continuar juntos por mais seis meses, um ano, não há como saber. No fim, com toda a certeza não estaremos juntos. Você se dá conta de como estaremos profundamente sozinhos no fim? Depois que nos agarrarem não há nada, nada mesmo, que um de nós possa fazer pelo outro. Se eu confesso, eles fuzilam você; se me recuso a confessar, fuzilam você do mesmo jeito. Nada que eu possa fazer ou dizer, ou deixar de dizer, adiará sua morte por cinco minutos que seja. Nenhum de nós dois conseguirá saber se o outro está vivo ou morto. Nem isso. Ficaremos sem nenhum tipo de poder. O importante é só uma coisa: que a gente não traia um ao outro — embora nem isso faça a menor diferença."

"Se você se refere à confissão", disse Julia, "com certeza vamos confessar. Todo mundo sempre confessa. Não tem como evitar. Eles torturam você."

"Não me refiro à confissão. Confissão não é traição. O que você faz ou diz não importa: o importante são os sentimentos. Mas se eles conseguirem me obrigar a deixar de amar você... Isso sim seria traição."

Ela considerou o assunto. "Não conseguem", disse afinal. "É a única coisa que não conseguem fazer. Eles podem fazê-lo dizer qualquer coisa — *qualquer coisa* —, mas não podem fazê-lo acreditar nisso. Não podem entrar em você."

"Não", disse ele, um pouco mais esperançoso. "Não conseguem mesmo. É verdade. Não conseguem entrar em você. Se você conseguir *sentir* que vale a pena continuar humano, mesmo que isso não tenha a menor utilidade, você os venceu."

Winston pensou na teletela, com seu ouvido que nunca dorme. Podiam espionar sua vida noite e dia, mas se você não perdesse a cabeça conseguiria ser mais esperto do que eles. Com toda a sua inteligência, eles jamais haviam dominado o segredo de descobrir o que outro ser humano está pensando. Talvez isso fosse menos verdadeiro a partir do momento em que você estivesse efetivamente nas mãos deles. Ninguém sabia o que se passava dentro do Ministério do Amor, mas era fácil adivinhar: torturas, drogas, instrumentos delicados que registravam suas reações nervosas, desgaste progressivo em decorrência da falta de sono, da solidão, de interrogatórios incessantes. Os fatos, pelo menos, não podiam ser mantidos ocultos. Era possível desvendá-los por meio de investigações, extraí-los de você com o recurso da tortura. Mas... e se seu objetivo não fosse permanecer vivo, e sim permanecer humano? Que diferença isso faria no fim? Eles não tinham como alterar seus sentimentos: aliás, nem mesmo você conseguiria alterá-los, mesmo que quisesse. Podiam arrancar de você até o último detalhe de tudo que você já tivesse feito, dito ou pensado; mas aquilo que estava no fundo de seu coração, misterioso até para você, isso permaneceria inexpugnável.

8.

Tinham reunido coragem, enfim tinham reunido coragem!

A sala em que se encontravam era comprida e suavemente iluminada. O som da teletela se reduzira a um murmúrio; a suntuosidade do carpete azul-escuro dava a impressão de que a pessoa pisava num pedaço de veludo. O'Brien estava na outra extremidade do aposento, sentado a uma mesa sob uma luminária verde, entre duas pilhas enormes de documentos. Não se dera ao trabalho de levantar a cabeça quando o criado fez Julia e Winston entrar.

O coração de Winston martelava tanto que ele não sabia se seria capaz de falar. Tinham reunido coragem, enfim tinham reunido coragem, era tudo o que conseguia pensar. Fora uma temeridade ir até lá, e loucura completa terem chegado juntos, muito embora houvessem feito caminhos diferentes e tivessem se encontrado apenas diante da porta do apartamento de O'Brien. Contudo, o simples ato de pôr os pés num lugar como aquele já demonstrava uma enorme ousadia. Somente em ocasiões muito raras a pessoa conhecia por dentro a residência dos membros do Núcleo do Partido, e até passar pelo bairro da cidade em que eles moravam era um acontecimento incomum. A atmosfera do imenso bloco de apartamentos, a opulência e a amplidão de tudo, os odores estranhos da comida e do tabaco de boa qualidade, os elevadores silenciosos, subindo e descendo a velocidades incríveis, os criados de paletó branco correndo de um lado para outro — tudo era intimidador. Conquanto tivesse um bom pretexto para estar ali, a cada passo que dava Winston era assolado pelo temor de que um guarda de uniforme escuro surgisse de repente e exigisse seus documentos e o mandasse embora dali. Porém o criado de O'Brien não hesitara em abrir a porta para eles. Era um homenzinho moreno de paletó branco, com um rosto em forma de losango completamente destituído de expressão, um rosto que poderia muito bem pertencer a um chinês. Conduziu-os por um corredor acarpetado, com papel de parede creme e lambris brancos, tudo extremamente limpo. Isso também era uma fonte de intimidação. Winston não se lembrava de algum dia ter visto corredores cujas paredes não estivessem encardidas pelo contato de corpos humanos.

O'Brien segurava uma tira de papel entre os dedos e parecia estudá-la concentradamente. O rosto de feições pesadas, curvado para baixo de maneira a exibir o contorno do nariz, parecia a um só tempo amedrontador e perspicaz. Por cerca de vinte segundos, manteve-se imóvel. Depois puxou o ditógrafo e ditou uma mensagem no jargão híbrido dos ministérios:

> Itens um vírgula cinco vírgula sete todamente
> aprovados ponto sugestão contida item seis
> duplomais ridícula beirando crimepensar revogada
> ponto improsseguir construtivamente anteobter
> estimativas maisveras custo maquinário ponto
> fim mensagem.

O'Brien se ergueu com determinação da cadeira e andou na direção deles, atravessando com passos silenciosos o piso acarpetado. A atmosfera oficial pareceu tornar-se menos marcada quando ele deixou de usar o vocabulário em Novafala, porém sua expressão estava mais severa do que de costume, como se a interrupção o aborrecesse. De repente, o pavor que Winston já sentia foi atingido por um fio de embaraço perfeitamente comum. Pareceu-lhe bem possível ter cometido um equívoco estúpido. Pois que evidência tinha de que O'Brien estava de fato envolvido em algum tipo de conspiração política? Nenhuma, além de uma rápida troca de olhares e um comentário ambíguo; fora isso, tudo se resumia a suas próprias fabulações secretas baseadas num sonho. Não podia nem mesmo recorrer ao pretexto de que viera pegar o dicionário emprestado, pois nesse caso seria impossível explicar a presença de Julia. Ao passar pela teletela, O'Brien pareceu lembrar-se de alguma coisa. Estacou, virou para o lado e comprimiu um interruptor na parede. Ouviu-se um estalido seco. A voz emudecera.

Julia emitiu um som minúsculo, uma espécie de gritinho de surpresa. Mesmo em pânico, Winston estava abismado demais para conseguir segurar a língua.

"Vocês podem desligar!", exclamou.

"É", disse O'Brien, "podemos. Temos esse privilégio."

Estava na frente deles agora. Sua figura sólida elevava-se sobre os dois, e a expressão em seu rosto permanecia indecifrável. Esperava, com alguma severidade, que Winston falasse — mas o quê? Mesmo àquela altura, era perfeitamente admissível que O'Brien não fosse mais que um homem ocupado que se indagava, irritado, por que fora interrompido por aqueles dois. Ninguém abria a boca. Depois que a teletela fora desligada, um silêncio sinistro tomara conta da sala. Os segundos iam passando, imensos. Com dificuldade, Winston mantinha os olhos fixos nos de O'Brien. Então, de repente, a expressão carrancuda se desfez e deu lugar a algo que poderia ser o princípio de um sorriso. Com o gesto que lhe era característico, O'Brien ajeitou os óculos no nariz.

"Falo eu ou falam vocês?", disse.

"Eu falo", disse Winston prontamente. "Essa coisa está mesmo desligada?"

"Está. Está tudo desligado. Estamos a sós."

"Viemos até aqui porque..."

Fez uma pausa, dando-se conta pela primeira vez de quão vagos eram os seus motivos. Como não sabia efetivamente que tipo de ajuda O'Brien poderia lhe oferecer, não era fácil dizer o que fora fazer ali. Prosseguiu, ciente de que o que estava dizendo parecia inconsistente e pretensioso:

"Acreditamos que exista algum tipo de conspiração, algum tipo de organização secreta trabalhando contra o Partido e que o senhor está envolvido nela. Somos inimigos do Partido. Descremos dos princípios do Socing. Somos criminosos do pensamento. Também somos adúlteros. Estou contando isso porque queremos nos colocar em suas mãos. Se desejar que nos incriminemos de alguma outra forma, estamos à sua disposição."

Parou e olhou por cima do ombro, com a sensação de que a porta se abrira. E, de fato, o criado de semblante amarelo entrara sem bater. Winston percebeu que ele trazia uma bandeja com uma garrafa e taças.

"Martin é dos nossos", disse O'Brien, impassível. "Traga os drinques para cá, Martin. Deixe em cima da mesa redonda. Temos cadeiras suficientes? Então vamos nos sentar e conversar confortavelmente. Vá pegar uma cadeira para você, Martin. O negócio é sério. Pode deixar de ser criado pelos próximos dez minutos."

O homenzinho se sentou com bastante naturalidade, mas ainda assim seu ar era servil — o ar de um empregado que desfruta momentaneamente de um privilégio. Winston o observava com o rabo do olho. Ocorreu-lhe que a vida do sujeito era representar um papel, e que ele devia achar perigoso abandonar, mesmo por alguns instantes, aquela personalidade fictícia. O'Brien pegou a garrafa pelo gargalo e encheu as taças com um líquido vermelho-escuro. Aquilo despertou em Winston lembranças confusas de algo visto num passado longínquo, num muro ou num tabique: uma garrafa enorme, composta de lâmpadas elétricas, que parecia movimentar-se para cima e para baixo, despejando seu conteúdo num copo. Vista de cima, a coisa parecia quase preta; na garrafa, porém, cintilava como um rubi. Tinha um aroma agridoce. Winston viu Julia pegar sua taça e cheirá-la com franca curiosidade.

"Chama-se vinho", disse O'Brien, esboçando um sorriso. "Tenho certeza de que já leram a respeito em algum livro. Infelizmente, não costuma chegar ao Partido Externo." Seu rosto tornou a adquirir um aspecto solene, e ele ergueu sua taça: "Creio que seria apropriado se começássemos com um brinde. Ao nosso Líder. A Emmanuel Goldstein".

Winston pegou sua taça com certa avidez. Vinho era algo sobre o qual havia lido e com que sonhava. Como o peso de papel de vidro ou as quadrinhas parcialmente rememoradas do sr. Charrington, pertencia a um passado extinto, romântico, o tempo de antigamente, como gostava de denominá-lo em seus pensamentos secretos. Por algum motivo, sempre imaginara que vinho teria um sabor extremamente doce, como o de geleia de amora, além de causar embriaguez imediata. Quando o tragou, porém, ficou profundamente decepcionado. A verdade era que, depois de anos bebendo gim, mal conseguia sentir o gosto daquilo na boca. Deixou a taça vazia em cima da mesa.

"Quer dizer que existe mesmo um homem chamado Goldstein?", indagou.

"Existe, sim, e está bem vivo. Onde, não sei."

"E a conspiração — a organização? É real? Não se trata apenas de uma invenção da Polícia das Ideias?"

"É real também. Nós a chamamos de Confraria. Vocês nunca saberão coisa alguma a seu respeito, além do fato de que ela existe e de que pertencem a ela. Volto já a esse ponto." O'Brien consultou o relógio de pulso. "É imprudência manter a teletela desligada por mais de meia hora — até para um membro do Núcleo do Partido. Vocês não deviam ter vindo juntos e terão de sair separadamente. Você, camarada — curvou a cabeça para Julia —, irá primeiro. Temos vinte minutos. Sei que compreenderão a necessidade de eu começar com algumas perguntas. Em termos gerais, o que estão dispostos a fazer?"

"Tudo o que estiver a nosso alcance", disse Winston.

O'Brien se virara um pouco na cadeira de modo a ficar de frente para Winston. Praticamente ignorava Julia, dando a impressão de considerar que Winston falava por ela. Por um instante, as pálpebras desceram sobre seus olhos. Começou a fazer as perguntas numa voz baixa, inexpressiva, como se aquilo fosse um procedimento rotineiro, uma espécie de catecismo cujas respostas soubesse, na maioria, de antemão.

"Dispõe-se a comprometer sua vida?"

"Sim."

"Está preparado para cometer assassinatos?"

"Sim."
"Concorda em cometer atos de sabotagem que podem causar a morte de centenas de inocentes?"
"Sim."
"Trair seu país em benefício de potências estrangeiras?"
"Sim."
"Enganar, falsificar, chantagear, corromper crianças, distribuir drogas que causam dependência, estimular a prostituição, disseminar doenças venéreas — fazer tudo o que possa causar a desmoralização e o enfraquecimento do poder do Partido?"
"Sim."
"Se, por exemplo, jogar ácido sulfúrico no rosto de uma criança for uma ação que de alguma forma atenda a nossos interesses, será capaz de executá-la?"
"Sim."
"Dispõe-se a perder a identidade e passar o resto da vida trabalhando como garçom ou estivador?"
"Sim."
"Está preparado para cometer suicídio se e quando lhe for ordenado fazer isso?"
"Sim."
"Estão dispostos, vocês dois, a se separarem e nunca mais se verem?"
"Não!", interveio Julia.
Winston teve a impressão de que um longo tempo transcorreu antes que ele respondesse. Por um momento pareceu-lhe inclusive ter perdido o poder da fala. Sua língua trabalhava em silêncio, formando as sílabas iniciais, primeiro de uma palavra, depois de outra, vezes e vezes sem conta. Até pronunciá-la, não sabia que palavra lhe sairia da boca. "Não", disse por fim.
"Fizeram bem em esclarecer isso", disse O'Brien. "Precisamos saber de tudo."
Virou-se para Julia e acrescentou, numa voz que parecia ligeiramente mais expressiva:
"Compreende que, mesmo sobrevivendo, ele talvez se torne outra pessoa? Talvez sejamos obrigados a lhe dar uma nova identidade. Seu rosto, seus movimentos, o formato de suas mãos, a cor de

seus cabelos e mesmo a voz dele talvez fiquem diferentes. E você também pode se tornar uma pessoa diferente. Nossos cirurgiões são capazes de transformar as pessoas, deixando-as irreconhecíveis. Isso às vezes é necessário. Há casos em que chegamos mesmo a amputar um braço ou uma perna."

Winston não pôde deixar de lançar mais um olhar de soslaio para o rosto mongol de Martin. Não conseguiu identificar nenhuma cicatriz. Julia ficara um pouco mais pálida, deixando à mostra suas sardas, porém encarava O'Brien com audácia. Murmurou algo que pareceu ser uma aquiescência.

"Muito bom. Então estamos combinados."

Sobre a mesa, via-se uma caixa prateada de cigarros. Com ar um tanto distraído, O'Brien a empurrou para todos, tirou um cigarro para si e em seguida se levantou, pondo-se a andar vagarosamente de um lado para outro, como se em pé raciocinasse melhor. Eram cigarros de excelente qualidade, grossos e bem embalados, com um papel de uma sedosidade incomum. O'Brien tornou a consultar o relógio de pulso.

"É melhor você voltar para a copa, Martin", disse. "Vou ligar daqui a quinze minutos. Dê uma boa olhada no rosto desses camaradas antes de ir. Você os verá outra vez. Eu talvez não."

Exatamente como haviam feito à porta do apartamento, os olhos escuros do homenzinho se iluminaram e cravaram-se nos semblantes de Winston e Julia. Em sua atitude não havia um só traço de cordialidade. Estava memorizando a aparência dos dois, mas não sentia o menor interesse por eles, ou aparentava não sentir. Ocorreu a Winston que um rosto sintético talvez fosse incapaz de mudar de expressão. Sem abrir a boca nem fazer nenhum gesto de despedida, Martin se foi, fechando silenciosamente a porta atrás de si. O'Brien andava de lá para cá, uma mão no bolso do macacão preto, a outra segurando o cigarro.

"Devem entender", disse, "que lutarão no escuro. Estarão sempre no escuro. Receberão ordens e as obedecerão sem saber por quê. Mais tarde lhes enviarei um livro que os instruirá sobre a verdadeira natureza da sociedade em que vivemos e a estratégia por meio da qual pretendemos destruí-la. Quando tiverem lido o livro, serão membros plenos da Confraria. Mas quanto à relação entre os objetivos gerais pelos quais lutamos e as tarefas imediatas do momento, vocês nunca saberão coisa nenhuma. Garanto-lhes que a Confraria existe, mas não posso dizer se seus membros chegam a uma centena ou a dez milhões. Por conhecimento próprio, vocês jamais serão capazes de dizer se seus integrantes chegam até mesmo a uma dúzia. Terão três ou quatro contatos, que de vez em quando desaparecerão e serão renovados. Como este foi o primeiro contato de vocês, ele será preservado. As ordens que receberem, terão vindo de mim. Se acharmos necessário nos comunicar com vocês, isso será feito através do Martin. Quando finalmente forem apanhados, vocês confessarão. Isso é inevitável. Porém terão muito pouco o que confessar além de suas próprias ações. Não poderão trair mais que um punhado de pessoas sem importância. É provável que nem a mim vocês traiam. Talvez eu já esteja morto ou tenha me tornado outra pessoa, com outro rosto."

O'Brien continuava caminhando de lá para cá sobre o tapete macio. Mesmo com aquele corpo avantajado, seus movimentos tinham uma elegância notável. Isso se evidenciava até na maneira como enfiava a mão no bolso ou manipulava um cigarro. Mais ainda que de força, O'Brien transmitia uma sensação de confiança e de compreensão com um toque de ironia. Por mais dedicado que fosse, não tinha nada da obstinação que caracteriza o fanático. Quando falava em assassinato, suicídio, doenças venéreas, membros amputados e rostos modificados, fazia-o com um leve ar de galhofa. "Isso é inevitável", sua voz parecia dizer, "isso é o que temos de fazer, sem vacilar. Mas não é isso que faremos quando a vida voltar a valer a pena." Uma onda de admiração, quase de adoração, fluía de Winston para O'Brien. Winston se esquecera momentaneamente da figura obscura de Goldstein. Diante dos ombros pujantes de O'Brien e daquele rosto de feições rudes — tão feio e todavia tão civilizado —, era impossível acreditar que ele pudesse ser derrotado. Não havia estratagema que ele não enfrentasse, nenhum risco que não pudesse prever. Até Julia parecia impressionada. Deixara seu cigarro apagar e escutava com atenção. O'Brien continuou:

"Já devem ter ouvido rumores sobre a existência da Confraria. Sem dúvida formaram sua própria imagem dela. Com toda a probabilidade, imaginam um vasto submundo de conspiradores reunindo-se secretamente em porões, rabiscando mensagens em muros, reconhecendo uns aos outros por meio de códigos ou movimentos especiais da mão. Nada disso existe. Os membros da Confraria não têm como identificar uns aos outros, e um membro jamais conhece mais que um reduzidíssimo número de outros membros. O próprio Goldstein, se caísse nas mãos da Polícia das Ideias, não teria como fornecer a lista completa dos membros do movimento nem disporia de informações que lhes permitissem completar a lista. Não existe tal lista. A Confraria não pode ser liquidada porque não é uma organização no sentido usual do termo. Nada além da ideia de que é indestrutível a mantém ativa. Vocês jamais contarão com nenhum outro alento além dessa ideia. Não experimentarão camaradagem nem encorajamento. Quando por fim forem apanhados, não receberão nenhuma ajuda. Nunca ajudamos nossos membros. No máximo, quando é absolutamente necessário que alguém seja silenciado, às vezes conseguimos introduzir às escondidas uma navalha na cela do prisioneiro. Trabalharão por algum tempo, serão presos, confessarão e depois morrerão. São esses os únicos resultados que haverão de testemunhar. Não há a menor possibilidade de que ocorram mudanças perceptíveis em nossa geração. Nós somos os mortos. Nossa única vida genuína repousa no futuro. Participaremos dela na condição de pó e fragmentos ósseos. Não há, porém, como saber quanto tempo decorrerá até o advento desse futuro. Talvez mil anos. No momento, nada é possível, exceto ampliar pouco a pouco a área de sanidade. Não temos como agir coletivamente. Só podemos disseminar nosso conhecimento de indivíduo a indivíduo, geração após geração. Com a Polícia das Ideias, não há outra saída."

Interrompeu-se e consultou pela terceira vez o relógio de pulso. "Está quase na hora de você partir, camarada", disse para Julia. "Espere. A garrafa ainda está pela metade."

O'Brien encheu as taças e ergueu a sua pela base.

"A que brindaremos desta vez?", perguntou, ainda com a mesma insinuação sutil de ironia. "À desorganização da Polícia das Ideias? À morte do Grande Irmão? À humanidade? Ao futuro?"

"Ao passado", disse Winston.

"Ao passado é mais importante", concordou gravemente O'Brien. Esvaziaram seus copos e em seguida Julia se levantou para sair. O'Brien tirou uma caixinha do alto de um armário e deu a ela uma pastilha lisa e branca, instruindo-a a colocá-la sobre a língua. Era importante, explicou, não sair cheirando a vinho: os ascensoristas do edifício eram muito vigilantes. Tão logo a porta se fechou atrás dela, O'Brien pareceu ter se esquecido de sua existência. Recomeçou a andar de lá para cá, depois estacou.

"Temos de acertar alguns detalhes", disse. "Imagino que disponha de algum tipo de esconderijo."

Winston mencionou o aposento sobre a loja do sr. Charrington.

"Por ora isso serve. Mais tarde encontraremos outra coisa para você. É importante trocar frequentemente de esconderijo. Também lhe mandarei um exemplar do *livro*" — Winston notou que até O'Brien parecia pronunciar a palavra como se ela estivesse em grifo —, "o livro de Goldstein, claro, o mais rápido possível. Talvez leve alguns dias para eu conseguir um. Como deve imaginar, não existem muitos. A Polícia das Ideias sai atrás deles e os destrói quase tão depressa quanto somos capazes de imprimi-los. Não faz a menor diferença. O livro é indestrutível. Ainda que perdêssemos o último exemplar, poderíamos reproduzi-lo praticamente palavra por palavra. Quando vai para o trabalho, você leva uma pasta?", acrescentou.

"Geralmente, sim."

"Como ela é?"

"Preta, bem velha. Com duas alças."

"Preta, duas alças, bem velha — ótimo. Um dia, num futuro muito próximo — não posso lhe dar uma data exata —, numa das mensagens que você recebe pela manhã no trabalho, haverá uma palavra com um erro de impressão e você terá de solicitar uma retransmissão. No dia seguinte, irá para o trabalho sem a sua pasta. Em algum momento durante o dia, quando estiver na rua, um homem tocará seu braço e dirá: 'Acho que o senhor deixou cair sua pasta'. Na pasta que ele vai lhe dar, você encontrará um exemplar do livro de Goldstein. Deve devolvê-lo em catorze dias."

Permaneceram um momento em silêncio.

"Daqui a pouco você deverá ir embora, mas ainda dispomos de alguns minutos", disse O'Brien. "Provavelmente nos encontraremos de novo... Se de fato nos encontrarmos de novo..."

Winston levantou os olhos para fitá-lo. "No lugar onde não há escuridão?", perguntou, hesitante.

Sem demonstrar surpresa, O'Brien fez que sim com a cabeça. "No lugar onde não há escuridão", disse, como se reconhecesse a alusão. "E, nesse ínterim, há alguma coisa que gostaria de me dizer antes de partir? Alguma mensagem? Alguma pergunta?"

Winston refletiu. Não parecia ter mais nenhuma pergunta que quisesse fazer e não sentia a menor vontade de dizer generalidades presunçosas. Em vez de algo diretamente relacionado com O'Brien ou com a Confraria, o que lhe veio à mente foi uma imagem em que se misturavam o quarto escuro onde sua mãe passara os últimos dias de sua vida, o comodozinho sobre a loja do sr. Charrington, o peso de papel de vidro e a gravura de aço com sua moldura de pau-rosa. Disse quase à toa:

"Por acaso já ouviu uma velha quadrinha que começa assim: *Sem casca nem semente, dizem os sinos da São Clemente?*"

O'Brien tornou a fazer que sim com a cabeça. Com uma espécie de cortesia solene, completou a estrofe:

> *Sem casca nem semente, dizem os sinos da*
> *São Clemente,*
> *Esses vinténs são pra mim, cantam os sinos da*
> *São Martim...*
> *E o culpado, quem é, afinal?, perguntam os sinos*
> *do Tribunal...*
> *A culpa é da Judite, respondem os sinos de Shoreditch.*

"Você sabia o último verso!", exclamou Winston.

"É verdade, eu sabia o último verso. E agora, infelizmente, está na hora de você ir. Espere. É melhor pôr uma dessas pastilhas na boca."

Quando Winston se levantou, O'Brien estendeu-lhe a mão. Com um aperto vigoroso, esmagou os ossos da palma de Winston. À porta, Winston olhou para trás, porém O'Brien aparentemente já estava prestes a tirá-lo da cabeça. Aguardava com a mão no interruptor que controlava a teletela. Atrás de O'Brien, Winston viu a escrivaninha com sua luminária verde, o ditógrafo e os cestos de arame abarrotados de documentos. Aquela ocorrência estava encerrada. Dentro de trinta segundos, pensou, O'Brien retomaria o importante trabalho que, antes de ser interrompido, realizava em favor do Partido.

9.

Winston estava gelatinoso de cansaço. Gelatinoso era a palavra certa. Ela aparecera espontaneamente em sua cabeça. Seu corpo parecia não apenas ter a debilidade da gelatina como sua translucidez. Sentia que se erguesse a mão poderia ver a luz através dela. Todo o sangue e toda a linfa haviam sido drenados de seu corpo por um imenso excesso de trabalho, deixando apenas uma frágil estrutura de nervos, ossos e pele. Todas as sensações pareciam ampliadas. O macacão lhe roçava os ombros, o calçamento lhe fazia cócegas nos pés. Mesmo o esforço de abrir e fechar a mão fazia suas juntas ranger.

Em cinco dias, trabalhara mais de noventa horas — ele e todo o pessoal do Ministério. Agora estava tudo acabado e ele não tinha nada a fazer, literalmente. Nenhum tipo de tarefa do Partido até a manhã seguinte. Podia passar seis horas no esconderijo e outras nove em sua própria cama. Devagar, sob o sol ameno da tarde, seguiu por uma rua imunda na direção da lojinha do sr. Charrington, sempre atento à possibilidade de aparecer alguma patrulha, mas irracionalmente convencido de que naquela tarde não havia perigo de que alguém fosse perturbá-lo. Sua pesada pasta batia em seu joelho a cada passo que dava. Dentro estava *o livro*, que permaneceria em suas mãos por seis dias e que ainda não abrira. Nem sequer dera uma olhadinha nele.

No sexto dia da Semana do Ódio, depois das paradas, dos discursos, dos berros, das cantorias, das bandeiras, dos pôsteres, dos filmes, das figuras de cera, dos rufos dos tambores, dos clangores das cornetas, do rumor dos pés em marcha, dos rangidos das esteiras dos tanques, do estrondo das esquadrilhas de aviões, dos estampidos dos revólveres — depois de seis dias disso tudo, quando o grande orgasmo avançava trêmulo para o clímax e o ódio de todos pela Eurásia fervia, formando um delírio de dimensões tamanhas que se a multidão pusesse as mãos nos dois mil criminosos de guerra eurasianos que seriam enforcados num ato público no último dia dos festejos, indubitavelmente tê-los-ia estraçalhado —, justo nesse momento fora anunciado que a Oceânia na realidade não estava em guerra com a Eurásia. A Oceânia estava em guerra com a Lestásia. A Eurásia era uma aliada.

É óbvio que não houve nenhum reconhecimento de que algo mudara. Simplesmente tornou-se sabido, de maneira muito repentina e em toda parte ao mesmo tempo, que agora o inimigo era a Lestásia — e não a Eurásia. Winston participava de uma manifestação em uma das praças centrais de Londres no momento em que isso se deu. Estava escuro, e os rostos brancos e as bandeiras escarlates, iluminados, tinham um aspecto sinistro. A praça estava tomada por vários milhares de pessoas, inclusive uma tropa de cerca de mil escolares envergando o uniforme dos Espiões. Num palanque recoberto de panos escarlates drapeados, um orador do Núcleo do Partido, homem miúdo e esguio de braços desproporcionalmente longos e um vasto crânio calvo sobre o qual se viam algumas mechas extraviadas de cabelo liso, discursava para o povo. O pequeno personagem lembrava Rumpelstiltskin; contorcido de ódio, pendurava-se ao microfone com uma das mãos e com a outra, enorme na ponta de um braço ossudo, dilacerava o ar, ameaçador. Sua voz, que os amplificadores tornavam metálica, atroava a praça, despejando um catálogo infinito de horrores, massacres, deportações, saques, estupros, torturas de prisioneiros, bombardeio de civis, propagandas enganosas, agressões injustas, tratados rompidos. Era quase impossível ouvi-lo sem ficar primeiro convencido, depois irado. A cada poucos minutos a fúria da multidão transbordava e a voz do orador era afogada pelos rugidos selvagens que subiam, descontrolados, de milhares de gargantas. Os brados mais selvagens eram os dos escolares. O discurso já durava uns vinte minutos quando um mensageiro subiu correndo ao palanque e enfiou um pedaço de papel na mão do orador. Ele desdobrou o papel e leu o que estava escrito, sem interromper sua fala. Nada alterou sua voz, nem sua atitude, tampouco o teor do que dizia, mas de repente os nomes haviam mudado. Sem que uma só palavra de advertência fosse pronunciada, uma onda de entendimento percorreu a multidão. A Oceânia entrara em guerra com a Lestásia! No momento seguinte houve uma comoção fenomenal. As bandeiras e os pôsteres que decoravam a praça estavam todos errados! Pelo menos metade deles ostentava os rostos errados. Sabotagem! Coisa dos agentes de Goldstein! Houve um interlúdio tumultuado em que pôsteres foram arrancados das paredes e bandeiras foram despedaçadas e em seguida pisoteadas. Os Espiões entraram numa atividade prodigiosa, escalando os telhados e cortando as bandeirolas que tremulavam presas às chaminés. Dois ou três minutos depois, porém, tudo voltara à paz. O orador, sempre agarrado ao microfone, ombros encolhidos, inclinado para a frente, a mão livre dilacerando o ar, não interrompera seu discurso. Um minuto depois, os rugidos animalescos de fúria emitidos pela multidão voltaram a explodir. O Ódio prosseguiu exatamente como antes, com a única diferença de que seu alvo mudara.

Ao pensar no que havia acontecido, o que impressionou Winston foi o orador ter trocado o sentido de seu discurso no meio de uma frase, não apenas sem pausa como sem ruptura de sintaxe. No momento, contudo, preocupava-se com outras coisas. Foi durante o momento de desordem, enquanto os pôsteres estavam sendo arrancados, que um homem cujo rosto não chegou a ver lhe dera um tapinha no ombro, dizendo: "Desculpe, acho que o senhor deixou cair sua pasta". Winston pegara a pasta distraído, sem dizer nada. Sabia que seria preciso esperar alguns dias para ter a oportunidade de dar uma olhada em seu conteúdo.

Assim que a manifestação chegou ao fim, tomou o rumo do Ministério da Verdade, embora já fossem quase onze da noite. Todo o pessoal do Ministério fizera o mesmo. As teletelas já emitiam ordens, convocando todos a ocupar seus postos, mas eram ordens totalmente desnecessárias.

A Oceânia estava em guerra com a Lestásia: a Oceânia sempre estivera em guerra com a Lestásia. Boa parte da literatura política dos últimos cinco anos se tornara completamente obsoleta. Relatórios e publicações de todo tipo, jornais, livros, panfletos, filmes, trilhas sonoras, fotografias — tudo tinha de ser corrigido à velocidade da luz. Embora jamais se emitissem instruções precisas, sabia-se que os chefes do Departamento pretendiam que em uma semana já não existissem em lugar nenhum referências à guerra com a Eurásia ou à aliança com a Lestásia. Era um trabalho enlouquecedor, ainda mais porque os processos envolvidos não podiam ser designados por seus próprios nomes. No Departamento de Registros, todos trabalhavam dezoito horas por dia com dois intervalos de três horas para dormir. Vieram colchões do subsolo, que foram espalhados pelos corredores: as refeições consistiam em sanduíches e café Victory distribuídos por carrinhos operados por funcionários da cantina. Toda vez que Winston interrompia o trabalho para seu turno de sono, tentava deixar a escrivaninha arrumada, sem trabalho em andamento, e sempre que se arrastava de volta para seu lugar, de olhos grudentos, todo dolorido, constatava que outra montanha de cilindros de papel recobrira a escrivaninha como uma nevasca, quase enterrando o ditógrafo e escorregando para o chão, de modo que sua primeira tarefa era sempre empilhá-los com uma certa aparência de ordem para abrir espaço e poder trabalhar. O pior de tudo era que seu trabalho não tinha nada de mecânico. Muitas vezes bastava trocar um nome pelo outro, mas todo relatório mais detalhado exigia cuidado e imaginação. Mesmo o conhecimento geográfico necessário para transferir a guerra de um lugar do mundo para outro era considerável.

No terceiro dia, a dor que sentia nos olhos era insuportável e seus óculos precisavam ser limpos de poucos em poucos minutos. Era como ver-se diante de uma tarefa física monumental, algo que a pessoa teria o direito de recusar-se a fazer e que mesmo assim, neuroticamente, quer realizar. Até onde Winston conseguia se lembrar, não se sentia incomodado pelo fato de que toda palavra que murmurava ao ditógrafo, todo traço de seu lápis-tinta, era uma mentira deliberada. Estava tão ansioso quanto os demais funcionários do Departamento para que a contrafação ficasse perfeita. Na manhã do sexto dia, a chuva de cilindros amainou. Durante meia hora, nada saiu do tubo pneumático; então veio outro cilindro e em seguida mais nenhum. Por toda parte, mais ou menos à mesma hora, o trabalho estava rareando. Um suspiro profundo, embora secreto, percorreu o Departamento. Um feito grandioso, que jamais poderiam mencionar, acabava de ser realizado. Agora nenhum ser humano seria capaz de provar com uma evidência documental que algum dia a Oceânia estivera em guerra com a Eurásia. À meia-noite houve um anúncio inesperado: todos os funcionários do Ministério estavam de folga até a manhã seguinte. Winston, sempre com a pasta que continha *o livro* — e que permanecera entre seus pés enquanto ele trabalhava e debaixo de seu corpo enquanto dormia —, foi para casa, fez a barba e quase adormeceu no banho, embora a água estivesse pouco mais que tépida.

Com uma espécie de estalo voluptuoso nas juntas, subiu a escada que levava aos altos da lojinha do sr. Charrington. Estava cansado, mas já não sentia sono. Abriu a janela, acendeu o pequeno e sujo fogareiro a óleo e pôs uma panela com água para esquentar, com a intenção de fazer um café. Julia chegaria em breve: enquanto isso, tinha *o livro*. Sentou-se na poltrona desmazelada e abriu a pasta.

Era um pesado volume negro, encadernado por algum amador, sem título nem autor na capa. A impressão também parecia um tanto irregular. As páginas estavam gastas nas bordas e soltavam-se facilmente, como se o livro tivesse passado por muitas mãos. No frontispício, constava:

> *TEORIA E PRÁTICA DO*
> *COLETIVISMO OLIGÁRQUICO*
> *de*
> **Emmanuel Goldstein**

Winston começou a ler:

Capítulo I
Ignorância é Força

Ao longo de todo o tempo registrado e provavelmente desde o fim do Neolítico, existem três tipos de pessoas no mundo: as Altas, as Médias e as Baixas. Essas pessoas se subdividiram de várias maneiras, responderam a um número incontável de diferentes nomes, e seus totais relativos, bem como sua atitude umas para com as outras, têm variado de uma época para outra: mas a estrutura primordial da sociedade jamais foi alterada. Mesmo depois de tremendas comoções e mudanças aparentemente irrevogáveis, o mesmo modelo sempre voltou a se firmar, assim como um giroscópio sempre reencontra o equilíbrio por mais que seja empurrado nesta ou naquela direção.

Os objetivos desses três grupos são de todo inconciliáveis...

Winston interrompeu a leitura, principalmente para poder apreciar o fato de que *estava* lendo, com conforto e em segurança. Estava sozinho: nada de teletela, nada de ouvido no buraco da fechadura, nada de impulso nervoso de olhar por cima do ombro ou de cobrir a página com a mão. A aragem suave do verão acariciava seu rosto. De algum lugar ao longe chegavam-lhe gritos abafados de crianças: no quarto propriamente dito, não havia som algum exceto a voz de inseto do relógio. Acomodou-se melhor na poltrona e apoiou os pés no guarda-fogo. Aquilo era estado de graça, era eternidade. De repente, como às vezes fazemos com um livro que sabemos que vamos ler e reler palavra por palavra, abriu-o numa página diferente e constatou que estava no terceiro capítulo. Retomou a leitura:

Capítulo III
Guerra é Paz

A divisão do mundo em três grandes superestados foi um evento que já podia ser previsto — e o foi de fato — antes de meados do século XX. Com a absorção da Europa pela Rússia e do Império Britânico pelos Estados Unidos, formaram-se duas das três potências hoje existentes: a Eurásia e a Oceânia. A terceira delas, a Lestásia, só emergiu como unidade distinta depois de mais uma década de confusos conflitos armados. Em alguns lugares as fronteiras entre os três superestados são arbitrárias, em outros oscilam de acordo com os acasos da guerra, mas em geral acompanham características geográficas. A Eurásia compreende a totalidade da parte norte dos continentes europeu e asiático, de Portugal ao estreito de Bering. A Oceânia inclui as Américas, as ilhas atlânticas — inclusive as britânicas —, a Australásia e a parte sul da África. A Lestásia, menor que as outras e com uma fronteira ocidental menos definida, inclui a China e os países ao sul da China, as ilhas do Japão e uma parcela grande mas flutuante da Manchúria, da Mongólia e do Tibete.

Em combinações variáveis, esses três superestados estão permanentemente em guerra: tem sido assim nos últimos vinte e cinco anos. A guerra, contudo, já não é o confronto desesperado, aniquilador, que era nas primeiras décadas do século XX. É uma luta de objetivos limitados entre combatentes que não têm como destruir-se uns aos outros, carecem de causas concretas para lutar e não estão divididos por nenhuma diferença ideológica genuína. Isso não significa que a prática concreta da guerra ou a atitude predominante em relação a ela tenha se tornado menos sanguinária ou mais cavalheiresca. Ao contrário, a histeria guerreira é contínua e universal em todos os países, e atos como violações, saques, matança de crianças, redução de populações inteiras à escravidão e represálias contra prisioneiros — acontece por exemplo de eles serem jogados em água fervente ou enterrados vivos — são considerados normais e, quando cometidos pelas tropas amigas, meritórios. Num sentido físico, porém, a guerra envolve efetivos mínimos — em geral especialistas muito bem treinados — e causa relativamente poucas baixas. A luta, quando ocorre, se realiza nas fronteiras imprecisas cuja localização o homem comum só pode adivinhar, ou em torno das Fortalezas Flutuantes que montam guarda em pontos estratégicos das rotas marítimas. Nos centros de civilização, guerra significa simplesmente escassez contínua de bens de consumo e, por vezes, a explosão de uma bomba-foguete capaz de provocar algumas dezenas de mortes. Na verdade, as características da guerra mudaram. Mais exatamente, a ordem de importância das razões pelas quais se travam guerras mudou. Motivos que até certo ponto já estavam presentes nas grandes guerras do início do século xx tornaram-se preponderantes e são conscientemente reconhecidos e levados em consideração.

Para compreender a natureza da guerra atual — pois, a despeito do reagrupamento que se verifica a cada poucos anos, trata-se sempre da mesma guerra —, é preciso que se compreenda antes de mais nada que é impossível que ela seja decisiva. Nenhum dos três superestados poderia ser definitivamente conquistado — nem mesmo com a aliança dos outros dois. Existe um equilíbrio muito marcado entre eles, e suas defesas naturais são gigantescas. A Eurásia é protegida por seus vastos espaços territoriais, a Oceânia pela extensão do Atlântico e do Pacífico, a Lestásia pela fecundidade e industriosidade de seus habitantes. Em segundo lugar, já não existe, no sentido material, nada pelo qual combater. Com o estabelecimento de economias autossustentáveis, nas quais a produção e o consumo calibram-se reciprocamente, a disputa de mercados, um dos principais motivadores das guerras passadas, chegou ao fim; a competição por matérias-primas deixou de ser questão de vida ou morte. Seja como for, os três superestados são tão vastos que cada um deles obtém quase todas as matérias-primas de que necessita dentro de suas próprias fronteiras. Na medida em que a guerra tem um objetivo econômico direto, trata-se de uma guerra por força de trabalho. Entre as fronteiras dos superestados, e sem pertencer permanentemente a nenhum deles, situa-se um quadrilátero grosseiro cujos ângulos localizam-se em Tânger, Brazzaville, Darwin e Hong Kong, e que contém em seu interior cerca de um quinto da população terrestre. É pelo domínio dessas regiões densamente povoadas, bem como da calota de gelo do polo Norte, que as três potências lutam sem cessar. Na prática, nenhuma potência chega a controlar a totalidade da área disputada. Partes dessa área estão sempre trocando de mãos, e é a possibilidade de tomar este ou aquele fragmento mediante um ato súbito de traição que determina as infinitas alterações de alinhamento.

Todos os territórios disputados contêm minérios valiosos, e alguns deles são produtores de bens agrícolas importantes, como a borracha, que nos climas mais frios é preciso produzir sinteticamente através de técnicas um tanto onerosas. Mas, acima de tudo, esses territórios contêm uma reserva infinita de mão de obra barata. Seja qual for a potência que, num momento dado, controla a África Equatorial, ou os países do Oriente Médio, ou a Índia Meridional, ou o Arquipélago Indonésio, essa potência também dispõe dos corpos de dezenas ou centenas de milhões de trabalhadores braçais operosos e mal pagos. Os habitantes dessas áreas, reduzidos de forma mais ou menos explícita à condição de escravos, passam continuamente das mãos de um para as mãos de outro conquistador, e são usados como se fossem carvão ou óleo na corrida para fabricar mais armamento, para conquistar mais territórios, para controlar mais força de trabalho, para fabricar mais armamento, para conquistar mais territórios, e assim por diante infinitamente. Convém observar que os combates nunca chegam a ultrapassar as fronteiras das áreas disputadas. As fronteiras da Eurásia vão e vêm entre a bacia do Congo e o litoral norte do Mediterrâneo; as ilhas do oceano Índico e do Pacífico estão constantemente sendo capturadas e recapturadas pela Oceânia ou pela Lestásia; na Mongólia, a linha divisória entre a Eurásia e a Lestásia jamais é estável; em torno do polo, as três potências dizem ter direito a enormes territórios que na realidade são, em grande medida, desabitados e inexplorados: mas o equilíbrio de poder sempre permanece grosso modo equilibrado, e o território que forma o interior de cada superestado sempre permanece inviolado. Além disso, o trabalho dos povos explorados das cercanias do equador não é realmente necessário à economia mundial. Esses povos nada acrescentam à riqueza do mundo, visto que tudo o que produzem é usado para fins de guerra, e o objetivo de travar uma guerra é sempre estar em melhor posição para travar outra guerra. Com seu trabalho, as populações escravas permitem que se acelere o ritmo da guerra contínua. No entanto, se não existissem, a estrutura da sociedade mundial e o processo graças ao qual ela se mantém não apresentariam diferenças essenciais.

O objetivo primário da guerra moderna (em consonância com os princípios do *duplipensamento*, esse objetivo é ao mesmo tempo reconhecido e não reconhecido pelos cérebros dirigentes do Núcleo do Partido) é usar os produtos da máquina sem elevar o padrão geral de vida. Desde o fim do século XIX, o problema de o que fazer com o excedente de produção de bens de consumo tem sido uma questão latente na sociedade industrial. Hoje, quando poucos seres humanos dispõem do suficiente até mesmo para se alimentar, esse problema, claro, não é premente, e talvez jamais tivesse se tornado premente mesmo sem a interferência de processos artificiais de destruição. O mundo atual é um lugar desolado, destruído, faminto se comparado ao mundo que existia antes de 1914, e ainda mais se comparado ao futuro imaginário para o qual as pessoas daquela época pensavam que estavam caminhando. No início do século XX, a visão de uma sociedade futura inacreditavelmente rica, ociosa, organizada e eficiente — um mundo antisséptico, cintilante, de vidro e aço e concreto branquíssimo — fazia parte da consciência de praticamente toda pessoa culta. A ciência e a tecnologia desenvolviam-se a uma velocidade estonteante, e parecia natural acreditar que continuariam se desenvolvendo. Isso não aconteceu, em parte devido ao empobrecimento provocado por uma série longa de guerras e revoluções, em parte porque o avanço científico e tecnológico dependia do hábito empírico do pensamento, que não pôde sobreviver numa sociedade regimentada de maneira estrita. O mundo hoje, como um todo, é mais primitivo do que há cinquenta anos. Algumas áreas atrasadas progrediram e vários dispositivos foram desenvolvidos, sempre de alguma maneira relacionados à guerra e à espionagem policial, mas a experimentação e a invenção praticamente deixaram de existir, e os estragos causados pela guerra atômica da década de 1950 jamais foram inteiramente reparados. Contudo os perigos inerentes à máquina continuam existindo. Assim que ela surgiu, ficou claro para todas as mentes pensantes que os homens já não seriam obrigados a trabalhar — e que, como consequência, em grande medida a desigualdade entre eles também desapareceria. Se a máquina fosse usada deliberadamente para esse fim, a fome, o trabalho duro, a sujeira, o analfabetismo e a doença desapareceriam em poucas gerações. E de fato, mesmo sem ser usada com tais objetivos, mas como uma espécie de processo automático — pelo fato de produzir riqueza que em certos casos era impossível deixar de distribuir —, a máquina elevou enormemente o padrão de vida do ser humano médio num período de cerca de cinquenta anos, entre o fim do século XIX e início do XX.

Mas também ficou claro que o aumento global da riqueza talvez significasse a destruição — na verdade em certo sentido foi a destruição — da sociedade hierárquica. Num mundo no qual todos trabalhassem pouco, tivessem o alimento necessário, vivessem numa casa com banheiro e refrigerador e possuíssem carro ou até avião, a forma mais óbvia e talvez mais importante de desigualdade já teria desaparecido. Desde o momento em que se tornasse geral, a riqueza perderia seu caráter distintivo. Claro, era possível imaginar uma sociedade na qual a *riqueza*, no sentido de bens e luxos pessoais, fosse distribuída equitativamente, enquanto o *poder* permanecia nas mãos de uma pequena casta privilegiada. Na prática, porém, uma sociedade desse tipo não poderia permanecer estável por muito tempo. Porque se lazer e segurança fossem desfrutados por todos igualmente, a grande massa de seres humanos que costuma ser embrutecida pela pobreza se alfabetizaria e aprenderia a pensar por si; e depois que isso acontecesse, mais cedo ou mais tarde essa massa se daria conta de que a minoria privilegiada não tinha função nenhuma e acabaria com ela. A longo termo, uma sociedade hierárquica só era possível num mundo de pobreza e ignorância. Voltar ao passado agrícola, como sonhavam alguns pensadores do início do século XX, não era uma solução praticável, pois entrava em conflito com a tendência para a mecanização que se tornara praticamente instintiva quase no mundo inteiro, e mais: todo país que permanecesse industrialmente atrasado era indefeso do ponto de vista militar e com certeza seria dominado, direta ou indiretamente, por seus antagonistas mais desenvolvidos.

Tampouco era satisfatória a solução de manter as massas em estado de pobreza restringindo a produção de bens. Isso aconteceu, em grande medida, durante a fase final do capitalismo, mais ou menos entre 1920 e 1940. Permitiu-se que a economia de muitos países estagnasse, abandonou-se a agricultura, não houve acréscimo de bens de capital e grandes parcelas da população, impedidas de trabalhar, foram mantidas em uma situação de semi-inanição pelos serviços de beneficência do Estado. Mas isso também provocava vulnerabilidade militar, e, visto que as privações infligidas eram obviamente desnecessárias, a oposição se tornava inevitável. O problema era: como manter as rodas da indústria em ação sem aumentar a riqueza real das pessoas? Era preciso produzir mercadorias, mas as mercadorias não podiam ser distribuídas. Na prática, a única maneira de conseguir isso foi com a guerra ininterrupta.

O ato essencial da guerra é a destruição, não necessariamente de vidas humanas, mas dos produtos do trabalho humano. A guerra é uma forma de despedaçar, de projetar para a estratosfera ou de afundar nas profundezas do mar materiais que, não fosse isso, poderiam ser usados para conferir conforto excessivo às massas e, em consequência, a longo prazo, torná-las inteligentes demais. Mesmo que armas de guerra não sejam efetivamente destruídas, sua fabricação continua sendo uma forma conveniente de utilizar uma mão de obra que não produza nada consumível. A construção de uma Fortaleza Flutuante, por exemplo, mobiliza uma força de trabalho que poderia construir várias centenas de navios cargueiros. Depois de algum tempo, ela é declarada obsoleta sem nunca ter proporcionado nenhum benefício material a ninguém, e, com enorme investimento de trabalho, outra Fortaleza Flutuante é construída. Em princípio, o esforço de guerra é sempre planejado de forma a consumir todo o possível excedente, depois de atendidas as necessidades básicas da população. Na prática, as necessidades da população são sempre subestimadas, verificando-se dessa maneira uma escassez crônica de metade dos artigos necessários à vida; isso, porém, é visto como uma vantagem. É política deliberada manter até mesmo os grupos favorecidos no limite da penúria, uma vez que um estado geral de escassez reforça a importância de pequenos privilégios e assim torna mais marcada a diferença entre um grupo e outro. De acordo com os padrões do início do século xx, mesmo um membro do Núcleo do Partido leva uma vida austera e laboriosa. Ainda assim, os poucos luxos de que usufrui — seu amplo apartamento bem equipado, a textura melhor de suas roupas, a melhor qualidade do que come, bebe e fuma, seus dois ou três empregados, seu carro ou helicóptero particular — colocam-no num mundo bem diferente daquele onde vivem os membros do Partido Exterior, e os membros do Partido Exterior ostentam vantagem similar em relação às massas indistintas a que chamamos "proletas". A atmosfera social é a de uma cidade sitiada, onde a posse de um naco de carne de cavalo faz a diferença entre riqueza e pobreza. Ao mesmo tempo, a consciência de estar em guerra, e portanto em perigo, faz com que o comissionamento de todo poder a uma pequena casta seja visto como uma condição natural e inevitável de sobrevivência.

A guerra, como veremos, não apenas efetua a necessária destruição como a efetua de uma forma psicologicamente aceitável. Em princípio, seria muito simples usar a força de trabalho excedente mundial para construir templos e pirâmides, cavar buracos e tornar a enchê-los, ou mesmo para produzir vastas quantidades de mercadorias e depois queimá-las. Só que isso ofereceria apenas a base econômica para uma sociedade hierárquica: ficaria faltando a base emocional. O que importa aqui não é a disposição das massas, cuja atitude não tem importância desde que elas se mantenham estáveis, trabalhando, mas a disposição do próprio Partido. Espera-se que mesmo o militante mais humilde mostre-se competente, laborioso e até inteligente dentro de certos limites, porém é necessário também que ele seja um fanático crédulo e ignorante e que nele predominem sentimentos como o medo, o ódio, a adulação e um triunfo orgiástico. Em outras palavras, é necessário que ele tenha a mentalidade adequada a um estado de guerra. Não interessa se a guerra está de fato ocorrendo e, visto ser impossível uma vitória decisiva, não importa se a guerra vai bem ou mal. A única coisa necessária é que exista um estado de guerra. A cisão da inteligência que o Partido exige de seus membros, e que se obtém mais facilmente numa atmosfera de guerra, é agora quase universal, mas quanto mais alto se chega na hierarquia, mais ela se acentua. Com efeito, é no Núcleo do Partido que a histeria guerreira e o ódio ao inimigo são mais fortes. Em sua qualidade de administrador, muitas vezes é necessário que um membro do Núcleo do Partido saiba que este ou aquele item do noticiário de guerra é fictício, e acontece com frequência estar ciente de que a guerra inteira é espúria e que ela ou não está acontecendo, ou está acontecendo por razões bem diferentes das declaradas: mas esse conhecimento é facilmente neutralizado pela técnica do *duplipensamento*. Ao mesmo tempo, nenhum membro do Núcleo do Partido vacila por um instante sequer em sua fé mística de que a guerra *é* real e de que ela está fadada a terminar com a vitória da Oceânia, que passará a senhora incontestável do mundo.

Todos os membros do Núcleo do Partido acreditam nessa conquista vindoura como num artigo de fé. Ela será obtida ou bem mediante a aquisição de mais e mais território — com a consequente construção de uma preponderância avassaladora de poder —, ou bem pela descoberta de alguma arma nova e definitiva. A busca por novas armas prossegue sem trégua, e é uma das pouquíssimas atividades remanescentes em que as mentes inventivas ou especulativas conseguem encontrar algum desafogo. Hoje em dia, na Oceânia, a Ciência, no sentido antigo, praticamente deixou de existir. Não há palavra em Novafala para "Ciência". O método empírico de pensamento, em que todas as realizações científicas do passado se fundavam, opõe-se aos princípios mais fundamentais do Socing. E mesmo o progresso tecnológico só se verifica quando, desta ou daquela maneira, seus produtos podem ser utilizados em prol da diminuição da liberdade humana. Em todas as artes úteis, o mundo ou está imóvel ou retrocede. Os campos são cultivados com arados puxados a cavalo, enquanto os livros são escritos por aparelhos. Mas em assuntos de importância vital — ou seja, a guerra e a espionagem policial — a abordagem empírica continua sendo encorajada, ou pelo menos tolerada. Os dois objetivos do Partido são: primeiro, conquistar toda a superfície da Terra; segundo, extinguir de uma vez por todas a possibilidade de pensamento independente. Assim, há dois grandes problemas que o Partido se preocupa em resolver. Um é como descobrir o que um ser humano está pensando, à revelia dele; outro é como matar várias centenas de milhões de pessoas em poucos segundos sem aviso prévio. Na medida em que a pesquisa científica continua existindo, esse é seu principal tema. Das duas, uma: ou o cientista de hoje é uma mistura de psicólogo com inquisidor, estudando com extraordinária minúcia o significado de expressões faciais, gestos e tons de voz, e testando os efeitos de drogas, choques elétricos, hipnose e tortura física na produção da verdade; ou é um químico, físico ou biólogo preocupado exclusivamente com ramificações de suas áreas de estudo relevantes para a extinção da vida. Nos vastos laboratórios do Ministério da Paz e nas estações experimentais ocultas nas florestas do Brasil, ou no deserto australiano, ou em ilhas perdidas da Antártica, equipes de especialistas trabalham, incansáveis. Alguns se preocupam unicamente com o planejamento da logística das guerras futuras; outros criam bombas-foguetes cada vez maiores, explosivos mais potentes e em maior quantidade, e blindagens cada vez mais impenetráveis; outros estão atrás de gases novos e mais mortíferos, ou de venenos solúveis que possam ser fabricados em quantidade suficiente para destruir a vegetação de continentes inteiros, ou de linhagens de germes patogênicos imunizados contra todos os anticorpos possíveis; outros fazem tudo para produzir um veículo que consiga abrir caminho debaixo da terra como um submarino dentro d'água, ou um aeroplano tão independente de sua base quanto um veleiro; outros exploram possibilidades ainda mais remotas, como focalizar os raios do sol através de lentes suspensas a milhares de quilômetros de distância no espaço, ou provocar terremotos artificiais e tsunâmis manipulando o calor do centro da Terra.

Mas nenhum desses projetos jamais chega perto de se realizar, e nenhum dos três superestados jamais sobrepuja os outros de forma significativa. O mais notável é que as três potências já possuem, na bomba atômica, uma arma muito mais poderosa do que qualquer outra que suas pesquisas atuais tenham condições de descobrir. Embora o Partido se comporte exatamente da maneira habitual, reivindicando a invenção para si, as primeiras bombas atômicas apareceram ainda no início da década de 1940 e só foram usadas em larga escala cerca de dez anos depois. Naquela época, algumas centenas de bombas foram jogadas em centros industriais, sobretudo na Rússia europeia, na Europa Ocidental e na América do Norte. O resultado foi que os grupos governantes de todos os países se convenceram de que com algumas bombas atômicas mais, a sociedade organizada chegaria ao fim, bem como seu próprio poder. A partir de então, embora nenhum acordo formal tivesse sido celebrado ou mesmo discutido, não se jogaram mais bombas. As três potências limitam-se a continuar produzindo bombas atômicas e a armazená-las para a oportunidade decisiva que todas acreditam que, mais cedo ou mais tarde, há de chegar. E, enquanto isso, a arte da guerra permanecia quase estacionária durante trinta ou quarenta anos. Os helicópteros são mais usados do que antes, os aviões bombardeiros foram em ampla medida suplantados por projéteis autoimpulsionados, e o frágil e móvel navio de batalha deu lugar à Fortaleza Flutuante, praticamente impossível de afundar. Fora isso, porém, quase não houve desenvolvimento. O tanque, o submarino, o torpedo, a metralhadora, até o rifle e a granada continuam sendo usados. E, a despeito dos massacres intermináveis relatados pela imprensa e pelas teletelas, jamais se repetiram as batalhas desesperadas de antes, em que centenas de milhares ou mesmo milhões de homens muitas vezes eram mortos em poucas semanas.

Nenhum dos três superestados jamais realiza manobras que envolvam o risco de derrotas sérias. Quando empreendem uma operação de grandes proporções, em geral é um ataque-surpresa contra um aliado. A estratégia adotada — ou pretensamente adotada — pelas três potências é idêntica. O plano é adquirir, graças a uma combinação de combates, barganhas e golpes bem planejados de traição, um círculo de bases que cerquem completamente um ou outro dos Estados rivais, e depois assinar um pacto de amizade com esse mesmo rival e manter relações pacíficas com ele durante um número suficiente de anos para acalmar toda suspeita. Durante esse período de trégua, todos os pontos estratégicos serão abastecidos com foguetes carregados de bombas atômicas; por fim, todos serão disparados simultaneamente, e seus efeitos devastadores impossibilitarão toda e qualquer reação. Será o momento de assinar um pacto de amizade com a potência mundial remanescente, já preparando o ataque seguinte. Nem é preciso dizer que esse esquema é um mero devaneio: sua realização é impossível. Além disso, todos os confrontos se dão nas áreas disputadas próximas ao equador e ao polo: os territórios inimigos jamais são invadidos. Isso explica o fato de que em alguns lugares as fronteiras entre os superestados são arbitrárias. A Eurásia, por exemplo, poderia facilmente conquistar as Ilhas Britânicas, que geograficamente fazem parte da Europa, ou, por outro lado, a Oceânia poderia facilmente empurrar suas fronteiras até o Reno, ou mesmo até o Vístula. Fazê-lo, porém, seria violar o princípio adotado por todas as partes — mas jamais formulado —, de integridade cultural. Se a Oceânia fosse conquistar as áreas que um dia foram conhecidas como França e Alemanha, seria necessário ou bem exterminar seus habitantes, empreendimento de grande dificuldade física, ou bem assimilar uma população de cerca de cem milhões de pessoas que, no tocante a desenvolvimento técnico, encontra-se perto do nível dos habitantes da Oceânia. O problema é o mesmo para os três superestados. É absolutamente necessário para suas estruturas que não haja contato com estrangeiros, exceto, até certo ponto, com prisioneiros de guerra e escravos negros. Mesmo o aliado oficial do momento é sempre visto com profundas suspeitas. Fora os prisioneiros de guerra, o cidadão médio da Oceânia jamais põe os olhos num cidadão da Eurásia ou da Lestásia, e está proibido de conhecer idiomas estrangeiros. Se tivesse permissão para manter contato com estrangeiros, descobriria que são criaturas semelhantes a ele, e que quase tudo o que lhe disseram sobre essas pessoas é mentira. O mundo lacrado em que vive seria aberto, e o medo, o ódio e a presunção sobre os quais se apoia sua disposição para a luta poderiam evaporar-se. Diante disso, todos os lados percebem claramente que por mais que Pérsia, Ceilão, Egito ou Java troquem de mãos, suas fronteiras jamais deverão ser cruzadas por nada que não sejam bombas.

Por trás disso tudo há um fato jamais mencionado de viva voz, mas que é entendido tacitamente e que justifica uma série de ações: as condições de vida nos três superestados são quase as mesmas. Na Oceânia a filosofia vigente tem o nome de Socing; na Eurásia tem o nome de neobolchevismo; na Lestásia tem um nome chinês que costuma ser traduzido por Adoração da Morte, mas que talvez fosse mais bem representado por Obliteração da Identidade. O cidadão da Oceânia está proibido de se inteirar de quaisquer detalhes dos credos das outras duas filosofias, mas aprende a execrá-las como ofensas bárbaras à moralidade e ao bom senso. Na verdade, as três filosofias não têm quase nenhuma diferença entre si, e os sistemas sociais que elas justificam são idênticos. Em toda parte existe a mesma estrutura piramidal, a mesma adoração a um líder semidivino, a mesma economia justificada única e exclusivamente por uma atividade contínua de guerra. Em decorrência, os três superestados, além de não terem como conquistar uns aos outros, não alcançariam vantagem alguma se o fizessem. Ao contrário, enquanto permanecerem em conflito promovem um ao outro, como três fardos de milho. E, como de hábito, os grupos dominantes das três potências sabem e não sabem, ao mesmo tempo, o que estão fazendo. Dedicam suas vidas a conquistar o mundo, mas têm consciência de que a guerra necessita prosseguir para sempre, sem vitória de nenhuma parte. Enquanto isso, o fato de que *não há* possibilidade de conquista permite a denegação da realidade, que consiste na principal característica do Socing e de seus sistemas rivais de pensamento. Quanto a esse ponto, convém repetir o que já dissemos antes, ou seja: pelo fato de tornar-se contínua, a guerra mudou fundamentalmente de caráter.

Em outros tempos, a guerra, quase por definição, era uma coisa que mais cedo ou mais tarde chegava ao fim — em geral com uma vitória ou uma derrota inquestionável. No passado, também, a guerra era um dos principais instrumentos por meio dos quais as sociedades humanas eram mantidas em contato com a realidade física. Todos os governantes de todos os tempos tentaram impor uma falsa visão do mundo a seus seguidores, sem poder, contudo, dar-se ao luxo de estimular ilusões que significassem prejuízo à eficiência militar. Sempre que "derrota" significasse a perda da independência ou qualquer outro resultado geralmente visto como indesejável, as precauções contra a derrota tinham de ser sérias. Impossível ignorar fatos físicos. Em filosofia, religião, ética e política, talvez o resultado de dois e dois seja cinco, mas quando se trata de projetar uma arma de fogo ou um avião, o resultado tem de ser quatro. Mais cedo ou mais tarde, as nações ineficientes eram conquistadas, e a busca por eficiência era prejudicial às ilusões. Mais: para ser eficiente era necessário ser capaz de aprender com o passado, o que significava ter uma ideia bastante clara de todos os fatos do passado. Jornais e livros de história eram sempre enfeitados e parciais, claro, mas falsificação do tipo praticado hoje seria algo impossível. A guerra era uma salvaguarda segura da sanidade mental, e enquanto os interesses das classes dominantes estivessem em jogo, provavelmente era a mais importante de todas as salvaguardas.

Mas quando a guerra se torna, sem exagero, contínua, ela também deixa de ser perigosa. Quando a guerra é contínua, não existe isso que denominamos "necessidade militar". O progresso técnico pode cessar e os fatos mais palpáveis podem ser negados ou desconsiderados. Como vimos, ainda se realizam pesquisas que poderiam ser consideradas científicas, sempre para atender a necessidades bélicas, mas elas são essencialmente um tipo de devaneio, e o fato de que careçam de resultados não tem a menor importância. A eficiência, mesmo a eficiência militar, torna-se desnecessária. Nada é eficiente na Oceânia, exceto a Polícia das Ideias. Visto que os três superestados são inconquistáveis, cada um deles é, na realidade, um universo separado no interior do qual é seguro praticar quase todo tipo de perversão do pensamento. A realidade somente exerce pressão por intermédio das necessidades da vida diária — a necessidade de comer e beber, de conseguir abrigo e roupas, de evitar a ingestão de veneno ou a queda de janelas de andares elevados, coisas do tipo. Entre a vida e a morte e entre o prazer físico e a dor física ainda existe uma diferença, mas isso é tudo. Destituído de contato com o mundo externo e com o passado, o cidadão da Oceânia é como um homem no espaço interestelar, que não tem como saber o que está acima e o que está abaixo. Os dirigentes desse tipo de Estado conseguiram ser mais absolutistas que faraós e césares. Verdade que são obrigados a evitar que seus seguidores morram de fome em número muito elevado — fato que poderia prejudicá-los — e que são obrigados a manter o baixo nível de técnica militar dos rivais; mas, uma vez obtido o mínimo, podem torcer a realidade na direção que lhes aprouver.

A guerra, portanto, se julgada pelos parâmetros das guerras anteriores, não passa de impostura. É como as lutas entre certos animais ruminantes cujos chifres estão implantados num ângulo que impossibilita que um fira o outro. Ser irreal, porém, não significa que ela não tenha significado. A guerra devora o excedente de bens e contribui para preservar a atmosfera mental que convém a uma sociedade hierárquica. Hoje a guerra é apenas, como veremos, um assunto puramente interno. No passado, os grupos dominantes de todos os países, mesmo reconhecendo seus interesses comuns e com isso limitando a força destruidora da guerra, de fato lutavam uns contra os outros, e o vencedor sempre saqueava o vencido. Hoje eles não lutam entre si. Absolutamente. A guerra se trava entre cada grupo dominante e seus próprios súditos, e o objetivo dela não é obter ou evitar conquistas de território, mas manter intacta a estrutura social. A própria palavra "guerra", portanto, tornou-se ambígua. É provável que fosse correto afirmar que ao se tornar contínua a guerra deixou de existir. A pressão peculiar que ela exerceu sobre os seres humanos entre o Neolítico e o início do século xx desapareceu e foi substituída por coisa bem diferente. O efeito seria o mesmo, em ampla medida, se os três superestados, em vez de lutar um contra o outro, concordassem em viver numa paz perpétua, cada um inviolado dentro das próprias fronteiras. Porque nesse caso cada um deles continuaria sendo um universo autossuficiente, livre para sempre da influência moderadora do perigo externo. Uma paz que fosse de fato permanente seria idêntica a uma guerra permanente. Esse — embora a imensa maioria dos membros do Partido só o compreenda de forma superficial — é o significado profundo do lema do Partido *Guerra é Paz*.

Winston interrompeu a leitura por um momento. Em algum lugar ao longe trovejou uma bomba-foguete. O sentimento abençoado de estar sozinho com o livro proibido num aposento sem teletela não se dissipara. A solidão e a segurança eram sensações físicas que de alguma forma se fundiam ao cansaço de seu corpo, à maciez da poltrona, à carícia que a brisa suave que entrava pela janela fazia em seu rosto. O livro o fascinava, ou, mais exatamente, tranquilizava-o. Em certo sentido não lhe dizia nada de novo, o que era parte do fascínio. Dizia o que ele teria dito, se tivesse a capacidade de organizar seus pensamentos dispersos. Era o produto de uma mente semelhante à dele, porém muitíssimo mais poderosa, mais sistemática, menos amedrontada. Os melhores livros, compreendeu, são aqueles que lhe dizem o que você já sabe. Acabara de voltar ao Capítulo I, quando ouviu os passos de Julia na escada e ergueu-se da poltrona para ir ao encontro dela. Julia largou a bolsa marrom de ferramentas no chão e se jogou nos braços dele. Fazia mais de uma semana que não se encontravam.

"Estou com *o livro*", disse ele, quando os dois se soltaram.

"É mesmo? Que bom", disse ela sem grande interesse, e quase no mesmo instante ajoelhou-se ao lado do fogareiro a óleo para fazer café.

Só voltaram ao assunto depois de passar meia hora na cama. A noite estava fria o suficiente para que puxassem a colcha. Da rua vinha o ruído familiar de cantorias e pés roçando as lajes. A mulher vigorosa de braços vermelhos que Winston vira em sua primeira visita parecia fazer parte do pátio. Pelo jeito não havia hora do dia em que ela não estivesse caminhando de lá para cá entre o tanque e o varal, ora sufocando a si mesma com prendedores de roupa, ora cantando canções maliciosas a plenos pulmões. Julia se acomodara em seu lado da cama e já parecia a ponto de adormecer. Ele estendeu o braço, apanhou o livro do chão e sentou-se com o tronco apoiado na cabeceira da cama.

"Precisamos ler isto", disse. "Você também. Todos os membros da Confraria precisam lê-lo."

"Por que você não lê?", disse ela de olhos fechados. "Leia alto. É a melhor maneira. E você pode ir me explicando enquanto lê."

Os ponteiros do relógio marcavam seis, ou seja, dezoito horas. Tinham três ou quatro horas pela frente. Ele ajeitou o livro sobre os joelhos e começou a ler:

Capítulo I
Ignorância é Força

Ao longo de todo o tempo registrado e provavelmente desde o fim do Neolítico, existem três tipos de pessoas no mundo: as Altas, as Médias e as Baixas. Essas pessoas se subdividiram de várias maneiras, responderam a um número incontável de diferentes nomes, e seus totais relativos, bem como sua atitude umas para com as outras, têm variado de uma época para outra: mas a estrutura primordial da sociedade jamais foi alterada. Mesmo depois de tremendas comoções e mudanças aparentemente irrevogáveis, o mesmo modelo sempre voltou a se firmar, assim como um giroscópio sempre reencontra o equilíbrio, por mais que seja empurrado nesta ou naquela direção.

"Julia, você está acordada?", perguntou Winston.
"Estou, meu amor. Estou ouvindo. Continue. É maravilhoso."
Ele seguiu em frente com a leitura.

Os objetivos desses três grupos são inconciliáveis. O objetivo dos Altos é continuar onde estão. O objetivo dos Médios é trocar de lugar com os Altos. O objetivo dos Baixos, isso quando têm um objetivo — pois uma das características marcantes dos Baixos é o fato de estarem tão oprimidos pela trabalheira que só a intervalos mantêm alguma consciência de toda e qualquer coisa externa a seu cotidiano —, é abolir todas as diferenças e criar uma sociedade na qual todos os homens sejam iguais. Assim, ao longo da história, um conflito cujas características básicas permanecem inalteradas se repete uma ou outra vez. Durante longos períodos os Altos parecem ocupar o poder de forma absolutamente inabalável, porém mais cedo ou mais tarde sempre chega o dia em que eles perdem ou a confiança em si mesmos ou a capacidade de governar com eficiência — ou as duas coisas. São derrubados pelos Médios, que angariam o apoio dos Baixos fingindo lutar por liberdade e justiça. Nem bem atingem seu objetivo, os Médios empurram os Baixos de volta para sua posição subalterna, a fim de se tornarem eles próprios os Altos. Nesse momento um novo grupo de Médios se desprende de um dos dois outros grupos, ou de ambos, e o conflito recomeça. Dos três grupos, apenas os Baixos jamais conseguem, nem temporariamente, sucesso na conquista de seus objetivos. Seria exagero dizer que ao longo da história nunca houve progresso material. Mesmo hoje, num período de declínio, o ser humano médio está fisicamente em melhor condição do que há alguns séculos. Mas nenhum progresso na área da riqueza, nenhum refinamento da educação, nenhuma reforma ou revolução jamais serviram para que a igualdade entre os homens avançasse um milímetro que fosse. Do ponto de vista dos Baixos, nenhuma mudança histórica chegou a significar muito mais que uma alteração no nome de seus senhores.

Nos últimos anos do século XIX a recorrência desse modelo ficara óbvia para muitos observadores. Nesse momento surgiram escolas de pensadores que interpretavam a história como um processo cíclico e pretendiam demonstrar que a desigualdade era a lei inalterável da vida humana. É claro que essa doutrina sempre teve partidários, mas havia uma mudança significativa na forma como ela era apresentada naquele momento. No passado, a necessidade de haver uma forma hierárquica de sociedade fora a doutrina específica dos Altos. Defendiam-na reis e aristocratas, bem como sacerdotes, advogados e outros parasitas dos Altos, que amenizavam essa doutrina com promessas de recompensa num mundo imaginário no além-túmulo. Os Médios, na medida em que lutavam pelo poder, sempre faziam uso de termos como liberdade, justiça e fraternidade. Naquele momento, porém, o conceito de fraternidade humana começou a ser atacado por pessoas que ainda não ocupavam posições de mando, mas que alimentavam a esperança de ocupá-las em breve. No passado os Médios haviam feito revoluções sob a bandeira da igualdade, para depois instalar uma nova tirania assim que a anterior era derrubada. Na verdade os novos grupos Médios proclamavam antecipadamente sua tirania. O socialismo, doutrina surgida no início do século XIX e que era o último elo de uma cadeia de pensamento que remontava às rebeliões de escravos da Antiguidade, continuava profundamente impregnado do utopismo das eras passadas. Mas em cada variante do socialismo surgida a partir de cerca de 1900, o objetivo de instalar a liberdade e a igualdade foi sendo abandonado cada vez mais abertamente. Os novos movimentos surgidos na metade do século — Socing na Oceânia, neobolchevismo na Eurásia e Adoração da Morte (como costuma ser denominado) na Lestásia — tinham o objetivo declarado de perpetuar a *des*liberdade e a *ini*gualdade. É óbvio que esses novos movimentos emergiram dos velhos, cujos nomes tendiam a conservar, pagando um falso tributo a sua ideologia. Mas o objetivo de todos eles era deter o progresso e congelar a história num dado momento. O tão conhecido movimento pendular ocorreria mais uma vez, depois se interromperia. Como sempre, os Altos virariam Médios, e estes se transformariam nos Altos; só que dessa vez, por razões estratégicas deliberadas, os Altos teriam condições de manter sua posição indefinidamente.

As novas doutrinas, até certo ponto, surgiram devido ao acúmulo de conhecimento histórico e ao desenvolvimento do sentido histórico, quase inexistente antes do século xix. O movimento cíclico da história tornara-se inteligível, ou pelo menos dava a impressão de sê-lo — e se era inteligível, também era alterável. Mas a causa principal, subjacente, era que, já no início do século xx, a igualdade humana se tornara tecnicamente possível. Além disso, continuava sendo verdade que os homens não eram iguais no que dizia respeito a seus talentos inatos, e que era preciso especializar as funções de maneira a favorecer este indivíduo em detrimento daquele; mas já não havia a menor necessidade real de existir distinções de classe ou grandes diferenças de riqueza. Em épocas anteriores, as distinções de classe tinham sido não apenas inevitáveis como desejáveis. A desigualdade era o preço da civilização. Com o desenvolvimento da produção mecanizada, porém, a situação se alterara. Embora continuasse necessário que os seres humanos realizassem diferentes tipos de tarefas, já não era necessário que vivessem em níveis sociais ou econômicos diferentes. Desse modo, do ponto de vista dos novos grupos que estavam em vias de assumir o poder, a igualdade humana já não era um ideal a perseguir, mas um perigo a evitar. Em épocas mais primitivas, quando de fato era impossível existir uma sociedade justa e pacífica, não houvera a menor dificuldade em acreditar em sua viabilidade. Havia milhares de anos que a ideia de um paraíso terrestre onde os homens vivessem juntos em total fraternidade, sem leis nem um trabalho brutal, perseguia o imaginário humano. E essa visão exercia um certo poder inclusive sobre os grupos que na verdade se beneficiavam de cada mudança histórica. Os herdeiros das revoluções francesa, inglesa e americana haviam em parte acreditado em seus próprios chavões sobre direitos humanos, liberdade de expressão, igualdade perante a lei e assim por diante, permitindo inclusive, dentro de certos limites, que sua conduta fosse influenciada por eles. Só que aproximadamente nos anos 1940 todas as principais correntes de pensamento político eram autoritárias. O paraíso terrestre fora desacreditado exatamente no instante em que se tornara praticável. Todas as novas teorias políticas, seja lá como se autodenominassem, reeditavam as ideias de hierarquia e regimentação. E no enrijecimento geral de perspectivas instaurado por volta de 1930, algumas práticas havia muito abandonadas, em alguns casos centenas de anos — prisões sem julgamento, escravização de prisioneiros de guerra, execuções públicas, tortura para extrair confissões, uso de reféns e deportação de populações inteiras —, não apenas voltaram a se tornar comuns como eram toleradas e defendidas até por pessoas consideradas esclarecidas e progressistas.

Somente depois de transcorrida uma década de guerras nacionais, guerras civis, revoluções e contrarrevoluções em todos os recantos do mundo, o Socing e seus rivais emergiram como teorias políticas integralmente formuladas. Só que elas haviam sido empanadas pelos diversos sistemas, em geral denominados totalitários, surgidos no início do século, e as principais características do mundo que emergiriam do caos imperante estavam óbvias havia muito tempo. O tipo de gente que haveria de controlar esse mundo estava igualmente óbvio. A nova aristocracia era formada em geral por burocratas, cientistas, técnicos, representantes de sindicatos, especialistas em publicidade, sociólogos, professores, jornalistas e políticos profissionais. Essas pessoas, cujas origens situavam-se nas classes médias assalariadas e nas camadas superiores da classe trabalhadora, haviam sido moldadas e agrupadas pelo mundo desolado do monopólio industrial e do governo centralizado. Comparadas às aristocracias precedentes, eram menos avarentas, menos tentadas pela ostentação, mais famintas de poder em sua forma pura e, acima de tudo, mais conscientes do que estavam fazendo e mais atentas ao aniquilamento da oposição. Esta última diferença era fundamental. Comparadas à de hoje, todas as tiranias do passado eram vacilantes e ineficazes. Os grupos dominantes estavam sempre um tanto infectados pelas ideias liberais e não se preocupavam com o fato de deixar ações incompletas por todo lado, considerando apenas os atos explícitos, totalmente desinteressados do que pensavam seus súditos. Até a Igreja católica da Idade Média era tolerante se comparada aos parâmetros modernos. Em parte, a razão disso era que no passado nenhum governo conseguira manter seus cidadãos completamente sob controle. A invenção da imprensa, contudo, facilitara a tarefa de manipular a opinião pública, e o cinema e o rádio aprofundaram o processo. Com o desenvolvimento da televisão e o avanço técnico que possibilitou a recepção e a transmissão simultâneas por intermédio do mesmo aparelho, a vida privada chegou ao fim. Todos os cidadãos, ou pelo menos todos os cidadãos suficientemente importantes para justificar a vigilância, podiam ser mantidos vinte e quatro horas por dia sob os olhos da polícia, ouvindo a propaganda oficial, com todos os outros canais de comunicação fechados. A possibilidade de obrigar todos os cidadãos a observar estrita obediência às determinações do Estado e completa uniformidade de opinião sobre todos os assuntos existia pela primeira vez.

Passado o período revolucionário dos anos 1950 e 60, a sociedade se reagrupou, como sempre, nas categorias Alta, Média e Baixa. Mas o novo grupo Alto, à diferença de seus antecessores, não agiu instintivamente, sabendo o que era preciso para proteger sua posição. Havia um bom tempo sabia-se que a única base segura para a oligarquia é o coletivismo. Riqueza e privilégio são defendidos com grande eficácia quando possuídos conjuntamente. A assim chamada "abolição da propriedade privada", ocorrida nos anos intermediários do século, na verdade significara concentração da propriedade num número muito menor de mãos: mas com a diferença de que os novos proprietários eram um grupo, e não uma massa de indivíduos. Nenhum membro do Partido possui nada individualmente, com exceção de bens pessoais insignificantes. Coletivamente, o Partido possui tudo o que há na Oceânia, pois controla todas as coisas e dispõe dos produtos como bem entende. Nos anos que se seguiram à Revolução, teve oportunidade de ocupar essa posição de comando praticamente sem oposição, pois o processo como um todo era representado como um ato de coletivização. Sempre se acreditara que se a expropriação da classe capitalista ocorresse, o socialismo adviria daí: e inquestionavelmente os capitalistas haviam sido expropriados. Fábricas, minas, terras, casas, transporte — tudo lhes fora confiscado: e visto que essas coisas haviam deixado de ser propriedade privada, concluía-se que com certeza agora eram propriedade pública. O Socing, que emanara dos primórdios do movimento socialista e que dele herdara sua fraseologia, na verdade conseguira concretizar o que havia de mais importante no programa socialista; com o resultado, antecipadamente previsto e pretendido, de que a desigualdade econômica se tornara permanente.

Mas o problema de perpetuar uma sociedade hierárquica é mais profundo do que isso. Há somente quatro maneiras de um grupo dominante perder o poder: ou bem é vencido de fora, ou governa tão mal que as massas são levadas a revoltar-se, ou permite que um grupo Médio forte e descontente passe a existir, ou perde a autoconfiança e o desejo de governar. Essas causas não atuam de modo separado; quase sempre estão todas presentes em alguma medida. Uma classe dominante capaz de proteger-se de todas elas ficaria permanentemente no poder. No fim das contas, o fator decisivo é a atitude mental da própria classe dominante.

Na verdade, a partir de meados do século XX o primeiro desses perigos deixara de existir. Cada uma das três potências que hoje dividem o mundo é, com efeito, inconquistável, e só poderia tornar-se conquistável depois de ocorrerem lentas mudanças demográficas que um governo dotado de amplos poderes pode evitar com facilidade. Também o segundo perigo não passa de um perigo teórico. As massas nunca se revoltam por iniciativa própria, e nunca se revoltam não só porque são oprimidas. Acontece que enquanto não lhes for permitido contar com termos de comparação, elas nunca chegarão sequer a dar-se conta de que são oprimidas. As crises econômicas recorrentes de épocas passadas foram totalmente desnecessárias e hoje em dia não se permite que ocorram, mas podem sobrevir — e sobrevêm — outros deslocamentos igualmente grandes sem que se verifiquem resultados políticos, porque a insatisfação não tem como tornar-se articulada. Quanto ao problema do excedente de produção, latente em nossa sociedade desde o desenvolvimento do aparato técnico, esse se soluciona por intermédio do mecanismo da atividade guerreira permanente (ver Capítulo III), que também é útil para ajustar o moral público ao timbre adequado. Do ponto de vista de nossos atuais governantes, portanto, os únicos perigos reais são o surgimento de um novo grupo de pessoas capazes, subempregadas e com fome de poder, e o crescimento do liberalismo e do ceticismo em suas fileiras. Isso significa que o problema é educacional. Trata-se de moldar incessantemente a consciência tanto do grupo dirigente como do grupo executivo situado logo abaixo dele. Quanto à consciência das massas, só é necessário influenciá-la de modo negativo.

Tudo isso considerado, seria possível deduzir, caso já não a conhecêssemos, qual é a estrutura geral da sociedade oceânica. No topo da pirâmide está o Grande Irmão. O Grande Irmão é infalível e todo-poderoso. Todos os sucessos, todas as realizações, todas as vitórias, todas as experiências científicas, todo o conhecimento, toda a sabedoria, toda a felicidade, toda a virtude seriam um produto direto de sua liderança e inspiração. Ninguém jamais viu o Grande Irmão. Ele é um rosto nos cartazes, uma voz na teletela. Podemos alimentar razoável certeza de que jamais morrerá, e já existe considerável discussão quanto ao ano em que nasceu. O Grande Irmão é o disfarce escolhido pelo Partido para mostrar-se ao mundo. Sua função é atuar como um ponto focal de amor, medo e reverência, emoções mais facilmente sentidas por um indivíduo do que por uma organização. Abaixo do Grande Irmão está o Núcleo do Partido, com efetivos limitados a seis milhões, ou um pouco menos de dois por cento da população da Oceânia. Abaixo do Núcleo do Partido vem o Partido Exterior, que, se o Núcleo do Partido é descrito como cérebro do Estado, poderia ser adequadamente visto como as mãos do Estado. Abaixo estão as massas ignaras que habitualmente denominamos "os proletas", totalizando cerca de oitenta e cinco por cento da população. Nos termos de nossa classificação anterior, os proletas são os Baixos, porque as populações escravizadas das terras equatoriais, que passam o tempo todo de um para outro conquistador, não são uma parte permanente ou necessária da estrutura.

Em princípio, ser membro de um desses três grupos não está ligado a uma situação hereditária. O filho de pais pertencentes ao Núcleo do Partido teoricamente não nasceu no seio do Núcleo do Partido. Ser admitido nesse ou naquele setor do Partido depende de um exame prestado aos dezesseis anos. Tampouco existe qualquer tipo de discriminação racial, ou domínio perceptível de uma província sobre outra. Judeus, negros e sul-americanos de pura origem índia são encontrados nos mais altos escalões do Partido, e os administradores de qualquer área sempre são escolhidos entre os habitantes daquela área específica. Em nenhum ponto da Oceânia os habitantes têm a sensação de ser uma população colonial governada a partir de uma capital distante. A Oceânia não tem capital, e seu chefe titular é uma pessoa cujo paradeiro ninguém conhece. Fora o fato de o inglês ser sua principal língua franca e a Novafala sua língua oficial, nada na Oceânia é centralizado. Seus governantes não estão ligados por laços de parentesco, mas pela adesão a uma doutrina comum. É verdade que nossa sociedade é estratificada — e muito rigidamente estratificada, aliás — de um modo que à primeira vista parece corresponder a linhagens hereditárias. Verifica-se um trânsito muito menor entre os diferentes grupos do que o verificado durante o capitalismo, ou mesmo durante os períodos pré-industriais. Ocorre uma certa dose de intercâmbio entre os dois planos do Partido, mas apenas o suficiente para garantir que os fracos sejam excluídos do Núcleo do Partido e os membros ambiciosos do Partido Exterior neutralizados em seu desejo de ascensão. Na prática, os proletários não têm autorização para entrar no Partido. Os mais brilhantes, que talvez se tornassem núcleos de descontentamento, são simplesmente identificados pela Polícia das Ideias e depois eliminados. Mas não há razão para que esse estado de coisas seja permanente, nem se trata de uma questão de princípios. O Partido não é uma classe, no antigo sentido do termo. Seu objetivo não é transmitir o poder para seus próprios filhos, enquanto tais; e se não houvesse outra maneira de manter as pessoas mais capazes no topo, estaria perfeitamente disposto a recrutar toda uma nova geração nas fileiras do proletariado. Nos anos decisivos, o fato de o Partido não ser uma entidade hereditária contribuiu sobremaneira para neutralizar a oposição. Os socialistas da velha escola, treinados para lutar contra uma coisa chamada "privilégio de classe", partiam do princípio de que o que não é hereditário não pode ser permanente. Não percebiam que a permanência de uma oligarquia não precisa ser física, nem paravam para pensar que as aristocracias hereditárias sempre foram de curta duração, ao passo que já aconteceu de organizações de adoção, como a Igreja católica, durarem centenas e mesmo milhares de anos. A essência da regra oligárquica não é a hereditariedade de pai para filho, mas a persistência de determinada visão de mundo e de um certo estilo de vida impostos pelos mortos sobre os vivos. Um grupo dominante continua sendo um grupo dominante enquanto puder nomear seus sucessores. O Partido não está preocupado com a perpetuação de seu sangue, mas com a perpetuação de si mesmo. Não importa *quem* exerce o poder, contanto que a estrutura hierárquica permaneça imutável.

Todas as crenças, hábitos, preferências, emoções e atitudes mentais que caracterizam nosso tempo são, na verdade, maneiras de reforçar a mística do Partido e de impedir que a verdadeira natureza da sociedade atual seja percebida. A rebelião física, ou toda e qualquer movimentação preliminar no rumo da rebelião, é impossível no momento. Nada a temer do lado dos proletários. Abandonados a si mesmos, continuarão trabalhando, reproduzindo-se e morrendo de geração em geração, século após século, não apenas sem o menor impulso no sentido de rebelar-se, como incapazes de perceber que o mundo poderia ser diferente do que é. Os proletários só teriam como tornar-se perigosos se o avanço da técnica industrial exigisse que recebessem melhor educação; contudo, visto que a rivalidade entre os militares e os comerciantes deixou de ser importante, o nível da educação popular na verdade está em declínio. Seja qual for a opinião que as massas adotam ou deixam de adotar, essa opinião só merece indiferença. As massas só podem desfrutar de liberdade intelectual porque carecem de intelecto. Num membro do Partido, porém, o menor desvio de opinião sobre o mais insignificante dos assuntos é intolerável.

Os membros do Partido passam a vida, do nascimento à morte, sob o controle da Polícia das Ideias. Mesmo quando sozinhos, nunca podem ter certeza de que estão sós. Onde quer que estejam, dormindo ou acordados, trabalhando ou descansando, no banho ou na cama, podem ser inspecionados sem aviso e sem tomar conhecimento de que estão sendo inspecionados. Nada do que fazem é indiferente. Seus amigos, suas distrações, seu comportamento para com esposa e filhos, a expressão de seus rostos quando estão sozinhos, as palavras que murmuram no sono, mesmo os movimentos característicos de seus corpos, são rigorosamente escrutinados. Não apenas seus delitos efetivos, mas toda excentricidade, por menor que seja, toda mudança de hábitos, todo maneirismo nervoso que apresente a possibilidade de ser sintoma de um conflito interno, não deixam de ser detectados. Eles não têm liberdade de escolha sobre coisa nenhuma. Por outro lado, seus atos não são regulamentados por lei nem por qualquer outro código de conduta claramente formulado. Na Oceânia não existe lei. Os pensamentos e os atos que, se descobertos, significam morte certa não são formalmente proibidos, e os infinitos expurgos, detenções, torturas, aprisionamentos e vaporizações não são infligidos na qualidade de castigo para crimes de fato cometidos, sendo apenas a obliteração de pessoas que talvez pudessem cometer um crime em algum momento futuro. De um membro do Partido exige-se que tenha não apenas a opinião certa, mas os instintos certos. Muitas das crenças e atitudes que se esperam dele jamais são expostas com clareza — e não poderiam sê-lo sem que as contradições inerentes ao Socing ficassem visíveis. Se esse membro do Partido for uma pessoa naturalmente ortodoxa (em Novafala um *benepensante*), em toda e qualquer circunstância saberá, sem precisar pensar, qual é a crença verdadeira e qual a emoção desejável. De qualquer forma, porém, um elaborado treinamento mental aplicado na infância e relacionado às palavras *criminterrupção*, *negribranco* e *duplipensamento*, em Novafala, o deixa sem desejo nem capacidade de pensar muito profundamente em qualquer assunto.

Espera-se que um membro do Partido não tenha emoções privadas nem momentos de suspensão do entusiasmo. Supõe-se que ele viva num frenesi contínuo de ódio aos inimigos estrangeiros e aos traidores internos, de júbilo diante das vitórias e de autodepreciação diante do poder e da sabedoria do Partido. A insatisfação produzida por sua vida despojada e sem atrativos é deliberadamente voltada para o exterior e dissipada por artifícios como os Dois Minutos de Ódio, e as especulações que talvez pudessem induzir nele uma atitude cética ou rebelde são destruídas antes de vir à tona graças a sua disciplina interna, adquirida em tenra idade. A primeira etapa dessa disciplina, muito simples, que pode ser ensinada inclusive a crianças pequenas, chama-se, em Novafala, *criminterrupção*. *Criminterrupção* significa a capacidade de estacar, como por instinto, no limiar de todo pensamento perigoso. O conceito inclui a capacidade de não entender analogias, de deixar de perceber erros lógicos, de compreender mal os argumentos mais simples, caso sejam antagônicos ao Socing, e de sentir-se entediado ou incomodado por toda sequência de raciocínio capaz de enveredar por um rumo herético. Em suma, *criminterrupção* significa burrice protetora. Mas burrice não basta. Ao contrário, a ortodoxia em sentido pleno exige um controle tão absoluto sobre os próprios processos mentais quanto o do contorcionista sobre o próprio corpo. A sociedade oceânica repousa, em última análise, na crença de que o Grande Irmão é onipotente e o Partido infalível. Mas, dado que na realidade o Grande Irmão não é onipotente e o Partido não é infalível, existe a necessidade de adotar-se o tempo todo uma flexibilidade incessante no tratamento dos fatos. A palavra-chave, no caso, é *negribranco*. Como tantas outras palavras em Novafala, ela tem dois sentidos mutuamente contraditórios. Aplicada a um adversário, alude ao hábito que esse adversário tem de afirmar desavergonhadamente que o negro é branco, em contradição com os fatos óbvios. Aplicada a um membro do Partido, manifesta a leal disposição de afirmar que o negro é branco sempre que a disciplina do Partido o exigir. Mas significa ao mesmo tempo a capacidade de *acreditar* que o negro é branco e, mais, de *saber* que o negro é branco, e de esquecer que algum dia julgou o contrário. Isso exige uma alteração contínua do passado, tornada possível pelo sistema de pensamento que realmente abrange tudo o mais e que é conhecido em Novafala como *duplipensamento*.

A modificação do passado é necessária por duas razões, uma das quais secundária e, por assim dizer, preventiva. A razão secundária é que o membro do Partido, tal como o proletário, tolera as condições vigentes em parte porque não dispõe de termos de comparação. Deve ser afastado do passado, assim como deve ser afastado de países estrangeiros, porque é necessário que acredite que está em melhor situação do que seus antepassados e de que o padrão médio de conforto material aumenta ininterruptamente. Mas, de longe, a razão mais importante para que se reajuste o passado é a necessidade de salvaguardar a infalibilidade do Partido. Não se trata apenas de atualizar constantemente discursos, estatísticas e registros de todo tipo para provar que as previsões do Partido se confirmam em todos os casos. Trata-se também de não admitir em hipótese nenhuma a ocorrência de alterações na doutrina ou no alinhamento político. Porque mudar de opinião, ou mesmo de atitude política, é uma confissão de fraqueza. Se, por exemplo, a Eurásia ou a Lestásia (conforme o caso) for o inimigo de hoje, então é necessário que esse país sempre tenha sido o inimigo. E se os fatos atestarem algo diferente, então é preciso alterar os fatos. Dessa forma, a história é constantemente reescrita. Essa falsificação diária do passado, levada a efeito pelo Ministério da Verdade, é tão necessária para a estabilidade do regime quanto o trabalho de repressão e espionagem realizado pelo Ministério do Amor.

A mutabilidade do passado é o ponto central da doutrina do Socing. Afirma-se que os fatos passados não têm existência objetiva e que sobrevivem apenas em registros escritos e nas memórias humanas. O passado é tudo aquilo a respeito do que há coincidência entre registros e memórias. Considerando que o Partido mantém absoluto controle sobre todos os registros e sobre todas as mentes de seus membros, decorre que o passado é tudo aquilo que o Partido decide que ele seja. Decorre ainda que, embora seja possível alterar o passado, o passado jamais foi alterado em nenhuma instância específica. Isso porque nas ocasiões em que é recriado na forma exigida pelas circunstâncias, a nova versão passa a *ser* o passado, e nenhum outro passado pode ter existido algum dia. Esse sistema funciona inclusive quando — como acontece muitas vezes — o mesmo fato precisa ser profundamente alterado diversas vezes no mesmo ano. Em todas as ocasiões, o Partido detém a verdade absoluta, e fica evidente que o absoluto jamais poderia ter sido diferente do que aquilo que passou a ser. Veremos que o controle do passado depende acima de tudo do treinamento da memória. Garantir que todos os registros escritos estão de acordo com a ortodoxia do momento é um mero ato mecânico. Mas é necessário *lembrar-se* que os fatos se passaram da maneira desejada. E caso seja necessário reorganizar nossas memórias ou alterar os registros escritos, também será necessário *esquecer* que o fizemos. O modo como se produz isso pode ser aprendido, como qualquer outra técnica mental. E ele *é* aprendido pela maioria dos membros do Partido: certamente por todos os que são ao mesmo tempo inteligentes e ortodoxos. Em Velhafala isso recebe o nome muito direto de "controle da realidade". Em Novafala é o *duplipensamento*, embora o termo *duplipensamento* também abranja muitas outras coisas.

Duplipensamento significa a capacidade de abrigar simultaneamente na cabeça duas crenças contraditórias e acreditar em ambas. O intelectual do Partido sabe em que direção suas memórias precisam ser alteradas; em consequência, sabe que está manipulando a realidade; mas, graças ao exercício do *duplipensamento*, ele também se convence de que a realidade não está sendo violada. O processo precisa ser consciente, do contrário não seria conduzido com a adequada precisão, mas também precisa ser inconsciente, do contrário traria consigo um sentimento de falsidade e, portanto, de culpa. O *duplipensamento* situa-se no âmago do Socing, visto que o ato essencial do Partido consiste em usar o engodo consciente sem perder a firmeza de propósito que corresponde à total honestidade. Dizer mentiras deliberadas e ao mesmo tempo acreditar genuinamente nelas; esquecer qualquer fato que tiver se tornado inconveniente e depois, quando ele se tornar de novo necessário, retirá-lo do esquecimento somente pelo período exigido pelas circunstâncias; negar a existência da realidade objetiva e ao mesmo tempo tomar conhecimento da realidade que negamos — tudo isso é indispensavelmente necessário. Mesmo ao usar a palavra *duplipensamento* é necessário praticar o *duplipensamento*. Porque ao utilizar a palavra admitimos que estamos manipulando a realidade; com um novo ato de *duplipensamento*, apagamos esse conhecimento; e assim por diante indefinidamente, com a mentira sempre um passo adiante da verdade. Em última instância, foi graças ao *duplipensamento* que o Partido foi capaz — e, até onde sabemos, continuará sendo por milhares de anos — de deter o curso da história.

Todas as oligarquias do passado caíram do poder ou porque se calcificaram ou porque amoleceram. Ou porque se tornaram estúpidas e arrogantes, deixaram de ajustar-se às circunstâncias e foram derrubadas; ou porque se tornaram liberais e covardes, fizeram concessões quando deviam ter usado a força e, também aqui, foram derrubadas. Ou seja, caíram por causa da consciência ou por causa da inconsciência. O Partido foi capaz de produzir um sistema de pensamento no qual os dois estados podem coexistir sem problemas. Essa foi a única base intelectual capaz de oferecer permanência à autoridade do Partido. Se quiser governar e continuar governando, a pessoa deve ser capaz de deslocar o sentido de realidade. Porque o segredo da governança é combinar a crença na própria infalibilidade com a aptidão de aprender com os erros passados.

Nem é preciso dizer que os praticantes mais sutis do *duplipensamento* são aqueles que inventaram o *duplipensamento* e sabem que ele é um vasto sistema de logro mental. Em nossa sociedade, aqueles que estão mais informados sobre o que ocorre são também os que estão mais longe de ver o mundo como ele é. Em geral, quanto maior a compreensão, maior o engodo; quanto maior a inteligência, menor a saúde mental. Uma ilustração clara disso é o fato de que a histeria de guerra ganha intensidade à medida que o cidadão sobe na escala social. Aqueles cuja atitude em relação à guerra é preponderantemente racional são os povos dominados dos territórios em disputa. Para essas pessoas, a guerra nada mais é que uma calamidade contínua que passa e volta a passar sobre seus corpos como a água das marés. Para eles, não tem a menor importância saber qual dos lados está ganhando. Sabem que uma alteração da supremacia significa apenas que continuarão desempenhando as mesmas tarefas de antes para novos senhores, que hão de tratá-los exatamente como eram tratados. Os trabalhadores um pouquinho mais favorecidos, a quem chamamos "proletas", só têm consciência da guerra de forma intermitente. Sempre que necessário é possível espicaçá-los para que tenham surtos de medo e ódio, mas, se abandonados a si mesmos, às vezes esquecem por longos períodos que há uma guerra em curso. É nas fileiras do Partido, e sobretudo nas do Núcleo do Partido, que se encontra o autêntico entusiasmo bélico. Aqueles que sabem que é impossível conquistar o mundo são os que acreditam mais firmemente no projeto. Esse estranho entrelaçamento de opostos — conhecimento com ignorância, cinismo com fanatismo — é um dos principais traços da sociedade oceânica. A ideologia oficial está impregnada de contradições, mesmo quando não há nenhuma justificativa prática para elas. Assim, o Partido rejeita e avilta cada um dos princípios originalmente defendidos pelo movimento socialista, e trata de fazê-lo em nome mesmo do socialismo. Exorta um desprezo pela classe operária sem equivalente nos últimos séculos e obriga seus membros a usar um uniforme que em outros tempos caracterizava os trabalhadores manuais e que por isso mesmo foi adotado. Erode sistematicamente a solidariedade da família e chama seu líder por um nome que é um apelo direto ao sentimento de lealdade familiar. Mesmo os nomes dos quatro ministérios que nos governam exibem uma espécie de descaramento na inversão deliberada dos fatos. O Ministério da Paz cuida dos assuntos de guerra; o Ministério da Verdade trata das mentiras; o Ministério do Amor pratica a tortura; e o Ministério da Pujança lida com a escassez de alimentos. Essas contradições não são acidentais e não resultam da mera hipocrisia: são exercícios deliberados de *duplipensamento*. Pois somente reconciliando contradições é possível exercer o poder de modo indefinido. É a única maneira de quebrar o antigo ciclo. Se quisermos evitar para sempre o advento da igualdade entre os homens — se quisermos que os Altos, como os chamamos, mantenham para sempre suas posições —, o estado mental predominante deve ser, forçosamente, o da insanidade controlada.

Mas uma questão permanece quase ignorada até o momento: *por que* não permitir o advento da igualdade entre os homens? Supondo que os mecanismos do processo tenham sido descritos de modo correto, por que fazer esse esforço monumental, tão minuciosamente planejado, para congelar a história num determinado ponto do tempo?

A esta altura, chegamos ao segredo central. Como vimos, a mística do Partido, e sobretudo do Núcleo do Partido, depende do *duplipensamento*. Mais profundamente do que isso, porém, está o motivo original, o instinto jamais questionado que levou à tomada do poder e ocasionou o *duplipensamento*, a Polícia das Ideias, a guerra contínua e todo o resto da parafernália necessária. Na verdade, essa razão consiste em...

Winston se apercebeu do silêncio assim como nos apercebemos de um ruído novo. Teve a impressão de que já fazia algum tempo que Julia estava muito quieta. Deitada de lado, nua da cintura para cima, ela tinha o rosto acomodado na palma da mão e uma mecha escura caída sobre os olhos. Seu tórax subia e descia devagar e com regularidade.

"Julia!"

Nenhuma resposta.

"Julia, você está acordada?"

Nenhuma resposta. Julia estava adormecida. Ele fechou o livro, depositou-o no assoalho com cuidado, deitou-se e puxou a colcha sobre os dois.

Afinal, ficara sem saber qual era o último segredo, pensou. Entendia o *como*, mas não entendia o *por quê*. Tal como o Capítulo III, o Capítulo I não lhe dissera nada que ainda não soubesse, apenas sistematizara o conhecimento que já possuía. Mas depois de lê-lo entendeu mais claramente do que antes que não estava louco. O fato de ser uma minoria, mesmo uma minoria de um, não significava que você fosse louco. Havia verdade e havia inverdade, e se você se agarrasse à verdade, mesmo que o mundo inteiro o contradissesse, não estaria louco. Um raio amarelo do sol poente entrou em diagonal pela janela e veio pousar no travesseiro. Winston fechou os olhos. O sol no rosto e o corpo macio da garota tocando o seu despertaram nele um sentimento intenso, sonolento e confiante. Estava seguro, tudo ia bem. Adormeceu murmurando "Sanidade mental não é uma coisa estatística", com o sentimento de que sua observação continha uma profunda sabedoria.

10.

Quando acordou, Winston teve a sensação de ter dormido muito tempo, porém ao olhar para o relógio antiquado verificou que eram apenas oito e meia da noite.

> *Era um capricho e nada mais,*
> *Doce como um dia de abril,*
> *Mas seu olhar azul de anil*
> *Roubou para sempre a minha paz!*

Pelo jeito a canção piegas continuava fazendo sucesso. Ainda era ouvida em toda parte. Resistira à "Cantiga do ódio". Julia acordou com a melodia, espreguiçou-se deleitosamente e saiu da cama.

"Estou com fome", disse. "Vamos fazer mais um pouco de café. Que droga! O fogareiro apagou e a água está fria." Pegou o fogareiro e deu uma chacoalhada. "Acabou o querosene."

"O velho Charrington deve ter um pouco para nos emprestar."

"O gozado é que eu tinha certeza de que estava cheio. Vou me vestir", acrescentou ela. "Parece que esfriou."

Winston também se levantou e vestiu-se. A voz cantarolava, incansável:

> *Dizem que o tempo tudo cura*
> *E que no fim sempre se esquece,*
> *Mas risos e choros — até parece*
> *Que a vida passa e eles perduram!*

Afivelando o cinto do macacão, ele se aproximou da janela. O sol pelo jeito se escondera atrás das casas; seus raios já não brilhavam no quintal. As lajes estavam molhadas, como se alguém tivesse acabado de lavá-las, e Winston teve a impressão de que o céu também fora lavado, tão fresco e claro era o azul entre as coifas das chaminés. A mulher, incansável, marchava de um lado para outro, entupindo e desentupindo a boca com pregadores, cantarolando e emudecendo, pendurando fraldas, infinitas fraldas. Winston ficou pensando se ela seria uma lavadeira profissional ou simplesmente a escrava de vinte ou trinta netos. Agora Julia estava a seu lado; juntos, olhavam com uma espécie de fascínio para a figura robusta lá embaixo. Ao observá-la em sua pose característica, braços grossos erguidos para alcançar o varal, nádegas protuberantes lembrando as ancas de uma égua, Winston percebeu pela primeira vez que a mulher era bonita. Nunca lhe ocorrera que o corpo de uma mulher de cinquenta anos, de dimensões assustadoras devido à maternidade, um corpo que o trabalho tornara rijo e grosseiro e que acabara adquirindo a textura vulgar de um nabo maduro demais, pudesse ser bonito. Mas assim era, e afinal de contas, refletiu ele, por que não haveria de ser? Aquele corpo sólido, sem contornos, semelhante a um bloco de granito, e a pele vermelha e áspera, estavam para o corpo da garota como as bagas das roseiras bravas estavam para as rosas. Mas por que a fruta devia ser considerada inferior à flor?

"Ela é bonita", murmurou ele.

"Deve ter no mínimo um metro de quadril", disse Julia.

"É um estilo próprio de beleza", tornou Winston.

Ele enlaçou a cintura esguia de Julia, em que seu braço dava a volta sem dificuldade. Do quadril ao joelho, o corpo dela estava encostado no seu. Seus corpos não produziriam nenhuma criança. Era algo que jamais poderiam fazer. Só poderiam transmitir o segredo passando-o de boca em boca, de cérebro para cérebro. A mulher lá embaixo não tinha cérebro, tinha apenas dois braços fortes, um coração afetuoso e um ventre fértil. Quantos filhos teria tido? Uns quinze, tranquilamente. Tivera seu momento de florescimento, um ano talvez, em que desabrochara como uma rosa selvagem, depois inchara de repente, como uma fruta fertilizada, tornando-se compacta, vermelha e áspera, e a partir daí sua vida passara a ser lavar, esfregar, cerzir, cozinhar, varrer, lustrar, remendar, esfregar, lavar — primeiro para os filhos, depois para os netos, ao longo de trinta anos sem interrupção. Passado todo esse tempo, ela continuava cantarolando. A reverência mística que Winston lhe dedicava fundia-se de certa maneira ao aspecto do céu claro e sem nuvens que, por trás das coifas das chaminés, se estendia por distâncias intermináveis. Era curioso pensar que o céu era o mesmo para todos, na Eurásia e na Lestásia, assim como ali. E as pessoas que viviam debaixo do céu também eram muito semelhantes — em toda parte, no mundo inteiro, centenas de milhares de milhões de pessoas exatamente como aquela mulher, pessoas que ignoravam a existência umas das outras, isoladas por muros de ódio e mentiras, e todavia praticamente iguais — pessoas que não tinham aprendido a pensar, mas que acumulavam em seus corações, ventres e músculos a força que um dia subverteria o mundo. Se é que há esperança, a esperança está nos proletas! Sem ter lido *o livro* até o fim, Winston sabia que aquela devia ser a mensagem definitiva de Goldstein. O futuro pertencia aos proletas. E porventura ele podia ter certeza de que, quando chegasse a hora deles, o mundo erigido pelos proletas não seria para ele, Winston Smith, tão hostil quanto o mundo do Partido? Sim, porque seria no mínimo um mundo mentalmente são. Onde há igualdade pode haver sanidade mental. Mais cedo ou mais tarde aconteceria: a força se transformaria em consciência. Os proletas eram imortais; não havia como duvidar disso diante daquela figura destemida no quintal. Algum dia eles despertariam. E enquanto não despertassem, mesmo que o processo levasse mil anos, sobreviveriam a todas as adversidades, como passarinhos, transmitindo de um corpo para o outro a vitalidade que o Partido não compartilhava e que não conseguia aniquilar.

"Você se lembra", disse ele, "do sabiá que cantou para nós naquele primeiro dia, na orla do bosque?"

"Ele não estava cantando para nós", disse Julia. "Estava cantando pelo prazer de cantar. Não, nem isso. Estava só cantando."

Os passarinhos cantavam, os proletas cantavam, o Partido não cantava. No mundo inteiro, em Londres e em Nova York, na África e no Brasil e nas regiões misteriosas e proibidas que ficavam além das fronteiras, nas ruas de Paris e Berlim, nos vilarejos da interminável estepe russa, nos bazares da China e do Japão — em toda parte via-se a mesma figura sólida e indomável, tornada descomunal pelo trabalho e pela maternidade, esfalfando-se do nascimento à morte e ainda assim cantando. Daqueles ventres possantes haveria de sair um dia uma raça de seres conscientes. Winston e Julia eram os mortos; o futuro pertencia aos proletas. Mas poderiam compartilhar desse futuro se mantivessem viva a mente como mantinham vivo o corpo, e desde que passassem adiante a doutrina secreta de que dois e dois são quatro.

"Nós somos os mortos", disse ele.

"Nós somos os mortos", repetiu obedientemente Julia.

"Vocês são os mortos", disse atrás deles uma voz truculenta.

Saltaram um para cada lado. As entranhas de Winston pareciam ter virado gelo. Ele via o branco se espalhando em volta da íris dos olhos de Julia. O rosto da moça assumira um tom amarelo leitoso. As manchas de ruge, ainda visíveis em sua face, sobressaíam vivamente: davam a impressão de destacar-se da pele sobre a qual haviam sido aplicadas.

"Vocês são os mortos", repetiu a voz truculenta.

"Estava atrás do quadro", sussurrou Julia.

"Estava atrás do quadro", disse a voz. "Fiquem exatamente onde estão. Não façam nenhum movimento."

Estava enfim começando, estava começando! Não podiam fazer nada além de olhar para os olhos um do outro. Fugir, dar o fora dali antes que fosse tarde demais — não lhes ocorria nenhum pensamento dessa natureza. Era impensável desobedecer à voz truculenta que saía da parede. Ouviram um estalido, como se uma lingueta tivesse sido destravada, e em seguida um estrépito de vidro se quebrando. O quadro caíra no chão, revelando a teletela atrás dele.

"Agora eles podem nos ver", disse Julia.

"Agora podemos vê-los", disse a voz. "Vão para o meio do quarto. Fiquem de costas um para o outro. Ponham as mãos atrás da cabeça. Não se toquem."

Não estavam se tocando, porém Winston tinha a impressão de que sentia o tremor do corpo de Julia. Ou talvez fosse apenas o tremor que se apossara de seu próprio corpo. Com dificuldade, conseguia evitar que seus dentes batessem, mas seus joelhos estavam descontrolados. Ouviram um tropel de botas no andar de baixo, dentro e fora da casa. O quintal parecia cheio de homens. Alguma coisa estava sendo arrastada pelas lajes. A mulher interrompera abruptamente sua cantoria. Seguiu-se um estrondo metálico, como se a tina tivesse sido arremessada para o outro lado do quintal, e em seguida ouviu-se uma confusão de berros coléricos, que cessaram com um grito de dor.

"A casa está cercada", disse Winston.

"A casa está cercada", disse a voz.

Winston ouviu Julia trincando os dentes. "Acho que devemos nos despedir", disse ela.

"Devem se despedir", disse a voz. E em seguida outra voz, muito diferente, uma vozinha educada, que Winston tinha a impressão de já ter ouvido antes, interveio: "E por falar nisso: *Vão para a cama e sejam bons moços, ou a cuca vem e lhes corta o pescoço!*".

Algo despencou ruidosamente sobre a cama, atrás de Winston. A ponta de uma escada fora enfiada pela janela e arrebentara o caixilho. Alguém vinha entrando pela janela. Um tropel de botas subia a escada. O quarto ficou repleto de homens maciços, de uniforme negro, com botas ferradas nos pés e cassetete na mão.

Winston parara de tremer. Mal movia os olhos. Só uma coisa importava: ficar quieto, bem quieto, e não lhes dar nenhum pretexto para que batessem nele. Um sujeito com uma mandíbula lisa de pugilista e uma boca que não passava de um traço parou na frente dele, balançando o cassetete entre o polegar e o indicador, pensativo. Winston olhou-o nos olhos. A sensação de nudez produzida pelas mãos atrás da cabeça, com rosto e corpo totalmente expostos, era quase intolerável. O homem mostrou a ponta de uma língua branca e passou-a pelo lugar onde seus lábios deveriam estar, depois foi em frente. Ouviu-se um novo estrondo. Alguém pegara o peso de papel de vidro que estava sobre a mesa e o jogara na lareira de pedra, espatifando-o.

O fragmento de coral, uma minúscula ondulação rosa que parecia um confeito de bolo, rolou pelo tapete. Que pequeno, pensou Winston, que pequeno ele sempre fora! Um arquejo e um baque soaram às suas costas, e ele recebeu um chute violento no tornozelo que por pouco não o fez perder o equilíbrio. Um dos homens desferira um murro no plexo solar de Julia, fazendo-a dobrar-se ao meio como uma régua de bolso. Ela rolava pelo chão, tentando recuperar o fôlego. Winston não ousava virar a cabeça nem um milímetro, porém às vezes o rosto lívido e ofegante da jovem entrava em seu campo de visão. Mesmo apavorado como estava, era como se pudesse sentir a dor em seu próprio corpo, a dor terrível que, apesar de tudo, era menos urgente que o esforço para conseguir respirar. Winston sabia como era aquilo: a dor medonha, atroz, que estava lá o tempo todo mas que ainda não podia ser plenamente sentida porque antes de tudo era preciso voltar a respirar. Nesse momento dois dos homens ergueram-na pelos joelhos e pelos ombros e a levaram embora do quarto como um saco. Winston viu de relance o rosto de Julia, voltado para baixo, amarelo e contorcido, de olhos fechados e ainda exibindo as manchas de ruge nas duas bochechas; e aquela foi a última vez que a viu.

Permaneceu completamente imóvel. Ninguém erguera a mão para ele por enquanto. Pensamentos que se formavam por vontade própria, mas que pareciam completamente desinteressantes, começaram a passar-lhe pela cabeça. Será que haviam apanhado o sr. Charrington?, pensou. O que teriam feito à mulher do quintal? Percebeu que precisava urinar com urgência e ficou um pouco surpreso, pois fazia somente duas ou três horas que urinara. Notou que o relógio que ficava sobre a borda da lareira marcava nove horas. Mas parecia tão claro... A luz já não deveria estar declinando, às vinte e uma horas de uma noite de agosto? Seria possível que ele e Julia tivessem se enganado sobre a hora? Que tivessem dormido a noite inteira e pensado que eram vinte e trinta quando na realidade já eram oito e meia da manhã seguinte? Mas não levou o pensamento adiante. Não era um pensamento interessante. Ouviu-se um novo passo, dessa vez mais leve, na entrada. O sr. Charrington entrou no aposento. De repente o comportamento dos homens de uniforme negro tornou-se mais cortês. Algo também se modificara na aparência do sr. Charrington. Seus olhos deram com os fragmentos do peso de papel.

"Recolham esses cacos", disse, ríspido.

Um homem se curvou para obedecer. O sotaque *cockney* desaparecera. De repente, Winston compreendeu de quem era a voz que ouvira momentos antes na teletela. O sr. Charrington continuava envergando seu velho paletó de veludo, porém seu cabelo, antes quase branco, se tornara preto. Além disso, já não usava óculos. Lançou um olhar rápido e severo para Winston, como verificando sua identidade, depois não prestou mais atenção nele. Ainda era possível reconhecê-lo, porém não era mais a mesma pessoa. Seu corpo se endireitara, parecia ter ficado maior. Seu rosto só passara por alterações ínfimas; mas o resultado era uma transformação completa. As sobrancelhas pretas estavam menos bastas, as rugas tinham sumido; todas as linhas do rosto pareciam ter-se modificado; até o nariz dava a impressão de estar menor. Era o rosto alerta e frio de um homem com cerca de trinta e cinco anos. Winston pensou que pela primeira vez na vida tinha a consciência de olhar para um membro da Polícia das Ideias.

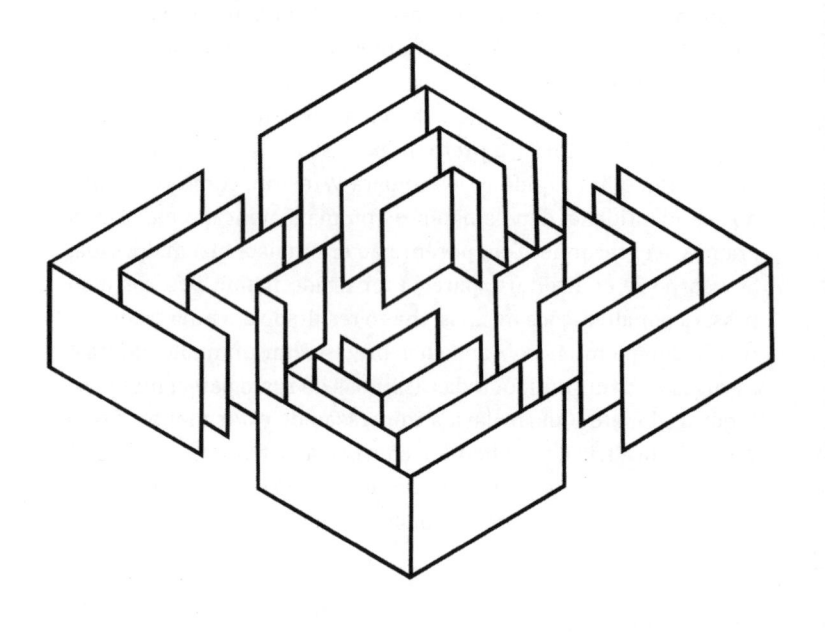

PARTE 3

I.

Ele não sabia onde estava. Talvez no Ministério do Amor, mas não havia como ter certeza.

Estava numa cela sem janelas, de teto alto e paredes cobertas de reluzentes azulejos brancos. Lâmpadas ocultas inundavam o espaço com uma luz branca, e havia um zumbido baixo e constante que ele achava que devia ter alguma coisa a ver com o suprimento de ar. Um banco, ou uma prateleira de largura apenas suficiente para que a pessoa se sentasse corria ao longo da parede, com a porta como única interrupção, de um lado, e, na parede oposta, um vaso sanitário de madeira sem assento. Viam-se quatro teletelas, uma em cada parede.

Sentia uma dor surda na barriga. Estava assim desde que o haviam jogado num carro fechado e o levado embora. Mas também estava com fome, uma fome feroz, que o atormentava. Devia fazer vinte e quatro horas que não comia, se não fossem trinta e seis. Até agora não sabia, talvez nunca viesse a saber, se havia sido preso de manhã ou à noite. Desde então, não recebera nenhum alimento.

Estava sentado tão quieto quanto possível no banco estreito, com as mãos cruzadas sobre o joelho. Já aprendera a ficar sentado imóvel. Se fizesse movimentos inesperados, gritavam pelas teletelas. Mas a necessidade de comer aumentava. O que mais queria era um pedaço de pão. Tinha uma vaga ideia de que restavam algumas migalhas no bolso de seu macacão. Era até possível — tinha essa sensação porque de vez em quando sentia que alguma coisa fazia cócegas em sua perna — que houvesse um bom pedaço de casca. Afinal a tentação de saber foi mais forte que o medo; enfiou a mão no bolso.

"Smith", gritou a voz da teletela. "6079 Smith W.! Tire a mão do bolso!"

Sentou-se quieto outra vez, mãos cruzadas sobre o joelho. Antes de ser levado para lá, estivera em outro lugar, que devia ser uma prisão comum ou um depósito temporário usado pelas patrulhas. Não sabia quanto tempo ficara ali; algumas horas, de qualquer forma; sem relógio e sem luz do dia, era difícil calcular o tempo. Era um lugar barulhento e malcheiroso. Tinha sido levado para uma cela parecida com aquela de agora, só que imunda e lotada o tempo todo com dez, quinze pessoas. A maioria delas era de criminosos comuns, porém havia alguns presos políticos. Sentara-se em silêncio com as costas apoiadas na parede, empurrado por corpos sujos, tomado demais pelo medo e pela dor no estômago para sentir maior interesse pelo que o cercava, mas ainda assim percebendo a espantosa diferença entre a atitude dos prisioneiros do Partido e os outros. Os do Partido estavam sempre em silêncio e aterrorizados, enquanto os criminosos comuns pareciam não dar a mínima para ninguém. Insultavam os guardas aos berros, defendiam-se ferozmente quando seus pertences eram confiscados, escreviam palavras obscenas no chão, comiam alimentos que tiravam de esconderijos misteriosos na roupa e até gritavam mais alto que a teletela quando ela procurava restabelecer a ordem. Por outro lado, alguns pareciam manter boas relações com os guardas, que chamavam por apelidos e os quais tentavam subornar passando cigarros pelo postigo da porta. Os guardas também tratavam os criminosos comuns com certa tolerância, mesmo nas ocasiões em que eram obrigados a usar de brutalidade. Falava-se muito sobre os campos de trabalho forçado para onde a maioria daqueles presos supunha que seria enviada. Pelo que Winston entendeu, os campos "não eram problema" desde que você tivesse bons contatos e conhecesse as manhas. Havia suborno, favoritismo e extorsão de todo tipo, havia homossexualidade e prostituição, havia até álcool clandestino, destilado de batatas. Os cargos de confiança eram reservados para os criminosos comuns, em especial os malfeitores e assassinos, que formavam uma espécie de aristocracia. Todo o trabalho sujo era feito pelos presos políticos.

Havia um vaivém constante de prisioneiros de todo tipo: traficantes de droga, ladrões, bandidos, contrabandistas, bêbados, prostitutas. Alguns bêbados eram tão violentos que os outros presos tinham de unir forças para dominá-los. Uma enorme ruína de mulher, de uns sessenta anos, com imensos peitos caídos e cachos espessos de cabelo branco desfeitos durante as brigas em que se metera, foi trazida, aos gritos e distribuindo pontapés, por quatro guardas que a seguravam pelos braços e pernas. Arrancaram as botas com que ela tentava chutá-los e a atiraram no colo de Winston, quase quebrando suas pernas. A mulher se aprumou, chamando-os aos berros de "filhos da puta!". Depois, ao perceber que estava sentada numa superfície irregular, escorregou dos joelhos de Winston para o banco.

"Desculpe, queridinho", disse. "Eu nunca teria me sentado em cima de você, foram aqueles sacanas que me sentaram. Eles não sabem como tratar uma senhora, sabem?" Interrompeu-se, deu umas batidinhas no peito e soltou um arroto. "Desculpe", disse. "Estou um pouco abalada."

Inclinou-se para a frente e vomitou copiosamente no chão.

"Já estou melhor", disse, recostando-se de olhos fechados. "Eu nunca seguro, não faz bem pra gente. Melhor botar pra fora enquanto está fresco no estômago."

Recuperou-se, olhou de novo para Winston e deu a impressão de ter se afeiçoado imediatamente a ele. Passou um braço enorme em torno de seus ombros e puxou-o para si, bafejando cerveja e vômito no rosto dele.

"Como é o seu nome, queridinho?"

"Smith", disse Winston.

"Smith?", disse a mulher. "Engraçado. Meu nome também é Smith. Puxa", acrescentou, sentimental, "eu podia ser sua mãe!"

Ela podia mesmo ser sua mãe, ele pensou. Tinha a idade e o corpo adequados para o papel, e era provável que as pessoas mudassem um pouco depois de passar vinte anos num campo de trabalhos forçados.

Ninguém mais lhe dirigira a palavra. Surpreendentemente, os criminosos comuns ignoravam os prisioneiros do Partido. "Os políticos", diziam, com uma espécie de desdém e sem demonstrar o menor interesse. Os prisioneiros do Partido tinham pavor de falar com quem quer que fosse, sobretudo de falar uns com os outros. Só uma vez, quando dois membros do Partido, duas mulheres, estavam sentadas no banco comprimidas uma contra a outra, ele ouviu no meio do burburinho umas palavras sussurradas com pressa; e especialmente uma referência que não entendeu a algo chamado "quarto 101".

Talvez duas ou três horas tivessem se passado desde que fora levado para ali. A dor surda na barriga não passava nunca, mas às vezes melhorava ou então piorava, e seus pensamentos se expandiam ou encolhiam em conformidade com ela. Quando a dor ficava pior, ele pensava exclusivamente na dor e na vontade de comer. Quando melhorava, era dominado pelo pânico. Havia momentos em que previa o que aconteceria com ele com tanta nitidez que seu coração disparava e sua respiração se interrompia. Sentia a pancada do cassetete nos cotovelos e as botas ferradas nas canelas. Via-se rastejando, implorando piedade com os dentes quebrados. Mal pensava em Julia. Não podia fixar a mente nela. Amava-a e não haveria de traí-la; mas isso era apenas um fato de que tinha ciência, assim como estava ciente das regras da aritmética. Não a amava nem chegava a perguntar-se o que estaria acontecendo com ela. Pensava mais em O'Brien, com uma centelha de esperança. O'Brien talvez soubesse que ele fora preso. A Confraria, dissera ele, nunca tentava salvar seus membros. Mas havia a questão da gilete. Se pudessem, lhe enviariam a gilete. Talvez se passassem cinco segundos antes que o guarda tivesse tempo de entrar correndo na cela. A gilete morderia sua carne com uma espécie de frieza ardente, e mesmo os dedos que a seguravam estariam cortados até o osso. Seu corpo doente, que se esquivava, trêmulo, do menor sofrimento, evocava tudo aquilo. Não estava seguro de conseguir usar a gilete, mesmo que surgisse a oportunidade. Era mais natural existir de momento em momento, aceitando mais dez minutos de vida mesmo com a certeza de que no fim daquilo haveria tortura.

Às vezes tentava calcular o número de azulejos nas paredes da cela. Devia ser fácil, mas em algum momento sempre perdia a conta. Mais frequentemente tentava deduzir onde estava e que horas eram. A certa altura teve certeza de que lá fora era pleno dia, e no momento seguinte igual certeza de que reinava a mais completa escuridão. Sabia instintivamente que naquele lugar as luzes nunca se apagavam. Era o lugar onde não havia escuridão: agora entendia por que O'Brien parecera reconhecer a alusão. No Ministério do Amor não havia janelas. Sua cela podia estar no centro do prédio ou junto à parede externa; podia estar dez andares abaixo do solo ou trinta acima. Moveu-se mentalmente de um lugar para outro e procurou concluir a partir da sensação de seu corpo se estava empoleirado no espaço ou enterrado no fundo do solo.

Ouviu-se um ruído de botas marchando do lado de fora. A porta de aço se abriu com um estrondo. Um jovem oficial, um indivíduo impecável de uniforme negro que parecia rebrilhar inteiro em seus couros engraxados e cujo rosto pálido, de feições retilíneas, parecia uma máscara de cera, avançou com aprumo porta adentro. Com um gesto indicou que os guardas do lado de fora fizessem entrar o prisioneiro que conduziam. O poeta Ampleforth entrou tropeçando na cela. A porta se fechou com um novo estrondo.

Ampleforth fez um ou dois movimentos incertos de um lado para outro, como se tivesse a noção de que existia outra porta por onde sair, depois começou a percorrer a cela de lá para cá. Ainda não se dera conta da presença de Winston. Seus olhos agitados fitavam a parede mais ou menos um metro acima da cabeça de Winston. Estava descalço; artelhos grandes e sujos escapuliam pelos buracos das meias. Também ele não se barbeava havia vários dias. Uma barba rala cobria seu rosto até os pômulos, dando-lhe um aspecto de truculência que não combinava com seu amplo físico vulnerável e seus movimentos nervosos.

Winston sacudiu-se um pouco de sua letargia. Precisava falar com Ampleforth e correr o risco de ouvir o berro da teletela. Era até possível que Ampleforth fosse o portador da gilete.

"Ampleforth", exclamou.

A teletela não se manifestou. Ampleforth estacou, um tanto surpreso. Pouco a pouco, seus olhos conseguiram focalizar Winston.

"Ah, Smith!", disse. "Você também!"

"Por que você está aqui?"

"Para dizer a verdade..." Ampleforth sentou-se desajeitadamente no banco em frente a Winston. "Só existe um delito, não é mesmo?", disse.

"E você o cometeu?"

"Pelo visto, sim."

Apoiou a mão na testa e apertou as têmporas por um momento, como se tentasse recordar-se de alguma coisa.

"Essas coisas acontecem", começou, incerto. "Consegui recordar-me de uma ocasião... uma ocasião possível. Foi uma indiscrição, sem dúvida. Estávamos preparando uma edição definitiva dos poemas de Kipling. Deixei a palavra 'Deus' no final de um verso. Não consegui agir de outro modo!", acrescentou, quase indignado, erguendo o rosto para olhar Winston. "Impossível mudar o verso. O problema era a rima: só existem doze palavras em toda a língua com aquela rima. Você sabia? Passei vários dias vasculhando a mente, mas não encontrei a rima."

Sua expressão mudou. O aborrecimento deixou de estampar-se nela e por um momento ele pareceu quase contente. Uma espécie de calidez intelectual, a alegria do pedante que fez um achado inútil brilhou entre a sujeira e o cabelo ralo.

"Alguma vez lhe ocorreu", disse, "que a história da poesia inglesa foi determinada pelo fato de a língua inglesa carecer de rimas?"

Não, aquele pensamento em especial jamais ocorrera a Winston. Aliás, dadas as circunstâncias, tampouco lhe pareceu muito importante ou interessante.

"Você sabe que horas são?", perguntou.

Ampleforth fez de novo um ar surpreso. "Eu nem tinha pensado nisso. Eles me prenderam... acho que há dois dias... três, talvez." Seus olhos percorreram as paredes, como se esperasse encontrar uma janela em algum lugar. "Não há diferença entre o dia e a noite neste lugar. Não sei como fazer para calcular o tempo."

Conversaram caoticamente durante alguns minutos, depois, sem motivo aparente, um grito da teletela mandou que se calassem. Winston sentou-se quieto, com os dedos entrelaçados. Ampleforth, grande demais para sentar-se com algum conforto no banco estreito, mexia-se irrequieto de um lado para outro, cruzando as mãos ossudas ora em torno de um joelho, ora em torno do outro. A teletela berrou para ele ficar quieto. Algum tempo se passou. Vinte minutos, uma hora — difícil saber. Mais uma vez ouviu-se o som de botas lá fora. As vísceras de Winston se contraíram. Logo, muito em breve, talvez dentro de cinco minutos, talvez naquele exato instante, um ruído de botas iria significar que sua hora tinha chegado.

A porta se abriu. O jovem oficial de expressão fria entrou na cela. Com um breve aceno, apontou para Ampleforth.

"Quarto 101", disse.

Ampleforth saiu desajeitado escoltado pelos guardas, com o rosto vagamente perturbado, mas sem entender o que se passava.

Transcorreu um tempo que pareceu bastante longo. A dor de estômago de Winston voltara. Sua mente dava voltas no mesmo lugar, como uma bola que cai sempre nos mesmos buracos. Ele pensava apenas em seis coisas. Na dor de estômago, num pedaço de pão, no sangue e nos gritos, em O'Brien, em Julia, na gilete. Sentiu um novo espasmo no ventre; as botas ferradas se aproximavam. Quando a porta se abriu, a onda de ar que ela gerou fez entrar um cheiro forte de suor frio. Parsons entrou na cela. Vestia uma bermuda cáqui e uma camisa esporte.

Daquela vez, Winston se assustou a ponto de esquecer-se da própria situação.

"*Você* aqui!", falou.

Parsons dirigiu a Winston um olhar em que não havia interesse nem surpresa, só infelicidade. Começou a andar aos arrancos de lá para cá, aparentemente incapaz de parar quieto. Toda vez que estendia os joelhos rechonchudos, dava para perceber que eles tremiam. Seus olhos esbugalhados, fixos, mostravam que não conseguia deixar de fitar alguma coisa a média distância.

"Por que você está aqui?", perguntou Winston.

"Pensamento-crime!", disse Parsons, quase soluçando. O tom de sua voz indicava também a completa admissão de sua culpa e uma espécie de horror incrédulo com o fato de que a expressão pudesse lhe ser aplicada. Parou na frente de Winston e começou a dirigir-lhe apelos ansiosos: "Você não acha que eles vão me fuzilar, meu velho, não é mesmo? Não fuzilam você se na verdade você não fez nada — se só teve pensamentos, que não tem como controlar? Sei que eles são justos. Ah, tenho certeza de que são justos! Conhecem minha ficha, não conhecem? *Você* sabe que tipo de sujeito eu era. Um bom sujeito, à minha moda. Não muito inteligente, claro, mas esperto. Tentei fazer o melhor que podia pelo Partido, não foi? Saio dessa em cinco anos, não acha? Ou quem sabe dez? Um cara como eu pode ser muito útil num campo de trabalhos forçados. Será que vão me matar por eu ter saído da linha uma única vez?".

"Você é culpado?", perguntou Winston.

"Claro que eu sou culpado!", exclamou Parsons com um olhar servil para a teletela. "Você acha que o Partido iria prender um inocente?" A cara de sapo ficou mais calma e até adquiriu uma expressão de santimônia. "Pensamento-crime é uma coisa horrível, velho", disse sentencioso. "É um inferno, pode dominar você sem você se dar conta. Sabe como ele me dominou? Enquanto eu dormia! Verdade. Eu estava lá trabalhando, tentando fazer a minha parte — nunca imaginei que tivesse alguma coisa negativa na minha mente. E aí comecei a falar dormindo. Você sabe o que eles me ouviram dizer?"

Ele baixou o tom de voz como alguém obrigado por ordens médicas a pronunciar uma obscenidade.

"'Abaixo o Grande Irmão!' Sim, eu disse isso! Disse e repeti, parece. Cá entre nós, meu velho, ainda bem que eles me pegaram antes que a coisa ficasse mais grave. Sabe o que eu vou dizer a eles quando comparecer perante o tribunal? 'Obrigado', vou dizer, 'obrigado por me salvarem antes que fosse tarde demais.'"

"Quem foi que denunciou você?", indagou Winston.

"Foi minha filhinha", disse Parsons com uma espécie de orgulho pesaroso. "Ela ouviu pelo buraco da fechadura. Ouviu o que eu estava dizendo e no dia seguinte falou para a patrulha. Muito esperta, para uma moleca de sete anos, hein? Não guardo nenhum ressentimento por ela ter feito isso. Na verdade estou orgulhoso dela. Se vê que recebeu uma boa educação em casa!"

Fez mais alguns movimentos espasmódicos para cima e para baixo, diversas vezes, lançando um olhar ansioso para o vaso sanitário. De repente, arriou a bermuda.

"Desculpe, velho!", disse. "Não aguento. É esse negócio de ficar esperando."

Encaixou o grande traseiro na privada. Winston cobriu o rosto com as mãos.

"Smith!", berrou a voz da teletela. "6079 Smith W.! Tire as mãos do rosto. Não é permitido esconder o rosto nas celas."

Winston descobriu o rosto. Parsons usou a privada ruidosa e abundantemente. Em seguida verificou-se que a válvula estava com defeito, e um fedor abominável tomou conta da cela por muitas horas.

Parsons foi retirado. Mais presos chegaram e partiram, misteriosamente. Um deles, uma mulher, deveria ir para o "Quarto 101"; Winston viu-a encolher o corpo e mudar de cor ao ouvir essas palavras. Chegou um momento em que, se ele tivesse sido levado para ali de manhã, seria de tarde; ou, se tivesse sido levado à tarde, seria meia-noite. Havia seis presos na cela, homens e mulheres, todos sentados muito quietos. Na frente de Winston estava um homem sem queixo e dentuço que parecia um grande roedor inofensivo. Suas bochechas gordas, manchadas, tinham bolsas tão pronunciadas na parte de baixo que era difícil acreditar que não guardasse pequenos estoques de comida ali dentro. Seus olhos cinza-claros iam receosos de um rosto a outro, e se desviavam depressa quando encontravam os olhos de alguém.

A porta se abriu e outro prisioneiro foi introduzido; seu aparecimento provocou um arrepio passageiro em Winston. Era um homem comum, de aparência corriqueira, talvez um engenheiro ou um técnico de algum tipo. Mas o que causava espanto era a magreza de seu rosto. Tinha o aspecto de uma caveira. Devido à magreza, sua boca e seus olhos pareciam desproporcionalmente grandes, e os olhos davam a impressão de estar repletos de um ódio assassino, implacável, de alguém ou de alguma coisa.

O homem sentou-se no banco, não longe de Winston. Winston não tornou a olhar para ele, mas o rosto atormentado, escaveirado, permaneceu tão nítido em sua cabeça quanto se estivesse diante de seus olhos. De repente compreendeu qual era o problema. O homem estava morrendo de inanição. Parecia que o mesmo pensamento ocorrera quase simultaneamente a todos na cela. Houve uma levíssima agitação ao longo do banco. Os olhos do homem sem queixo voltavam-se com frequência para o da cara de caveira, afastando-se em seguida, culpados, para em seguida serem arrastados de volta por uma atração irresistível. Num certo momento, ele começou a se remexer no assento. Por fim se levantou, atravessou a cela titubeante, enfiou a mão no bolso do macacão e, com ar constrangido, estendeu um pedaço de pão sujo ao da cara de caveira.

Um rugido furioso, ensurdecedor, saiu da teletela. O homem sem queixo recuou num salto. O da cara de caveira escondera depressa as mãos atrás das costas, como se quisesse demonstrar a todos que recusava o presente.

"Bumstead!", rugiu a voz. "2713 Bumstead J.! Largue esse pedaço de pão!"

O homem sem queixo deixou cair o pedaço de pão.

"Fique de pé onde está", disse a voz. "Virado para a porta. Não se mexa."

O homem sem queixo obedeceu. Suas grandes bochechas pendentes tremiam incontrolavelmente. A porta se abriu com um som metálico. Quando o jovem oficial entrou e deu um passo para o lado, apareceu atrás dele um guarda baixo e atarracado com braços e ombros enormes. Este homem posicionou-se na frente do sujeito sem queixo e então, a um sinal do oficial, acertou um tremendo soco, impulsionado por todo o peso de seu corpo, em cheio na boca do homem sem queixo. A força daquele soco deu a impressão de levantar o prisioneiro do chão. Seu corpo foi arremessado para o outro lado da cela, indo cair junto à base do vaso sanitário. Por um momento ficou ali caído, atordoado, com sangue escuro escorrendo da boca e do nariz. Ouviu-se um gemido ou um guincho muito débil, que parecia inconsciente. Em seguida ele rolou e ficou de quatro, apoiando-se, inseguro, nas mãos e nos joelhos. Em meio a uma torrente de sangue e saliva, as duas metades de uma dentadura caíram-lhe da boca.

Os prisioneiros estavam sentados muito quietos, com as mãos

cruzadas sobre os joelhos. O homem sem queixo retomou seu lugar. Em um dos lados de seu rosto, na parte de baixo, a carne começava a escurecer. A boca inchada era uma massa informe cor de cereja com um buraco negro no meio. De vez em quando pingava um pouco de sangue no peito do macacão. Os olhos cinzentos ainda iam de rosto para rosto, mais culpados do que nunca, como se o homem estivesse tentando descobrir a que ponto os demais o desprezavam por causa de sua humilhação.

A porta se abriu. Com um gesto imperceptível o oficial indicou o cara de caveira.

"Quarto 101", disse.

Houve um arquejo e uma agitação ao lado de Winston. O homem se jogara de joelhos no chão, de mãos postas.

"Camarada! Oficial!", implorou. "Não precisa me levar para aquele lugar! Eu já lhe disse tudo, não disse? O que mais o senhor quer saber? Confesso tudo o que o senhor quiser, tudo! É só me dizer o que é, que confesso na hora. Escreva, que eu assino. Qualquer coisa! Mas o quarto 101 não!"

"Quarto 101", disse o oficial.

O rosto do homem, já muito pálido, ficou de uma cor que Winston não teria acreditado que fosse possível. Era definitivamente, inquestionavelmente, um tom de verde.

"Faça o que quiser comigo!", gritou. "O senhor está me matando de fome há várias semanas. Acabe com o assunto de uma vez e me deixe morrer. Me dê um tiro. Me enforque. Condene-me a vinte e cinco anos de prisão. Tem mais alguém que o senhor quer que eu denuncie? É só dizer quem é, que eu falo tudo o que o senhor quer saber. Não me interessa quem é a pessoa nem o que o senhor vai fazer com ela. Tenho mulher e três filhos. O mais velho ainda não completou seis anos. Pode pegar eles todos e cortar a garganta deles na minha frente que eu aguento e fico olhando. Mas não me leve para o quarto 101!"

"Quarto 101", disse o oficial.

O homem olhou freneticamente em torno para os outros prisioneiros, como se achasse que podia pôr outra vítima em seu lugar. Seus olhos se fixaram no rosto amassado do homem sem queixo. Estendeu um braço descarnado.

"É aquele ali que o senhor devia levar, não eu!", gritou. "O senhor não ouviu o que ele ficou dizendo depois que afundaram a cara dele. Me dê uma oportunidade que eu lhe conto tudo. *Ele* é que é contra o Partido, não eu." Os guardas avançaram. A voz do homem virou um guincho. "O senhor não ouviu o que ele disse!", repetia. "A teletela teve algum problema. É *ele* que vocês querem. Levem aquele homem, não eu!"

Os dois guardas robustos se inclinaram para puxá-lo pelos braços, só que naquele exato instante ele se jogou no chão e agarrou-se a uma das pernas de ferro que sustentavam o banco. Começara a uivar sem dizer nada, parecia um animal. Os guardas o seguraram para obrigá-lo a soltar a perna do banco, mas ele se prendeu com uma força surpreendente. Os guardas passaram uns vinte segundos puxando-o. Os prisioneiros continuavam sentados em silêncio, mãos cruzadas sobre os joelhos, olhando para a frente. Os uivos se interromperam, o homem não tinha forças para mais nada senão para se agarrar. Nisso ouviu-se um outro tipo de grito. Um dos guardas lhe acertara um pontapé com a botina e lhe quebrara os dedos da mão. Puseram-no de pé.

"Quarto 101", disse o oficial.

O homem foi levado para fora, trôpego, cabeça afundada nos ombros, protegendo a mão esmagada, esgotado, sem forças para resistir.

Muito tempo se passou. Se o cara de caveira tivesse sido levado à meia-noite, então agora era de manhã. Se tivesse sido levado de manhã, agora era de tarde. Winston estava sozinho — fazia horas que estava sozinho. A dor de ficar sentado no banco estreito era tal que ele se levantava com frequência e andava, sem que a teletela o repreendesse. O pedaço de pão continuava onde o homem sem queixo o deixara cair. No começo era preciso um grande esforço para não olhar, mas logo a fome deu lugar à sede. Sua boca estava pegajosa e com um gosto ruim. O zumbido constante e a luz branca inalterável produziam uma espécie de tontura, um sentimento de vazio em sua cabeça. Ele se levantava quando a dor nos ossos ficava insuportável, depois voltava a sentar-se quase no mesmo instante, porque estava muito atordoado para ter certeza de que ia conseguir ficar de pé. Sempre que suas sensações físicas ficavam mais controladas, o terror voltava. Às vezes pensava em O'Brien e na gilete, mas quase já não lhe restava nenhuma esperança. Era possível que a gilete chegasse escondida na comida, se algum dia lhe dessem comida. Mais vagamente, pensava em Julia. Em algum lugar ela estaria sofrendo, talvez muito mais do que ele. Talvez naquele exato instante estivesse gritando de dor. Pensou: "Se eu pudesse salvar Julia sofrendo o dobro do que estou sofrendo agora, será que a salvaria? Sim, com certeza". Mas aquela era uma mera decisão intelectual, tomada porque sabia que devia tomá-la. Não era, porém, o que sentia. Naquele lugar era impossível sentir alguma coisa, só dor e antecipação da dor. Além disso, seria possível que, no momento mesmo em que se sofre, por alguma razão se pudesse desejar que a dor aumentasse? Ainda não era possível responder a essa questão.

Mais uma vez, botas se aproximavam. A porta se abriu. Entrou O'Brien.

Winston ergueu-se, sobressaltado. O impacto do que via eliminara dele toda prudência. Pela primeira vez em muitos anos, esqueceu a presença da teletela.

"Pegaram você também!", exclamou.

"Me pegaram há muito tempo", disse O'Brien com uma ironia suave, quase pesarosa. Deu um passo para o lado. De trás dele surgiu um guarda de peito largo segurando um longo porrete negro.

"Você sabia disso, Winston", disse O'Brien. "Não se iluda. Você sabia — sempre soube."

Era verdade, agora percebia, sempre soubera. Mas não havia tempo para pensar naquilo. Só tinha olhos para o porrete na mão do guarda. Podia atingi-lo em qualquer lugar, no alto da cabeça, na ponta da orelha, no antebraço, no cotovelo...

O cotovelo! Escorregou até ficar de joelhos, quase paralisado, segurando o cotovelo atingido com a outra mão. Tudo explodira numa luz amarela. Inconcebível, inconcebível mesmo, que um golpe pudesse causar tanta dor! A luz ficou mais clara e ele pôde ver os dois olhando para ele. O guarda ria de suas contorções. Pelo menos uma das perguntas estava respondida. Nunca, por nenhuma razão neste mundo, seria possível desejar um acréscimo de dor. Quanto à dor, só era possível desejar uma coisa: que ela cessasse. Nada no mundo era tão ruim quanto a dor física. Diante da dor não há heróis, não há heróis, pensava uma e outra vez, contorcendo-se no chão e segurando inutilmente o braço inutilizado.

———

2.

Winston estava deitado sobre alguma coisa que lembrava uma cama de campanha, com a diferença de que era mais alta e o prendia de forma a impedir todo e qualquer movimento. Sobre seu rosto incidia uma luz aparentemente mais forte que o normal. O'Brien estava a seu lado e o observava com atenção. Do outro lado, um homem de jaleco branco segurava uma seringa hipodérmica.

Mesmo depois de abrir por completo os olhos, só gradualmente começou a tomar conhecimento das características do lugar. Tinha a impressão de que chegara ali nadando, num movimento ascendente, cujo ponto de partida fora um mundo muito diverso, uma espécie de mundo subaquático, situado muito abaixo dali. Não fazia ideia de quanto tempo permanecera lá. Desde o momento em que fora preso, não voltara a ver o escuro da noite nem a luz do dia. Além disso, as lembranças que lhe restavam não eram contínuas. Houvera momentos em que a consciência — mesmo o tipo de consciência que se tem durante o sono — ficara completamente ausente, para só voltar depois de um período de obliteração. Mas se aqueles intervalos tinham sido feitos de dias, semanas ou apenas segundos, isso não havia como saber.

Com aquela primeira pancada no cotovelo tivera início o pesadelo. Mais tarde, Winston viria a se dar conta de que aquilo não passara de um interrogatório preliminar, rotineiro, a que quase todos os presos eram submetidos. Havia uma ampla variedade de crimes — espionagem, sabotagem e que tais — que todos eram obrigados a confessar. A confissão era uma formalidade, embora a tortura fosse real. Quantas vezes apanhara, e por quanto tempo, não recordava. Havia sempre cinco ou seis homens de uniforme preto batendo nele ao mesmo tempo. Às vezes eram punhos, às vezes cassetetes, às vezes varas de aço, às vezes botas. Havia ocasiões em que ele rolava indignamente pelo chão, como um animal, revirando o corpo para um lado e para o outro, num esforço incessante e desesperado de se esquivar dos chutes, mas só conseguindo incitar mais e mais chutes nas costelas, na barriga, nos cotovelos, nas canelas, na virilha, nos testículos, na base da coluna. Havia ocasiões em que a coisa se prolongava tanto, tanto, que o que lhe parecia realmente cruel, perverso e indesculpável não era os guardas continuarem batendo nele, mas que não conseguisse se obrigar a perder a consciência. Havia ocasiões em que a coragem o abandonava de tal forma que ele se punha a pedir clemência antes mesmo que a pancadaria começasse, ocasiões em que a simples visão de um punho se preparando para desferir o murro era o que bastava para fazê-lo confessar uma profusão de crimes reais e imaginários. Havia também ocasiões em que começava decidido a não confessar coisa nenhuma, quando cada palavra tinha de ser extraída dele, entre um e outro gemido de dor, e havia ocasiões em que buscava debilmente uma solução conciliatória, quando dizia a si mesmo: "Vou confessar, mas daqui a pouco. Preciso aguentar até a dor ficar insuportável. Mais três chutes, mais dois chutes, depois conto o que eles querem". Às vezes batiam tanto nele que Winston mal conseguia ficar em pé, depois o atiravam feito um saco de batatas no chão de pedras de uma cela e o deixavam ali por algumas horas, até que se recuperasse e ficasse pronto para novos maus-tratos. Também havia períodos mais longos de recuperação. Lembrava-se vagamente deles, pois passava-os dormindo ou em estado letárgico. Lembrava-se de uma cela com uma cama de tábuas, uma espécie de prateleira presa à parede, uma pia de latão e refeições compostas de sopa quente, pão e às vezes café. Lembrava-se de um barbeiro carrancudo que vinha fazer sua barba e cortar seu cabelo, e também de homens de jaleco branco, sempre muito sérios e antipáticos, que tomavam seu pulso, examinavam seus reflexos, levantavam suas pálpebras, tateavam-no com dedos brutos à procura de ossos quebrados e espetavam agulhas em seu braço para fazê-lo dormir.

As surras tornaram-se menos frequentes e passaram a ser principalmente uma ameaça, um horror ao qual a qualquer momento poderia voltar a ser submetido caso suas respostas fossem insatisfatórias. Seus interrogadores já não eram bandidos de uniforme preto, mas intelectuais do Partido, homenzinhos rechonchudos, com movimentos ágeis e óculos brilhantes, que se alternavam para questioná-lo em sessões que duravam — assim lhe parecia, não tinha como saber ao certo — de dez a doze horas ininterruptas. Esses outros interrogadores cuidavam de submetê-lo a um desconforto físico constante, contudo a dor não era seu principal recurso. Esbofeteavam-no, puxavam-lhe as orelhas e os cabelos, obrigavam-no a ficar em pé numa perna só, impediam-no de urinar, iluminavam seu rosto com luzes fortes até seus olhos começarem a lacrimejar; porém o propósito daquilo tudo era apenas humilhá-lo e minar sua capacidade de argumentação e raciocínio. A verdadeira arma deles era o interrogatório inclemente, questionamentos que se estendiam por horas a fio, sem interrupção, durante os quais o induziam a uma série de erros, pregavam-lhe peças, distorciam tudo o que ele dizia, incriminando-o a cada passo com mentiras e contradições até que ele começava a chorar não só de vergonha como também de exaustão nervosa. Às vezes Winston caía no choro meia dúzia de vezes numa única sessão. Na maior parte do tempo, enchiam-no de impropérios e, a cada momento de hesitação, ameaçavam entregá-lo de novo aos guardas; às vezes, porém, mudavam de repente de tom e passavam a chamá-lo de camarada, dirigiam-lhe apelos em nome do Socing e do Grande Irmão e perguntavam com pesar se depois de tudo o que havia passado não lhe restaria uma dose mínima de lealdade ao Partido que o fizesse desejar desfazer o mal que havia causado. Com os nervos em frangalhos depois de horas e mais horas de interrogatório, até esse apelo era capaz de reduzi-lo a lágrimas lamurientas. Aquelas vozes enervantes acabaram por subjugá-lo mais completamente que as botas e os punhos dos guardas. Winston tornou-se apenas uma boca que revelava, uma mão que assinava tudo o que exigissem que assinasse. Sua única preocupação era descobrir o que queriam que confessasse e em seguida confessar depressa, antes que a intimidação recomeçasse. Confessou ter assassinado membros eminentes do Partido, distribuído panfletos sediciosos, desviado recursos públicos, vendido segredos militares, cometido todo tipo de sabotagem. Confessou ser, desde 1968, um espião a soldo do governo lestasiano. Confessou ser crente religioso, admirador do capitalismo e pervertido sexual. Confessou ter matado sua mulher, embora soubesse, como deviam saber seus inquiridores, que ela estava viva. Confessou ter mantido contato pessoal com Goldstein durante anos a fio, além de ter sido membro de uma organização secreta da qual participavam quase todos os seres humanos que Winston conhecera na vida. Era mais fácil confessar tudo e comprometer todo mundo. Além do mais, em certo sentido, era tudo verdade. Era verdade que fora um inimigo do Partido e, aos olhos do Partido, não havia a menor diferença entre pensamento e ação.

Winston também guardava lembranças de outro tipo. Elas sobressaíam de maneira desconexa em sua mente, como fotos circundadas por áreas de escuridão.

Achava-se numa cela que não sabia dizer se estava às escuras ou se era iluminada, pois não conseguia ver nada além de um par de olhos. Perto dele, algum tipo de instrumento tiquetaqueava vagarosa e regularmente. Os olhos tornavam-se maiores e mais brilhantes. De repente, ele se levantava da cadeira e começava a flutuar, efetuando um mergulho em direção aos olhos e sendo engolido por eles.

Estava atado a uma cadeira cercada por mostradores, sob luzes ofuscantes. Um homem de jaleco branco lia os mostradores. Do lado de fora ouvia-se um tropel de botas. A porta se abria com um clangor. O oficial de rosto ceráceo entrava, acompanhado por dois guardas.

"Quarto 101", dizia o oficial.

O homem de jaleco branco não se virava. Tampouco olhava para Winston; só olhava para os mostradores.

Deslizava por um corredor vastíssimo, com um quilômetro de largura, banhado por uma luz gloriosa, dourada, rindo a bandeiras despregadas e fazendo confissões em altos brados. Confessava tudo, até as coisas que conseguira calar sob tortura. Estava contando toda a história de sua vida para uma audiência que já a conhecia. Com ele estavam os guardas, os outros interrogadores, os homens de jaleco branco, O'Brien, Julia, o sr. Charrington, todos deslizando juntos pelo corredor, às gargalhadas. Algo de terrível que o futuro ocultava havia sido de alguma forma driblado, e não se concretizara. Estava tudo certo, não havia mais dor, o último detalhe de sua vida fora revelado, compreendido, perdoado.

Estava se levantando da cama de tábuas, quase certo de ter ouvido a voz de O'Brien. Ao longo de todo o processo de interrogatório, embora em nenhum momento o visse, Winston tinha a sensação de que O'Brien estava junto de seu cotovelo, fora de seu campo de visão. Era O'Brien que comandava tudo. Era ele que lançava os guardas contra Winston e também quem impedia que o matassem. Era ele que decidia quando Winston devia gritar de dor, quando devia ter um descanso, quando devia ser alimentado, quando devia dormir, quando as drogas deviam ser injetadas em seu braço. Era ele que fazia as perguntas e sugeria as respostas. O'Brien era o algoz, o protetor, o inquisidor, o amigo. E certa feita — Winston não conseguia recordar se fora num período de sono induzido por drogas ou num período de sono natural, ou mesmo num momento de vigília —, uma voz murmurara em seu ouvido: "Não se preocupe, Winston; você está sob meus cuidados. Durante sete anos, zelei por você. Agora chegou o momento decisivo. Vou salvar você, vou torná-lo perfeito". Não sabia ao certo se era a voz de O'Brien; mas era a mesma voz que lhe dissera: "Ainda nos encontraremos no lugar onde não há escuridão", naquele outro sonho de sete anos antes.

Não se lembrava de ter havido um encerramento em seu interrogatório. Num certo período tudo ficara às escuras, depois a cela, ou o quarto, em que agora se encontrava fora gradualmente se materializando à sua volta. Estava quase na horizontal e não podia se mexer. Tinha o corpo atado em todos os pontos essenciais. Até sua nuca estava presa. O'Brien olhava para ele com expressão grave e entristecida. Seu rosto, visto de baixo, parecia rude e abatido, com olheiras e rugas que iam do nariz ao queixo. Era mais velho do que Winston imaginara; devia ter uns quarenta e oito ou cinquenta anos. Debaixo de sua mão havia um mostrador com uma alavanca e números ocupando sua circunferência.

"Eu falei", disse O'Brien, "que se voltássemos a nos encontrar seria aqui."

"É verdade", concordou Winston.

Sem aviso prévio, exceto por um pequeno movimento da mão de O'Brien, uma onda de dor invadiu seu corpo. Era uma dor apavorante, pois Winston não conseguia ver o que estava acontecendo e tinha a sensação de estar sendo alvo de algum tipo de lesão fatal. Não sabia se a coisa de fato acontecia ou se o efeito era produzido eletricamente; fosse como fosse, sentia o corpo sob o efeito de uma força deformadora, as juntas sendo lentamente descoladas. Embora a dor tivesse enchido sua testa de suor, o pior de tudo era o medo de que sua coluna estivesse prestes a se partir. Trincou os dentes e respirou com força pelo nariz, tentando manter-se em silêncio pelo maior tempo possível.

"Você está com medo", disse O'Brien, observando seu rosto, "de que em breve algo se parta. Receia, particularmente, que seja sua coluna. Tem uma imagem mental muito nítida das vértebras se rompendo e do fluido espinhal escorrendo delas. É nisso que está pensando, não é, Winston?"

Winston não respondeu. O'Brien levou a alavanca do aparelho à posição original. A onda de dor desapareceu quase tão depressa quanto surgira.

"Quarenta, agora", disse O'Brien. "Como pode ver, os números deste mostrador vão até cem. Peço-lhe que tenha em mente ao longo de toda a nossa conversa que eu posso, a qualquer momento, e em qualquer nível que me apeteça, infligir-lhe dor. Se me disser mentiras ou tentar algum tipo de tergiversação, ou descer abaixo de seu grau costumeiro de inteligência, no mesmo instante começará a chorar de dor. Entendeu bem?"

"Entendi", disse Winston.

Os modos de O'Brien tornaram-se menos severos. Ajeitou os óculos pensativo e deu um ou dois passos para lá e para cá. Quando voltou a falar, seu tom de voz era gentil e paciente. Tinha o ar de um médico, de um professor, e mesmo de um sacerdote, preocupado em explicar e persuadir, mais do que em punir.

"Estou perdendo algum tempo com você, Winston", disse, "porque é um caso que vale a pena. Você sabe muito bem qual é o seu problema. Faz anos que está a par dele, embora venha tentando negá-lo. Você é mentalmente desequilibrado. Tem problemas de memória. Não consegue se lembrar de acontecimentos reais e convence a si mesmo de que se recorda de coisas que nunca aconteceram. Felizmente, isso tem cura. Se até agora você não se curou foi porque não quis. Havia um pequeno esforço de vontade que não estava disposto a fazer. Mesmo agora, como eu sei, você se agarra à sua doença porque a considera uma virtude. Vejamos um exemplo. Com que potência a Oceânia está em guerra atualmente?"

"Quando me prenderam, a Oceânia estava em guerra com a Lestásia."

"Com a Lestásia. Ótimo. E a Oceânia sempre esteve em guerra com a Lestásia, não é mesmo?"

Winston respirou fundo. Abriu a boca para falar, mas permaneceu mudo. Não conseguia tirar os olhos do mostrador que O'Brien tinha nas mãos.

"A verdade, Winston, por favor. A *sua* verdade. Conte-me o que acha que se lembra."

"Lembro-me de que até uma semana antes de eu ser preso não era com a Lestásia que estávamos em guerra. Éramos aliados deles. A guerra era com a Eurásia. E foi assim nos últimos quatro anos. Antes disso..."

O'Brien o interrompeu com um movimento da mão.

"Vejamos outro exemplo", disse. "Há alguns anos você teve uma alucinação gravíssima. Achou que três homens, três ex-membros do Partido que atendiam pelos nomes de Jones, Aaronson e Rutherford — homens executados por traição e sabotagem depois de terem feito as confissões mais cabais — não eram culpados dos crimes pelos quais tinham sido denunciados. Imaginou ter visto uma evidência documental inequívoca de que aquelas confissões eram falsas. Havia uma certa foto sobre a qual você teve uma alucinação.

Acreditava tê-la realmente segurado nas mãos. Uma foto mais ou menos como esta."

Um recorte de jornal retangular surgiu entre os dedos de O'Brien e foi mantido por cerca de cinco segundos no campo de visão de Winston. Era uma foto, e não havia dúvida sobre sua identidade. Era *a* foto. Uma cópia da foto em que Jones, Aaronson e Rutherford apareciam na cerimônia do Partido em Nova York, a foto que onze anos antes lhe caíra acidentalmente nas mãos e que ele de pronto destruíra. O'Brien a pôs diante de seus olhos por um instante; depois tornou a ocultá-la. Mas Winston a vira, isso era inquestionável! Fez um esforço desesperado, agonizante, para desprender a parte superior do corpo. Era impossível movimentar-se um centímetro que fosse, em qualquer direção. Na hora, esqueceu-se até do mostrador com a alavanca. Tudo o que queria era ter novamente aquela foto entre os dedos, ou ao menos olhar de novo para ela.

"Ela existe!", gritou.

"Não", disse O'Brien.

Foi até o outro lado da sala. Havia um buraco da memória na parede oposta. O'Brien levantou a grade. Sem que ninguém a visse, a frágil tira de papel agora rodopiava na corrente de ar quente; desaparecia numa língua de fogo. O'Brien se afastou da parede.

"Cinzas", disse. "Nem mesmo cinzas identificáveis. Pó. Ela não existe. Nunca existiu."

"Mas existiu! Ainda existe! Existe na memória. Eu me lembro. Você se lembra."

"Eu não me lembro", disse O'Brien.

O coração de Winston se apertou. Aquilo era duplipensamento. Sentiu-se dominado por uma impotência esmagadora. Se pudesse ter certeza de que O'Brien estava mentindo, isso, ao que parecia, não teria feito diferença. Mas era perfeitamente possível que O'Brien tivesse de fato esquecido a fotografia. E, se fosse assim, já teria se esquecido de que afirmara não se lembrar dela, teria se esquecido do próprio esquecimento. Como ter certeza de que aquilo não passava de um embuste? Talvez o desequilíbrio mental pudesse mesmo acontecer: foi esse o pensamento que selou sua derrota.

O'Brien o observava com expressão especulativa. Tinha, mais do que nunca, o ar de um professor lidando pacientemente com uma criança teimosa porém promissora.

"Há um slogan do Partido abordando o controle do passado", disse. "Repita-o, por favor."

"'Quem controla o passado controla o futuro; quem controla o presente controla o passado'", repetiu Winston, obediente.

"'Quem controla o passado controla o futuro; quem controla o presente controla o passado'", disse O'Brien, balançando lentamente a cabeça para demonstrar sua aprovação. "Você acha, Winston, que o passado tem uma existência real?"

O sentimento de impotência tornou a se apossar de Winston. Seus olhos se apressaram em mirar o mostrador. Não apenas desconhecia se a resposta que o resguardaria da dor era "sim" ou "não", como estava inseguro quanto à resposta que ele próprio acreditava ser a verdadeira.

O'Brien esboçou um sorriso. "A metafísica não é o seu forte, Winston", disse. "Até este momento, você nunca havia se perguntado o que é que as pessoas entendem por existência. Vou formular a pergunta com mais precisão. Por acaso o passado existe concretamente no espaço? Há em alguma parte um lugar, um mundo de objetos sólidos, onde o passado ainda esteja acontecendo?"

"Não."

"Então onde o passado existe, se de fato existe?"

"Nos documentos. Está registrado."

"Nos documentos. E...?"

"Na mente. Na memória humana."

"Na memória. Muito bem. Nós, o Partido, controlamos todos os documentos e todas as lembranças. Portanto, controlamos o passado, não é mesmo?"

"Mas como vocês podem impedir que as pessoas se lembrem das coisas?", gritou Winston, tornando a se esquecer momentaneamente do mostrador. "É involuntário. É uma coisa que foge ao controle da pessoa. Como podem controlar a memória? A minha vocês não controlaram!"

O'Brien voltou a assumir uma atitude severa. Levou a mão ao mostrador.

"Pelo contrário", disse, "foi *você* que não a controlou. Por isso foi trazido para cá. Está aqui porque não teve humildade suficiente, não teve autodisciplina. Não se dispôs ao ato de submissão que é o preço a ser pago pelo equilíbrio mental. Preferiu ser um lunático, uma minoria de um. Só a mente disciplinada enxerga a realidade, Winston. Você acha que a realidade é uma coisa objetiva, externa, algo que existe por conta própria. Também acredita que a natureza da realidade é autoevidente. Quando se deixa levar pela ilusão de que vê alguma coisa, supõe que todos os outros veem o mesmo que você. Mas eu lhe garanto, Winston, a realidade não é externa. A realidade existe na mente humana e em nenhum outro lugar. Não na mente individual, que está sujeita a erros e que, de toda maneira, logo perece. A realidade existe apenas na mente do Partido, que é coletiva e imortal. Tudo o que o Partido reconhece como verdade *é* a verdade. É impossível ver a realidade se não for pelos olhos do Partido. É esse o fato que você precisa reaprender, Winston. E isso exige um ato de autodestruição, um esforço de vontade. Você precisa se humilhar antes de conquistar o equilíbrio mental."

O'Brien fez uma breve pausa, como para permitir que suas palavras fossem devidamente compreendidas.

"Lembra-se", continuou ele, "de ter escrito em seu diário: 'Liberdade é a liberdade de dizer que dois mais dois são quatro'?"

"Lembro", disse Winston.

O'Brien levantou a mão esquerda e mostrou seu dorso para Winston, com o polegar escondido e os outros quatro dedos estendidos.

"Quantos dedos tem aqui, Winston?"

"Quatro."

"E se o Partido disser que não são quatro, mas cinco — quantos dedos serão?"

"Quatro."

A palavra foi concluída com um gemido de dor. O ponteiro do mostrador saltara para cinquenta e cinco. O suor recobrira todo o corpo de Winston. O ar que entrou em seus pulmões saiu sob a forma de grunhidos fundos, que nem trincando os dentes Winston conseguia sufocar. O'Brien observava-o com os quatro dedos ainda estendidos. Puxou a alavanca de volta. Dessa vez, a dor foi apenas levemente mitigada.

"Quantos dedos, Winston?"

"Quatro."

O ponteiro saltou para sessenta.

"Quantos dedos, Winston?"

"Quatro! Quatro! Que mais posso dizer? Quatro!"

O ponteiro provavelmente tornara a subir, porém Winston não olhou para o mostrador. O semblante carregado, severo, e os quatro dedos ocupavam todo o seu campo de visão. Tinha os dedos diante dos olhos, como colunas, enormes, desfocados e dando a impressão de vibrar, mas inequivocamente quatro.

"Quantos dedos, Winston?"

"Quatro! Pare, pare! Como pode continuar com isso? Quatro! Quatro!"

"Quantos dedos, Winston?"

"Cinco! Cinco! Cinco!"

"Não, Winston, assim não. Você está mentindo. Continua achando que são quatro. Quantos dedos?"

"Quatro! Cinco! Quatro! O que você quiser. Apenas pare com isso, pare a dor!"

De repente, viu-se sentando na cama, com o braço de O'Brien em volta de seus ombros. Provavelmente perdera a consciência por alguns segundos. As tiras que prendiam seu corpo à cama foram afrouxadas. Sentia muito frio, tremia de maneira incontrolável, seus dentes batiam, lágrimas deslizavam por suas faces. Por um momento, permaneceu agarrado a O'Brien como um bebê, curiosamente reconfortado pelo braço pesado em torno do ombro. Tinha a sensação de que O'Brien era seu protetor, que a dor era algo que vinha de fora, que sua origem era outra, e que era O'Brien quem o salvaria dela.

"Você aprende devagar, Winston", disse O'Brien gentilmente.

"O que posso fazer?", respondeu Winston entre lágrimas. "Como posso deixar de ver o que tenho diante dos olhos? Dois e dois são quatro."

"Às vezes, Winston. Às vezes são cinco. Às vezes são três. Às vezes são todas essas coisas ao mesmo tempo. Precisa se esforçar mais. Não é fácil adquirir equilíbrio mental."

Ele deitou Winston na cama. Seus membros voltaram a ser atados, porém a dor abrandara e o tremor desaparecera, deixando-o apenas fraco e com frio. O'Brien acenou com a cabeça para o homem de jaleco branco que se mantivera imóvel durante todo o procedimento. O sujeito debruçou-se e examinou os olhos de Winston, verificou seu pulso, encostou uma orelha no peito dele, deu uma batidinha aqui e ali; depois fez com a cabeça um sinal afirmativo para O'Brien.

"De novo", disse O'Brien.

A dor percorreu o corpo de Winston. O ponteiro provavelmente atingira os setenta, setenta e cinco. Dessa vez ele fechara os olhos. Sabia que os dedos continuavam ali e que continuavam sendo quatro. A única coisa que importava era encontrar uma maneira de permanecer vivo até o espasmo chegar ao fim. Já não sabia se estava gritando ou não. A dor tornou a diminuir. Abriu os olhos. O'Brien levara a alavanca de volta para a posição original.

"Quantos dedos, Winston?"

"Quatro. Imagino que sejam quatro. Eu veria cinco, se pudesse. Estou tentando ver cinco."

"O que você quer: me convencer de que vê cinco ou realmente vê-los?"

"Vê-los."

"De novo", disse O'Brien.

O ponteiro talvez estivesse em oitenta — noventa. Só a intervalos Winston conseguia se lembrar do motivo por que a dor lhe estava sendo infligida. Atrás das pálpebras obstinadamente fechadas, uma floresta de dedos parecia se mover numa espécie de dança, embaralhando-se e desembaralhando-se, desaparecendo uns atrás dos outros e reaparecendo outra vez. Winston tentava contá-los, não se lembrava por quê. Sabia apenas que era impossível contá-los e que de alguma forma isso se devia à misteriosa identidade entre cinco e quatro. A dor voltou a diminuir. Ao abrir os olhos, verificou que continuava vendo a mesma coisa. Um sem-fim de dedos, movendo-se como árvores, continuava a correr em ambas as direções, cruzando-se e descruzando-se. Tornou a fechar os olhos.

"Quantos dedos estou mostrando para você, Winston?"

"Não sei, não sei. Você vai me matar, se fizer isso de novo. Quatro, cinco, seis — com toda a sinceridade, não sei."
"Assim é melhor", disse O'Brien.
Uma agulha entrou no braço de Winston. Quase no mesmo instante, uma calidez feliz, curativa se espalhou por todo o seu corpo. A dor já estava semiesquecida. Abriu os olhos e fitou O'Brien agradecido. À vista do rosto rude e enrugado, tão feio e tão inteligente, seu coração parecia renovar-se. Caso pudesse mover-se, teria pousado a mão sobre o braço de O'Brien. Nunca o amara tão profundamente quanto naquele momento, e não apenas porque ele estancara a dor. Reavivara-se em seu íntimo o velho sentimento de que no fundo não importava se O'Brien era amigo ou inimigo. O'Brien era alguém com quem se podia conversar. Talvez fosse mais importante ser compreendido que amado. A tortura a que O'Brien o submetera deixara-o à beira da demência, e em breve O'Brien certamente o mandaria para a morte. Não tinha a menor importância. Num sentido que ia ainda mais fundo que a amizade, eram muito íntimos; em algum lugar, embora as palavras talvez jamais viessem a ser ditas de fato, havia um local em que podiam se encontrar e conversar. A expressão com que O'Brien olhava para ele sugeria que possivelmente um pensamento idêntico estivesse lhe passando pela cabeça. Ao falar, sua voz tinha um tom afável, amistoso.

"Sabe onde você está, Winston?"
"Não. Imagino que no Ministério do Amor."
"Sabe há quanto tempo está aqui?"
"Não faço ideia. Dias, semanas, meses... Acho que alguns meses."
"E por que acha que trazemos as pessoas para este lugar?"
"Para fazê-las confessar."
"Não, não é por isso. Tente de novo."
"Para castigá-las."
"Não!", exclamou O'Brien. Sua voz se modificara extraordinariamente e seu rosto assumira um aspecto a um só tempo ríspido e entusiasmado. "Não! Não é apenas para obter sua confissão nem para castigar você. Será que preciso explicar por que o trouxemos para cá? Foi para curá-lo! Para fazer de você uma pessoa equilibrada! Será que é tão difícil assim você entender, Winston,

que ninguém sai deste lugar sem estar curado? Não estamos preocupados com aqueles crimes idiotas que você cometeu. O Partido não se interessa pelo ato em si: é só o pensamento que nos preocupa. Não nos limitamos a destruir nossos inimigos; nós os transformamos. Entende o que estou querendo dizer?"

O'Brien estava debruçado sobre Winston. Seu rosto parecia enorme devido à proximidade e terrivelmente feio por estar sendo visto de baixo. Além do mais, animava-o uma espécie de exaltação, uma intensidade demente. O coração de Winston tornou a se encolher. Se pudesse, teria afundado na cama. Tinha certeza de que O'Brien, por mero capricho, estava prestes a acionar o mostrador. Naquele instante, porém, O'Brien se afastou da cama. Deu um ou dois passos para lá e para cá. Depois continuou, com menos veemência:

"A primeira coisa que você precisa entender é que neste lugar não há martírios. Já leu sobre as perseguições religiosas do passado. Na Idade Média havia a Inquisição. Foi um fracasso. Seu intuito era erradicar a heresia e acabou por perpetuá-la. Para cada herege queimado na fogueira, milhares de outros surgiam. Por que isso? Porque a Inquisição matava seus inimigos às claras, e os matava sem que houvessem se arrependido; na verdade, matava-os porque não se arrependiam. As pessoas morriam porque não renunciavam a suas verdadeiras crenças. Naturalmente, toda a glória ficava com a vítima e toda a vergonha com o inquisidor que a mandara para a fogueira. Mais tarde, no século XX, vieram os totalitários, como eram chamados. Os nazistas alemães e os comunistas russos. A perseguição que os russos faziam às heresias era ainda mais cruel que a da Inquisição. Eles imaginavam que tinham aprendido com os erros do passado; pelo menos sabiam que não podiam produzir mártires. Antes de expor as vítimas a julgamentos públicos, tratavam de destruir deliberadamente sua dignidade. Arrasavam-nas por meio de tortura e solidão, até transformá-las em criaturas lamentáveis, amedrontadas e desprezíveis, dispostas a confessar tudo o que lhes pusessem na boca, cobrindo-se a si próprias de injúrias, fazendo acusações e protegendo-se umas atrás das outras, suplicando clemência. E, não obstante isso, passados alguns anos acontecia a mesma coisa. Os mortos tornavam-se mártires e sua degradação era esquecida. Me diga, uma vez mais, por que isso acontecia? Em primeiro lugar, porque suas confissões tinham sido evidentemente extorquidas e eram falsas. Não cometemos esse tipo de erro. Todas as confissões proferidas aqui são verdadeiras. Fazemos com que sejam verdadeiras. E, sobretudo, não permitimos que os mortos se levantem contra nós. Você precisa parar de ficar achando que a posteridade o absolverá, Winston. A posteridade nunca ouvirá falar de você. Você será excluído do rio da história. Transformaremos você em gás e o mandaremos para a estratosfera. Não vai sobrar nada de você: nem seu nome no livro de registros, nem sua memória num cérebro vivo. Será aniquilado no passado e no futuro. Nunca terá existido."

Então por que perdem tempo me torturando?, pensou Winston com amargura passageira. O'Brien estacou, como se Winston tivesse pensado em voz alta. Com os olhos ligeiramente estreitados, seu rosto grande e feio se aproximou.

"Está pensando que", disse, "se pretendemos destruí-lo tão absolutamente, de modo que nada do que você diga ou faça tenha a menor importância... Nesse caso, por que nos damos ao trabalho de interrogá-lo antes? Era isso que estava pensando, não era?"

"Era", disse Winston.

O'Brien esboçou um sorriso. "Você é uma peça defeituosa, Winston. Uma nódoa a ser limpa. Não acabei de dizer que somos diferentes dos perseguidores do passado? Não nos contentamos com a obediência negativa nem com a submissão mais abjeta. Quando finalmente se render a nós, terá de ser por livre e espontânea vontade. Não destruímos o herege porque ele resiste a nós; enquanto ele se mostrar resistente, jamais o destruiremos. Nós o convertemos, capturamos o âmago de sua mente, remodelamos o herege. Extirpamos dele todo o mal e toda a ilusão; trazemos o indivíduo para o nosso lado, não de forma superficial, mas genuinamente, de corpo e alma. Antes de eliminá-lo, fazemos com que se torne um de nós. É intolerável para nós a existência, em qualquer parte do mundo, de um pensamento incorreto, por mais secreto e impotente que seja. Nem no momento da morte podemos permitir o mínimo desvio. Antigamente, o herege ia para a fogueira ainda herege, proclamando sua heresia, regozijando-se dela.

Até a vítima dos expurgos russos tinha permissão para levar a revolta armazenada no crânio enquanto avançava pelo corredor, à espera da bala. Nós tornamos o cérebro perfeito antes de destroçá-lo. A ordem dos antigos despotismos era: 'Não farás'. A ordem dos totalitários era: 'Farás'. Nossa ordem é: '*És*'. Ninguém que seja trazido para este lugar se rebela contra nós. Todos passam por uma lavagem completa. Até aqueles três traidores miseráveis, em cuja inocência você acreditava — Jones, Aaronson e Rutherford —, por fim se dobraram. Participei do interrogatório deles. Vi como foram pouco a pouco se consumindo, como se lamentavam, como rastejavam, como choravam — e no final não foi com dor nem com medo, apenas com penitência. Quando acabamos com eles, estavam reduzidos a uma casca. Não havia mais nada dentro deles, exceto o arrependimento pelo que tinham feito e o amor pelo Grande Irmão. Era tocante ver como o amavam. Imploravam para que os liquidássemos depressa, a fim de que pudessem morrer com a mente ainda limpa."

A voz de O'Brien assumira um tom quase sonhador. Em seu rosto ainda era possível notar o arrebatamento, o entusiasmo delirante. Ele não está fingindo, pensou Winston; não é um hipócrita; acredita em cada palavra do que diz. O que mais o oprimia era a consciência de sua inferioridade intelectual. Observava o vulto pesado e todavia gracioso andando de um lado a outro, entrando e saindo de seu campo de visão. O'Brien era, em todos os sentidos, um ser maior que ele. Não havia ideia que tivesse ocorrido a Winston, ou que pudesse vir a ocorrer um dia, que O'Brien não conhecesse havia muito e que já não tivesse examinado e descartado. Sua mente *continha* a de Winston. Nesse caso, como podia ser verdade que O'Brien fosse um demente? A demência só podia ser dele, Winston. O'Brien parou e olhou para ele. Sua voz voltou a assumir um tom severo.

"Não pense que se salvará, Winston, por mais absoluta que seja a sua rendição. Ninguém que tenha se desencaminhado foi poupado. E mesmo que resolvêssemos deixá-lo viver até o fim de seus dias, mesmo assim você jamais escaparia de nós. O que lhe acontecer aqui é para sempre. Tenha isso em mente desde já. Nós o esmagaremos, deixaremos você num estado do qual não há retorno.

Vão lhe suceder coisas das quais você não poderia se recuperar nem se vivesse mil anos. Nunca mais lhe será possível ter sentimentos humanos comuns. Tudo estará morto dentro de você. Nunca mais lhe será possível experimentar o amor, a amizade, a alegria de viver, o riso, a curiosidade, a coragem ou a integridade. Ficará oco. Vamos espremê-lo até deixá-lo vazio, e depois o preencheremos com nós mesmos."

O'Brien fez uma pausa e gesticulou para o homem de jaleco branco. Winston sentiu que um dispositivo pesado estava sendo acoplado atrás de sua cabeça. O'Brien sentou-se ao lado da cama, de modo que seu rosto ficou quase no mesmo nível do de Winston.

"Três mil", disse, falando por cima da cabeça de Winston com o sujeito de jaleco branco. Duas almofadas macias, que pareciam ligeiramente úmidas, foram fixadas às têmporas de Winston. Ele estremeceu. Havia dor a caminho, um novo tipo de dor. De maneira tranquilizadora, quase afetuosa, O'Brien pôs uma mão sobre a sua.

"Dessa vez não vai doer", disse. "Mantenha os olhos fixos nos meus."

Sobreveio uma explosão devastadora, ou o que pareceu ter sido uma explosão, embora não fosse possível saber se houvera algum ruído. Uma faísca ofuscante sem dúvida houvera. Winston não estava ferido; sentia-se apenas extenuado. Apesar de já estar deitado de costas quando a coisa aconteceu, ficou com a curiosa sensação de ter sido arremessado no ar. Um soco impressionante e indolor o deixara estatelado. Além disso, algo acontecera no interior de sua cabeça. Conforme seus olhos recuperavam o foco, começou a recordar quem era e onde estava, e em seguida reconheceu o rosto que o encarava; porém em algum lugar havia uma grande porção de vazio, como se tivessem arrancado um pedaço de seu cérebro.

"Vai passar", disse O'Brien. "Olhe nos meus olhos. Com que país a Oceânia está em guerra?"

Winston refletiu. Sabia o que significava Oceânia e que ele próprio era um cidadão da Oceânia. Também se lembrava da Eurásia e da Lestásia; porém não sabia quem estava em guerra com quem. A bem da verdade, nem sabia que havia uma guerra em andamento.

"Não me lembro."

"A Oceânia está em guerra com a Lestásia. Lembra agora?"
"Lembro."
"A Oceânia sempre esteve em guerra com a Lestásia. Essa guerra existe, sem interrupções, desde o seu nascimento, desde a fundação do Partido, desde o princípio da história, sempre a mesma guerra. Lembra disso?"
"Lembro."
"Há onze anos você inventou uma lenda sobre três homens que tinham sido condenados à morte por traição. Imaginava ter visto um pedaço de papel que provava a inocência deles. Esse pedaço de papel nunca existiu. Foi uma invenção sua, na qual você posteriormente passou a acreditar. Agora você recorda o momento exato em que inventou essa história. Lembra disso?"
"Lembro."
"Agora há pouco, mostrei-lhe os dedos da minha mão. Você viu cinco dedos. Lembra disso?"
"Lembro."
O'Brien mostrou os dedos de sua mão esquerda, com o polegar abaixado.
"Tem cinco dedos aqui. Está vendo cinco dedos?"
"Estou."
E de fato os viu, por um brevíssimo instante, antes que o cenário de sua mente se alterasse. Viu cinco dedos, e não havia deformação. Então tudo voltou ao normal e retornaram o velho medo, o ódio e a perplexidade. Mas houvera um momento — Winston não sabia determinar sua duração, talvez trinta segundos — de certeza luminosa, um momento durante o qual cada nova sugestão de O'Brien preenchia uma porção de vazio e se tornava verdade absoluta, e em que dois e dois teriam sido três com a mesma facilidade com que seriam cinco, dependendo do que fosse necessário. A certeza se desfizera antes de O'Brien abaixar a mão; mas embora Winston não fosse capaz de recapturá-la, lembrava-se dela como alguém se lembra de um episódio marcante, ocorrido num período remoto de sua vida, quando era de fato outra pessoa.
"Está vendo", disse O'Brien, "como é perfeitamente possível?"
"Estou."

Com expressão satisfeita, O'Brien se levantou. À sua esquerda, Winston viu o homem de jaleco branco quebrar uma ampola e puxar o êmbolo de uma seringa. O'Brien virou-se para Winston com um sorriso. Quase à maneira antiga, ajeitou os óculos no nariz.

"Lembra-se de ter escrito em seu diário", disse, "que não importava se eu era amigo ou inimigo, pois ao menos era alguém que compreendia você, uma pessoa com quem podia conversar? Você tinha razão. Gosto de conversar com você. Sua mente me atrai. Lembra um pouco a minha, com a diferença de que você é doido. Antes de encerrarmos a sessão, pode me fazer algumas perguntas, se quiser."

"Sobre qualquer coisa?"

"Qualquer coisa." O'Brien notou que Winston olhava para o mostrador. "Está desligado. Qual é a sua primeira pergunta?"

"O que fizeram com a Julia?", indagou Winston.

O'Brien sorriu outra vez. "Ela traiu você, Winston. Imediatamente — incondicionalmente. Raras vezes vi alguém passar para o nosso lado com tamanha presteza. Você mal a reconheceria se a visse. Sua rebeldia, sua astúcia, sua loucura, sua mente suja — tudo foi extraído dela. Foi uma conversão perfeita, um caso para figurar em nossos livros-textos."

"Vocês a torturaram."

O'Brien deixou isso sem resposta. "Próxima pergunta", disse.

"O Grande Irmão existe?"

"Claro que existe. O Partido existe. O Grande Irmão é a personificação do Partido."

"Mas existe da mesma maneira que eu existo?"

"Você não existe", disse O'Brien.

Mais uma vez foi assaltado pela sensação de impotência. Conhecia, ou intuía, os argumentos que demonstravam sua inexistência; eram, contudo, argumentos absurdos, meros jogos de palavras. Porventura a afirmação "Você não existe" não continha um absurdo lógico? Mas de que valia alegar isso? Sua mente esmorecia à medida que pensava nos argumentos irrespondíveis e insanos com que O'Brien o aniquilaria.

"Eu acho que existo", disse penosamente. "Tenho consciência de minha própria identidade. Nasci e vou morrer. Tenho braços e pernas. Ocupo um ponto particular no espaço. Nenhum outro objeto sólido pode ocupar simultaneamente esse mesmo ponto. É nesse sentido que o Grande Irmão existe?"

"É irrelevante. Ele existe."

"O Grande Irmão vai morrer um dia?"

"Claro que não. Como ele poderia morrer? Próxima pergunta."

"A Confraria existe?"

"Isso, Winston, você nunca saberá. Mesmo que resolvamos soltá-lo depois que terminarmos com você, mesmo que você viva até os noventa anos, nunca saberá se a resposta a essa pergunta é Sim ou Não. Enquanto viver, esse será para você um enigma não resolvido."

Winston permaneceu em silêncio. Seu peito se movimentava para cima e para baixo a uma velocidade um pouco maior. Ainda não fizera a pergunta que fora a primeira a assomar à sua mente. Precisava fazê-la, e no entanto era como se sua língua se recusasse a formulá-la. Via-se uma sombra de divertimento no rosto de O'Brien. Até seus óculos pareciam ter um brilho irônico. Ele sabe, pensou Winston de repente, ele sabe o que vou perguntar! Ao pensar isso, as palavras irromperam de sua boca:

"O que tem no quarto 101?"

A expressão do rosto de O'Brien não se modificou. Respondeu secamente:

"Você sabe o que tem no quarto 101, Winston. Todo mundo sabe o que tem no quarto 101."

Levantou um dedo para o homem de jaleco branco. Evidentemente a sessão chegara ao fim. Uma agulha perfurou o braço de Winston, que caiu quase de imediato num sono profundo.

—

3.

"Sua reintegração tem três estágios", disse O'Brien. "Primeiro aprendizado, depois compreensão, no fim aceitação. Chegou a hora de passar para o segundo estágio."

Como sempre, Winston estava deitado de costas. Ultimamente, porém, deixavam as amarras mais frouxas. Ainda o prendiam à cama, mas era possível mexer um pouco os joelhos, virar a cabeça e erguer o braço a partir do cotovelo. Também o mostrador ficara menos terrível. Ele conseguia evitar a dor excruciante sempre que usava de uma suficiente rapidez mental: era sobretudo quando mostrava estupidez que O'Brien puxava a alavanca. Às vezes passavam uma sessão inteira sem usar o mostrador. Ele não se lembrava de quantas sessões já haviam ocorrido. O processo parecia estender-se por um tempo longo e indefinido — semanas, possivelmente — e os intervalos entre as sessões às vezes podiam ser de dias, às vezes de apenas uma ou duas horas.

"Deitado aí", disse O'Brien, "você muitas vezes se perguntou — perguntou até para mim — por que o Ministério do Amor se preocupa tanto com você, por que gasta tanto tempo com você. E quando estava livre, você se intrigava com o que no fundo era essa mesma dúvida. Conseguia perceber os mecanismos da sociedade em que vivia, porém não suas motivações subjacentes. Lembra-se de escrever no diário: 'Entendo *como*, mas não entendo *por quê*'? Foi pensando no 'por quê' que você começou a duvidar da sua sanidade. Você leu *o livro*, o livro de Goldstein, ou pelo menos alguns trechos. Aprendeu alguma coisa que ainda não soubesse?"

"E você? Leu?", perguntou Winston.

"Eu escrevi. Quer dizer, participei da redação. Nenhum livro é escrito por uma pessoa só, como você sabe."

"É verdade o que ele diz?"

"Como descrição, sim. Mas o programa que propõe é pura bobagem. A acumulação secreta de conhecimentos — uma expansão gradual da compreensão —, em última análise uma rebelião proletária — a derrubada do Partido. Você mesmo previu que ele diria isso. Tudo bobagem. Os proletários não se revoltarão nunca, nem em mil anos; nem em um milhão de anos. Não podem. Nem é preciso explicar a razão: você já sabe qual é. Se acalentou algum sonho de insurreição violenta, vai ter de abandoná-lo. Não há maneira de derrubar o Partido. Seu domínio é para sempre. Esse tem de ser o ponto de partida dos seus pensamentos."

Aproximou-se mais da cama. "Para sempre!", repetiu. "E agora vamos voltar ao tema do 'como' e do 'por quê'. Você sabe bem *como* o Partido se mantém no poder. Agora me diga *por que* nos aferramos a ele. Qual é a nossa motivação? Por que queremos o poder? Vamos, diga", insistiu, diante do silêncio de Winston.

Mas Winston permaneceu mais alguns instantes em silêncio. Estava dominado por um sentimento de exaustão. Aquele tênue lampejo de entusiasmo insano voltara ao rosto de O'Brien. Ele já sabia o que O'Brien ia dizer. Que o Partido não desejava o poder em benefício próprio, mas para o bem da maioria. Que precisava ter poder porque as massas eram compostas de pessoas frágeis e covardes que não aguentam a liberdade, não conseguem encarar a verdade e precisam ser governadas e iludidas sistematicamente por outras pessoas mais fortes do que elas. Que a humanidade deve optar entre liberdade e felicidade e que, para a esmagadora maioria da população, felicidade era o melhor. Que o Partido era o eterno guardião dos fracos, uma congregação dedicada que fazia o mal para que prevalecesse o bem, que sacrificava a própria felicidade em benefício da felicidade dos demais. O terrível, pensou Winston, o terrível era que quando O'Brien dizia aquelas coisas ele acreditava. Dava para ver na cara dele. O'Brien sabia tudo. Mil vezes mais do que Winston, sabia como era o mundo realmente, conhecia a degradação em que vivia a massa da humanidade e as mentiras e barbaridades por meio das quais o Partido a mantinha assim. O'Brien compreendera e sopesara tudo, e nada mais fazia diferença: tudo se justificava em função do propósito maior. Que se pode fazer, pensou Winston, contra um maluco que é mais inteligente do que você e presta atenção nos seus argumentos, mas que no fim não faz mais que persistir em sua loucura?

"Vocês nos dominam para o nosso próprio bem", disse, com voz débil. "Acham que os seres humanos não são capazes de governar-se sozinhos, por isso..."

De repente, quase soltou um grito. Sentiu uma ferroada de dor em todo o corpo. O'Brien levara a alavanca do mostrador ao nível trinta e cinco.

"Que cretinice, Winston; que cretinice!", disse. "A esta altura você já não devia estar falando esse tipo de coisa."

Abaixou a alavanca e continuou:

"Agora vou responder a minha própria pergunta. É o seguinte: o Partido deseja o poder exclusivamente em benefício próprio. Não estamos interessados no bem dos outros; só nos interessa o poder em si. Nem riqueza, nem luxo, nem vida longa, nem felicidade: só o poder pelo poder, poder puro. O que significa poder puro? Você vai aprender daqui a pouco. Somos diferentes de todas as oligarquias do passado porque sabemos muito bem o que estamos fazendo. Todos os outros, inclusive os que se pareciam conosco, eram covardes e hipócritas. O nazistas alemães e os comunistas russos chegaram perto de nós em matéria de métodos, mas nunca tiveram a coragem de reconhecer as próprias motivações. Diziam, e talvez até acreditassem, que tinham tomado o poder contra a vontade e por um tempo limitado. E que na primeira esquina da história surgiria um paraíso em que todos os seres humanos seriam livres e iguais. Nós não somos assim. Sabemos que ninguém toma o poder com o objetivo de abandoná-lo. Poder não é um meio, mas um fim. Não se estabelece uma ditadura para proteger uma revolução. Faz-se a revolução para instalar a ditadura. O objetivo da perseguição é a perseguição. O objetivo da tortura é a tortura. O objetivo do poder é o poder. Agora você está começando a me entender?"

Winston ficou impressionado, como já ocorrera antes, com o cansaço da expressão do rosto de O'Brien. Era um rosto forte, encorpado e brutal; cheio de inteligência e de uma espécie de paixão controlada diante da qual sentia-se impotente. Mas, além disso, era um rosto cansado. Tinha olheiras e a pele das maçãs do rosto formava bolsas. O'Brien curvou-se por cima dele para exibir de perto, deliberadamente, o rosto cansado.

"Você está pensando", disse, "que o meu rosto está velho e cansado. Está pensando que eu falo em poder, mas que não sou capaz nem mesmo de evitar o declínio do meu próprio corpo. Será que você não entende, Winston, que o indivíduo é apenas uma célula? Que a perda de vigor da célula é o que dá vigor ao organismo? Por acaso você morre quando corta as unhas?"

O'Brien se afastou da cama e recomeçou a andar de um lado para outro, com uma das mãos enfiada no bolso.

"Nós somos os sacerdotes do poder", disse. "Deus é poder. Mas, por enquanto, no que lhe diz respeito, poder não é mais que uma palavra. Já está na hora de você ter uma ideia do que significa poder. A primeira coisa que precisa entender é que o poder é coletivo. O indivíduo só consegue ter poder na medida em que deixa de ser um indivíduo. Você conhece o lema do Partido: 'Liberdade é Escravidão'. Nunca se deu conta de que a frase é reversível? Escravidão é liberdade. Sozinho — livre — o ser humano sempre será derrotado. Assim tem de ser, porque todo ser humano está condenado a morrer, o que é o maior de todos os fracassos. Mas se ele atingir a submissão total e completa, se conseguir abandonar sua própria identidade, se conseguir fundir-se com o Partido a ponto de *ser* o Partido, então será todo-poderoso e imortal. A segunda coisa que você deve entender é que poder é poder sobre os seres humanos. Sobre os corpos — mas, acima de tudo, sobre as mentes. Poder sobre a matéria — a realidade objetiva, como você diria — não é importante. Nosso controle sobre a matéria já é absoluto."

Winston esqueceu-se do mostrador por um instante. Fez um esforço violento para sentar-se, porém só conseguiu retorcer-se em dores.

"Mas como vocês fazem para controlar a matéria?", explodiu. "Vocês não controlam nem o clima; nem a lei da gravidade... Sem falar nas doenças, na dor, na morte..."

O'Brien silenciou-o com um movimento de mão. "Controlamos a matéria porque controlamos a mente. A realidade está dentro do crânio. Aos poucos você vai aprender, Winston. Não há nada que não possamos fazer. Levitar, ficar invisíveis — qualquer coisa. Se eu quiser, posso flutuar como uma bolha de sabão. Mas não quero, porque o Partido não quer. Você precisa se livrar dessas ideias do século XIX a respeito das leis da natureza. Nós é que fazemos as leis da natureza."

"Não é verdade! Vocês não dominam nem mesmo este planeta. E a Eurásia e a Lestásia? Vocês ainda não as conquistaram."

"Isso não tem importância. As duas serão conquistadas quando acharmos conveniente. E se não conquistarmos, que diferença faz? Podemos eliminá-las da existência. A Oceânia é o mundo."

"Mas o mundo inteiro não passa de um grão de poeira. E o homem é uma coisa mínima — um desvalido! Há quanto tempo a humanidade existe? Por milhões de anos a Terra foi inabitada."

"Bobagem. A Terra tem a mesma idade que nós. Como seria possível que fosse mais velha? As coisas só existem por intermédio da consciência humana."

"Mas o solo está cheio de ossos de animais extintos — mamutes, mastodontes e répteis enormes que viveram aqui muito antes de alguém falar em ser humano."

"E alguma vez você viu esses ossos, Winston? Claro que não. Eles foram inventados pelos biólogos do século XIX. Antes do homem não havia nada. Depois do homem, se sua extinção vier a ocorrer, não haverá nada. Fora do homem não há nada."

"Mas todo o universo está fora de nós. Veja as estrelas! Algumas estão a milhões de anos-luz de distância — para sempre fora do nosso alcance."

"Que são as estrelas?", disse O'Brien com indiferença. "Pontos de fogo a alguns quilômetros de nós. Poderíamos tocá-las, se quiséssemos, ou apagá-las. A Terra é o centro do universo. O Sol e as estrelas giram em torno dela."

Winston fez outro movimento convulsivo. Dessa vez não disse nada. O'Brien continuou, como respondendo a uma objeção feita: "Para certos fins, naturalmente, isso não é exato. Quando navegamos no oceano, ou quando prevemos um eclipse, muitas vezes achamos mais conveniente supor que a Terra gira em torno do Sol e que as estrelas estão a milhões de quilômetros de distância. Mas e daí? Você acha que não podemos produzir um sistema astronômico dual? As estrelas podem estar próximas ou distantes, segundo as nossas necessidades. Você acha que nossos matemáticos não são capazes de fazer isso? Já se esqueceu do duplipensamento?"

Winston encolheu-se na cama. O que quer que ele dissesse, a rapidez da resposta sempre o atingia como um porrete. E no entanto ele sabia, *sabia* que tinha razão. A crença de que não existe nada fora de nossa própria mente — impossível que não houvesse uma maneira de demonstrar que era falsa... Já não ficara comprovado havia muito tempo que essa crença é uma falácia? Havia até um nome para isso, que esquecera. Um sorriso sutil torceu os cantos da boca de O'Brien, que olhava para ele.

"Eu já lhe disse, Winston, que a metafísica não é o seu forte. A palavra que você está procurando é 'solipsismo'. Mas você está errado. Não se trata de um solipsismo. Um solipsismo coletivo, se preferir. Solipsismo é outra coisa: o oposto, aliás. Tudo isto é uma digressão", acrescentou, em outro tom. "O poder real, o poder pelo qual devemos lutar dia e noite, não é o poder sobre as coisas, mas o poder sobre os homens." Fez uma pausa e por um instante assumiu de novo o ar de um professor que interroga um aluno promissor: "Como um homem pode afirmar seu poder sobre outro, Winston?".

Winston pensou. "Fazendo-o sofrer", respondeu.

"Exatamente. Fazendo-o sofrer. Obediência não basta. Se ele não sofrer, como você pode ter certeza de que obedecerá à sua vontade e não à dele próprio? Poder é infligir dor e humilhação. Poder é estraçalhar a mente humana e depois juntar outra vez os pedaços, dando-lhes a forma que você quiser. E então? Está começando a ver que tipo de mundo estamos criando? Exatamente o oposto das tolas utopias hedonistas imaginadas pelos velhos reformadores. Um mundo de medo e traição e tormento, um mundo em que um pisoteia o outro, um mundo que se torna *mais* e não menos cruel à medida que evolui. O progresso, no nosso mundo, será o progresso da dor. As velhas civilizações diziam basear-se no amor ou na justiça. A nossa se baseia no ódio. No nosso mundo as únicas emoções serão o medo, a ira, o triunfo e a autocomiseração. Tudo o mais será destruído — tudo. Já estamos destruindo os hábitos de pensamento que sobreviveram da época anterior à Revolução. Cortamos os vínculos entre pai e filho, entre homem e homem, e entre homem e mulher. Ninguém mais se atreve a confiar na mulher ou no filho ou no amigo. Mas no futuro já não haverá esposas ou amigos, e as crianças serão separadas das mães no momento do nascimento, assim como se tiram os ovos das galinhas. O instinto sexual será erradicado. A procriação será uma formalidade anual, como a renovação do carnê de racionamento. Aboliremos o orgasmo. Nossos neurologistas já estão trabalhando nisso. A única lealdade será para com o Partido. O único amor será o amor ao Grande Irmão. O único riso será o do triunfo sobre o inimigo derrotado. Não haverá arte, nem literatura, nem ciência. Quando formos onipotentes, já não precisaremos da ciência. Não haverá distinção entre beleza e feiura. Não haverá curiosidade, nem deleite com o processo da vida. Todos os prazeres serão eliminados. Mas sempre — não se esqueça disto, Winston —, sempre haverá a embriaguez do poder, crescendo constantemente e se tornando cada vez mais sutil. Sempre, a cada momento, haverá a excitação da vitória, a sensação de pisotear o inimigo indefeso. Se você quer formar uma imagem do futuro, imagine uma bota pisoteando um rosto humano — para sempre."

Fez uma pausa, como se esperasse uma palavra de Winston, que tratava de encolher-se ainda mais na superfície da cama. Winston não podia dizer nada. Seu coração parecia congelado. O'Brien prosseguiu:

"E lembre-se de que é para sempre. O rosto estará sempre ali para ser pisoteado. Os heréticos, os inimigos da sociedade estarão sempre ali para serem derrotados e humilhados o tempo todo. Tudo o que você tem sofrido desde que caiu em nossas mãos —

tudo isso continuará e ficará pior. A espionagem, as traições, as prisões, as torturas, as execuções, os desaparecimentos nunca cessarão. Será um mundo de terror, tanto quanto um mundo de triunfo. Quanto mais poderoso for o Partido, menos tolerante será. Quanto mais fraca a oposição, tanto mais severo será o despotismo. Goldstein e suas heresias viverão para sempre. Todos os dias, todos os momentos, eles serão derrotados, desacreditados, ridicularizados. Cuspirão neles — e mesmo assim eles sempre sobreviverão. Este drama em que eu e você estamos atuando há sete anos continuará ocorrendo continuamente, geração após geração, sob formas cada vez mais sutis. Sempre teremos os hereges aqui, à nossa mercê, gritando de dor, alquebrados, desprezíveis — e, por fim, em total penitência, salvos deles próprios, rastejando a nossos pés por livre e espontânea vontade. Esse é o mundo que estamos preparando, Winston. Um mundo de vitória após vitória, triunfo após triunfo: uma sucessão infinita de pressões, pressões, pressões sobre o nervo do poder. Vejo que você está começando a perceber como será esse mundo. Mas no fim você fará mais do que simplesmente entendê-lo. Você o aceitará, ficará contente com ele e fará parte dele."

Winston se recuperara o suficiente para conseguir falar. "Vocês não podem", disse com voz fraca.

"O que você quer dizer com isso, Winston?"

"Vocês não poderiam criar um mundo assim como você acaba de descrever. É um sonho. É impossível."

"Por quê?"

"É impossível criar uma civilização baseada no medo, no ódio e na crueldade. Uma civilização assim não pode perdurar."

"Por que não?"

"Ela não teria vitalidade. Ela se desintegraria. Ela cometeria suicídio."

"Bobagem. Você está com a sensação de que o ódio provoca mais exaustão do que o amor. E por que seria assim? E, se fosse, que diferença faria? Suponha que escolhêssemos esgotar as nossas energias mais depressa. Suponha que acelerássemos o tempo da vida humana de modo que os homens ficassem senis aos trinta anos. Me diga: que diferença isso faria? Será que você não entende que a morte do indivíduo não é morte? O Partido é imortal."

Como de hábito, a voz drenara as forças de Winston. Além disso, a ideia de que O'Brien voltasse a acionar o mostrador caso ele persistisse em suas objeções deixava-o apavorado. Mesmo assim, não conseguia ficar quieto. Frágil, sem argumentos, sem nenhum apoio além do seu impotente horror ao que O'Brien dissera, voltou ao ataque.

"Não sei. Não me importa. De algum modo vocês fracassarão. Alguma coisa derrotará vocês. A vida derrotará vocês."

"Nós controlamos a vida, Winston, em todos os níveis. Você está imaginando que existe uma coisa chamada natureza humana, e que essa coisa ficará ultrajada com o que estamos fazendo e se voltará contra nós. Mas nós é que criamos a natureza humana. Os homens são infinitamente maleáveis. Ou será que você voltou à sua velha ideia de que os proletários ou os escravos se levantarão e nos derrubarão? Tire isso da cabeça. Eles não têm saída. São como os animais. A humanidade é o Partido. Os outros estão fora — irrelevantes."

"Não me importa. No fim, eles vencerão vocês. Mais cedo ou mais tarde verão vocês do jeito que vocês são, e nesse momento acabarão com vocês."

"Você vê algum indício de que isso esteja acontecendo? Ou alguma razão para que venha a acontecer?"

"Não. Mas acredito. *Sei* que vocês vão fracassar. Tem uma coisa no universo — não sei o quê, um espírito, um princípio — que vocês nunca conseguirão vencer."

"Você acredita em Deus, Winston?"

"Não."

"Então que princípio é esse que vai nos derrotar?"

"Não sei. O espírito do homem."

"E você se considera um homem?"

"Sim."

"Se você é um homem, Winston, você é o último deles. Sua espécie está extinta. Nós somos os herdeiros. Você entende que está *sozinho*? Você está fora da história. Você é inexistente." O'Brien mudou de tom e disse com mais aspereza: "E você se considera moralmente superior a nós, com nossas mentiras e nossa crueldade?".

"Sim, me considero superior."

O'Brien não disse nada. Duas outras vozes estavam falando. Depois de algum tempo, Winston se deu conta de que uma das vozes era a dele. Era uma gravação da conversa que tivera com O'Brien na noite em que se alistara na Confraria. Ouviu sua própria voz jurando mentir, roubar, falsificar, assassinar, favorecer o consumo de drogas e a prostituição, disseminar doenças venéreas, jogar ácido no rosto de crianças. O'Brien fez um pequeno gesto de impaciência, como se dissesse que nem valia a pena fazer aquela demonstração. Apertou um botão e as vozes cessaram.

"Levante-se dessa cama", disse.

As amarras estavam frouxas. Winston apoiou os pés no chão e se ergueu, num equilíbrio instável.

"Você é o último dos homens", disse O'Brien. "Você é o guardião do espírito humano. Vou lhe mostrar como você realmente é. Tire a roupa."

Winston desamarrou o barbante que segurava o macacão. Havia um bom tempo que o zíper fora arrancado. Não se lembrava, desde o momento de sua detenção, de alguma vez ter tirado a roupa toda. Por baixo do macacão, seu corpo estava coberto com farrapos amarelados e imundos, que mal conseguia reconhecer como sendo os vestígios de roupas de baixo. Enquanto os jogava no chão, viu que havia um espelho de três faces do outro lado do quarto. Aproximou-se e estacou. Um grito involuntário escapou de sua garganta.

"Vamos", disse O'Brien. "Posicione-se entre as laterais do espelho. Assim também poderá ter a visão de perfil."

Ele estacara porque estava com medo. Uma figura encurvada, cinzenta e esquelética avançava em sua direção. Sua aparência era ainda mais assustadora do que a consciência de que se tratava de sua própria imagem. Aproximou-se do espelho. O rosto da criatura parecia proeminente, por causa da postura encurvada. Um rosto abatido, semelhante ao de um passarinho na gaiola, com uma testa aristocrática que se emendava com a cabeça calva, um nariz torto, a boca quase sem lábios e a face deformada sob uns olhos que se mantinham enérgicos e atentos. Evidentemente, aquele era o seu rosto, mas parecia-lhe mais alterado do que seu espírito. As emoções nele registradas deviam ser diferentes daquelas que ele sentia. Estava parcialmente calvo. A primeira impressão fora de que também ficara grisalho, mas era a pele da cabeça que assumira um tom acinzentado. Com exceção das mãos e do círculo do rosto, todo o seu corpo apresentava aquela cor cinza, de sujeira antiga e incrustada. Aqui e ali, debaixo da sujeira, havia cicatrizes vermelhas de ferimentos, e perto do tornozelo uma úlcera varicosa era uma massa inflamada que soltava flocos de pele. Porém o mais assustador era o emaciado do corpo. A caixa das costelas era pequena como a de um esqueleto. As pernas haviam encolhido tanto que os joelhos estavam mais grossos do que as coxas. Percebia agora por que O'Brien lhe falara em visão lateral. A curvatura da espinha era impressionante. Os ombros magros lançavam-se para a frente, transformando o peito numa concavidade. O pescoço magro e ossudo dava a impressão de envergar-se sob o peso da caveira. Parecia o corpo de um homem de sessenta anos que sofresse de uma doença maligna.

"Houve vezes", disse O'Brien, "em que você pensou que meu rosto — o rosto de um membro do Núcleo do Partido — parecia velho e desgastado. O que acha, agora, de seu próprio rosto?"

Pegou Winston pelo ombro e virou-o para que os dois se defrontassem.

"Veja em que estado você está!", disse. "Veja essa capa de sujeira por todo o seu corpo. Veja a imundície entre os dedos de seus pés. Veja essa ferida nojenta na sua perna. Sabia que você fede como um bode? Provavelmente não sente mais seu próprio odor. Veja a sua palidez. Está vendo? Com o polegar e o indicador, posso dar a volta em seu bíceps. Se eu quisesse, poderia quebrar o seu pescoço como se fosse uma cenoura. Sabia que você perdeu vinte e cinco quilos desde que está em nossas mãos? Até seus cabelos estão caindo aos tufos. Veja!", e extraiu um tufo de cabelos de Winston. "Abra a boca. Sobram nove, dez, onze dentes. Quantos você tinha ao chegar? E os poucos que lhe restam estão caindo sozinhos. Veja!"

Segurou com o polegar e o indicador um dos incisivos que ainda restavam e puxou-o. Uma pontada de dor percorreu a mandíbula de Winston. O'Brien olhou para o dente solto em sua mão e jogou-o no chão.

"Seu corpo está apodrecendo", disse. "Você está caindo aos pedaços. O que você é? Um saco de lixo. Agora se vire e se olhe de novo no espelho. Está vendo aquilo que está olhando para você? Aquele é o último homem. Se você é um ser humano, aquilo é a humanidade. Agora vista-se."

Winston começou a se vestir com movimentos lentos e duros. Até então parecia não ter se dado conta de quão magro e fraco estava. Um único pensamento percorria sua cabeça: que permanecera naquele lugar por mais tempo do que pensara. De repente, concentrou-se nos trapos miseráveis que o envolviam e um sentimento de pena pelo estado de seu corpo se apossou de sua mente. Antes de perceber o que estava fazendo, despencou sobre uma banqueta ao lado da cama, em lágrimas. Tinha consciência de sua feiura e falta de graça: um feixe de ossos, envolto em roupas imundas, sentado e chorando sob a luz branca e dura. Mas não conseguia parar. O'Brien apoiou a mão em seu ombro, quase com afeto.

"Não vai durar para sempre", disse. "Você pode escapar disso quando quiser. Só depende de você."

"Vocês fizeram isso comigo!", soluçou Winston. "Vocês me reduziram a este estado."

"Não, Winston. Foi você mesmo quem se reduziu a isso. Isso é o que você aceitou quando se colocou contra o Partido. Tudo já estava contido no primeiro ato. Não aconteceu nada que você não tivesse previsto."

Fez uma pausa e prosseguiu.

"Massacramos você, Winston. Quebramos você. Olhe o que resta do seu corpo. Sua mente está no mesmo estado. Não acho que ainda lhe reste muito orgulho. Você foi submetido a chutes, açoites e insultos; gritou de dor, rolou pelo chão sobre o seu sangue e o seu vômito. Implorou por clemência, traiu tudo e todos. Pode imaginar alguma degradação que ainda não tenha sofrido?"

Winston parou de chorar, embora as lágrimas continuassem a lhe escorrer dos olhos. Olhou para O'Brien.

"Não traí Julia", disse.

O'Brien olhou para ele, concentrado. "Não", disse. "Não. Isso é mesmo verdade. Você não traiu Julia."

A peculiar reverência por O'Brien, que nada parecia capaz de destruir, invadiu novamente o coração de Winston. Que inteligente, ele pensou, que inteligente! O'Brien nunca deixava de compreender o que lhe era dito. Qualquer outra pessoa na face da terra teria respondido prontamente que ele *tinha* traído Julia. Afinal, o que é que não lhe fora extraído com as torturas? Ele lhes revelara tudo o que sabia sobre ela, seus hábitos, sua personalidade, sua vida pregressa. Confessara até os mínimos detalhes tudo o que acontecera em seus encontros, tudo o que ele lhe dissera e ela a ele, suas refeições obtidas no mercado negro, seus adultérios, seus vagos planos contra o Partido — tudo. Porém, no sentido em que pretendera empregar a palavra, não a traíra: não deixara de amá-la. Seus sentimentos por ela permaneciam intactos. O'Brien percebera o que ele quisera dizer sem que fosse preciso explicar.

"Diga-me", falou, "quando é que vão me matar?"

"Pode demorar", respondeu O'Brien. "Você é um caso difícil. Mas não perca as esperanças. Mais cedo ou mais tarde, todos se curam. No fim, nós o mataremos."

―

4.

Winston sentia-se muito melhor. Engordava e se fortalecia a cada dia, se é que naquele lugar podia-se falar em dias.

A luz branca e o zumbido eram sempre os mesmos, mas a cela era um pouco mais confortável que as outras em que já estivera. Dispunha de um travesseiro e de um colchão para a cama de tábuas, e de uma banqueta para sentar-se. Tinham lhe dado um banho e permitiam com razoável frequência que se lavasse numa bacia. Forneciam-lhe até água quente. Haviam providenciado roupas de baixo novas e um macacão limpo. Tinham passado uma pomada para aliviar a dor de sua úlcera varicosa. Haviam arrancado os dentes que lhe restavam e providenciado uma dentadura.

Semanas ou meses deviam ter se passado. Agora ele teria conseguido acompanhar a passagem do tempo, se sentisse algum interesse em fazê-lo, pois começara a ser alimentado a intervalos aparentemente regulares. Pelos seus cálculos, recebia três refeições a cada vinte e quatro horas. Às vezes se indagava — sem disposição para buscar a resposta — se as recebia à noite ou durante o dia. A comida era surpreendentemente boa, e incluía carne a cada três refeições. Uma vez, viera até acompanhada de um maço de cigarros. Winston não tinha fósforos, porém o guarda taciturno que levava a comida acendia os cigarros para ele. Sentiu náusea nas primeiras tragadas, mas insistiu e, fumando meio cigarro depois de cada refeição, fez o maço durar bastante.

Haviam lhe fornecido uma lousa branca com um toco de lápis preso num canto por um barbante. No início, não fez uso dela. Mesmo quando estava acordado, o torpor o dominava. Entre uma e outra refeição, muitas vezes permanecia deitado, quase sem se mexer, às vezes dormindo, às vezes acordado, entregue a devaneios confusos, durante os quais tinha dificuldade para abrir os olhos. Fazia tempo que se acostumara a dormir com aquela luz forte no rosto. Não parecia fazer diferença, exceto pela maior coerência dos sonhos. Naquele período Winston tinha muitos sonhos — sempre sonhos felizes. Via-se na Terra Dourada, ou sentado entre ruínas enormes, gloriosas, banhadas pelo sol, com sua mãe, com Julia, com O'Brien — não fazia nada, apenas ficava ao sol, conversando sobre coisas pacatas. Seus pensamentos, quando acordado, eram basicamente sobre esses sonhos. Parecia ter perdido a capacidade do estímulo intelectual, agora que o agente da dor fora removido. Não estava entediado; não sentia o menor desejo de conversar ou distrair-se. O simples fato de estar sozinho, não ser torturado nem interrogado, ter o suficiente para comer e permanecer com o corpo limpo era plenamente satisfatório.

Aos poucos, começou a passar menos tempo dormindo, mas ainda não tinha vontade de sair da cama. Só queria ficar quieto e sentir o vigor se acumulando no corpo. Apalpava-se aqui e ali, tentando convencer-se de que não era ilusão que seus músculos ficavam mais redondos e sua pele menos flácida. Por fim, não restava dúvida: era evidente que ele ganhava peso; suas coxas estavam definitivamente mais grossas que os joelhos. Depois, ainda que com alguma relutância no início, Winston começou a praticar exercícios regulares. Em pouco tempo já conseguia andar três quilômetros — medidos a passo no interior da cela — e seus ombros encurvados começaram a endireitar-se. Tentou exercícios mais elaborados e ficou atônito e envergonhado ao se dar conta das coisas que não conseguia fazer. Não conseguia andar mais depressa, não conseguia segurar a banqueta com o braço estendido, não conseguia manter-se em pé numa perna só sem cair. Agachou-se e percebeu que erguer o corpo a partir daquela posição lhe causava dores terríveis nas coxas e nas panturrilhas. Estendeu-se de bruços e tentou elevar o tronco com os braços. Em vão: não conseguia erguer-se nem um centímetro do chão. Contudo, alguns dias mais tarde — algumas refeições mais tarde —, até mesmo essa façanha ele conseguiu realizar. Passado algum tempo, já era capaz de repetir o exercício seis vezes seguidas. Começou a orgulhar-se de seu corpo e a nutrir a crença de que seu rosto também estava voltando ao normal. Só quando acontecia de levar a mão ao crânio calvo Winston se lembrava do rosto arruinado e coberto de cicatrizes que vira no espelho.

Sua mente ficou mais ativa. Sentava-se na cama de tábuas com as costas apoiadas na parede e a lousa sobre os joelhos e se dedicava deliberadamente à tarefa de reeducar-se.

Capitulara. Era indiscutível. A bem da verdade, agora percebia, estava pronto para a rendição muito antes de decidir-se. Desde que chegara ao Ministério do Amor — e mesmo naqueles minutos em que ele e Julia, paralisados, sem ação no meio do quarto, ouviam a voz truculenta vinda da teletela lhes dizendo o que fazer —, Winston compreendera sua futilidade, sua leviandade ao afrontar o poder do Partido. Sabia agora que fazia sete anos que a Polícia das Ideias o observava como se ele fosse um besouro debaixo de uma lupa. Não havia ato físico nem palavra pronunciada em voz alta que eles não tivessem notado, nenhuma sequência de ideias que não tivessem sido capazes de inferir. Até o grão de poeira esbranquiçada que Winston deixava sobre a capa do diário eles recolocavam cuidadosamente no lugar. Haviam lhe mostrado gravações e fotos. Em algumas fotos, ele estava com Julia. Sim, até... Não podia mais lutar contra o Partido. Além do mais, o Partido tinha razão. Devia ter: como o cérebro imortal, coletivo podia estar errado? Por meio de que critérios externos seus julgamentos poderiam ser verificados? A sanidade mental era estatística. Tratava-se simplesmente de aprender a pensar como eles pensavam. Apenas...!

O lápis parecia grosso e desajeitado entre seus dedos. Pôs-se a anotar os pensamentos que lhe vinham à cabeça. Primeiro, com uma letra grande e rudimentar, escreveu em maiúsculas:

LIBERDADE É ESCRAVIDÃO

Depois, quase sem interrupção, escreveu embaixo:

DOIS E DOIS SÃO CINCO

Mas nesse momento sentiu uma espécie de embargo. Sua mente, como tentando se esquivar de alguma coisa, parecia incapaz de concentrar-se. Ele sabia que sabia o que vinha em seguida, porém as palavras lhe fugiam. Quando afinal se lembrou do que devia ser, foi graças a uma reflexão consciente; a frase não surgiu por conta própria. Escreveu:

DEUS É PODER

Aceitava tudo. O passado era modificável. O passado nunca fora modificado. A Oceânia estava em guerra com a Lestásia. A Oceânia sempre estivera em guerra com a Lestásia. Jones, Aaronson e Rutherford eram culpados pelos crimes de que haviam sido acusados. Ele nunca tinha visto a foto que provava a inocência daqueles homens. A foto não existia; ele a inventara. Lembrava-se de recordar coisas que contradiziam isso, porém eram memórias falsas, produtos de seu autoengano. Como era fácil! Bastava render-se, que tudo o mais vinha em seguida. Era como nadar contra uma correnteza que empurrasse a pessoa para trás, por mais força que a pessoa fizesse, e depois de repente decidir virar para o outro lado e deixar-se levar pela correnteza em vez de opor-se a ela. Nada se alterara, exceto sua própria atitude; fosse como fosse, o que estava predestinado sempre acontecia. Winston não sabia direito por que se rebelara. Tudo era fácil, exceto...

Qualquer coisa podia ser verdade. As assim chamadas leis da natureza eram uma bobagem. A lei da gravidade era uma bobagem. "Se eu quisesse", dissera O'Brien, "poderia flutuar para longe desse piso como uma bolha de sabão." Winston ficou pensando. "Se ele *pensar* que está flutuando e subindo, e se eu ao mesmo tempo *pensar* que o vejo flutuando e subindo, então a coisa acontece." Num golpe, como uma madeira de navio naufragado aflorando à superfície da água, o pensamento rompeu em sua mente: "Não acontece de fato. Imaginamos que acontece. É alucinação". Freou de imediato o pensamento. A falácia era óbvia. Partia do pressuposto de que em algum lugar, fora da própria pessoa, havia um mundo "real" onde coisas "reais" aconteciam. Mas como seria possível existir um mundo assim? Que conhecimento temos de seja lá o que for senão o que obtemos por meio de nossa própria mente? Tudo acontece na mente. O que quer que aconteça em todas as mentes, acontece de fato.

Não teve dificuldade em se livrar daquela falácia, e não corria o menor risco de sucumbir a ela. Compreendeu, porém, que ela nem sequer devia ter lhe ocorrido. A mente precisava desenvolver um ponto cego sempre que um pensamento perigoso viesse à tona. O processo devia ser automático, instintivo. *Brecacrime*, era sua denominação em Novafala.

Passou a exercitar-se em brecacrime. Apresentava a si mesmo algumas proposições — "o Partido diz que a Terra é plana", "o Partido diz que o gelo é mais pesado que a água" — e treinava para não ver ou não entender os argumentos que as contradiziam. Não era fácil. Exigia enorme capacidade de raciocínio e improvisação. Os problemas aritméticos suscitados por uma afirmação como "dois e dois são cinco", por exemplo, estavam fora de seu alcance intelectual. Era preciso, também, praticar uma espécie de atletismo mental: num momento recorrer ao raciocínio lógico mais sofisticado, e no momento seguinte ignorar os equívocos lógicos mais grosseiros. A burrice era tão necessária quanto a inteligência, e igualmente difícil de ser adquirida.

Enquanto isso, com uma parte da mente Winston se perguntava quanto tempo faltaria para sua execução. "Só depende de você", dissera O'Brien; mas ele sabia que não havia um ato consciente que lhe possibilitasse apressar as coisas. Podia ser dali a dez minutos ou dali a dez anos. Podiam mantê-lo em confinamento solitário por anos a fio; podiam mandá-lo para um campo de trabalhos forçados; podiam libertá-lo por algum tempo, como às vezes faziam. Era perfeitamente possível que, antes de executá-lo, todo o drama da prisão e do interrogatório voltasse a ser encenado. A única certeza era que a morte nunca vinha no momento esperado. Rezava a tradição — a tradição tácita: de algum jeito a pessoa sabia, embora ninguém nunca tivesse lhe contado — que o tiro fosse dado pelas costas, sempre na nuca, sem aviso prévio, quando o preso passava por um corredor ligando uma cela a outra.

Um dia — mas "um dia" não era a expressão adequada; podia muito bem ter sido no meio da noite — Winston caiu num devaneio estranho, jubiloso. Avançava pelo corredor, à espera do tiro. Sabia que o gatilho seria apertado a qualquer momento. Tudo estava resolvido, equacionado, apaziguado. Já não havia dúvidas, argumentações, dores, medo. Seu corpo era saudável e forte. Caminhava sem dificuldade, com uma alegria de movimento e com a sensação de estar andando à luz do sol. Já não estava nos corredores estreitos e brancos do Ministério do Amor, mas na vasta ladeira banhada pelo sol, de um quilômetro de largura, que no delírio induzido pelas drogas tivera a impressão de descer. Estava na Terra Dourada, percorrendo a trilha que atravessava o velho pasto comido pelos coelhos. Sentia a relva baixa e vigorosa sob os pés e os suaves raios do sol no rosto. Na orla do campo, a brisa balançava muito suavemente os ramos dos olmos, e em algum ponto mais adiante havia um riacho onde os robalinhos nadavam nas poças verdes sob os chorões.

De repente, saltou da cama com um choque de horror. O suor lhe escorria pelas costas. Ouvira a própria voz gritando:

"Julia! Julia! Julia, meu amor! Julia!"

Por um instante, fora dominado pela irresistível alucinação da presença dela ali. Tivera a sensação de que ela não apenas estava com ele como dentro dele. Era como se Julia estivesse misturada à textura de sua pele. Naquele instante seu amor por ela fora infinitamente maior do que quando estavam juntos e livres. Ao mesmo tempo, entendeu que ela continuava viva e precisava de sua ajuda.

Deitou-se de costas na cama e tentou se recompor. O que fizera? Quantos anos acrescentara à sua servidão com aquele momento de fraqueza?

Mais alguns instantes e ouviria o tropel das botinas do lado de fora da cela. Eles nunca deixariam sem castigo uma explosão daquelas. Agora saberiam, se já não soubessem, que ele estava rompendo o acordo feito com eles. Obedecia ao Partido, mas continuava odiando o Partido. No passado, ocultara uma mente herege sob a aparência da conformidade. Agora descera mais um degrau: capitulara na mente, porém o fizera na esperança de manter o fundo de seu coração inviolado. Sabia que estava agindo errado, mas preferia estar agindo errado. Eles perceberiam isso — O'Brien perceberia. Com aquele grito tolo, Winston se entregara de vez.

Teria de começar tudo de novo. Talvez levasse anos. Passou a mão pelo rosto, tentando se familiarizar com os novos traços. Havia vincos profundos nas bochechas, as maçãs do rosto estavam protuberantes, o nariz achatado. Além do mais, depois que se vira pela última vez no espelho, recebera um jogo completo de dentes novos. Não seria fácil conservar a inescrutabilidade sem saber como era seu rosto. De toda maneira, não bastava manter as feições sob controle. Pela primeira vez, Winston se dava conta de que, para guardar um segredo, teria de guardá-lo também de si mesmo. Era preciso ficar o tempo todo consciente da presença do segredo, mas, enquanto fosse possível, não podia permitir que ele assomasse à consciência sob nenhuma forma a que alguém pudesse dar um nome. De agora em diante, não bastava pensar direito; tinha de sentir direito, sonhar direito. E tinha de manter o ódio permanentemente trancado dentro de si, como um nódulo que fosse parte dele próprio e ao mesmo tempo não tivesse relação com o resto do seu ser, uma espécie de cisto.

Um dia tomariam a decisão de eliminá-lo. Não havia como saber quando isso aconteceria, mas seria possível intuir alguns segundos antes. Era sempre pelas costas, andando por um corredor. Dez segundos seriam suficientes. Nesse intervalo, o mundo dentro dele poderia virar do avesso. E aí, de repente, sem que proferisse uma só palavra, sem que sofreasse o passo, sem que uma só linha de seu semblante se alterasse, de repente a camuflagem cairia, e bangue!, as baterias de seu ódio disparariam. O ódio o inundaria como uma labareda enorme, trovejante. E, quase ao mesmo tempo, bangue!, o gatilho seria apertado, tarde demais, ou cedo demais. Destroçariam seu cérebro antes de conseguir reformá-lo. O pensamento herege permaneceria impune, impenitente, para sempre inatingível. Teriam aberto um buraco na própria perfeição deles. Morrer odiando-os — liberdade era isso.

Winston fechou os olhos. Era mais difícil que aceitar uma disciplina intelectual. A questão era degradar a si mesmo, mutilar a si mesmo. Tinha de submergir na mais imunda das imundícies. Qual era a coisa mais horrível e asquerosa de todas? Pensou no Grande Irmão. O rosto enorme (por vê-lo constantemente em cartazes, sempre pensava nele como tendo um metro de largura), com seu bigode preto e cerrado e os olhos que acompanhavam a pessoa de um lado para outro, parecia adejar a seu bel-prazer na mente de Winston. Quais eram seus verdadeiros sentimentos em relação ao Grande Irmão?

Ouviu-se um tropel pesado de botinas no corredor. A porta de aço se abriu com estrondo. O'Brien entrou na cela. Atrás dele vinham o oficial de rosto de cera e os guardas de uniforme preto.

"Levante-se", disse O'Brien. "Aproxime-se."

Winston postou-se à sua frente. O'Brien agarrou seus ombros com as mãos fortes e olhou-o bem de perto.

"Você andou pensando em me enganar", disse. "Que idiotice. Endireite o corpo. Olhe para mim."

Calou-se, depois continuou num tom mais afável:

"Você está melhorando. Intelectualmente, há pouquíssima coisa errada com você. É só emocionalmente que não está conseguindo progredir. Diga-me, Winston — e, lembre-se, não minta; já sabe que sempre percebo quando você mente —, diga-me, quais são seus verdadeiros sentimentos em relação ao Grande Irmão?"

"Eu o odeio."

"Você o odeia. Muito bem. Então chegou a hora de dar o último passo. Tem de amar o Grande Irmão. Não basta obedecer a ele; tem de amá-lo."

Soltou Winston, empurrando-o de leve para os guardas.

"Quarto 101", disse.

—

5.

A cada etapa de seu período de detenção, Winston sabia, ou tinha a impressão de saber, em que ponto do edifício sem janelas se encontrava. Talvez houvesse pequenas diferenças na pressão atmosférica. As celas em que fora espancado pelos guardas ficavam no subsolo. A sala onde O'Brien o interrogara ficava num dos andares mais altos, perto da cobertura do edifício. O lugar onde estava agora ficava vários metros abaixo da superfície da terra, no ponto mais fundo a que era possível chegar.

Era um espaço mais amplo do que o da maioria das celas em que estivera, só que mal reparava no que havia a seu redor. Tinha a atenção inteiramente voltada para duas mesinhas bem à sua frente, ambas forradas com feltro verde. Uma estava a apenas um ou dois metros dele; a outra, mais afastada, perto da porta. Tinham-no amarrado a uma cadeira, com nós tão firmes que era incapaz de mover o corpo, inclusive a cabeça. Uma espécie de almofada cingia-lhe a cabeça por trás, obrigando-o a olhar para a frente.

Permaneceu alguns instantes a sós; depois a porta se abriu e por ela entrou O'Brien.

"Uma vez você me perguntou o que havia no quarto 101. Eu lhe disse que você já sabia a resposta. Todos sabem. O que há no quarto 101 é a pior coisa do mundo."

A porta tornou a se abrir. Um guarda entrou, trazendo uma coisa feita de arame, uma espécie de caixa ou cesta. Deixou-a sobre a mesa mais distante. Devido à posição ocupada por O'Brien, Winston não conseguia ver o que era.

"A pior coisa do mundo", disse O'Brien, "varia de indivíduo para indivíduo. Às vezes é ser enterrado vivo, às vezes morrer numa fogueira, ou afogado, ou empalado, ou de cinquenta outras maneiras diferentes. Há casos em que se trata de uma coisa muito boba, uma coisa que nem chega a ser fatal."

Moveu o corpo um pouco para o lado, para que Winston pudesse ver melhor a coisa que estava sobre a mesa. Era uma gaiola de arame retangular, com uma alça em cima, pela qual era transportada. Fixada à parte da frente via-se algo que lembrava uma máscara de esgrima, com a superfície côncava voltada para fora. Embora a gaiola estivesse a três ou quatro metros de distância, Winston viu que era dividida longitudinalmente em dois compartimentos e que em cada um deles havia um animal. Ratos.

"No seu caso", disse O'Brien, "a pior coisa do mundo são ratos."

Assim que pôs os olhos na gaiola, Winston sentira uma espécie de calafrio premonitório, um temor indefinido. Porém agora, subitamente, o significado daquele acessório que lembrava uma máscara ficou claro para ele. Teve a impressão de que seus intestinos viravam água.

"Você não pode fazer isso!", gritou, com uma voz que fraquejava. "Não pode, não pode! É impossível."

"Lembra-se", disse O'Brien, "do momento de pânico que costumava ocorrer em seus sonhos? Você via uma muralha de escuridão à sua frente e ouvia um rugido. Algo terrível se escondia do outro lado da muralha. Você sabia que sabia o que era, mas não se atrevia a tomar consciência do que fosse. Do outro lado da parede havia ratos."

"O'Brien!", exclamou Winston, esforçando-se para manter a voz sob controle. "Você sabe que não precisa disso. O que quer de mim?"

O'Brien não lhe deu uma resposta direta. Quando falou, assumiu a atitude professoral que de vez em quando gostava de exibir. Olhou pensativo ao longe, como se estivesse se dirigindo a uma plateia em algum ponto atrás de Winston.

"Por si só", disse, "nem sempre a dor é suficiente. Há ocasiões em que o ser humano resiste à dor e morre sem se entregar. Mas para todo mundo existe algo intolerável — algo para o qual não consegue nem olhar. Nada a ver com coragem e covardia. Se você cai num precipício não é covardia agarrar-se a uma corda. Se mergulha e depois aflora à superfície da água, não é covardia encher os pulmões de ar. É mero instinto, uma coisa que não há como reprimir. É o que acontece com os ratos. Você não os tolera. São uma forma de pressão a que você não consegue resistir, nem que queira. Fará o que queremos que faça."

"Mas o que é, o que é? Como posso fazer, se não sei o que é?"

O'Brien pegou a gaiola e a levou para a mesa mais próxima. Depositou-a com cuidado sobre o feltro verde. Winston ouvia o sangue martelar-lhe os ouvidos. Tinha a sensação de estar sentado na mais absoluta solidão. Encontrava-se no meio de uma planície vasta e vazia, um deserto sem relevo, inundado pela luz do sol, onde todos os sons lhe vinham de muito longe. Porém a gaiola com os ratos estava a menos de dois metros dele. Eram ratos enormes. Estavam na idade em que os focinhos se tornam rombudos e ferozes e os pelos deixam de ser cinza para assumir uma coloração marrom.

"Embora seja um roedor", disse O'Brien, ainda dirigindo-se a um público invisível, "o rato é carnívoro. Isso é de conhecimento comum. Não há quem não tenha ouvido falar das coisas que acontecem nos bairros pobres desta cidade. Em algumas ruas, as mulheres não têm coragem de deixar seus bebês sozinhos em casa nem por cinco minutos. Sabem que os ratos atacariam. Em pouquíssimo tempo são capazes de estraçalhar uma criança e roê-la até os ossos. Também atacam doentes e moribundos. Revelam uma inteligência assombrosa para identificar seres humanos indefesos."

Guinchos irromperam na gaiola. Para Winston, pareciam vir de muito longe. Os ratos brigavam, tentando investir um contra o outro através da grade que os separava. Winston ouviu um profundo gemido de desespero. Teve a impressão de que também aquele ruído não viera dele.

O'Brien pegou a gaiola e, ao fazê-lo, pressionou algum mecanismo. Ouviu-se um estalido. Winston, num esforço frenético, tentou se libertar da cadeira. Inútil: todas as partes de seu corpo, inclusive a cabeça, estavam imobilizadas. O'Brien aproximou a gaiola. Ela estava a menos de um metro do rosto de Winston.

"Pressionei a primeira alavanca", disse O'Brien. "Imagino que já tenha entendido como a gaiola funciona. A máscara se encaixará em sua cabeça, sem deixar frestas. Quando eu pressionar esta outra alavanca, a porta da gaiola correrá para cima. Essas duas criaturas famintas se lançarão para fora, como projéteis. Já viu um rato saltar no ar? Vão se lançar contra o seu rosto e imediatamente começarão a devorá-lo. Às vezes atacam os olhos primeiro. Às vezes perfuram as bochechas e devoram a língua."

A gaiola estava cada vez mais próxima; faltava pouco para a máscara se colar a seu rosto. Winston ouvia uma sucessão de guinchos agudos que pareciam estourar no ar, acima de sua cabeça, mas lutava furiosamente contra o pânico. Pensar, pensar, mesmo faltando uma fração de segundo — pensar era a única esperança. De repente, o odor pútrido e bolorento dos ratos alcançou suas narinas. Foi tomado por uma violenta convulsão de náusea e quase perdeu a consciência. Tudo ficara preto. Por um instante tornou-se um demente, um animal uivante. Contudo, regressou do negrume agarrado a uma ideia. Havia uma e somente uma maneira de se salvar. Precisava introduzir outro ser humano, o *corpo* de outro ser humano, entre si mesmo e os ratos.

A circunferência da máscara agora era larga o bastante para barrar-lhe a visão de todas as outras coisas. A porta da gaiola estava a dois ou três palmos de seu rosto. Os ratos sabiam o que os esperava. Um deles pulava para cima e para baixo; o outro, um ancião escamoso, veterano dos esgotos, estava de pé, com as patinhas rosadas apoiadas na grade, farejando ferozmente o ar. Winston via os bigodes e os dentes amarelos. Um pânico tenebroso tornou a se apossar dele. Estava cego, impotente, insano.

"Era um castigo comum na China Imperial", disse O'Brien, didático como nunca. A máscara estava prestes a se encaixar no rosto de Winston. O arame roçava sua face. E nesse instante — não, não era alívio, apenas esperança, um fragmento de esperança. Tarde demais, talvez tarde demais. Porém subitamente compreendera que no mundo inteiro só havia *uma* pessoa a quem poderia transferir seu suplício — *um* corpo que teria condições de interpor entre si e os ratos. E, fora de si, começou a gritar freneticamente.

"Ponha a Julia no meu lugar! Faça isso com a Julia! Não comigo! Com a Julia! Não me importa o que aconteça com ela. Deixe que esses ratos estraçalhem o rosto dela, que a roam até os ossos. Eu não! Julia! Eu não!"

Winston estava sendo sugado para trás, para uma vasta profundeza, afastando-se dos ratos. Continuava amarrado à cadeira, porém caía sem parar, varando o chão, as paredes do edifício, a terra e os oceanos, varando a atmosfera e despencando no cosmos, nos abismos que se abrem entre as estrelas — para longe dos ratos, cada vez para mais longe dos ratos. Estava a anos-luz de distância, porém sempre com O'Brien a seu lado. Continuava a sentir o contato frio do arame no rosto. Entretanto, através da escuridão que o envolvia, ouviu outro estalido metálico e compreendeu que a porta da gaiola fora travada e não descerrada.

6.

O Café da Castanheira estava quase vazio. Um raio de sol, entrando obliquamente por uma janela, tingia de amarelo as mesas empoeiradas. Era a hora vazia das três da tarde. Uma música insossa saía das teletelas.

Winston estava sentado em seu canto habitual, olhos fixos num copo vazio. De vez em quando olhava para um rosto descomunal, que o encarava da parede oposta. O GRANDE IRMÃO ESTÁ DE OLHO EM VOCÊ, dizia a legenda. Sem ser chamado, um garçom veio e encheu seu copo com gim Victory, acrescentando algumas gotas de outra garrafa com a rolha atravessada por um tubinho. Era sacarina aromatizada com cravo-da-índia, a especialidade do café.

Winston escutava a teletela. No momento, a programação era estritamente musical, porém sempre havia a possibilidade de que ela fosse interrompida para a transmissão de algum comunicado extraordinário do Ministério da Paz. As notícias do fronte africano eram preocupantes. Ao longo do dia, volta e meia pensava naquilo. Forças eurasianas (a Oceânia estava em guerra com a Eurásia; a Oceânia sempre estivera em guerra com a Eurásia) avançavam no sentido sul a uma velocidade assombrosa. O informe do meio-

-dia não mencionava nenhuma região específica, mas era provável que a foz do Congo já tivesse sido transformada em campo de batalha. Brazzaville e Leopoldville corriam perigo. Não era necessário consultar o mapa para compreender o significado daquilo. Não se tratava apenas de perder a África Central; pela primeira vez, desde o início da guerra, a Oceânia via seu próprio território ameaçado.

Uma emoção violenta, que não era medo propriamente dito, mas uma espécie de excitação indiferenciada, acendeu-se em seu íntimo para depois se apagar. Winston parou de pensar na guerra. Nos últimos tempos, não conseguia se concentrar em determinado assunto por mais de alguns minutos. Pegou o copo e bebeu seu conteúdo de um gole só. Como sempre, a bebida fez com que sentisse um arrepio e até uma leve ânsia de vômito. A coisa era horrorosa. Os cravos-da-índia e a sacarina, que com seu gosto enjoativo já eram suficientemente repugnantes, não bastavam para disfarçar o cheiro francamente oleoso; e o pior de tudo era o odor do gim, que permanecia noite e dia com ele e que, em sua cabeça, estava inextricavelmente misturado com o fedor daqueles...

Winston nunca os nomeava, nem em pensamento, e, até onde fosse possível, jamais os visualizava. Eles eram uma coisa que percebia quase inconscientemente, flutuando junto a seu rosto, um fedor que se agarrava a suas narinas. Quando o gim quis retroceder, um arroto saiu por entre seus lábios rubros. Depois que deixara a prisão, Winston engordara e recuperara sua antiga cor — a bem da verdade, mais que a recuperara. Suas feições estavam mais grosseiras, a pele do nariz e das maçãs do rosto era de um vermelho acentuado, e até a careca se tornara excessivamente rosada. Um garçom, outra vez sem ser chamado, trouxe o tabuleiro de xadrez e o *Times*, aberto na página do problema enxadrístico do dia. Depois, notando que o copo de Winston estava vazio, trouxe a garrafa de gim e tornou a enchê-lo. Não era preciso pedir nada. Conheciam seus hábitos. O tabuleiro de xadrez estava sempre à sua disposição; sua mesa de canto, sempre reservada. Guardavam-na para ele mesmo quando o local estava lotado, já que os outros clientes não gostavam muito de sentar-se perto dele. Winston nunca se dava ao trabalho de contar quantas doses de gim consumia. A intervalos irregulares, traziam-lhe um pedaço encardido de papel que diziam ser a conta, porém ele tinha a impressão de que sempre cobravam menos do que o devido. Não teria importância se lhe cobrassem a mais. Agora andava com o bolso cheio de dinheiro. Tinha até um cargo, uma sinecura, que lhe rendia um salário mais alto que seu antigo emprego.

A música que saía da teletela foi interrompida e em seu lugar entrou uma voz. Winston ergueu a cabeça para escutar. Mas não eram notícias do fronte. Apenas um breve anúncio do Ministério da Pujança. No trimestre anterior, ao que parecia, a cota de produção de cadarços estabelecida pelo Décimo Plano Trienal fora ultrapassada em noventa e oito por cento.

Winston examinou o problema enxadrístico e espalhou as peças no tabuleiro. Era um final difícil, envolvendo dois cavalos. "Jogam as brancas. Mate em dois lances." Olhou para o retrato do Grande Irmão. As brancas sempre dão o xeque-mate, pensou, com uma espécie de misticismo nebuloso. O arranjo é sempre esse, sem exceção. E é assim desde que o mundo é mundo. Nunca houve problema de enxadrismo em que as pretas tivessem ganho. Porventura isso não simbolizava o triunfo eterno e imutável do Bem sobre o Mal? O rosto descomunal lhe devolvia o olhar. As brancas sempre dão o xeque-mate.

Na teletela, a voz fez uma pausa e acrescentou, em outro tom, muito mais sério: "Estão todos convocados para um anúncio importante às quinze e trinta. Quinze e trinta! Trata-se de notícia da mais alta importância. Não percam. Quinze e trinta!". A música vibrante recomeçou.

O coração de Winston disparou. Só podia ser o comunicado com as últimas informações do fronte; a intuição lhe dizia que as novidades não eram boas. Durante todo o dia, com pequenas erupções de excitação, a ideia de uma derrota fragorosa na África de vez em quando invadia seus pensamentos. Parecia-lhe efetivamente ver o exército eurasiano atravessando a fronteira até então inexpugnável e descendo, qual fileira de formigas, para a ponta da África. Por que não haviam encontrado uma maneira de flanqueá-los? O contorno da costa da África Ocidental se destacava vividamente em sua cabeça. Pegou o cavalo branco e moveu-o pelo tabuleiro. *Aquela* era a posição certa. Tão logo viu a horda preta avançando para o sul, divisou outro exército, misteriosamente reunido, de súbito posicionado em sua retaguarda, cortando suas linhas de comunicação por terra e mar. Sentia que, ao desejá-lo, fazia com que esse outro exército passasse a existir. Mas era preciso agir com rapidez. Se conseguissem controlar a África inteira, se dominassem os campos de pouso e as bases submarinas no Cabo, os eurasianos partiriam a Oceânia em duas. As consequências disso eram imprevisíveis: derrota, colapso, uma nova divisão mundial, a destruição do Partido! Winston respirou fundo. Uma extraordinária mistura de sentimentos — embora não fossem propriamente uma mixórdia; seria mais exato dizer que estavam dispostos numa série de camadas, sendo impossível dizer qual a mais profunda — digladiava-se em seu íntimo.

O espasmo passou. Winston pôs o cavalo branco de volta no lugar, mas por enquanto não conseguia dedicar-se a um estudo sério do problema enxadrístico. Seus pensamentos mais uma vez divagaram. De modo quase inconsciente, escreveu com o dedo na poeira da mesa:

$$2 + 2 = 5$$

"Eles não podem entrar em você", dissera Julia. Mas podiam entrar, sim. "O que lhe acontecer aqui é para sempre", dissera O'Brien. Era verdade. Havia coisas — atos cometidos pela própria pessoa — das quais não era possível recuperar-se. Algo era destruído dentro do peito; queimado, cauterizado.

Winston vira Julia; inclusive falara com ela. Não havia perigo nisso. Sabia, como por instinto, que quase já não se interessavam pela conduta dele. Podia até ter combinado um segundo encontro com ela, se um dos dois tivesse desejado. Na realidade, haviam se encontrado por acaso. Fora no Parque, num dia horrível de março, de um frio cortante, com a terra dura como ferro e a relva aparentemente toda morta. Não havia nenhum broto à vista, exceto alguns crócus que tinham aflorado apenas para se expor à ação devastadora do vento. Winston caminhava apressado, de mãos congeladas e olhos lacrimejantes, quando a viu, menos de dez metros à frente. Passaram um pelo outro quase sem se dar conta; mas ele fez meia-volta e foi atrás dela sem muito entusiasmo. Sabia que não havia perigo; já não despertavam interesse. Julia não disse nada. Saiu andando na diagonal pela relva, como se quisesse livrar-se dele. Depois aparentemente se conformou em tê-lo a seu lado. Entraram numa moita de arbustos rotos e desfolhados, um lugar que não servia nem para ocultá-los nem para protegê-los do vento. Pararam de andar. Fazia um frio terrível. O vento assobiava por entre os ramos secos e castigava os eventuais crócus, de aspecto encardido. Ele passou o braço pela cintura dela.

Não havia teletelas, mas talvez houvesse microfones escondidos. Além do mais, podiam ser vistos. Não tinha importância. Nada tinha importância. Podiam ter se deitado no chão e feito *aquilo*, se quisessem. Winston gelou de horror diante da ideia. Julia, por sua vez, não esboçou reação ao ser envolta pelo braço dele — nem sequer tentou se soltar. Winston soube então o que se modificara nela. Seu rosto estava lívido e havia uma grande cicatriz, parcialmente oculta pelo cabelo, que ia da testa à têmpora; mas não era essa a transformação. A diferença era que sua cintura estava mais pesada e surpreendentemente mais rígida. Winston se lembrou da ocasião em que, após a explosão de um míssil, ajudara a tirar um cadáver do meio dos escombros, e recordou seu espanto não apenas com o incrível peso do corpo como também com sua rigidez e difícil manipulação, que o faziam parecer mais pedra que carne. O corpo de Julia tinha essas características. Ocorreu-lhe que sua pele devia estar com uma textura muito diferente da de antes.

Ele não tentou beijá-la e os dois permaneceram mudos. Quando saíram da moita e voltaram pela relva, Julia o encarou pela primeira vez. Foi um olhar rápido, repleto de desprezo e aversão. Ele se perguntou se era uma aversão oriunda estritamente do passado ou se também teria sido suscitada pela deformação de seu rosto e pelas lágrimas que o vento teimava em arrancar de seus olhos. Sentaram-se em duas cadeiras de ferro, lado a lado, mas não muito perto um do outro. Ele percebeu que ela estava prestes a dizer alguma coisa. Ela moveu de leve o sapato feioso e esmagou deliberadamente um graveto. Seus pés pareciam ter ficado mais largos, reparou ele.

"Eu traí você", disse ela simplesmente.

"Eu traí você", disse ele.

Julia tornou a dirigir-lhe um rápido olhar de aversão.

"Às vezes", ela disse, "eles ameaçam você com uma coisa — uma coisa que você não tem condições de suportar, sobre a qual não consegue nem pensar. E então você diz: 'Não façam isso comigo, façam com outra pessoa, façam com fulano e sicrano'. E depois você pode até fazer de conta que foi só um truque e que só disse isso para fazê-los parar; que não foi para valer. Mas não é verdade. Na hora em que acontece, é para valer, sim. Você pensa que não tem outra saída e está perfeitamente disposto a se salvar daquela forma. *Quer* que aquilo aconteça com a outra pessoa. Não está nem aí para o sofrimento dela. Na hora, você só pensa em si mesmo."

"Só pensa em si mesmo", repetiu Winston.

"E depois você não sente mais o que sentia antes em relação à pessoa."

"Não", disse ele, "não sente mais o que sentia antes."

Não parecia haver mais nada a dizer. O vento colava os macacões finos contra seus corpos. De uma hora para outra, ficou constrangedor permanecerem ali sentados em silêncio; além do mais, com aquele frio, era impossível ficar parado. Julia disse alguma coisa sobre pegar o metrô e levantou-se para ir embora.

"Precisamos nos ver de novo", disse ele.

"É", disse ela, "precisamos."

Winston seguiu-a, sem muita convicção, por um pequeno trecho. Ia meio passo atrás. Não voltaram a se falar. Julia não chegava a tentar se afastar dele, porém caminhava num ritmo que o impedia de alcançá-la. Ele decidira acompanhá-la até a estação do metrô, mas de repente a ideia de continuar em seu rasto naquele frio pareceu-lhe sem sentido e intolerável. Foi dominado por um desejo não tanto de se afastar de Julia como de voltar ao Café da Castanheira, que nunca lhe parecera tão aconchegante quanto naquele momento. Teve uma visão nostálgica de sua mesinha de canto, com o jornal e o tabuleiro de xadrez e o copo sempre cheio de gim. Acima de tudo, o lugar estaria aquecido. No instante seguinte, de modo não totalmente acidental, permitiu que um pequeno grupo de pessoas se interpusesse entre ela e ele. Fez uma tentativa indolente de voltar a se aproximar dela, em seguida reduziu o passo e deu meia-volta. Depois de percorrer cinquenta metros, olhou para trás. A rua não estava movimentada, porém já não conseguiu divisá-la. Qualquer dos dez ou doze vultos que via na calçada podia ser o dela. Talvez o corpo engrossado e enrijecido já não fosse identificável de costas.

"Na hora em que acontece", dissera ela, "é para valer, sim." Com ele fora assim. Não dissera aquilo da boca para fora. Desejara-o. Quisera que ela, e não ele, fosse entregue aos...

Houvera uma mudança na música que escorria da teletela. Ela foi tingida por um tom arranhado, zombeteiro, por uma tonalidade amarela. E em seguida — talvez aquilo não estivesse acontecendo, talvez fosse apenas uma lembrança assumindo o aspecto de um som — uma voz começou a cantarolar:

Sob a ramada da castanheira
Vendi você, e você a mim após...

Seus olhos ficaram rasos de lágrimas. Um garçom que passava por ali percebeu o copo vazio e voltou com a garrafa de gim.

Winston levantou o copo e cheirou. A cada gole que dava, a bebida parecia mais horrível, não menos, só que ela se tornara o elemento em que ele flutuava. Era sua vida, sua morte e sua ressurreição. Era o gim que todas as noites o fazia mergulhar no estupor, e era o gim que todas as manhãs o reanimava. Quando acordava — raramente antes das onze —, com as pálpebras grudadas e a boca seca e uma violenta dor nas costas, só conseguia sair da posição horizontal graças à garrafa e à xícara de chá deixadas ao lado da cama durante a noite. Ao longo de toda a manhã, sentado, semblante sem vida e garrafa ao alcance da mão, escutava a teletela. Às três da tarde chegava ao Café da Castanheira, de onde só saía quando o café fechava as portas. Ninguém se importava mais com o que ele fazia, nenhum apito o despertava, nenhuma teletela o admoestava. De vez em quando, cerca de duas vezes por semana, dirigia-se ao escritório empoeirado e aparentemente esquecido que lhe haviam destinado no Ministério da Verdade e se desincumbia de alguns trabalhos, ou daquilo a que chamavam de trabalho.

Fora nomeado para um subcomitê de um subcomitê instituído por um dos incontáveis comitês criados para lidar com dificuldades menores suscitadas pela compilação da décima primeira edição do *Dicionário de Novafala*. Estavam envolvidos na produção de algo denominado Relatório Provisório, mas o que, exatamente, estavam relatando ele não sabia ao certo. Tinha alguma coisa a ver com a questão de se as vírgulas deviam ser postas fora ou dentro dos parênteses. O subcomitê era composto por quatro outros indivíduos, todos em condições semelhantes às dele. Havia dias em que iniciavam uma reunião e a encerravam no instante seguinte, reconhecendo com franqueza que na realidade não tinham nada para fazer. Mas havia dias em que se punham a trabalhar quase com entusiasmo, num afã de mostrar com que afinco registravam suas minutas. Nesses dias, elaboravam rascunhos de memorandos extensíssimos, que nunca eram concluídos — dias em que a discussão sobre o que supunham estar discutindo tornava-se extraordinariamente intrincada e abstrusa, com controvérsias sutis sobre definições, digressões enormes, brigas, durante as quais chegavam mesmo a ameaçar recorrer a autoridades superiores. E então, de repente, a vida se esvaía deles e eles ficavam sentados em volta da mesa, olhando uns para os outros com expressão apagada, como fantasmas se dissolvendo ao raiar do dia.

A teletela silenciou por um momento. Winston tornou a erguer a cabeça. O comunicado! Mas, não, estavam apenas trocando a música. Viu o mapa da África por trás das pálpebras. O movimento das tropas era um diagrama: uma seta preta traçada verticalmente em sentido sul e uma seta branca traçada horizontalmente em sentido leste, cortando a extremidade posterior da primeira seta. Como se buscasse encorajamento, olhou para o rosto imperturbável no cartaz. Seria possível que a segunda seta nem sequer existisse?

Seu interesse tornou a esmorecer. Tomou outro gole de gim, pegou o cavalo branco e experimentou uma jogada. Xeque. Mas evidentemente não era o movimento correto, pois...

Sem ser evocada, uma lembrança aflorou em sua mente. Viu um cômodo iluminado à luz de velas, uma cama enorme, coberta com uma colcha, e viu a si mesmo, um menino de nove ou dez anos, sentado no chão, chacoalhando uma caixinha de dados e rindo com animação. Sua mãe estava sentada na frente dele, e também ria.

A cena devia ter acontecido um mês antes do desaparecimento da mãe. Fora um momento de reconciliação, em que Winston esquecera a fome que fustigava seu ventre e conseguira reviver por algum tempo a antiga afeição que sentia por ela. Lembrava-se bem daquele dia; chovia torrencialmente e a água escorria sem parar pela vidraça; a luz era fraca demais para que pudessem dedicar-se à leitura. O tédio que as duas crianças sentiam no interior do quarto escuro e apertado tornou-se insuportável. Winston começou a resmungar e a choramingar, reclamando em vão por comida, irrequieto, tirando tudo do lugar e dando chutes nos rodapés até os vizinhos baterem na parede, enquanto a irmãzinha chorava intermitentemente. Por fim, a mãe dissera: "Agora se comporte que vou comprar um brinquedo para você. Um brinquedo lindo — você vai adorar"; e então saíra na chuva para ir a uma lojinha da vizinhança que ainda abria esporadicamente, e voltara com uma caixa de papelão contendo um jogo de Snakes & Ladders. Winston ainda se lembrava do cheiro do papelão úmido. Era um jogo de péssima qualidade. O tabuleiro estava rachado e os dadinhos de madeira eram tão porcamente talhados que mal paravam em pé. Ele olhou para a coisa com mau humor e desinteresse. Mas a mãe acendeu uma vela e os dois se sentaram no chão para jogar. Em pouco tempo, Winston estava na maior animação, rindo alto com as peças que galgavam esperançosas as escadas para em seguida deslizar pelas cobras, quase voltando ao ponto de partida. Jogaram oito partidas, com quatro vitórias para cada um. A irmãzinha, muito pequena para entender o jogo, sentara-se com as costas apoiadas num travesseiro e ria quando eles riam. Passaram a tarde toda juntos e felizes, como nos primeiros anos de sua infância.

Winston expulsou a cena da cabeça. Era uma memória falsa. Vez por outra era atormentado por aquele tipo de lembrança. Não tinham importância quando a pessoa sabia de que se tratava. Algumas coisas haviam acontecido, outras não. Voltou-se outra vez para o tabuleiro de xadrez e tornou a pegar o cavalo branco. Quase no mesmo instante, a peça despencou no tabuleiro. Ele deu um pulo, como se tivesse sido espetado por um alfinete.

Um toque agudo de clarim perfurara o ar. Era o comunicado! Vitória! Quando o toque de clarim antecedia as notícias, era sinal de vitória. Uma espécie de vibração elétrica percorreu o café. Até os garçons se sobressaltaram e aguçaram os ouvidos.

O toque de clarim produzira um alarido ruidoso. Uma voz ardorosa já trovejava na teletela, mas assim que ela começou a divulgar a novidade, quase foi afogada por um bramido de aclamação vindo da rua. Como por mágica, a notícia se espalhara pelas ruas. Winston ouvia a teletela com dificuldade, só o suficiente para compreender que tudo acontecera como ele havia previsto: uma enorme frota marítima secretamente reunida, um ataque de surpresa contra a retaguarda do inimigo, a seta branca cortando a extremidade posterior da seta preta. Fragmentos de frases triunfantes atravessavam a algazarra: "Manobra estratégica de grandes proporções — coordenação perfeita — meio milhão de prisioneiros — desmoralização total — controle de todo o continente africano — deixando a guerra a uma distância previsível do fim — vitória — a maior vitória da história da humanidade — vitória, vitória, vitória!".

Debaixo da mesa, os pés de Winston faziam movimentos convulsivos. Ele não se movera da cadeira, mas na imaginação estava correndo, correndo velozmente, estava com as multidões que tomavam as ruas, urrando de alegria. Tornou a olhar para o retrato do Grande Irmão. O colosso que amparava o mundo! A rocha contra a qual as hordas asiáticas arremetiam em vão! Winston recordou que dez minutos antes — sim, apenas dez minutos antes — ainda nutria no íntimo dúvidas sobre as notícias que estavam para chegar do fronte; não sabia se anunciariam a vitória ou a derrota. Ah, não fora apenas um exército eurasiano que havia sido esmagado! Muitas coisas tinham se modificado nele desde o primeiro dia de sua estada no Ministério do Amor, porém a transformação definitiva, indispensável, capaz de curá-lo de uma vez por todas, ainda não ocorrera — até aquele momento.

A voz da teletela continuava a proferir suas narrativas de prisioneiros e pilhagens e morticínios, mas na rua a gritaria diminuíra um pouco. Os garçons retomavam o trabalho. Um deles se aproximou com uma garrafa de gim. Mergulhado num sonho jubiloso,

Winston não se deu conta de que enchiam seu copo. Já não corria nem urrava de alegria. Estava de volta ao Ministério do Amor, com todas as coisas perdoadas, a alma branca como a neve. Estava no banco dos réus, em praça pública, confessando tudo, comprometendo todo mundo. Estava atravessando o corredor de ladrilhos brancos, com a sensação de caminhar à luz do sol, tendo às costas um guarda armado. O tão ansiado projétil perfurava-lhe o cérebro.

Olhou para o rosto descomunal. Quarenta anos haviam sido necessários para que ele descobrisse que tipo de sorriso se escondia debaixo do bigode negro. Ah, que mal-entendido cruel e desnecessário! Ah, que obstinado autoexílio do peito amoroso! Duas lágrimas recendendo a gim correram-lhe pelas laterais do nariz. Mas estava tudo bem, estava tudo certo, a batalha chegara ao fim. Ele conquistara a vitória sobre si mesmo. Winston amava o Grande Irmão.

———

APÊNDICE*
Os princípios da Novafala

---

* Ao conceber a estrutura gramatical da Novafala, Orwell exacerbou características sintáticas e morfológicas já presentes, em alguma medida, no idioma inglês. Portanto, na leitura deste apêndice deve-se ter em mente que as inovações gramaticais citadas, bem como seus exemplos, sempre tomam como base a língua inglesa, e não a portuguesa. Além disso, em algumas passagens, o texto precisou sofrer pequenas adaptações. (N. T.)

A Novafala era o idioma oficial da Oceânia e fora concebido para atender às necessidades ideológicas do Socing, ou Socialismo Inglês. Em 1984 ainda não havia quem o empregasse como meio exclusivo de comunicação, tanto oralmente como por escrito. Os editoriais do *Times* eram redigidos no novo idioma, mas era um tour de force que só especialistas conseguiam executar. Previa-se que a Novafala substituísse completamente a Velhafala (ou o inglês padrão, como o chamamos) por volta de 2050. Enquanto isso, o novo idioma ia aos poucos ganhando terreno, com todos os membros do Partido tendendo, cada vez mais, a usar palavras e construções gramaticais da Novafala em suas interlocuções cotidianas. A versão corrente em 1984, consubstanciada na nona e na décima edições do dicionário de Novafala, era provisória e continha muitas palavras supérfluas e formações arcaicas que posteriormente viriam a ser suprimidas. É à versão definitiva e aperfeiçoada, consolidada com a décima primeira edição do dicionário, que nos referimos aqui.

O objetivo da Novafala não era somente fornecer um meio de expressão compatível com a visão de mundo e os hábitos mentais dos adeptos do Socing, mas também inviabilizar todas as outras formas de pensamento. A ideia era que, uma vez definitivamente adotada a Novafala e esquecida a Velhafala, um pensamento herege — isto é, um pensamento que divergisse dos princípios do Socing — fosse literalmente impensável, ao menos na medida em que pensamentos dependem de palavras para ser formulados. O vocabulário da Novafala foi elaborado de modo a conferir expressão exata, e amiúde muito sutil, a todos os significados que um membro do Partido pudesse querer apropriadamente transmitir, ao mesmo tempo que excluía todos os demais significados e inclusive a possibilidade de a pessoa chegar a eles por meios indiretos. Para tanto, recorreu-se à criação de novos vocábulos e, sobretudo, à eliminação de vocábulos indesejáveis, bem como à subtração de significados heréticos e, até onde fosse possível, de todo e qualquer significado secundário que os vocábulos remanescentes porventura exibissem. Vejamos um exemplo. A palavra *livre* continuava a existir em Novafala, porém só podia ser empregada em sentenças como: "O caminho está livre" ou: "O toalete está livre". Não podia ser usada no velho sentido de "politicamente livre" ou "intelectualmente livre", pois as liberdades políticas e intelectuais já não existiam nem como conceitos, não sendo, portanto, passíveis de ser nomeadas. Por outro lado, embora fosse vista como um fim em si mesma, a redução do vocabulário teve alcance muito mais amplo que a mera supressão de palavras hereges: nenhuma palavra que não fosse imprescindível sobreviveu. A Novafala foi concebida não para ampliar, e sim *restringir* os limites do pensamento, e a redução a um mínimo do estoque de palavras disponíveis era uma maneira indireta de atingir esse propósito.

Apesar de a Novafala ter se baseado na língua inglesa tal como a conhecemos hoje, muitas frases do novo idioma, ainda que não incluíssem vocábulos de criação recente, seriam praticamente incompreensíveis para os falantes do inglês de nossos dias. Em Novafala, as palavras se dividiam em três categorias distintas, a saber: vocabulário A, vocabulário B (abrangendo as palavras compostas) e vocabulário C. Por uma questão de simplicidade, discutiremos cada uma delas separadamente, porém as peculiaridades gramaticais do novo idioma serão abordadas na seção dedicada ao vocabulário A, tendo em vista que as três classes de palavras obedeciam às mesmas regras.

Vocabulário A. Incluíam-se aqui as palavras concernentes às atividades do dia a dia: comer, beber, trabalhar, vestir-se, subir e descer escadas, usar um meio de transporte, cuidar das plantas de um jardim, cozinhar e assim por diante. Tratava-se de um vocabulário composto quase inteiramente de palavras que já possuímos — palavras como *bater, correr, cão, árvore, açúcar, casa, campo* —, mas, comparado ao vocabulário do atual idioma inglês, abrangia um número reduzido de termos, os quais, não bastasse isso, tinham significados mais rigidamente definidos. Todas as ambiguidades e nuances de sentido haviam sido expurgadas. Na medida do possível, os vocábulos desta classe se limitavam a sons curtos, exprimindo, cada um deles, *um* conceito de compreensão clara e simples. Teria sido praticamente impossível usar o vocabulário A com propósitos literários ou em discussões políticas e filosóficas. Tratava-se de um conjunto de palavras destinadas exclusivamente a exprimir pensamentos simples e utilitários, em geral envolvendo objetos concretos ou ações físicas.

A gramática da Novafala tinha duas peculiaridades que se destacavam. A primeira era permutabilidade quase completa entre diferentes elementos do discurso. Qualquer palavra do idioma (em princípio, isso se aplicava até a vocábulos extremamente abstratos, como *se* ou *quando*) podia ser usada como verbo, substantivo, adjetivo ou advérbio. Quando as formas verbais e nominais tinham a mesma raiz, não se admitia nenhum tipo de variação — regra que, por si só, levou inúmeras formas arcaicas à extinção. A palavra *pensamento*, por exemplo, não existia em Novafala. Seu lugar foi ocupado por *pensar*, que fazia as vezes de verbo e substantivo. A opção por esta ou aquela forma não obedecia a nenhum princípio etimológico: em alguns casos, preservava-se o substantivo original; em outros, o verbo. Mesmo no caso de substantivos e verbos com parentesco semântico, mas sem ligação etimológica, amiúde uma das formas era suprimida. A palavra *cortar*, por exemplo, não existia mais, pois seu significado estava devidamente contido no substantivo-verbo *faca*.

Os adjetivos eram formados com o acréscimo do sufixo *-oso* ao substantivo-verbo, e os advérbios acrescidos de *-mente*. Assim, por exemplo, *velocidadoso* significava "rápido" e *velocidademente* significava "depressa". Alguns dos adjetivos que usamos hoje, como *bom*, *forte*, *grande*, *negro*, *suave*, foram mantidos, porém em número bastante reduzido. Eram pouco necessários, de vez que quase todo sentido adjetival podia ser obtido por meio da adição de *-oso* a um substantivo-verbo. Todos os advérbios não terminados em *-mente* foram abolidos; a terminação *-mente* era invariável. A palavra *bem*, por exemplo, foi substituída por *benemente*. Ademais, qualquer palavra — e, de novo, isso em princípio se aplicava a todas as palavras do idioma — podia ser transformada em seu antônimo por meio do acréscimo do prefixo *des-*, ou podia ser reforçada com o prefixo *mais-* ou, para ênfase ainda maior, *duplomais-*. Assim, por exemplo, *desfrio* significava "quente", ao passo que *maisfrio* e *duplomaisfrio* significavam, respectivamente, "muito frio" e "extremamente frio". Também era possível modificar o sentido de quase todas as palavras com prefixos prepositivos como *ante-*, *pós-*, *sobre-*, *sub-* etc. Tais métodos viabilizaram uma enorme redução vocabular. Dada a palavra *bom*, por exemplo, não havia necessidade de uma palavra como *ruim*, pois o sentido por ela veiculado seria tão bem ou ainda mais bem expresso com *desbom*. Em todos os casos em que duas palavras formassem um par natural de opostos, bastava escolher qual delas suprimir. *Escuro*, por exemplo, podia ser substituído por *desclaro*; ou *claro* por *desescuro*.

A segunda característica distintiva da gramática da Novafala era sua regularidade. Fora algumas exceções, todas as inflexões seguiam as mesmas regras. Assim sendo, o pretérito e o particípio de todos os verbos eram iguais. Todos os plurais eram formados com o acréscimo de *-s* ou, conforme o caso, *-es*. A comparação entre adjetivos era sempre feita por meio da adição de um sufixo.

As flexões irregulares só foram preservadas no caso dos pronomes relativos e demonstrativos e dos verbos auxiliares, que continuaram a ser empregados de acordo com as regras do inglês padrão. Preservaram-se também certas irregularidades na formação de palavras, com o intuito único de facilitar e agilizar a pronúncia. Qualquer palavra cuja pronúncia fosse difícil ou cuja sonoridade desse margem a confusões era malvista. Assim, ocasionalmente, em benefício da eufonia, acrescentaram-se letras às palavras ou preservaram-se formações arcaicas. Contudo, é no tocante às palavras incluídas no vocabulário B que essa característica adquire especial relevo. Mais adiante o leitor compreenderá o porquê de tal preocupação com a pronúncia.

Vocabulário B. Esta categoria abrangia palavras deliberadamente criadas com propósitos políticos: palavras que não apenas tinham implicações políticas como tencionavam impor uma disposição mental desejável nas pessoas que as usavam. Sem uma real compreensão dos princípios do Socing, era difícil empregar tais palavras corretamente. Em alguns casos, era possível traduzi-las para a Velhafala ou mesmo para palavras do vocabulário A, porém isso em geral exigia longas paráfrases e sempre resultava na perda de certas nuances de sentido. Tratava-se de uma espécie de taquigrafia verbal, frequentemente resumindo grandes extensões de ideias em poucas sílabas, mostrando-se, ao mesmo tempo, mais precisas e eficazes que o vocabulário empregado no dia a dia.

As palavras do vocabulário B eram sempre compostas.* Resultavam da união de duas ou mais palavras, ou de partes de palavras, agrupadas de forma a facilitar sua pronúncia. O amálgama daí resultante era sempre um substantivo-verbo, flexionado de acordo com as mesmas regras válidas para os vocábulos comuns. Para dar um exemplo: a palavra *bompensar*, que muito grosseiramente poderia ser traduzida por "ortodoxia", ou, na função de verbo: "pensar de maneira ortodoxa". O vocábulo era flexionado da seguinte maneira: substantivo-verbo, *benepensar*; particípio, *benepensado*; gerúndio, *benepensando*; adjetivo, *benepensivo*; advérbio, *benepensadamente*; substantivo deverbal, *benepensador*.

---

* Podia-se, obviamente, encontrar palavras compostas no vocabulário A, mas tratava-se apenas de abreviações ditadas pela conveniência, sem nenhuma coloração ideológica especial.

A composição dessas palavras não obedecia a nenhum plano etimológico. Elas podiam ser formadas a partir de quaisquer unidades do discurso e podiam ser colocadas em qualquer ponto da oração e estavam sujeitas a toda e qualquer mutilação que, deixando clara sua derivação, contribuísse para facilitar a pronúncia. Por exemplo: se, por um lado, o termo *pensar* formava a segunda parte do vocábulo *crimepensar*, por outro, era o elemento inicial de *pensapolícia* (Polícia do Pensamento), em que também havia perdido a letra *r*. Devido à maior dificuldade de preservar a eufonia, as formações irregulares eram mais comuns no vocabulário B do que no A. Por exemplo, os termos *Miniver*, *Minipaz* e *Miniamor* eram adjetivados como *minivero*, *minimanso* e *minterno*, pois essas formas eram menos esquisitas e tinham uma pronúncia mais simples do que *miniverdadoso*, *minipazoso* e *miniamoroso*. Em princípio, porém, todas as palavras do vocabulário B podiam ser flexionadas e todas eram flexionadas da mesma maneira.

Algumas das palavras incluídas no vocabulário B possuíam significados extremamente sutis, quase ininteligíveis para os que não dominavam o idioma de todo. Veja-se, por exemplo, uma frase típica de um editorial do *Times*, como *Pensocrépitos desventresentem o Socing*. A tradução mais sucinta disso em Velhafala seria: "Aqueles cujas ideias se formaram antes da Revolução não têm como alcançar uma compreensão sensível dos princípios do Socialismo Inglês". Porém não se trata de uma tradução correta. A compreensão de todos os sentidos implícitos na frase citada em Novafala exigiria, antes de mais nada, uma noção muito clara e precisa do que se entende por Socing. Além disso, apenas uma pessoa imersa no universo ideológico do Socing seria capaz de perceber toda a força da palavra *ventresentir*, que implicava uma aceitação cega e entusiástica, difícil de ser imaginada hoje em dia, ou do termo *pensocrépito*, que estava inextricavelmente vinculado à ideia de perversidade e decadência. No entanto, certas palavras da Novafala prestavam-se menos a comunicar significados do que a destruí-los. Os significados dessas palavras — obrigatoriamente pouco numerosas — haviam sido ampliados até que elas pudessem conter em si mesmas exércitos inteiros de vocábulos, que, estando devidamente representados por um único termo, podiam ser então eliminados e esquecidos. A maior dificuldade enfrentada pelos compiladores do dicionário de Novafala não era inventar palavras novas, mas, tendo-as inventado, certificar-se de seu significado; isto é, certificar-se de quais universos de palavras estavam extinguindo com suas criações.

Às vezes, como já foi observado no caso da palavra *livre*, preservavam-se, por uma questão de conveniência, vocábulos que a certa altura haviam tido significados hereges. Para que isso acontecesse, porém, era preciso expurgá-los desses significados indesejáveis. Inúmeras palavras, como *honra, justiça, moralidade, internacionalismo, democracia, ciência* e *religião* haviam simplesmente deixado de existir, passando a ser englobadas por alguns poucos vocábulos que, no ato mesmo de englobá-las, provocavam sua obliteração. Todas as palavras cujo sentido girava em torno dos conceitos de liberdade e igualdade, por exemplo, estavam contidas na palavra *crimepensar*. Teria sido perigoso lidar com sentidos mais precisos. O que se exigia de um membro do Partido era uma visão similar àquela do hebreu antigo, que, embora não soubesse muito mais que isso, sabia com certeza que, fora a sua, todas as outras nações adoravam "deuses falsos". Era-lhe desnecessário saber que esses deuses se chamavam Baal, Osíris, Moloque, Astarote e que tais. Com toda a probabilidade, quanto menos soubesse a respeito deles, mais convicta seria sua ortodoxia. Ele conhecia Jeová e os mandamentos de Jeová; sabia, portanto, que todos os deuses que atendiam por outros nomes ou que possuíam outros atributos eram falsos. De maneira semelhante, o membro do Partido sabia o que constituía uma conduta correta e, em termos extremamente vagos e gerais, sabia que tipos de desvios em relação a ela eram possíveis. Toda a sua vida sexual, por exemplo, era regulada por duas palavras: *sexocrime* (imoralidade sexual) e *benesexo* (castidade). *Sexocrime* englobava toda e qualquer forma de transgressão sexual, incluindo fornicação, adultério, homossexualidade e outras perversões — entre as quais se contavam também as relações sexuais normais que um casal tivesse apenas por prazer. Não havia necessidade de enumerar cada um desses delitos, visto serem todos igualmente reprováveis e, em princípio, passíveis de punição com a morte. No vocabulário C, composto de palavras científicas e técnicas, talvez fosse necessário atribuir nomes especializados a certas aberrações sexuais, porém o cidadão comum não tinha necessidade delas. Ele conhecia o significado de *benesexo* — a saber, relações sexuais normais entre um homem e sua esposa, tendo a procriação como único objetivo e sem que houvesse, da parte da mulher, nenhum prazer físico; o resto era *sexocrime*. Em Novafala era praticamente impossível fazer um pensamento herege ultrapassar a constatação de que ele *era* uma heresia; inexistiam as palavras necessárias para avançar mais que isso.

Nenhuma palavra do vocabulário B era ideologicamente neutra. Muitas delas não passavam de eufemismos. O significado de palavras como *campofolia* (campo de trabalhos forçados) ou *Minipaz* (Ministério da Paz, isto é, Ministério da Guerra), era quase exatamente o inverso do que elas pareciam significar. Havia palavras, por outro lado, que manifestavam uma compreensão franca e desdenhosa da verdadeira natureza da sociedade oceânica. Um exemplo era *papaproleta*, termo que servia para designar os noticiários fraudulentos e os eventos e espetáculos abomináveis que o Partido oferecia para o divertimento das massas. Havia ainda palavras ambivalentes, que assumiam um sentido positivo quando associadas ao Partido e negativo quando a seus inimigos. Por fim, havia também grande número de palavras que pareciam, à primeira vista, meras abreviações e cuja coloração ideológica advinha não de seu sentido, mas de sua estrutura.

Na medida do possível, tudo o que tinha ou poderia ter algum tipo de significado político estava incluído no vocabulário B. Todos os nomes de organizações, grupos de pessoas, doutrinas, países, instituições ou edifícios públicos eram encurtados da maneira habitual, isto é, abreviados de modo a formar uma só palavra, de pronúncia fácil, e com o menor número de sílabas capaz de preservar sua derivação original. No Ministério da Verdade, por exemplo, o Departamento de Registros, onde Winston Smith trabalhava, era conhecido como *Dereg*; o Departamento de Ficção era conhecido como *Defic*; o Departamento de Teleprogramas, como *Detel*; e assim por diante. O objetivo disso não era apenas poupar tempo. O emprego de palavras e frases telescópicas tornou-

-se um traço característico da linguagem política já nas primeiras décadas do século XX. E a tendência a usar abreviações como essas era particularmente pronunciada em países e organizações de caráter totalitário. Alguns exemplos são os termos *nazi*, *Gestapo*, *Comintern*, *Imprecorr*, *agitprop*. No início, era uma prática quase espontânea, porém em Novafala ela possuía um propósito consciente. Observou-se que tais abreviações estreitavam e modificavam sutilmente o sentido das palavras originais, eliminando a maior parte das associações que de outra forma se manteriam vinculadas a elas. As palavras *Internacional Comunista*, por exemplo, evocavam uma imagem em que se misturavam a fraternidade universal, as bandeiras vermelhas, as barricadas, a figura de Karl Marx e a Comuna de Paris. O termo *Comintern*, por sua vez, transmite apenas a ideia de uma organização unida e fechada, dotada de um corpo doutrinário bem definido. Refere-se a algo quase tão facilmente reconhecível e de finalidade quase tão limitada quanto uma cadeira ou uma mesa. Se *Comintern* é uma palavra que a pessoa pode pronunciar de forma quase automática, a expressão *Internacional Comunista* exige um mínimo de reflexão. Da mesma forma, as associações suscitadas por uma palavra como *Miniver* são menos numerosas e mais controláveis que as despertadas por *Ministério da Verdade*. Era isso que estava por trás não somente do costume de abreviar as palavras sempre que possível como também do zelo quase excessivo em dar a elas uma pronúncia fácil.

Em Novafala, excluída a preocupação com a exatidão de sentido, a eufonia sobrepujava todas as outras considerações. Sempre que parecia necessário, a regularidade gramatical era sacrificada em seu favor. E com razão, pois o que mais se fazia necessário, acima de todos os desígnios políticos, eram palavras concisas e de sentido inequívoco que pudessem ser pronunciadas com rapidez e que provocassem um mínimo de ecos na mente do falante. As palavras do vocabulário B chegavam mesmo a extrair força do fato de possuírem, na maioria, características muito semelhantes. Muitas delas eram dissílabos ou trissílabos, com acentos tônicos distribuídos de maneira homogênea entre a primeira e a última sílaba. Seu emprego favorecia as falas verborrágicas, com uma sonoridade a um só tempo espasmódica e monótona.

E era exatamente isso que se pretendia. A intenção era transformar a fala, sobretudo quando o assunto não fosse ideologicamente neutro, em algo tão independente quanto possível da consciência. No âmbito da vida cotidiana, era sempre ou por vezes necessário pensar antes de falar, porém um membro do Partido instado a fazer um julgamento político ou ético devia ser capaz de emitir opiniões corretas com o automatismo com que uma metralhadora dispara uma saraivada de balas. Seu treinamento o preparava para isso, o idioma lhe fornecia um instrumental praticamente infalível e a textura das palavras, com sua sonoridade rude e certa deselegância intencional em conformidade com o espírito do Socing, prestava um auxílio adicional ao processo.

Para isso contribuía também a limitada gama de palavras que o falante tinha à disposição. Em comparação com o inglês atual, o vocabulário da Novafala era minúsculo, e havia uma busca incessante de mecanismos que permitissem restringi-lo ainda mais. De fato, se havia algo que diferenciava a Novafala de quase todas as outras línguas era o fato de que, em vez de se expandir, seu vocabulário encolhia a cada ano. Toda redução era um ganho, vez que quanto menor fosse a possibilidade de escolha, mais tênue seria a propensão ao pensamento. Contava-se chegar um dia a falas articuladas que emergissem da laringe sem nenhuma participação dos centros mais elevados do cérebro. Tal objetivo era francamente reconhecido por meio do termo *patofala*, que significava "grasnar como um pato". Como várias outras palavras do vocabulário B, o sentido de *patofala* era ambivalente. Se as opiniões grasnadas fossem ortodoxas, o termo só implicava elogios, e quando o *Times* dizia que determinado membro do Partido era um orador *patofalosoduplomaisbom*, isso era visto como uma calorosa e significativa manifestação de apreço.

Vocabulário C. Esta categoria suplementava as demais e era formada apenas por termos técnicos e científicos. Não havia grande diferença quanto à terminologia hoje em uso, e as palavras derivavam das mesmas raízes que os vocábulos técnico-científicos atuais — tendo sido alvo, porém, da costumeira preocupação com definições rígidas e tendo sido igualmente despojadas de significados indesejáveis. Além disso, obedeciam às mesmas regras gramaticais válidas para os outros dois vocabulários mencionados anteriormente. Só em casos raros eram empregadas nas interlocuções cotidianas ou no discurso político. Os cientistas e técnicos encontravam todas as palavras de que necessitavam na lista dedicada a sua especialidade, porém era raro que tivessem mais que um conhecimento superficial das palavras pertencentes às outras listas. Somente algumas palavras eram comuns a todas as listas, e, fosse qual fosse a área do conhecimento, não havia vocábulos que permitissem falar sobre a função da ciência como hábito mental ou método de pensamento. A bem da verdade, não havia nem a palavra "Ciência", estando os significados associados a ela devidamente contidos na palavra *Socing*.

Com base na exposição acima, fica evidente que em Novafala era praticamente impossível expressar, a não ser de modo muito incipiente, quaisquer opiniões que divergissem da ortodoxia. Podia-se, claro, dar vazão a heresias de tipo extremamente vulgar, como se fossem uma espécie de blasfêmia. Nada impedia a construção de uma frase como: *O Grande Irmão é desbom*. Contudo, tal afirmação, que para um ouvido ortodoxo seria em si mesma absurda, não tinha como ser sustentada por nenhum tipo de raciocínio lógico, visto inexistirem palavras para isso. As ideias hostis ao Socing só podiam assumir uma forma vaga e pré-verbal e não tinham como ser nomeadas senão em termos extremamente genéricos, que se emaranhavam de modo confuso e condenavam grupos inteiros de heresias sem que, ao fazê-lo, fossem capazes de defini-los. De fato, a única maneira de usar o idioma Novafala com propósitos heréticos seria traduzir espuriamente algumas palavras para a Velhafala. Era possível, por exemplo, formular em Novafala a frase: *Todos os homens são iguais*. Mas tal afirmação corresponderia semanticamente à seguinte frase em Velhafala: *Todos os homens são ruivos*. Embora não contivesse nenhum erro gramatical, a frase *Todos os homens são iguais* exprimia uma inverdade palpável, a saber, que todos os homens têm a mesma altura, o mesmo peso ou o mesmo vigor. O conceito de igualdade política não existia mais e, em consonância com isso, esse significado secundário tinha sido expurgado da palavra *igual*. Como em 1984 a Velhafala ainda era o meio de comunicação mais utilizado, em tese havia o risco de que, ao usar palavras do novo idioma, a pessoa ainda se lembrasse de seus significados originais. Na prática, para um indivíduo bem adestrado em *duplipensamento*, não era difícil evitar esse perigo, mas duas ou três gerações mais tarde até tal lapso estaria excluído do universo das possibilidades. Para alguém que crescesse tendo a Novafala como único idioma seria tão difícil imaginar que, no passado, a palavra *igual* tivera o significado secundário de "politicamente igual", ou que *livre* incluía o de "intelectualmente livre", quanto seria, para alguém que nunca tivesse ouvido falar em xadrez, imaginar que as palavras *rainha* e *torre* têm, nesse jogo, significados particulares que não estão contemplados em seu significado usual. Uma série de crimes e erros se tornariam impraticáveis simplesmente porque, não havendo palavras para designá-los, não poderiam nem mesmo ser concebidos. E era de prever que, com a passagem do tempo, as características distintivas da Novafala se tornariam cada vez mais pronunciadas — a quantidade de palavras disponíveis seria cada vez menor, seus significados seriam cada vez mais rígidos e, por conseguinte, diminuiria progressivamente a probabilidade de que fossem empregadas de forma imprópria.

Quando chegasse o momento da abolição definitiva da Velhafala, o último elo com o passado teria sido rompido. A história já havia sido reescrita. Porém, devido a esforços censórios imperfeitos, sobreviviam aqui e ali alguns fragmentos da literatura do passado, e enquanto houvesse pessoas que falassem o antigo idioma, sua leitura seria possível. No futuro, mesmo que calhassem de sobreviver, esses fragmentos se tornariam ininteligíveis e intraduzíveis. Não havia texto que pudesse ser traduzido da Velhafala para a Novafala, a menos que se referisse a algum processo técnico ou a alguma ação cotidiana muito simples, ou já exibisse uma tendência ortodoxa (*benepensante* seria a palavra em Novafala). Em termos práticos, isso significava que nenhum livro escrito antes de, aproximadamente, 1960 poderia ser traduzido por inteiro. A literatura pré-revolucionária precisava, de maneira obrigatória, ser submetida a uma tradução ideológica — isto é, a uma tradução não apenas linguística como também conteudística. Tomemos como exemplo a célebre passagem da Declaração de Independência dos Estados Unidos:

> Consideramos por si só evidentes as seguintes
> verdades: que todos os homens são criados
> iguais, que seu Criador os dota de certos direitos
> inalienáveis, que entre eles estão o direito à vida,
> à liberdade e à busca da felicidade. Que, para
> melhor garantir esses direitos, instituem-se
> entre os homens Governos, cujo poder deriva do
> consentimento dos governados. Que toda vez
> que uma forma de governo se torna prejudicial à
> consecução desses fins, é direito do Povo alterá-la
> ou aboli-la e instituir um novo Governo...

Seria praticamente impossível traduzir esse trecho para a Novafala sem modificar o sentido do original. O mais próximo disso que alguém conseguiria chegar seria absorver a passagem inteira numa única palavra: *pensamento-crime*. Uma tradução completa teria de ser, necessariamente, uma tradução ideológica, por meio da qual as palavras de Jefferson seriam transformadas em panegírico do governo absoluto.

De fato, boa parte da literatura do passado já estava sendo submetida a esse processo. Por uma questão de prestígio, parecera desejável preservar a memória de certas figuras históricas, desde que suas realizações fossem adaptadas à filosofia do Socing. Diversos escritores, como Shakespeare, Milton, Swift, Byron, Dickens e alguns outros estavam sendo traduzidos; quando a tarefa estivesse encerrada, seus textos originais seriam destruídos com tudo o mais que restava da literatura do passado. Essas traduções eram difíceis e demoradas, e não se imaginava que estivessem concluídas antes da primeira ou segunda década do século XXI. Havia também vastas quantidades de literatura estritamente utilitária — manuais técnicos indispensáveis e coisas assim — que precisavam receber o mesmo tratamento. Foi sobretudo para dar tempo a esse trabalho preliminar de tradução que a adoção definitiva da Novafala foi marcada para o longínquo ano de 2050.

1984: 70 ANOS EM CAPAS

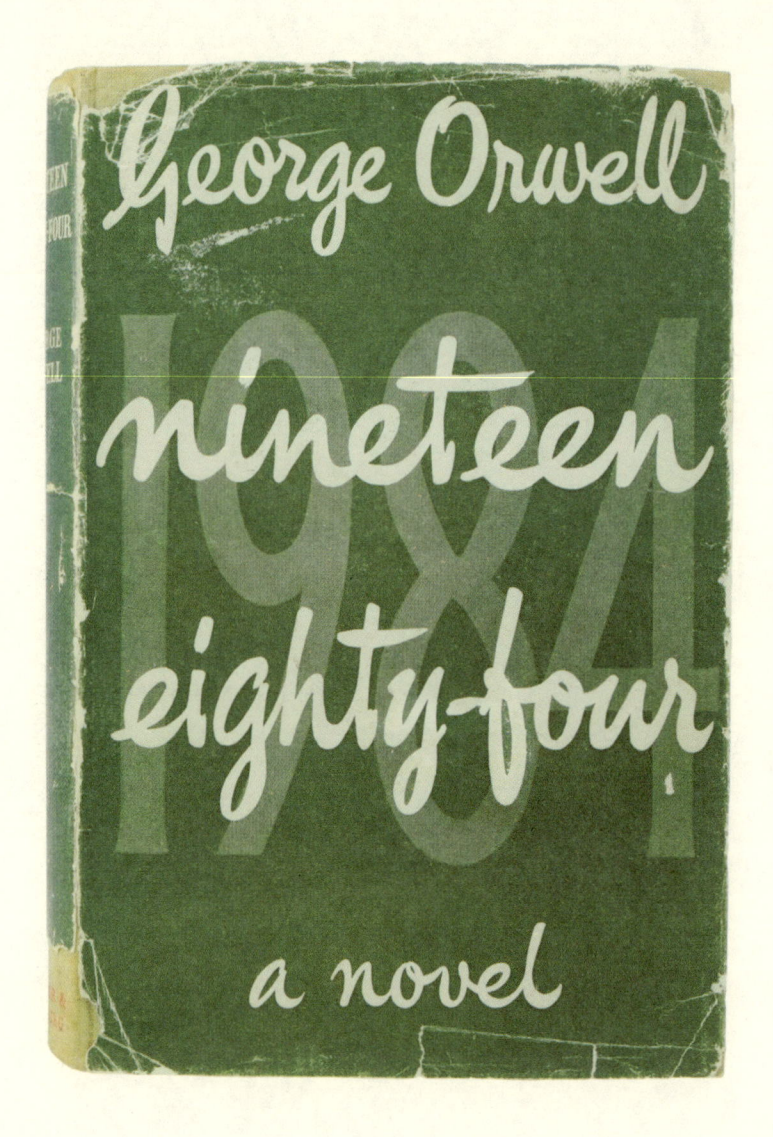

Capa da primeira edição de *1984*. Secker & Warburg, Reino Unido, 1949

GEORGE ORWELL

1984

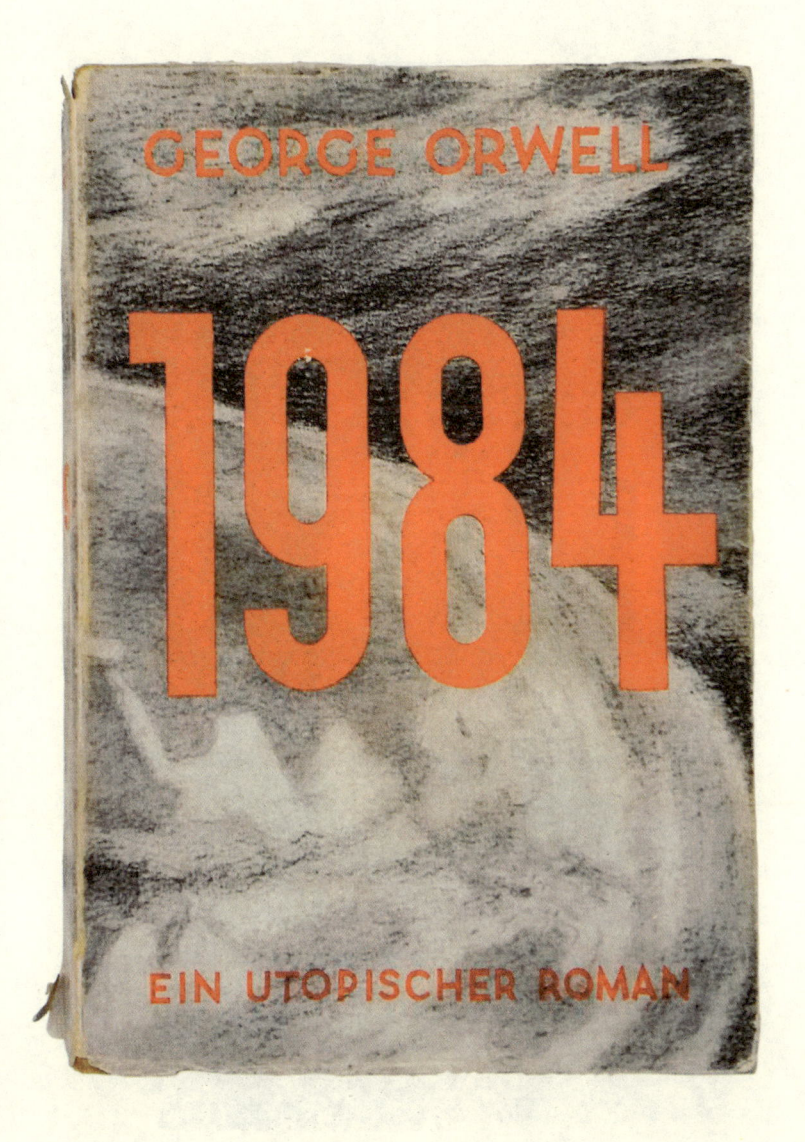

EIN UTOPISCHER ROMAN

Diana Verlag, Alemanha, 1950

Klara Civiltryckeri AB, Suécia, 1950

George Orwell

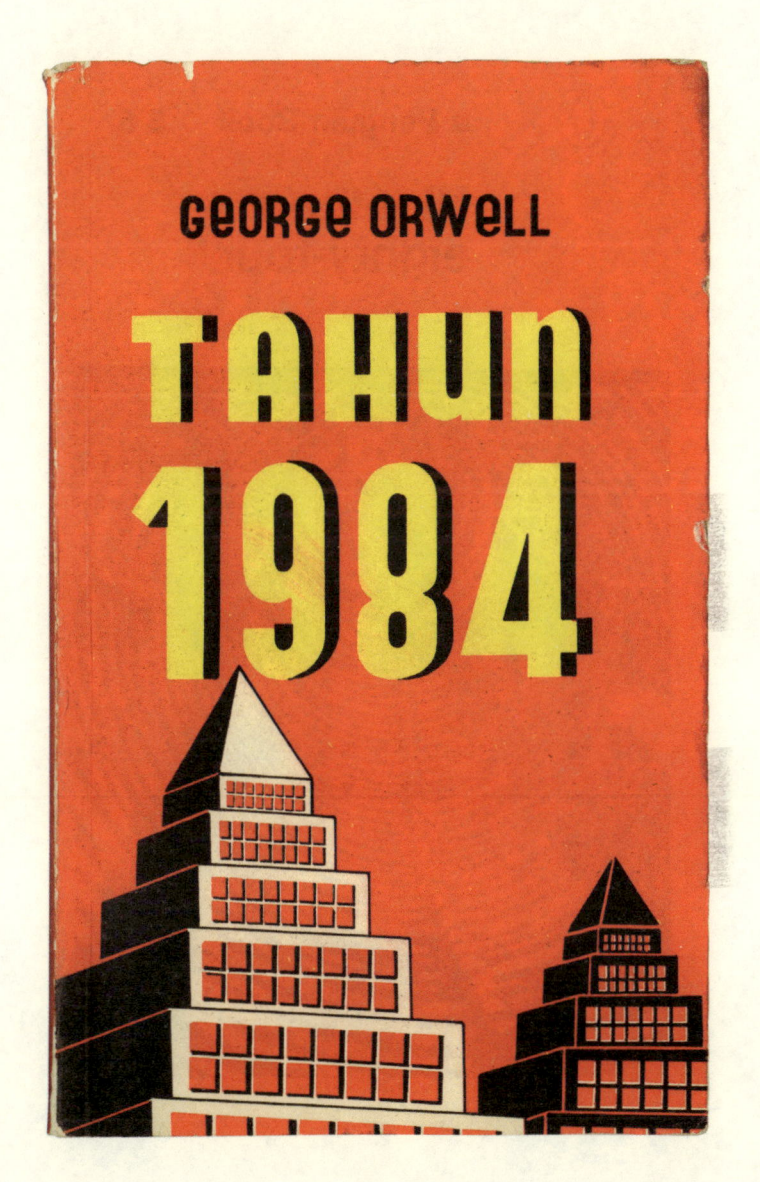

TAHUN 1984

Bentang Pustaka, Indonésia, 1953

a Penguin Book 3/6

Nineteen eighty-four

George Orwell

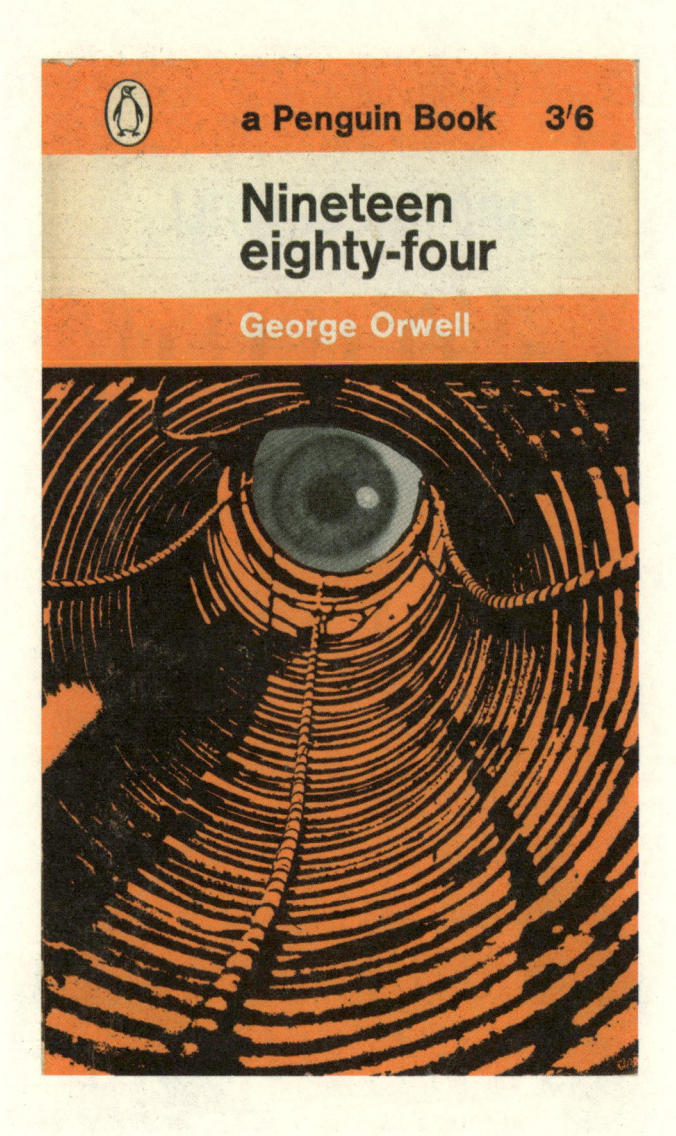

Penguin Books, Reino Unido, 1964

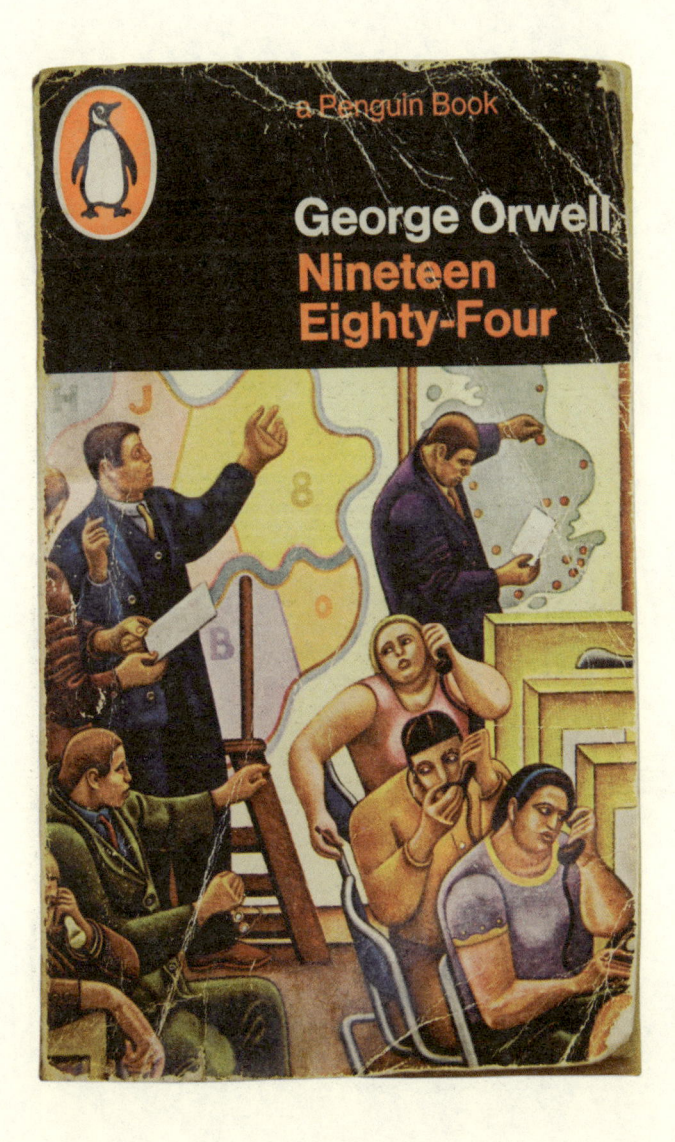

Penguin Books, Reino Unido, 1967

1984

GEORGE ORWELL

Ediciones Destino, Espanha, 1972

Folio, França, 1973

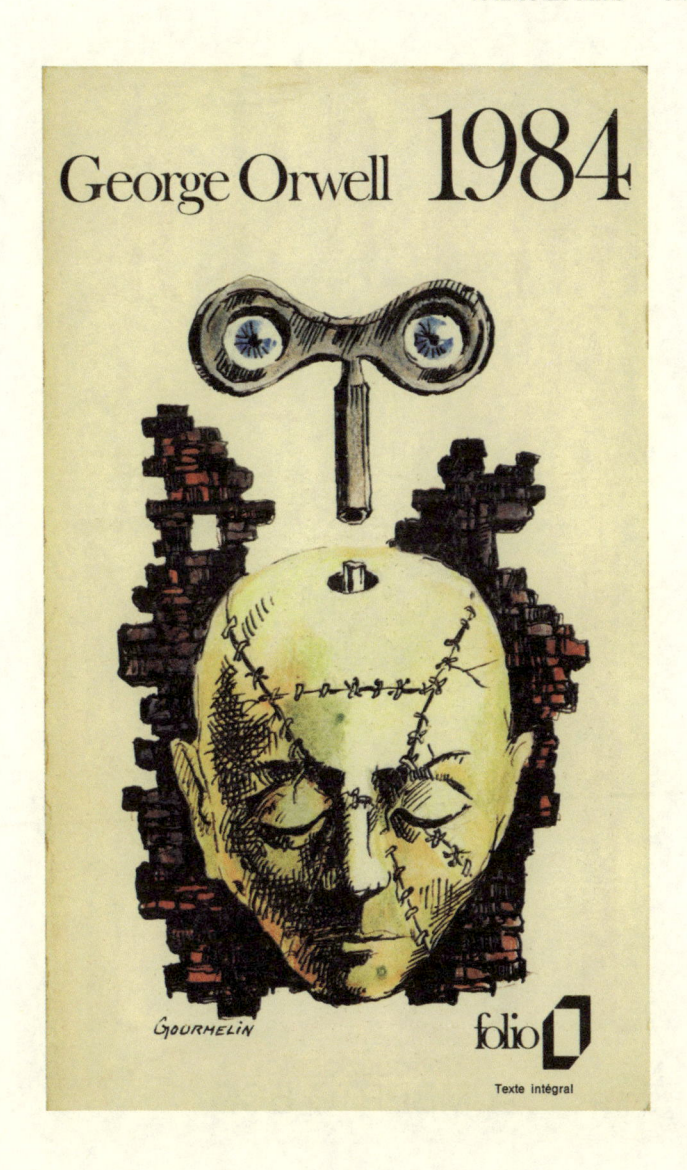

GEORGE ORWELL
1984

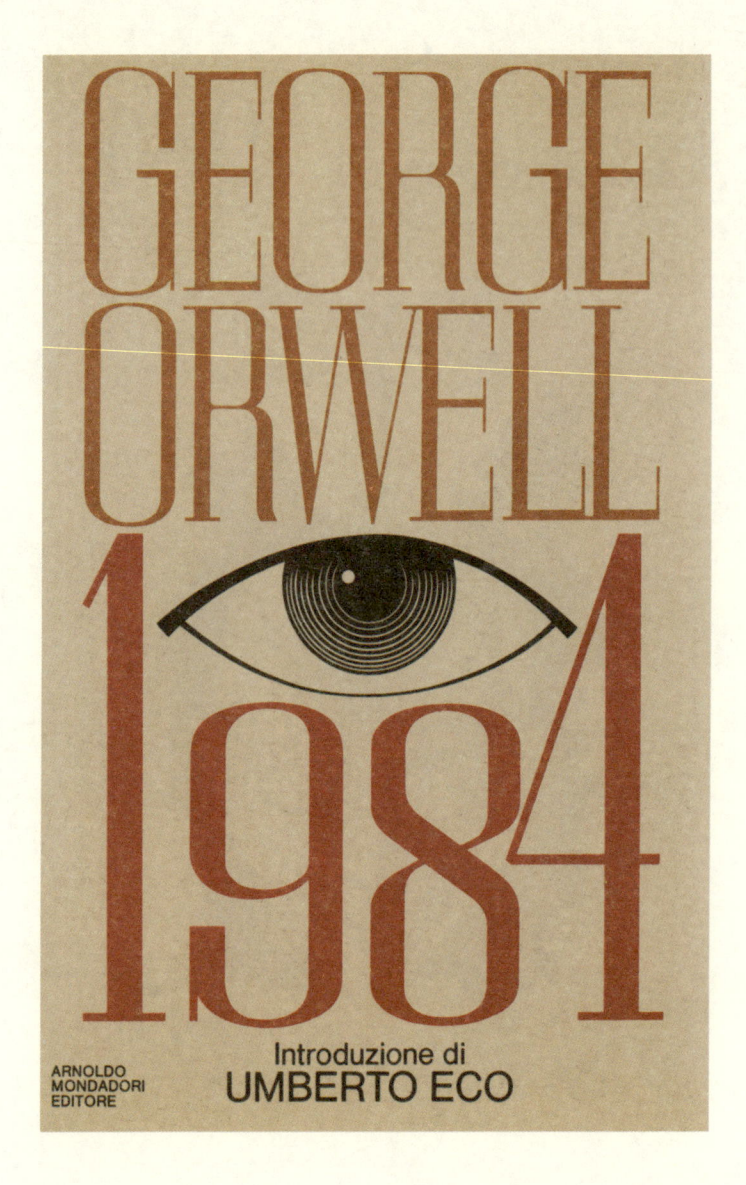

Introduzione di
UMBERTO ECO

ARNOLDO
MONDADORI
EDITORE

Mondadori, Itália, 1978

De Arbeiderspers, Holanda, 1978

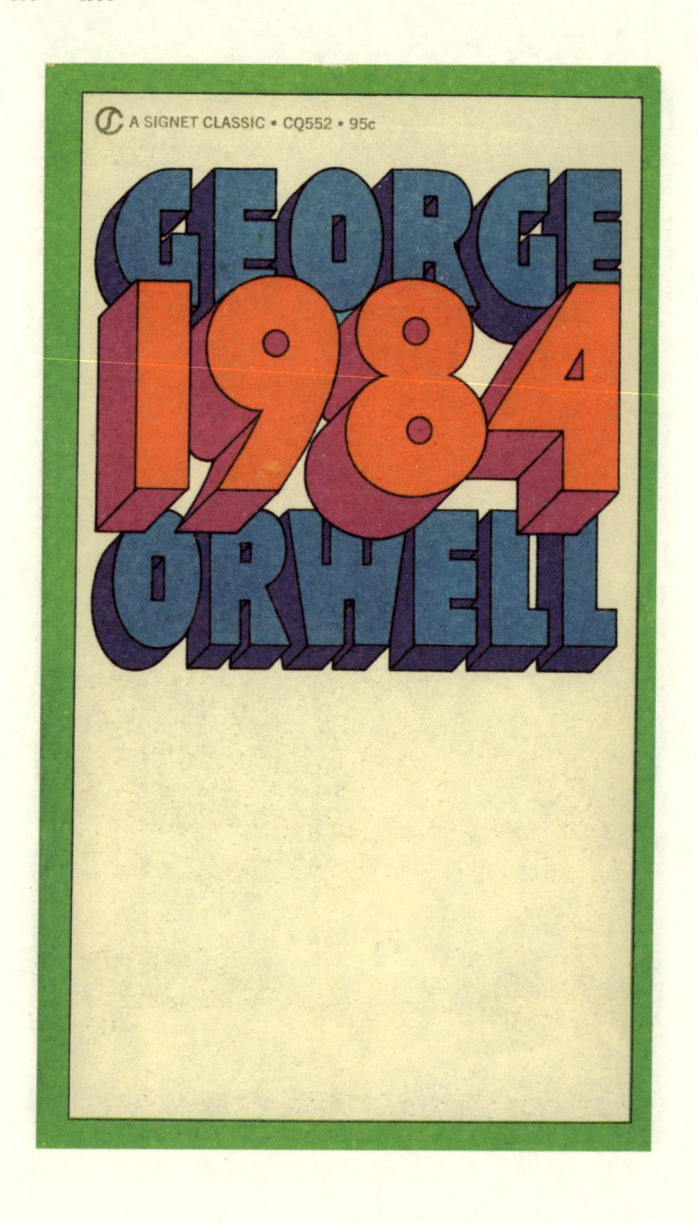

Signet Classics, Estados Unidos, 1983

Nineteen Eighty-Four

GEORGE ORWELL

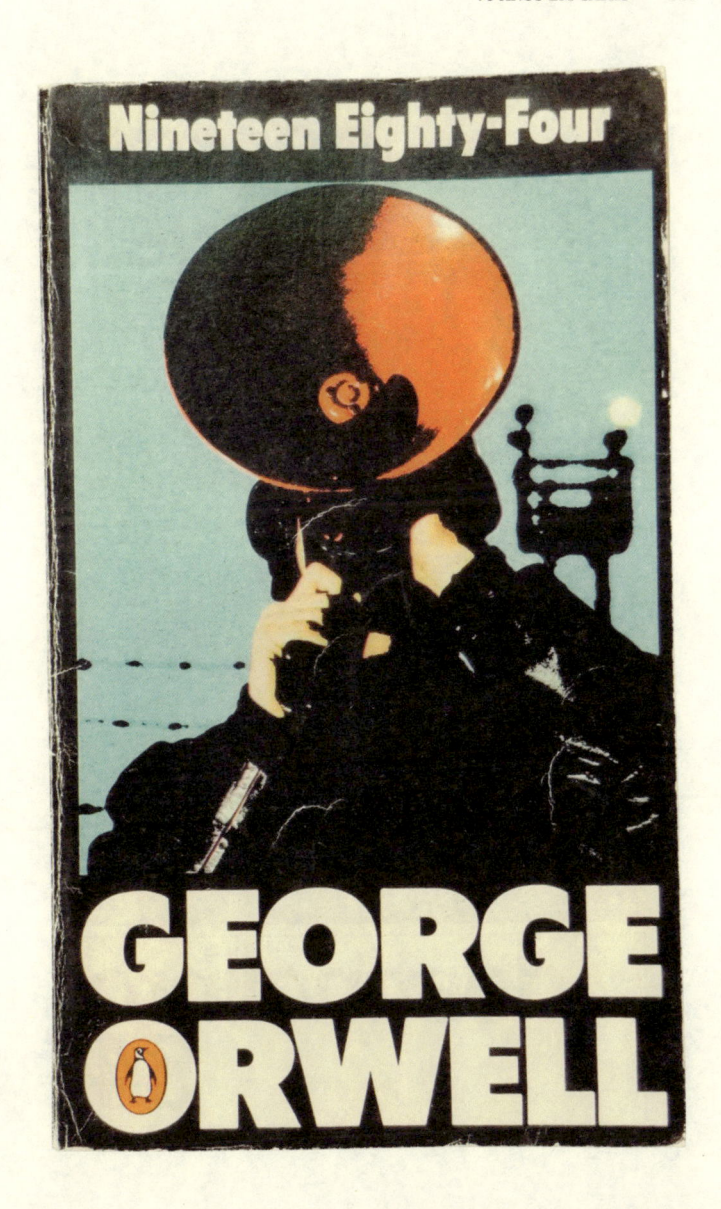

Penguin Books, Reino Unido, 1983

george orwell: 1984

destinolibro 54

Ediciones Destino, Espanha, 1984

ジョージ・オーウェル

George Orwell
Nineteen Eighty-Four

一九八四年

高橋和久 訳

［新訳版］

早川書房

Tsai Fong Books, Japão, 2009

FORTUNA CRÍTICA

1984

GOLO MANN

Publicado originalmente
sem título em *Frankfurter
Rundschau*, 5 nov. 1949, p. 6,
e reunido em Jeffrey Meyers
(Org.), *George Orwell:
The Critical Heritage*. Londres:
Routledge, 1975.

O escritor George Orwell, socialista e fanático combatente pela liberdade individual, é um elemento estranho na literatura inglesa. Ocupa posição totalmente apartada, embora de maneira não tão ardorosa e deliberada quanto, por exemplo, G. B. Shaw. *A Fazenda dos Animais*, seu irônico conto de fadas, é conhecido em todo o mundo. *1984*, seu romance satírico sobre o futuro, é um alerta ao mundo, uma apresentação muito vívida do terror que poderia se instaurar no futuro próximo se todas as implicações das ideias totalitárias fossem implantadas na prática e nós fôssemos obrigados a viver num mundo de medo.

Martin Esslin fez uma adaptação do fascinante livro de Orwell para a rádio BBC. Com direção de Julius Gellner, a comovente apresentação parecia um pesadelo fantástico, sobretudo para os alemães, talvez mais capazes do que qualquer outro povo de sentir a implacável probabilidade da utopia de Orwell. Os ouvintes ficaram fascinados com a fria paixão e as consequências inevitáveis da história. A interpretação carregada de intensidade foi um alerta emocional para os que, ainda hoje, não se libertaram dos sonhos totalitários.

Como o romance utópico de Orwell, o resultado inelutável das posições totalitárias também foi tema de uma peça radiofônica de Christian Bock, *Tödliche Rechnung* [Cálculo fatal]. Depois da primeira apresentação na Nordwestdeutscher Rundfunk [Rádio Noroeste Alemã], o autor, julgando ainda não ter encontrado a melhor forma para o tema, reescreveu a peça. *Tödliche Rechnung* aborda as consequências da ordem segundo a qual, a partir de certo momento, o resultado de quatro mais quatro deixará de ser oito e passará a ser seis. É com isso que o cidadão de Bock — o escriturário Linie — terá de lidar. Espera-se que Linie enxergue a razão de atos despóticos e substitua sua consciência e juízo pessoal pela ordem do Estado. Como Linie infelizmente é um individualista, o organismo estatal — a que Bock se refere simplesmente como "o centro" — o destrói. A apresentação na Südwestrundfunk [Rádio Sudoeste], com direção de Karl Peter Biltz e grandiosa trilha sonora de Carl Sezuka, foi excelente. Wolfgang Golisch deu ao papel do escriturário Linie uma interpretação vigorosa e convincente.

1984, o novo e celebrado romance do autor inglês George Orwell, é ambientado em Londres no ano do título. A Inglaterra não se chama mais Inglaterra, e sim "Faixa Aérea Um", uma província da Oceânia cujo centro de gravidade fica na América do Norte. Além da Oceânia, há outras duas potências no mundo: a Eurásia — isto é, Europa e Rússia — e a Lestásia. Essas três potências estão em guerra permanente pelo controle de uma terra de ninguém densamente povoada, mas sem defesas militares, situada em meio a elas, na Índia, na África e na Indonésia. A guerra, porém, é travada sem pretensões à vitória, pois nenhuma das potências tem interesse em encerrá-la. Existe até a suspeita de que o governo da Oceânia às vezes lança alguns foguetes sobre Londres, para lembrar a população de que há guerra e mantê-la no medo e no ódio. Num acordo tácito, nenhuma das potências utiliza armas letais como a bomba atômica. A guerra determina as características do regime interno da Oceânia e — assim nos faz crer Orwell — também das duas outras superpotências. Com efeito, as três ditaduras de partido único são idênticas. Isso não impede que o Ministério da Propaganda da Oceânia — cujo nome oficial é Ministério da Verdade — empreenda uma campanha implacável contra as chocantes crueldades perpetradas pelos eurasianos inferiores — até o momento em que a Oceânia faz um acordo com a Eurásia para somarem forças contra a Lestásia.

Essas súbitas mudanças de lado ocorrem com grande frequência e, tão logo se dão, o Ministério da Verdade altera devidamente o passado. O inimigo diabólico do mundo agora é — e, portanto, sempre foi — a Lestásia. Os que sabem que não é bem assim e tentam se lembrar das coisas que não existem mais (e, portanto, nunca existiram) são reeducados nas prisões da Polícia das Ideias. São liquidados, "vaporizados", e se tornam "despessoas" que nunca existiram, que ninguém pode nem quer mencionar. Os detentores do poder também controlam o passado.

A sociedade da Oceânia consiste em três classes: a elite dominante e instruída, chamada "Núcleo do Partido"; os agentes desse poder, sob supervisão cerrada e manipulação constante, chamados "Partido Externo"; e os "proletas", as massas não filiadas que devem ser mantidas sob controle pelo terror ou pela diversão, mas que, afora isso, não têm qualquer importância.

O ditador detém o título de "Grande Irmão", e de todas as paredes pende seu retrato, com espesso bigode, fitando ameaçador. É um homem inigualável, que sabe tudo, inventou tudo e sempre prevê tudo corretamente. Não fica muito claro se ele de fato existe. Parece destinado a uma vida eterna, e seus feitos heroicos remontam a um passado mais distante do que normalmente seria possível. Mas o abominável traidor e rebelde contra o partido, o judeu Emmanuel Goldstein, nunca existiu; é pura e simples invenção do partido. A intervalos periódicos, o ódio das massas contra esse inexistente fundador do "goldsteinismo" é sistematicamente redespertado, em especial durante a chamada "Semana do Ódio", que ocorre uma vez por ano e atinge o clímax com a execução pública de milhares de criminosos de guerra. O responsável pela guerra é o "Ministério da Paz". O "Ministério do Amor" se incumbe de todos os crimes políticos, sobretudo dos chamados "pensamentos-crime". O "Ministério da Pujança" administra uma economia de guerra perpétua e escassez permanente.

A terrível miséria da vida em 1984 talvez seja a mais forte impressão que fica no leitor. Apesar das "batalhas da produção" sempre vitoriosas e dos planos quinquenais bem-sucedidos, nunca há bens suficientes para comprar. Tudo pertence ao Estado, tudo é *ersatz* [imitação] e "vitória"; café Victory, gim Victory, até o bloco de apartamentos onde mora o protagonista se chama Mansões Victory. As escadas cheiram a repolho, a água corrente é no máximo morna, o elevador não funciona. Não existem máquinas novas nem invenções fantásticas: os homens vivem do velho capital. A única inovação tecnológica introduzida por Orwell é a teletela, um aparelho de televisão que registra simultaneamente a imagem do espectador e está instalado nos apartamentos de todos os membros do partido, sob vigilância constante da Polícia das Ideias. Todo o resto é fantasia da imaginação, não da tecnologia: a língua oficial do partido, por exemplo, a chamada "Novafala", concebida para impossibilitar o livre pensamento por meio de abreviaturas e simplificações repugnantes; ou os três grandes lemas do partido: "Guerra é Paz", "Liberdade é Escravidão", "Ignorância é Força".

Tal é o retrato da sociedade inglesa no ano de 1984, questão essencial do livro. Orwell teve êxito muito menor ao retratar os assuntos humanos e transformar a utopia numa narrativa. Apesar de tudo, há uma história de amor. Há também as prisões da Polícia das Ideias. Um funcionário do Ministério da Verdade, Winston Smith, é preso por se rebelar contra o partido e aderir à oposição goldsteinista, uma vez que ele não se dá conta de que os escritos de Goldstein foram, na verdade, redigidos pelo partido. A essa altura, tudo fica um tanto confuso e implausível, pois Goldstein escreve tão bem e com tanta veracidade, e expressa as opiniões do próprio Orwell com tanta clareza, que nenhum super-Goebbels poderia ter escrito seu livro. As câmaras de tortura da Polícia das Ideias são igualmente implausíveis; sádicos como Koestler e Malraux, com suas experiências em guerras civis, se saem muito melhor nesse aspecto. Orwell precisava, claro, mostrar como e por que Winston fracassa em sua oposição ao partido, e como lhe dobram o ânimo e o desejo, mas, para isso, ele não precisava da imitação barata de uma máquina de tortura.

O que, então, pretende George Orwell? Claro que não é mostrar como inevitavelmente a terra será em 1984. Ele não é um fatalista, um profeta "científico" equivocado. E tampouco é um individualista maldoso que se consola e se diverte prevendo como a vida será triste e como as pessoas não merecem nada melhor. Ele alerta e busca ajudar. Alerta sobre os perigos típicos de nossa época em qualquer lugar, não só atrás da Cortina de Ferro. Revistas americanas de massa, como *Life* e *Reader's Digest*, lançaram-se sobre *1984* e lhe deram a mais ampla publicidade possível como panfleto anticomunista. Isso é bom, na medida em que faz aumentar o número de leitores de Orwell. Mas *não* é bom na medida em que o transforma num panfletista político, coisa que ele não é, e na medida em que transmite ao leitor americano uma segurança autoconfiante, coisa que é infundada. Esse tipo de comentário de revista, graças a Deus, não é possível em nosso país. Ou é?

Para sua descrição ficcional do futuro, Orwell recorreu sobretudo à Rússia atual, mais do que a qualquer outro país. Também recorreu a algumas coisas do fascismo e do nazismo. E seu próprio ambiente inglês também se evidencia na miséria do racionamento, na falta de *joie de vivre*, na monotonia e na austeridade, já que essas coisas não foram livremente inventadas por Orwell. Mas o significado de pequenos detalhes e os artigos de jornal que forneceram as provas materiais nem vêm ao caso. Muito mais importante é que a intuição vigorosa, a visão clara, a solidariedade e a indignação de Orwell expuseram perigos que estão presentes em toda parte, e que ele aguçou nossos olhos para que possamos enxergá-los. O autor é inimigo do bolchevismo e de qualquer espécie de tirania de massa a um grau demasiado sério e profundo para que o livro seja meramente antirrusso. Picard escreveu um livro intitulado *Hitler in uns selbst* [Hitler em nós mesmos, 1946]. O único tema de Orwell é o perigo totalitário que reside em nós mesmos e em todos os sistemas políticos de nossa época.

Portanto, não se trata daquele tipo de livro antirrusso que já temos em quantidade mais do que suficiente, e sim de um livro conservador. A principal preocupação do romance de Orwell é reconhecer a ligação íntima entre a liberdade humana e a veracidade histórica, o fiel relato do passado. Seus personagens vivem num presente desenraizado, desinformado e amedrontado, que olha para trás por entre as brumas do passado, em vez de conquistar a história com a pesquisa e mantê-la viva com o respeito.

"Quem tem poder domina o passado." Ou seja, o poder absoluto só pode ser conservado privando os seres humanos de seu passado, da beleza e valor do passado, e dando-lhes uma miscelânea de mentiras inventadas pelo Ministério da Verdade. Inversamente, o protagonista só pode se libertar da dominação ideológica do partido relembrando suas primeiras impressões de infância, recordando como era a Inglaterra tradicional antes da "Revolução", preparando o caminho para a verdade histórica que conduz de volta ao passado real. Quando Winston conspira com a camarada contra a ditadura, ambos dão ênfase à sua decisão fatal tomando vinho de verdade, e não encontram algo melhor a brindar do que "Ao passado".

―

GOLO MANN nasceu em Munique, na Alemanha, em 1909. Foi historiador, escritor e filósofo. Segundo filho do escritor Thomas Mann, Golo deixou seu país em 1933, fugindo do nazismo. Viveu na França, Suíça e Estados Unidos. Entre seus livros mais famosos, estão *História alemã nos séculos XIX e XX* e a biografia de Albrecht von Wallenstein, o poderoso duque de Friedland. Morreu em Leverkusen, na Alemanha, em 1994.

1984: A HISTÓRIA COMO PESADELO

IRVING HOWE

Publicado originalmente em
Irving Howe (Org.), *Orwell's
Nineteen Eighty-Four: Text,
Sources, Criticism*. Nova York:
Harcourt, Brace & World, 1963.

I

Temos a impressão de que nossa relutância em voltar a certos livros dá a verdadeira medida de nossa admiração por eles. Não é fácil imaginar que muita gente torne a reler *1984* espontaneamente: não há razão nem necessidade, pois ninguém o esquece. Aqui, a diferença usual entre os detalhes esquecidos e a vívida impressão geral não tem importância alguma, pois o livro é escrito num único fôlego ardente, cada palavra é submetida a uma rigorosa disciplina semântica, tudo é despojado até revelar a nudez do terror.

O processo, de Kafka, também é um livro de terror, mas é um paradigma e, em certa medida, um quebra-cabeça, de modo que o leitor pode se entregar ao ritmo do paradigma e brincar com as peças do quebra-cabeça. O romance de Kafka nos convence de que a vida é inevitavelmente arriscada e problemática, mas a própria "universalidade" dessa ideia ajuda a atenuar seu impacto: apreender o terrível no plano da metafísica é emprestar-lhe uma aura quase reconfortante. Além disso, *O processo* nos absorve infinitamente no que tem de enigmático.

Embora esteja longe de ser tão grandioso, *1984* é, em alguns aspectos, mais terrível. Pois não é um paradigma e dificilmente um quebra-cabeça; os enigmas que lança, sejam quais forem, não dizem respeito à imaginação do autor, e sim à vida em nossa época. Não nos faz evitar nem superar a obsessão da realidade social imediata e, ao lermos o livro, sentimo-nos propensos a dizer — a linguagem canhestra oculta uma verdade profunda — que o mundo de 1984 é "mais real" do que o nosso. O livro nos apavora porque seu terror, longe de ser intrínseco à "condição humana", é próprio de nosso século; o que nos assusta é a nauseante consciência de que Orwell, em *1984*, capturou aqueles elementos de nossa vida pública que, com coragem e inteligência, poderiam ter sido evitados.

Só podemos descobrir como *1984* é um livro admirável depois de uma segunda leitura. Ele oferece um testemunho verídico, ele fala à nossa época. E como deriva de uma percepção de nosso possível futuro, o livro vibra com uma fúria escatológica capaz de criar os mais vigorosos tipos de resistência em seus leitores, mesmo entre aqueles que acreditam sinceramente admirar a obra. E já criou. De forma explícita na Inglaterra, de maneira mais discreta nos Estados Unidos, surgiu entre muitos intelectuais um desejo de diminuir a realização de Orwell, muitas vezes a pretexto de celebrar sua humanidade e "bondade". Sentem-se constrangidos diante do desespero apocalíptico do livro, começam a se perguntar se não é um pouco exagerado e sem graça, chegam a suspeitar que ele deixa transparecer a histeria do leito de morte. E não há como negar que todos nós ficaríamos mais à vontade se o livro fosse banido. É um livro admirável.

Se o romance é admirável ou sequer se é um romance, não parece vir ao caso. Não é realmente um romance, suponho eu, ou pelo menos não atende àquelas expectativas que viemos a ter diante do romance — expectativas que são, acima de tudo, herança do romantismo oitocentista, com sua ênfase sobre a consciência individual, a análise psicológica e o estudo de relações íntimas. Um crítico americano, e sério, deu à sua resenha o título de "Verdade talvez, ficção não", como que demonstrando o rigor com que se atinha às distinções do gênero literário. Na verdade, ele estava demonstrando uma certa estreiteza no gosto moderno, pois tal reação a *1984* só é possível quando não se fazem mais diferenciações entre ficção e romance, que é apenas um tipo de ficção, ainda que seja o tipo favorito dos leitores modernos.

Um leitor culto de século XVIII jamais diria que *1984* pode ser verídico, mas não é ficcional, pois o que se entendia na época era que a ficção, assim como a poesia, pode ter muitas modalidades e está aberta a muitas misturas; o romance ainda não instaurara sua tirania popular. E mais: o estilo de *1984*, que muitos leitores consideram insípido, banal ou "forçado", seria apreciado por alguém como Defoe, pois Defoe entenderia prontamente como as pressões do tema de Orwell, assim como as pressões dos temas dele mesmo, exigem uma facticidade dura e esmagadora. O estilo de *1984* é o estilo de um indivíduo cujo compromisso com uma visão terrível precisa combater a náusea que essa visão lhe dá. Esse conflito é tão agudo que as sutilezas do fraseado ou os recursos retóricos parecem frívolos — *ele não tem tempo, ele precisa anotar tudo*. Estou certo de que os que não conseguem enxergar isso sucumbiram às agradáveis tiranias do esteticismo; permitiram que seu apreço por um estilo cultivado os cegasse às premências da expressão profética. A última coisa com que Orwell se preocupou ao escrever *1984*, a última coisa com a qual deveria se preocupar, era a literatura.

Outra reclamação que se ouve com frequência é que o livro não tem nenhum personagem plausível ou "tridimensional". Essa reclamação, afora sua identificação bastante simplista entre credibilidade e determinado tratamento do personagem, envolve uma incapacidade de enxergar que, em certos livros, longos detalhamentos psicológicos ou mesmo episódios dramáticos podem ser desastrosos. Em *1984*, Orwell procura apresentar um tipo de mundo em que a individualidade se tornou obsoleta e a personalidade passou a ser crime. A ideia toda do eu como algo precioso e inviolável é uma ideia *cultural* e, como a entendemos, é um produto da era liberal; mas Orwell imaginava um mundo em que o eu, mesmo que consiga ter alguma espécie de sobrevivência subterrânea, não é mais um valor significativo, nem sequer um valor a ser violado.

Winston Smith e Julia aparecem como figuras rudimentares porque estão aprendendo aos poucos, e com grande perigo para si mesmos, o que significa ser humano. A experiência deles em redescobrir o humano, que é basicamente uma experiência das possibilidades de solidão, leva-os a valorizar duas coisas que são fundamentalmente hostis à perspectiva totalitária: uma vida contemplativa e a alegria da paixão sexual "gratuita" — isto é, livre. Mas essa experiência não pode avançar muito, como eles mesmos sabem; é inevitável que venham a ser presos e destruídos.

Em parte, esse é o sentido e o páthos do livro. Se, no mundo de 1984, fosse possível mostrar um personagem humano em qualquer situação que se assemelhasse a uma liberdade genuína, em seu jogo de caprichos e desejos espontâneos — não seria o mundo de 1984. Assim, a reclamação de que os personagens de Orwell parecem muito tênues comprova, de maneira levemente obtusa, a força do livro, pois é uma reclamação que se dirige não à sua técnica, mas a seus pressupostos básicos.

Não há como entender nem avaliar devidamente o livro recorrendo apenas às categorias literárias habituais, pois ele postula uma situação em que essas categorias deixaram de ter significado. Tudo se cristalizou em política, o leviatã engoliu o homem. Sobre esse mundo é impossível, falando em termos estritos, escrever um romance, quando menos porque as relações humanas que se pressupõem no romance foram aqui eliminadas.[1] O livro precisa ser abordado, em primeiro lugar, de uma perspectiva política, embora não como tratado ou estudo político. É outra coisa,

---

1 Alguns sugeriram que *1984* é, basicamente, sintoma de um distúrbio psicológico de Orwell, o pesadelo de um homem de mente perturbada que sofria de fantasias paranoicas, incomodado ao extremo com a obscenidade e receoso de que o contato sexual atrairia o castigo das autoridades. Afora sua intolerável superficialidade, essa "explicação" explica de mais ou de menos. Quase todo mundo tem pesadelos e muita gente tem sentimentos ambíguos em relação ao sexo, mas poucos conseguem escrever livros com a força de *1984*. O livro pode ser um pesadelo, e sem dúvida se baseia, como todos os livros, nos problemas psicológicos do autor. Mas também se baseia em sua sanidade psicológica, do contrário não conseguiria penetrar tão profundamente na realidade social de nossa época. O pesadelo pessoal, se há algum, guarda profunda relação com os acontecimentos públicos e ajuda a entendê-los.

ao mesmo tempo modelo e visão — um modelo do Estado totalitário em sua forma "pura" ou "essencial", uma visão do que esse Estado é capaz de fazer à vida humana. Todavia, o tema do conflito entre ideologia e emoção, às vezes em sua fusão e reforço mútuo, ainda se encontra em *1984* como tênue motivo literário subjacente. Sem ele, não poderia haver conflito dramático numa obra de ficção dominada pela política. O esforço de Winston Smith em reconstituir a velha canção sobre os sinos da São Clemente é um sinal de seu desejo de reconquistar a condição de humanidade, que aqui não é senão a capacidade de sentir algo tão "inútil" como a nostalgia. Entre a canção e a Oceânia não há paz possível.

1984 projeta um pesadelo em que a política removeu a humanidade e o Estado asfixiou a sociedade. Em certo sentido, é um livro profundamente antipolítico, cheio de ódio pelo tipo de mundo em que as demandas públicas destroem as possibilidades de vida privada; e Orwell sugere esse lado conservador de sua perspectiva, talvez de forma inconsciente, na escolha do nome de seu herói. Mas, se a imagem de Churchill surge aqui para celebrar, de maneira um tanto tortuosa, a memória dos maus (ou, como Winston Smith vem a sentir, dos bons) tempos de antigamente, a imagem oposta de Trótski se ergue, com algum ceticismo, a fim de desvendar os sentidos internos da sociedade totalitária. Quando Winston Smith aprende a pensar a Oceânia como um *problema* — o que, por si só, é cometer um "pensamento-crime" —, ele recorre à obra proibida de Emmanuel Goldstein, *Teoria e prática do coletivismo oligárquico*, claramente uma réplica de *A revolução traída* de Trótski. A força e a inteligência de *1984* derivam, em parte, de uma tensão entre essas imagens; mesmo que Orwell entendesse a necessidade da política no mundo moderno, sentia profunda aversão pelos rumos da vida política, e tinha honestidade suficiente para não tentar eliminar nenhum dos lados dessa luta dentro de si mesmo.

II

Nenhum outro livro conseguiu expor de maneira tão completa a característica essencial do totalitarismo. O escopo de *1984* é limitado: não pretende investigar a gênese do Estado totalitário, nem suas leis econômicas, nem suas perspectivas de sobrevivência; ele simplesmente evoca o "tom" da vida numa sociedade totalitária. E, como não se trata de um romance realista, pode tratar a Oceânia com um *exemplo extremo*, que talvez nunca venha a existir, mas que ilumina a natureza de sociedades que existem.[2]

A intuição mais profunda de Orwell é a de que a vida humana num mundo totalitário é despida de possibilidades dinâmicas. O fim da vida é totalmente previsível desde o início, e o início é uma mera preparação manipulada para o fim. Não há espaço para a surpresa, para aquela vitalidade espontânea que é o sinal e a justificativa da liberdade. A sociedade oceânica pode evoluir, passando por determinados estágios de desenvolvimento econômico, mas a vida de seus membros é estática, uma quantidade fixa e medida que não se alça à tragédia nem cai na comédia. A personalidade humana, como viemos a buscá-la numa sociedade de classes e esperamos tê-la numa sociedade sem classes, é anulada; o indivíduo se torna função de um processo que nunca é autorizado a entender ou controlar. O fetichismo do Estado substitui o fetichismo da mercadoria.

No passado existiram, claro, sociedades que não eram livres, mas, ainda assim, na maioria delas era possível encontrar um oásis de liberdade, quando menos porque nenhuma dispunha de recursos para impor um consentimento absoluto. Mas o totalitarismo, que representa uma ruptura decisiva ante a tradição ocidental, visa vetar esses luxos; oferece uma "solução" completa para problemas do século xx, isto é, uma distorção completa do que poderia ser uma solução. É verdade que nenhum Estado totalitário foi capaz de atingir esse grau de "perfeição", que Orwell, como um físico realizando

---

2 "Meu romance *1984*", escreveu Orwell logo antes de morrer, "não consiste num ataque ao socialismo ou ao Partido Trabalhista Britânico, e sim numa mostra das distorções a que uma economia centralizada está sujeita [...]. Não acredito que o tipo de sociedade que descrevo *irá* necessariamente existir, mas acredito [...] que algo semelhante a ela *poderia* existir."

um experimento que supõe ausência de atrito, supôs na Oceânia. Mas o fato de se saber que nunca é possível eliminar efetivamente o atrito não diminui o valor da experiência.

À medida que o Estado totalitário se aproxima de sua condição "ideal", ele destrói a margem de imprevisibilidade das ações; como observa um personagem em *Os demônios*, de Dostoiévski, "só o necessário é necessário". Tampouco existe uma brecha social em que o espírito independente ou recalcitrante possa se refugiar. O Estado totalitário assume que, contanto que tenha tecnologia moderna, total controle político, os meios de exercer o terror e um desprezo racionalizado pela tradição moral, qualquer coisa é possível. Pode-se fazer qualquer coisa com os homens, qualquer coisa com suas mentes, com a história e com as palavras. A realidade deixa de ser algo que se pode reconhecer, vivenciar ou mesmo transformar; ela é fabricada de acordo com a necessidade e a vontade do Estado, às vezes como antecipação do futuro, às vezes como ajuste retrospectivo do passado.

Mas mesmo quando Orwell evocava o espírito do mundo totalitário, vencendo a resistência de sua náusea, ele utilizava pouquíssimo aquilo que de hábito se chama de "imaginação" para mostrar como esse espírito macula todos os aspectos da vida humana. Como inúmeros bons escritores, ele entendia que a imaginação é, basicamente, a capacidade de apreender a realidade, de enxergar com clareza e profundidade aquilo que existe. É por isso que sua visão do horror social, tomada mais como modelo do que como retrato, parece-nos essencialmente plausível, enquanto as tentativas de muitos outros escritores de criar utopias ou antiutopias falham justamente devido à intenção de serem científicas ou inventivas. Orwell compreendeu que o horror social consiste não no predomínio de máquinas diabólicas nem na invasão de autômatos marcianos disparando raios mortais de seus olhos mecânicos, mas sim na persistência de relações inumanas entre os humanos.

E compreendeu também a importância de algo que só posso chamar de psicologia e política de "um passo a mais". De uma neurose tolerável a uma psicose paralisante, de uma sociedade decaída em que ainda é possível sobreviver a um Estado totalitário no qual dificilmente se desejaria a sobrevivência, pode haver apenas "um passo". Para desnudar a lógica daquela regressão social que leva ao totalitarismo, Orwell teve apenas de permitir que sua imaginação desse... um passo.

Considerem-se aspectos típicos da sociedade oceânica, como as teletelas e a utilização de crianças como informantes contra os pais. Não existem teletelas na Rússia, mas bem que poderiam existir: nada na sociedade russa contradiz o "princípio" das teletelas. Denunciar pais que são hereges políticos não constitui prática corrente nos Estados Unidos, mas há pessoas que perderam o emprego pela acusação de manterem "associações prolongadas" com os pais. Para captar o espírito totalitário, bastou a Orwell permitir que certas tendências da sociedade moderna avançassem sem o freio do sentimento ou do humanitarismo. Assim ele conseguiu deixar clara a relação entre seu modelo do totalitarismo e as sociedades que conhecemos por experiência própria, e pôde fazê-lo sem recorrer aos apetrechos da ficção científica nem à tosca suposição de que já vivemos em 1984. Ao imaginar o mundo de 1984, ele deu apenas um passo; sabendo quão largo e terrível era esse passo, não precisou dar outro.

III

Com uma luta mental e uma força de vontade que o deixaram visivelmente exausto, Orwell conseguiu ver — o que é muito mais do que apenas entender — o que é o éthos ou espírito interno do totalitarismo. Mas uma característica de Orwell como escritor era a de se sentir pouco à vontade com ideias gerais ou visões totais; as coisas assumiam realidade para ele apenas se fossem específicas e concretas. O mundo de 1984 parece ter tido para ele a imediaticidade alucinatória que o Condado de Yoknapatawpha tem para Faulkner ou que Londres teve para Dickens, e, mesmo subordinando implacavelmente suas descrições ao tema dominante do livro, Orwell conseguiu registrar os detalhes da sociedade oceânica com uma precisão meticulosa que às vezes beirava o sinistro.

Há, em primeiro lugar, algumas imitações muito acuradas. Veja-se, por exemplo, como Orwell capta o papel desempenhado pelo inimigo e bode expiatório do mundo totalitário, os rituais de ódio aos quais ele é indispensável e, ainda mais assustadora, a incerteza de que sequer existe ou foi inventado pelo Estado para seus próprios fins. Entre as melhores passagens do livro estão aquelas em que Orwell imita o estilo de Trótski em *Teoria e prática do coletivismo oligárquico*. Orwell captou a amplidão e imponência retórica da escrita de Trótski, em especial seu gosto por empregar referências científicas em contextos não científicos: "Mesmo depois de tremendas comoções e mudanças aparentemente irrevogáveis, o mesmo modelo sempre voltou a se firmar, assim como um giroscópio sempre reencontra o equilíbrio por mais que seja empurrado nesta ou naquela direção". E em outra frase Orwell captou magnificamente a maneira como Trótski usava um paradoxo compacto para resumir o absurdo de uma sociedade inteira: "Os campos são cultivados com arados puxados a cavalo, enquanto os livros são escritos por aparelhos".

Nota-se a mesma habilidade de Orwell ao evocar a atmosfera física da Oceânia, a melancólica e acachapante miséria das ruas e casas, a monotonia insípida das mesmas roupas usadas por todos, o cozido cinza-rosado pouco apetitoso que comem, a eterna confusão burocrática que parece acompanhar todas as instituições opressoras modernas. Orwell não se deixara enganar pela lenda de que o totalitarismo pelo menos é eficiente; em vez de um futuro de arranha-céus e aço cromado das visões habituais, ele pintou Londres em 1984 como uma mescla da cidade com seu sombrio tom cinzento durante a última (a Segunda) guerra mundial e das cidades russas modernas, com sua ostentação vitoriana e seus fétidos cortiços. Em todos os seus livros, Orwell sempre mostrara dotes apenas medianos para a descrição visual, mas excepcionalmente argutos para detectar odores abjetos e nauseantes. Tinha o melhor olfato de sua geração — a mente às vezes o traía; o nariz, nunca. Parece sugerir que, no mundo de 1984, soma-se todo o lixo do passado e mais algum que ninguém fora capaz de prever.

O lixo sobreviveu, mas o que houve com o próprio passado, o passado em que os seres humanos tinham conseguido viver, às vezes até com certo prazer? Uma das cenas mais pungentes no livro se passa quando Winston Smith, tentando descobrir como era a vida antes do reinado do Grande Irmão, conversa num bar com um velho proleta. O diálogo é insatisfatório para Smith, pois o operário só se lembra de fragmentos de fatos avulsos e é incapaz de generalizar a partir de suas lembranças; a cena em si, porém, é uma ótima peça de ação dramática, indicando que a sociedade totalitária destrói não só o passado em si com a obliteração de registros objetivos, mas também a memória do passado com a desintegração da consciência individual. O operário com quem Smith conversa lembra que a cerveja antes do Grande Irmão era melhor (fato muito importante), mas não consegue entender muito bem a pergunta de Smith: "Você sente que tem mais liberdade agora do que naqueles tempos?". Para fazer — e sobretudo para entender — uma pergunta dessas é preciso haver um grau de continuidade social, bem como um conjunto de pressupostos complicados, que a Oceânia vem destruindo aos poucos.

A destruição da memória social se torna um setor fundamental na Oceânia, e aqui, claro, Orwell está recorrendo diretamente ao stalinismo que, como a forma mais "avançada" de totalitarismo, tinha nessa tarefa uma perícia infinitamente maior do que o fascismo. (Hitler queimou livros; Stálin mandou reescrevê-los.) Na Oceânia, os papéis incômodos escorrem pelo buraco da memória — e pronto.

Orwell demonstra a mesma perspicácia ao notar a relação entre o Estado totalitário e o que se apresenta como cultura. Os romances são produzidos por máquinas; o Estado prevê todas as demandas, desde versões "expurgadas" de Byron até revistas pornográficas; aquela enorme indústria moderna que chamamos de "cultura popular" se tornou uma importante função estatal. Enquanto isso, as palavras que sugerem gradações de sensibilidade ou refinamentos de conduta são removidas da língua.

Com os sentimentos acontece o mesmo. A Oceânia procura eliminar a afeição espontânea, pois considera, com razão, que tudo o que não é calculado é subversivo. Smith pensa consigo mesmo:

> Jamais teria ocorrido a sua mãe que, por ser
> ineficaz, um ato pudesse perder o sentido.
> Quando você ama alguém, ama essa pessoa e
> mesmo não tendo mais nada a oferecer, continua

oferecendo-lhe o seu amor. Como não havia mais chocolate, a mãe abraçara a filha com força. Não adiantava, não alterava coisa nenhuma, não fazia aparecer mais chocolate, não evitava a morte da criança nem a dela mesma; mas, para a mãe, era natural fazer aquilo.

IV

Apenas em alguns pontos podemos questionar a visão de Orwell sobre o totalitarismo, e mesmo estes envolvem questões altamente problemáticas. Se chegam a ser erros, é somente na medida em que levam observações válidas a seus extremos: a sociedade totalitária de Orwell é às vezes mais *total* do que conseguimos imaginar no presente.

Um desses problemas diz respeito à relação entre o Estado e a "natureza humana". Admitindo-se que a natureza humana é, ela mesma, um conceito cultural com uma história de transformações por trás; admitindo-se que as pressões do medo e da força podem gerar variações extremas no comportamento humano. Ainda assim, a pergunta permanece: em que medida um regime terrorista é capaz de eliminar ou alterar radicalmente os impulsos fundamentais do ser humano? Existe uma constante na natureza humana que nenhum terror ou propaganda é capaz de destruir?

Na Oceânia, o desejo sexual, embora não tenha sido destruído, foi muito enfraquecido entre os membros do Partido Externo. Para os fiéis, a energia sexual se transforma em histeria política. Há uma passagem aflitiva em que Smith relembra suas relações sexuais com a ex-esposa, membro leal do partido que se submetia uma vez por semana, como um suplício, resistindo ao mesmo tempo que insistia, a fim de procriar para o partido. A única coisa que ela não sentia era prazer.

Orwell expõe o tema com algum cuidado:

> A intenção do Partido não era apenas impedir que homens e mulheres desenvolvessem laços

> de lealdade que eventualmente pudessem escapar de seu controle. O objetivo verdadeiro e não declarado era eliminar todo prazer do ato sexual. O inimigo era menos o amor que o erotismo, tanto dentro como fora do matrimônio. [...] O único propósito reconhecido do casamento era gerar filhos para servir ao Partido. A relação sexual devia ser encarada como uma operaçãozinha ligeiramente repulsiva, uma espécie de lavagem intestinal. [...] O Partido tratava de aniquilar o impulso sexual e, não podendo aniquilá-lo, queria pelo menos distorcê-lo e aviltá-lo. [...] E, no que tocava às mulheres, os esforços do Partido eram em larga medida bem-sucedidos.

Aqui me parece incontestável que Orwell se deparou com uma tendência importante na vida moderna, a de que o Estado totalitário é intrinsecamente inimigo da liberdade erótica. E sabemos pelas experiências do passado que o impulso sexual pode ser suprimido com toda a força. Nas comunidades puritanas, por exemplo, o sexo era visto com grande desconfiança, e não é difícil imaginar que, mesmo no casamento, o ato amoroso traria pouquíssimo prazer aos puritanos. Mas cabe lembrar que, nas comunidades puritanas, a aversão ao sexo se entrelaçava com uma fé arrebatada: os homens se mortificavam em nome de Deus. A Oceânia, em contraste, considera a fé não só suspeita, mas francamente perigosa, pois os dirigentes preferem a concordância mecânica ao ardor intelectual ou à crença fervorosa. (Provavelmente leram obras de história o suficiente para saberem que, na era protestante, o entusiasmo tinha certa tendência a se transformar em individualismo.)

Em vista dessas circunstâncias, é de se perguntar se os membros do Partido Externo conseguiriam eliminar totalmente o prazer erótico. Não seria chegar perto demais dos limites de necessidades humanas indestrutíveis? De minha parte, eu pensaria que, numa sociedade tão permeada de tédio e monotonia como é a Oceânia, haveria um desejo premente por aventuras eróticas, sem falar de experiências de perversão.

Uma sociedade totalitária pode obrigar as pessoas a fazerem muitas coisas que violam seus desejos físicos e sexuais; pode até ensiná-las a aceitar a dor com silenciosa resignação; mas duvido que consiga romper a distinção fundamental, ainda que às vezes ambígua, entre prazer e dor. A constituição biológica do ser humano exige que se tenha alimento e, com menor regularidade ou insistência, sexo; e, embora a sociedade possa fazer — e tem feito — muito para reduzir os prazeres do sexo e diminuir o desejo por alimento, parece plausível supor que, mesmo quando a consciência está sob ataque devastador, os "impulsos animais" do homem não podem ser violados ao grau extremo que Orwell sugere. A longo prazo, esses impulsos talvez se revelem uma das forças mais duradouras de resistência ao Estado totalitário.

Não será isso o que Orwell sugere ao mostrar Winston Smith entregue à reflexão pessoal e Julia ao prazer privado? Qual é a fonte da rebelião dos dois, senão a resistência "inata" do corpo e da mente de ambos às pressões destrutivas da Oceânia? Está claro que não são mais inteligentes nem mais sensíveis — e certamente não mais heroicos — do que inúmeros membros do Partido Externo. E se suas necessidades, como seres humanos, levam essas duas pessoas tão comuns à rebelião, não poderá acontecer o mesmo com as outras?

Um problema correlato é o tratamento que Orwell dá aos operários da Oceânia. Os proletas, até porque estão na base da pirâmide e realizam tarefas rotineiras, saem-se melhor do que os membros do Partido Externo: têm mais privacidade, a teletela não lhes berra instruções nem observa cada um de seus movimentos, e raramente são incomodados pela polícia secreta, exceto para dar fim a algum trabalhador talentoso ou independente. É de se presumir que Orwell justificaria esse tratamento dizendo que o Estado não precisa mais temer os operários, uma vez que se tornaram tão desmoralizados como indivíduos e tão impotentes como classe. Seria arriscado negar que essa situação possa surgir no futuro e, de todo modo, Orwell força deliberadamente as coisas a extremos dramáticos; mas caberia também notar que ainda não aconteceu nada semelhante a isso, e nem os nazistas nem os stalinistas jamais afrouxaram em qualquer grau significativo o controle ou a vigilância sobre os trabalhadores. Aqui, Orwell cometeu o erro de dar mais do que "um passo", e dessa forma rompeu o vínculo entre o mundo que conhecemos e o mundo que ele imaginou.

Mas o tratamento que ele dá aos proletas pode ser questionado em aspectos mais fundamentais. O Estado totalitário não pode permitir nenhum luxo, nenhuma exceção; não pode tolerar a existência de nenhum grupo que ultrapasse seu campo de controle; não pode nunca se sentir seguro a ponto de resvalar para a indiferença. Vasculhando todos os cantos da sociedade atrás de rebeldes que sabe não existirem, o Estado totalitário nunca pode descansar por muito tempo. Seria se arriscar à desintegração. Ele precisa estar sempre criando uma situação de agitação, sacudindo e provocando os membros, submetendo-os a testes contínuos, para assegurar seu poder. E visto que, como Winston Smith conclui, os proletas continuam a ser uma das poucas fontes possíveis de revolta, não parece muito plausível que a Oceânia lhes permitisse sequer a relativa liberdade que Orwell menciona.

Por fim, há a visão extremamente interessante, embora questionável, de Orwell sobre a dinâmica de poder num Estado totalitário. Segundo seu retrato da oligarquia partidária na Oceânia, ela é a primeira classe dirigente dos tempos modernos a dispensar a ideologia. Não alega governar em prol da humanidade, dos operários, da nação ou de qualquer outra coisa que não ela mesma; rejeita como ingênua a lógica do Grande Inquisidor que oprime os ignorantes para lhes conceder a salvação. O'Brien, o representante do Núcleo do Partido, diz: "O Partido deseja o poder exclusivamente em benefício próprio. Não estamos interessados no bem dos outros; só nos interessa o poder em si". Os stalinistas e os nazistas, acrescenta, haviam se aproximado dessa concepção do poder, mas apenas na Oceânia se abriu mão de qualquer simulação de servir à humanidade — ou seja, de qualquer ideologia.

As classes sociais têm pelo menos uma coisa em comum: a sede de poder. A burguesia queria o poder, não basicamente como fim em si mesmo (por mais vaga que seja a expressão), mas a fim de expandir suas atividades econômicas e sociais. Todavia, a classe dirigente da nova sociedade totalitária, em especial na Rússia, é diferente das classes dirigentes da nossa época: ela não pensa o poder político como meio para um fim não político, como a burguesia fez em certa medida; ela considera o poder político como seu fim essencial. Pois numa sociedade em que não existe propriedade privada, a distinção entre poder político e poder econômico se torna invisível.

Até aqui, aparentemente isso corroboraria a visão de Orwell. Mas se a classe dirigente do Estado totalitário não concebe o poder político como, basicamente, um veículo para privilégios econômicos palpáveis, o que *significa* o poder político para ela?

Pelo menos no Ocidente, nenhuma classe dirigente moderna conseguiu até agora dispensar a ideologia. Todas sentiram e sentem uma enorme necessidade de racionalizar seu poder, de proclamar algum admirável objetivo como justificativa de atos abomináveis. E não é mera astúcia ou hipocrisia; os dirigentes de uma sociedade moderna dificilmente sobreviveriam se não acreditassem em certa medida em suas alegações. Agarram-se à ideologia não apenas para conquistar e manter seguidores, mas para dar a si mesmos uma segurança moral e psicológica.

Alguém consegue imaginar uma classe dirigente do século XX capaz de descartar essas bases de apoio e de reconhecer para si mesma a verdadeira natureza de seus motivos? Duvido. Muitos burocratas russos podem considerar, na esfera íntima de seu cinismo privado, que o vocabulário marxista que empregam é um embuste que tem utilidade; mas ainda precisam se agarrar a algum vago pressuposto de que há alguma base última que justifica sua conduta política. Do contrário, a classe dirigente totalitária acharia cada vez mais difícil, talvez impossível, manter o moral. Amoleceria, se corromperia em aspectos óbvios, perderia o fanatismo que é essencial para sua sobrevivência.

Mas, tirando a ideologia, resta ainda o enigma do poder totalitário. E *é* de fato um enigma. Muitos escritores têm sondado as origens do totalitarismo, a dinâmica de seu crescimento, a base psicológica de sua atração, as políticas econômicas que utiliza no poder. Mas nenhum dos teóricos que estudam o totalitarismo é capaz de nos falar muito sobre o "fim último" dos nazistas ou dos stalinistas; acabam se deparando com as mesmas dificuldades com que Winston Smith se depara em *1984*, quando diz: "Entendo COMO, mas não entendo POR QUÊ".

A que fim os dirigentes da Oceânia tentam chegar? Querem o poder; querem usufruir a sensação de exercer seu poder, o que significa testar sua capacidade de causar sofrimento aos que estão sob eles. Mas a pergunta permanece: por que matam milhões de pessoas, por que sentem prazer em torturar e humilhar pessoas que sabem inocentes? Aliás, por que os nazistas e os stalinistas fizeram isso? Qual é a imagem do mundo que desejam, qual é a visão pela qual vivem?

Duvido que essas perguntas possam ser respondidas no presente, e talvez nem sejam verdadeiros problemas. Um movimento em que o terror e a irracionalidade desempenham papel tão importante pode, ao fim e ao cabo, não ter nenhum objetivo além do terror e da irracionalidade; procurar um fim último que possa ter alguma relação significativa com sua atividade imediata talvez seja, em si, uma falácia racionalista.

Orwell foi criticado por Isaac Deutscher por sucumbir a um "misticismo da crueldade" ao expor o comportamento dos dirigentes da Oceânia, o que significa, suponho eu, que Orwell não aceita inteiramente nenhuma das teorias socioeconômicas usuais sobre os objetivos do totalitarismo. Acontece, porém, que nem Deutscher nem ninguém foi capaz de fornecer até agora qualquer explicação satisfatória para aquele excesso sistemático de destruir valores humanos que é uma característica central do totalitarismo. Não estou dizendo que o mistério nunca se solucionará, pois é possível que, com o tempo, consigamos subdividi-lo numa série de problemas de tratamento mais fácil. Enquanto isso, porém, parece absurdo atacar um escritor por reconhecer com rara honestidade sua sensação de impotência perante o significado "último" do totalitarismo — sobretudo se esse escritor foi quem nos ofereceu a imagem mais vívida do totalitarismo que se fez até hoje. Pois com *1984* chegamos ao cerne do problema, à brancura do branco.

V

Mesmo enquanto comentava essas objeções possíveis ao livro de Orwell, eu sentia a incômoda impressão de que podiam ser descabidas — tão descabidas quanto, digamos, objetar que ninguém pode ser tão pequenino quanto os liliputianos de Swift. Além disso, é de extrema importância notar que o mundo de 1984 *não* é o totalitarismo no sentido em que o conhecemos, e sim o totalitarismo após seu triunfo mundial. A sociedade da Oceânia poderia, a rigor, ser chamada de pós-totalitária. Mas mantive minhas objeções só porque talvez possa ajudar o leitor, avaliando a eventual pertinência delas e decidindo aceitá-las ou rejeitá-las, a ver o livro de Orwell de maneira um pouco mais clara.

1984 nos leva ao fim da linha. A sensação ou a esperança é de que é impossível ir além. No livro de Orwell, os temas políticos de outros romances atingem seu pleno e terrível desenvolvimento, talvez não como esperavam escritores como Dostoiévski ou Conrad, mas por vias que estabelecem uma continuidade de concepções e valores entre os romancistas políticos do século XIX e do século XX.

Existem alguns escritores que vivem devotadamente para sua própria época; são escritores que ajudam a redimir seu tempo, obrigando-o a aceitar a verdade sobre si mesmo e, com isso, salvando-o, quem sabe, dessa verdade sobre si mesmo. Talvez esses escritores não sobrevivam à sua época, pois o que os torna tão valiosos e tão caros a seus contemporâneos — aquela mescla de desesperada atualidade e desesperada ternura — provavelmente não é uma qualidade que conduza à máxima arte. Mas não deveríamos nos incomodar com essa possibilidade de que Silone ou Orwell, no futuro, não pareçam tão importantes como parecem a muitos em nossos tempos. Sabemos o que eles fazem por nós e sabemos que nenhum outro escritor, nem mesmo muito maior, é capaz de fazê-lo.

Em gerações futuras, *1984* talvez não tenha muito mais do que "interesse histórico". Se o mundo de *1984* de fato se concretizar, ninguém o lerá, exceto, talvez, os dirigentes que refletirão sobre sua excepcional clarividência. Se o mundo de *1984* não se concretizar, talvez as pessoas fiquem com a impressão de que o livro não passava de mero sintoma de algum distúrbio privado, de um pesadelo. Mas sabemos que não é bem assim: sabemos que o pesadelo é nosso.

———

IRVING HOWE nasceu em 1920, em Nova York, nos Estados Unidos. Editor e um dos mais influentes críticos literários americanos, escreveu trabalhos seminais sobre autores como William Faulkner, Sherwood Anderson e Thomas Hardy. Foi editor de Trótski e de Orwell. Em 1977, recebeu o National Book Award por *O mundo de nossos pais*, um panorama histórico, cultural e social da imigração dos judeus do Leste Europeu para os Estados Unidos. Morreu em Nova York, em 1993.

MIL NOVECENTOS E OITENTA E QUATRO EM 1984: COMO O ROMANCE NOS AJUDA A ENTENDER O ANO?

RAYMOND WILLIAMS

Publicado originalmente
em *Monthly Review*,
v. 36, n. 7, dez. 1984.

Nunca, de forma alguma, foi provável que qualquer sociedade concreta, em 1984, apresentasse muitas semelhanças com o inferno do romance de Orwell. Aliás, nem era uma previsão o que ele fazia:

> Não acredito que o tipo de sociedade que descrevo *irá* necessariamente existir, mas acredito (admitindo-se, é claro, o fato de que o livro é uma sátira) que algo semelhante a ela *poderia* existir.[1]

A ressalva é importante. Antes, ele havia escrito:

> Trata-se de um romance sobre o futuro — ou seja, em certo sentido é uma fantasia, mas na forma de um romance naturalista. É isso o que dificulta a

---

[1] George Orwell, *The Collected Essays, Journalism and Letters of George Orwell*, v. 4. Org. de Sonia Orwell e Ian Angus. Nova York; Londres: Harcourt Brace Jovanovich, 1968, p. 502.

tarefa — claro que, como livro de previsões, seria relativamente simples de escrever.²

Ao tentarmos reavaliar a visão de Orwell no ano que ele escolheu arbitrariamente, cabe enfatizar essa dificuldade da forma. A forma é, de fato, mais complexa do que uma combinação, como diz ele, de "fantasia" e "romance naturalista". Pois há um terceiro elemento, representado com maior clareza pelos trechos do famoso *livro* de Goldstein e pelo apêndice "Os princípios da Novafala". No caso do *livro*, em especial, o método de escrita é argumentativo: o ensaio histórico e político.

Há, com efeito, três camadas no romance. Primeiro, uma infraestrutura, que se reconhece imediatamente a partir das outras obras ficcionais de Orwell, em que o herói-vítima transita num mundo desolador, passando por uma série de mal-entendidos e decepções, tentando sem sucesso se agarrar à possibilidade — que é tanto uma lembrança quanto uma perspectiva — de um tipo de vida mais ameno. Segundo, uma estrutura de argumentações, na verdade previsões, nos trechos do *livro* e em algumas das descrições mais gerais da sociedade real. Terceiro, uma superestrutura, incluindo vários dos elementos mais memoráveis, em que, com um método que vai da fantasia à sátira e à paródia, a crueldade e a repressão da sociedade se mostram ridículas e, ao mesmo tempo, ferozmente absurdas.

Na estrutura argumentativa central em que, no plano das ideias, funda-se o romance, predominam três temas. Primeiro, há a divisão do mundo em três superestados, que, com alianças variáveis, vivem num estado de guerra limitada, mas permanente. Segundo, há a tirania interna de cada um desses Estados, com uma versão específica das relações entre as classes sociais e uma minuciosa apresentação de uma sociedade totalitária, que se desenvolveu para além do capitalismo e do socialismo. Terceiro, há a extraordinária ênfase sobre o controle social por meio de ideias e veículos de comunicação: respaldado na repressão e tortura diretas, mas operando sobretudo por meio do "controle do pensamento".

2 Ibid., pp. 329-30.

ISOLANDO OS TEMAS

Esses três temas precisam ser considerados em detalhe, tanto na forma como Orwell os apresenta quanto na história concreta a que se prestam a traçar relações. É de especial importância considerar os três e ver como Orwell os pensava essencialmente inter-relacionados. Mas, por ironia, só é possível considerá-los com a seriedade que ele pretendia se os isolarmos temporariamente da estrutura efetiva do romance e, em caráter mais permanente, das ressonâncias que vieram a cercá-lo desde sua publicação.

Seria possível, por exemplo, fazer uma verificação um tanto frívola das projeções do livro. Existe uma liga antissexo? Existe um aparelho de tevê que recebe e transmite simultaneamente, para espionar as pessoas em seus lares? Existe algo como os Dois Minutos de Ódio obrigatório? Não? Então isso só mostra que, como disseram alguns na época, o livro é uma comédia de horror desenfreada ou, na melhor das hipóteses, ridiculamente exagerada. Mas esses são elementos da superestrutura paródica. E a estrutura? Bem, na ressonância política predominante que cercou o romance, nem precisamos examinar esses argumentos, porque a prova deles já foi dada no "mundo real". "É a isso que leva o socialismo." "É a isso que ele já levou, na Rússia e na Europa Oriental." No entanto, Orwell se apressou em dissociar-se dessa interpretação, responsável por grande parte do sucesso inicial do livro e que ainda é oferecida como se fosse incontestável.

> Meu recente romance NÃO consiste num ataque
> ao socialismo ou ao Partido Trabalhista Britânico
> (o qual apoio), e sim numa mostra das distorções
> a que uma economia centralizada está sujeita
> e que já se consumaram parcialmente no
> comunismo e no fascismo.[3]

"Já se consumaram *parcialmente*", nas ordens sociais comandadas por Stálin e Hitler. As distorções completas vão mais além.

---

3   Ibid., p. 502.

Também a reação fácil — deixar o livro de lado e observar o Leste, onde "tudo isso já está acontecendo" — deveria ser contida pela ênfase de Orwell:

> O livro se passa na Inglaterra para enfatizar que os povos de língua inglesa não são inatamente melhores do que qualquer outro, e que, *se não for combatido*, o totalitarismo pode triunfar em qualquer parte.[4]

Não se trata, aqui, apenas de retificar o local para corrigir o uso e o abuso do romance durante a Guerra Fria. É fundamental para os argumentos de Orwell que o que está sendo descrito, em suas tendências principais, é não só um perigo universal, mas um processo universal. Essa é a verdadeira fonte de seu horror. Se o romance é adotado para a propaganda deste ou daquele Estado, como base para odiar e temer um Estado inimigo contra o qual é preciso se preparar para a guerra, é de uma ironia realmente feroz que um cidadão da "Oceânia", em 1984, esteja pensando como foi programado para pensar, mas com a garantia tranquilizadora do livro para lhe dizer que ele é livre e apenas aqueles outros sofrem doutrinação e lavagem cerebral. Orwell não ofereceu nenhuma garantia como essa. Para ele, o panorama de superestados, Estados espiões e populações majoritárias controladas por ideias induzidas era como *o mundo* estava se conduzindo, até chegar ao ponto em que ainda haveria inimigos arbitrários, nomes e figuras a odiar, mas não restaria a capacidade de descobrir ou dizer a verdade sobre *nossa própria* situação: a situação de qualquer um de nós, em qualquer dos Estados e alianças. Esta é uma posição muito mais categórica do que qualquer simples antissocialismo ou anticomunismo. É de fato tão categórica que devemos começar examinando quais, a seu ver, eram as condições avassaladoras que, a princípio, levaram aos superestados e à guerra limitada permanente.

4 Ibid.

OS SUPERESTADOS

É tão frequente citar *Mil novecentos e oitenta e quatro* como uma visão do pior mundo futuro possível que pode parecer estranho dizer que, ao menos num aspecto, Orwell subestimou em grande medida um perigo geral. Nem sempre se leva em conta que, no romance, já houvera uma guerra com bombas atômicas nos anos 1950. Não há muitos detalhes, embora se mencione o lançamento de uma bomba atômica em Colchester. Esse é um dos vários casos em que, lendo o romance no ano de 1984, nota-se claramente que ele pertence à década de 1940. Orwell logo comentou a importância da nova arma. Escreveu no *Tribune*, em outubro de 1945, que ela era perigosa sobretudo porque fortalecia muito mais os que já eram fortes; a complexa produção da bomba significava que ela ficaria reservada a algumas poucas sociedades poderosas, que já eram maciçamente industrializadas. "A grande era da democracia e da autodeterminação nacional" fora "a era do mosquete e do fuzil". Agora, com essa invenção,

> temos diante de nós a perspectiva de dois ou três superestados monstruosos, cada qual dotado de um armamento capaz de apagar milhões de pessoas em poucos segundos, dividindo o mundo entre eles.[5]

Isso não é apenas o perfil do mundo de *Mil novecentos e oitenta e quatro*. É também um arguto reconhecimento do verdadeiro poder das novas armas. Apesar disso, ele incluiu em sua história uma guerra com armas nucleares à qual sobreviveram, mesmo que com seus horrores próprios, uma terra e uma sociedade ainda capazes de serem reconhecidas como tal. Não há aí nenhum demérito para Orwell. Repetidas vezes, tem sido quase impossível imaginar as verdadeiras consequências de uma *guerra* atômica, à diferença do uso unilateral da bomba, que foi o único aconte-

---

[5] Ibid., p. 8.

cimento real. De fato, existe uma espécie familiar de *duplipensamento* sobre as armas nucleares, em que se sabe que elas levariam a uma destruição em massa e, em muitos casos, absoluta, mas que, ao mesmo tempo e contraditoriamente, com determinação política suficiente, seria possível absorvê-las e sobreviver a elas.

VISÃO DE MUNDO PESSIMISTA

Em meados e no final dos anos 1940, era bastante difundida a ideia de que haveria uma guerra nuclear nos anos 1950. Era vista como praticamente inevitável — uma vez que mais de um Estado dispunha de bombas atômicas — por diversos escritores, especialmente por James Burnham, que foi tema de dois ensaios importantes de Orwell nos anos em que escrevia *Mil novecentos e oitenta e quatro*.[6]

Agora, quando Burnham está em larga medida esquecido e *Mil novecentos e oitenta e quatro* é muito mais conhecido do que os ensaios de Orwell, é estranho reconstruir a formação da "visão de mundo pessimista" do romance. Vejamos novamente a ideia dos superestados dominantes. No romance tem-se:

> A divisão do mundo em três grandes superestados foi um evento que já podia ser previsto — e o foi de fato — antes de meados do século xx. Com a absorção da Europa pela Rússia e do Império Britânico pelos Estados Unidos, formaram-se duas das três potências hoje existentes: a Eurásia e a Oceânia. A terceira delas, a Lestásia, só emergiu como unidade distinta depois de mais uma década de confusos conflitos armados.[7]

A fase seguinte no desenvolvimento que Orwell deu à ideia,

---

[6] *Burnham and the Managerial Revolution* (1946); *Burnham and the Contemporary World Struggle* (1947).
[7] Cf. pp. 236-7 desta edição.

enquanto estava no meio da redação do romance, decorre de sua definição de três possibilidades políticas: uma guerra preventiva dos Estados Unidos, o que seria um crime e, de todo modo, não resolveria nada; uma guerra fria até que várias nações tivessem bombas atômicas e então, quase de imediato, uma guerra destruiria a civilização industrial e deixaria apenas uma população reduzida, vivendo de agricultura de subsistência; ou:

> que o medo inspirado pela bomba atômica e outras armas ainda por vir será tão grande que todos se absterão de utilizá-las. Esta me parece a pior possibilidade de todas. Significaria a divisão do mundo entre dois ou três superestados, cada qual incapaz de vencer o outro e incapaz de ser derrubado por qualquer rebelião interna.
> A estrutura deles, com toda probabilidade, seria hierárquica, com uma casta semidivina no topo e uma escravidão total na base, e o esmagamento da liberdade ultrapassaria qualquer coisa que o mundo já viu. Dentro de cada Estado, manter-se-ia o clima psicológico necessário com uma dissociação completa do mundo exterior e com uma contínua guerra falsa contra Estados rivais. Tais civilizações poderiam ficar estáticas por milhares de anos.[8]

Esta é, com efeito, a opção escolhida pelo romance, embora a ocorrência de uma guerra nuclear preventiva e menos devastadora tenha sido preservada de suas posições anteriores. Em seus escritos diretamente políticos, dessa vez, Orwell via uma alternativa a esses três perigos: a construção do "socialismo democrático [...] por uma extensa área [...]. Um Estados Unidos da Europa de perfil socialista me parece o único objetivo político válido hoje

---

8 George Orwell, *Collected Essays*, v. 4, p. 371.

em dia".[9] Mas, na perspectiva da ficção, este está totalmente ausente.

É evidente que, em 1984, devemos indagar por que nenhuma das três (ou quatro) possibilidades de Orwell se concretizou. Mas temos de prosseguir com sobriedade, pois o mero decurso de uma data ficcional não nos livra de nenhum dos perigos. Temos de perguntar o que Orwell deixou de fora ou incluiu erroneamente em sua avaliação do futuro político mundial, não para provar, com algum sarcasmo, que ele estava errado, mas para continuar a aprender sobre a natureza dos desenvolvimentos históricos que ele, com a máxima seriedade, tentou a todo custo entender.

AUSÊNCIA DE SUPERESTADOS UNITÁRIOS

Em primeiro lugar, cabe notar que o que surgiu nesse período não foram impérios ou superestados unitários, mas sim formas mais complexas de superpotências militares e alianças primordialmente militares. Às vezes, sobretudo quando ouvimos propaganda de guerra, podemos supor que a visão de Burnham/Orwell se concretizou nas entidades monolíticas apresentadas como "Leste" e "Ocidente", e a China como parceira variável de um ou de outro. Mas as realidades políticas em sua totalidade se revelaram muito diferentes. Coexiste, por exemplo, uma hierarquia diferenciada de poderio *econômico*, cujas forças principais são o Japão e a Alemanha Ocidental. Velhas formas nacionais persistem em graus significativamente variados no "Leste" e no "Ocidente", e em alguma medida em todos os lugares, e continuam a controlar a lealdade das maiorias, embora também haja em todas essas nações, incluindo aquelas do "Ocidente", uma minoria significativa que são agentes conscientes dos interesses da potência dominante na aliança militar.

Ao mesmo tempo, e de maneiras que Orwell não teria como prever, esses elementos de diversidade e autonomia política —

[9] Ibid.

dentro de margens muito estreitas no Pacto de Varsóvia, dentro de margens mais amplas na Otan, que abriga inúmeras espécies de Estados políticos, desde democracias liberais a ditaduras militares — sofrem restrições radicais devido à natureza dos sistemas de armamentos nucleares modernos. A guerra atômica de *Mil novecentos e oitenta e quatro* é danosa, mas não calamitosa; na verdade, é ela que leva à "guerra perpétua limitada", condição central do romance, em que os superestados são invencíveis porque os dirigentes não podem se arriscar à guerra atômica. A guerra de fato travada em campo, com suas batalhas distantes e ocasionais foguetes, pertence tecnologicamente aos anos 1940. Até aí, não é apenas uma questão de subestimar os efeitos da guerra atômica, mas sim que as consequências políticas e militares de um relativo monopólio das armas nucleares se revelaram muito diferentes de qualquer coisa que Orwell e muitos outros imaginavam.

> Suponhamos — e, de fato, este é o desenvolvimento mais provável — que as grandes nações sobreviventes estabeleçam um acordo tácito de nunca usarem a bomba atômica umas contra as outras. Suponhamos que apenas a usem ou ameacem usá-la contra povos incapazes de retaliar. Neste caso, voltamos à posição em que estávamos antes, com a única diferença de que o poder está concentrado num número ainda menor de mãos e que a perspectiva para os povos submetidos e as classes oprimidas é ainda mais desesperadora.[10]

Entre as potências que adquiriram armas atômicas, não houve nem há nenhum acordo formal ou tácito de nunca utilizarem as armas umas contra as outras. Pelo contrário, a política predominante tem sido a de ameaça mútua. E dentro dessa política não há, como pensava Orwell, uma estagnação tecnológica, mas uma

---

[10] Ibid., p. 8.

ampliação e escalada contínua de sistemas armamentistas, cada qual tipicamente desenvolvido sob uma alegada ameaça de superioridade da outra parte. E elas chegaram agora ao ponto em que as autonomias nacionais, dentro das alianças, contrariam num aspecto fundamental as exigências técnicas dos sistemas mais modernos, que requerem uma reação instantânea ou mesmo, dizem alguns, uma ação preventiva inicial para que a outra potência não conquiste uma vantagem prévia avassaladora.

Seria fácil argumentar a partir daí, mais uma vez, que o tipo de superestado de Burnham/Orwell, com o necessário comando unitário, é inevitável como resultado dos novos armamentos. Mas passar para esse tipo de superestado, mesmo com todas as suas vantagens estratégicas, provocaria grandes problemas políticos — em especial, por exemplo, na Europa Ocidental — que colocariam em risco e provavelmente romperiam o compromisso agora frágil entre as lealdades e autonomias políticas sobreviventes e a aliança estratégico-militar que lhes foi imposta. Assim, em 1984, a Grã-Bretanha ao mesmo tempo é e não é, na expressão de Orwell, a Faixa Aérea Um. Tem grande quantidade de bases aéreas e bases de mísseis próprias e estrangeiras, mas é também — e profundamente valorizada como tal pela maioria — uma nação política independente. Forçar a questão ao ponto em que teria de ser uma coisa *ou* outra seria trazer a campo todas as forças que Orwell reconhecia em seus ensaios, mas que excluiu do romance. Para os agentes do planejamento militar e econômico paranacional, a Grã-Bretanha se tornou, num verdadeiro exemplo de Novafala, o UK ou Yookay [Reino Unido]. Mas, para os povos que vivem na ilha real, existem nomes, relações e considerações mais concretas e mais valorizadas.

UMA EXCLUSÃO MAIS SÉRIA

É na exclusão até mesmo desses elementos tradicionais de resistência ao que poderia parecer uma nova ordem lógica e natural que Orwell, no romance, mas em geral não nos ensaios, errou de maneira mais flagrante. Porém há um erro ainda maior na exclusão de novas forças de resistência: mais notadamente, os movimentos revolucionários e de libertação nacional no que Orwell conhecia como mundo colonial. O monopólio de armas nucleares nos principais Estados industrializados não impediu grandes avanços rumo à autonomia entre os "povos súditos", para os quais, na previsão de Orwell, havia menos esperanças. Esta é a peculiar irrealidade da projeção em que as velhas potências mundiais, agora agrupadas em superestados, são tidas como totalmente dominantes, e em que o resto do mundo não passa de uma reserva passiva de minerais e mão de obra barata. Mas, também nesse caso, o que de fato aconteceu é complexo. Houve libertações políticas nessa imensa área que Orwell reduzira à passividade, mas há um aspecto em que o que ele previra ocorreu: não as guerras entre superestados pelo controle dessa área, mas um conjunto de intervenções econômicas de grandes empresas paranacionais, que possuem alguns dos atributos técnicos de superestados, de intervenções, manobras e "desestabilizações" políticas de exportações de armas excepcionalmente pesadas para países que, nos piores casos, se tornaram Estados-satélites; e de intervenções militares, em alguns casos, em que maciços combates sangrentos ainda excluem o uso ou a ameaça de uso das armas nucleares que, na perspectiva dos anos 1940, pareciam decisivas tanto para a vitória quanto para a chantagem.

Dessa forma, em certo sentido, tem-se a "guerra perpétua" que Orwell considerava provável, mas não tem sido de tipo total nem simulada. As complexas forças políticas e econômicas de fato engajadas têm impedido a concretização das extrapolações aparentemente simples da necessidade técnica ou da ambição política. Às vezes é difícil dizer, nesse nível político mundial, se o ano real de 1984 é melhor ou pior do que a projeção de *Mil novecentos e oitenta e quatro*. Ele é mais complexo, mais dinâmico, mais incerto do que o pesadelo específico. O número de pessoas livres ou com liberdade relativa é muito maior do que previa a projeção, mas também é muito maior o número de pessoas que morreram ou estão morrendo em "pequenas" guerras contínuas, e é imensamente maior o número das que vivem correndo perigo de serem aniquiladas por uma guerra nuclear. Os racionamentos e as carestias manipuladas da projeção foram substituídos por uma prosperidade extraordinária nas nações privilegiadas e por uma fome real e potencial em extensas áreas do mundo pobre. Portanto, não é por expor o perigo e o horror que se poderia censurar Orwell. Se é para fazer algum reparo, é por concentrar tanto o olhar numa única direção, com seus perigos simplificados e facilmente dramatizados, que se torna uma desculpa para não observar outras forças e outros desenvolvimentos que, ao final, podem se revelar ainda mais catastróficos.

A NOVA ORDEM SOCIAL

"Guerra é Paz" é um capítulo notável do *livro*. Como crítica a um *estado* perpétuo e normalizado de guerra, seus detalhes podem ser equivocados, mas o sentimento é correto. "Somos o movimento da paz", disse um ministro do governo britânico pouco tempo atrás, apoiando a próxima fase de rearmamento.

"Ignorância é Força" é o outro capítulo principal do *livro*. Ele descreve os métodos e objetivos do controle do pensamento, mas tem início com uma análise da estrutura social dos superestados, baseada numa espécie de teoria histórico-política:

> Ao longo de todo o tempo registrado e provavelmente desde o fim do Neolítico, existem três tipos de pessoas no mundo: as Altas, as Médias e as Baixas. Essas pessoas se subdividiram de várias maneiras, responderam a um número incontável de diferentes nomes, e seus totais relativos, bem como sua atitude umas para com as outras, têm variado de uma época para outra: mas a estrutura primordial da sociedade jamais foi alterada. Mesmo depois de tremendas comoções e mudanças aparentemente irrevogáveis, o mesmo modelo sempre voltou a se firmar [...].[11]

---

11 Cf. p. 236 desta edição.

É em passagens como essa que a posição do *livro* em relação ao pensamento do próprio Orwell se mostra mais problemática. Poderíamos citar muitos exemplos que demonstram que ele entendia a história mais como mudança do que como essa recorrência abstrata. Esse aspecto ressurge quando o *livro* afirma:

> [...] nenhum progresso na área da riqueza, nenhum refinamento da educação, nenhuma reforma ou revolução jamais serviram para que a igualdade entre os homens avançasse um milímetro que fosse.[12]

Isso, tal como está escrito, é um absurdo tão grande que prejudica todo o argumento. Se fosse realmente verdade, não haveria razão para dizer que o Socing é uma "distorção": seria apenas mais um exemplo de um processo inevitável e até intrínseco.

É claro que Orwell não acreditava nisso e tampouco o autor ou os autores do *livro*, uma ou duas páginas adiante. Pois o que se sustenta ali é que em períodos anteriores, devido ao estágio de desenvolvimento dos meios de produção, "a desigualdade era o preço da civilização", mas que no século XX "a igualdade humana se tornara tecnicamente possível" com o desenvolvimento da "produção mecanizada". Todavia, foi exatamente nesse momento que "todas as principais correntes do pensamento político" deixaram de acreditar na igualdade e se tornaram autoritárias.

Esta é uma composição imperfeita de três tipos de argumentos incompatíveis entre si: um de Orwell, outro de Burnham e outro de Marx. É inequívoca a presença da proposição marxista das inevitáveis relações entre as fases de desenvolvimento dos meios de produção e a formação de sociedades de classes, com a interpretação comunista ortodoxa de que a produção industrial plenamente desenvolvida enfim possibilitaria a igualdade. Também é evidente o argumento ou ressalva de Orwell de que grande parte desse discurso entre seus representantes concretos não passa de um disfarce para uma nova conspiração autoritária, encerrando

---

12 Cf. pp. 252-3 desta edição.

o capitalismo, mas então controlando e reprimindo ainda mais cabalmente a classe operária. Todavia, o elemento mais divergente, mesmo que depois venha a predominar, provém de Burnham. Como Orwell resume as posições de Burnham no primeiro ensaio:

> Todo grande movimento social, toda guerra, toda revolução, todo programa político, por edificante e utópico que seja, na verdade tem por trás as ambições de algum grupo setorial disposto a tomar o poder para si [...]. Assim, a história consiste numa série de engodos, em que as massas primeiro são atraídas para a revolta pela promessa da Utopia e depois, quando cumpriram a tarefa, são novamente escravizadas pelos novos senhores.[13]

Orwell percorre no ensaio essas proposições toscas com vagar e perspicácia. Chega a comentar:

> Ele [...] supõe que a divisão da sociedade em classes serve à mesma finalidade em todas as épocas. Isso é, na prática, ignorar a história de centenas de anos.[14]

E então passa à proposição marxista, repetida no *livro*, sobre a relação entre a sociedade de classes e os modos de produção.

QUE TIPO DE SOCIALISMO

Assim, no plano dos argumentos diretos de Orwell, a ênfase final do *livro* é uma simplificação já muito conhecida. Mas é a combinação entre essa simplificação e as reservas e suspeitas pessoais de Orwell, muitas vezes procedentes, sobre os socialistas ou os que se

---

13 George Orwell, *Collected Essays*, v. 4, pp. 176-7.
14 Ibid., p. 160.

dizem socialistas, mas que na verdade são autoritários, que determina a estrutura social de *Mil novecentos e oitenta e quatro*. A contribuição de Orwell, portanto, é mais específica do que a de Burnham. Este previra uma "revolução gerencial". Como resume Orwell:

> O capitalismo está desaparecendo, mas o socialismo não o está substituindo. O que surge agora é uma nova espécie de sociedade planejada e centralizada que não será capitalista nem, em qualquer acepção aceita do termo, democrática. Os dirigentes dessa nova sociedade serão os indivíduos que efetivamente controlam os meios de produção: isto é, executivos, técnicos, burocratas e soldados, agrupados por Burnham sob a designação de "administradores". Esses indivíduos eliminarão a velha classe capitalista, esmagarão a classe operária e organizarão a sociedade de tal forma que todo o poder e privilégios econômicos ficarão em suas mãos. Os direitos de propriedade privada serão abolidos, mas a posse coletiva não será instaurada.[15]

Não foi assim que as coisas vieram a acontecer em qualquer acepção plena, mas é possível reconhecer alguns elementos. No entanto, o nome que Orwell deu à nova ordem social não foi *Adm*ing, e sim *Soc*ing. A previsão de Burnham e o argumento mais geral em que ela se enquadra, como caso relativamente simples, apontavam com a mesma clareza tanto para o fascismo e o Estado corporativo — ou o que é agora chamado de pós-capitalismo administrado intervencionista — quanto para um comunismo autoritário. Foi Orwell quem lhe deu especificidade, como um desenvolvimento no interior da tradição socialista, que também traiu. Isto posto, em 1984, só podemos avaliar devidamente a previsão se voltarmos a seu contexto integral.

---

15 Ibid., p. 165.

Em certo sentido, é fácil entender essa especificação e estreitamento do termo em Orwell. O fascismo, na época em que ele escrevia, acabara de ser derrotado militarmente. O capitalismo, supunha ele, estava acabado e merecia estar acabado. O que importava, então, era o tipo de socialismo que surgiria; como a opção de Orwell era pelo socialismo democrático, o principal e até mesmo único adversário a que deveria se opor era o socialismo autoritário.

> A verdadeira questão não é se os indivíduos que nos usarão como capachos nos próximos cinquenta anos se chamam administradores, burocratas ou políticos: a questão é se o capitalismo, agora obviamente condenado, abrirá caminho à oligarquia ou à verdadeira democracia.[16]

É estranho ler isso em 1984, sobretudo se *Mil novecentos e oitenta e quatro* está aí para recomendar que concentremos a atenção no Socing e no Partido. É verdade que, em larga medida, foi o que aconteceu nos países sob o regime hoje chamado de "socialismo real". Com efeito, a única retificação a fazer nessa área é que "o Partido", naquela acepção ideológica estrita, tem se demonstrado menos significativo do que a combinação concreta de técnicos, burocratas e soldados que se torna possível e ganha legitimidade graças ao monopólio político do Partido.

A GRANDE RECUPERAÇÃO DO CAPITALISMO

Mas o que realmente corroeu as bases da previsão de Orwell foi a recuperação fenomenal do capitalismo, que ele considerava "condenado". A espetacular explosão econômica de meados dos anos 1950 ao início dos anos 1970 refutou praticamente todos os elementos daquela previsão específica. Muitos milhões de trabalhadores tiveram uma real melhoria no padrão de vida. Os principais

---

16 Ibid.

movimentos socialistas das velhas sociedades industriais avançaram de forma constante rumo a um consenso com o novo e próspero capitalismo administrado. Não houve novas supressões de liberdades políticas, embora tenha se tornado mais caro exercê-las. O principal motor da explosão econômica, numa ampliação extraordinária do crédito ao consumidor, foi um novo predomínio das instituições financeiras, cujo poder aumentou em detrimento das forças políticas e industriais. Quando a explosão econômica terminou, com a depressão e a volta do desemprego em massa, havia claramente uma nova oligarquia à vista. As instituições monetárias nacionais e internacionais, com seus correlatos nas gigantescas corporações paranacionais, haviam estabelecido um domínio prático e ideológico que, longe de se abalar com a primeira década de depressão e desemprego, na verdade foi reforçado por ela. Essas foram as verdadeiras forças que nos usaram como "capachos", tanto nas velhas sociedades industriais quanto nos novos países ex-colônias. No plano interno e no plano externo, tinham todos os traços de uma verdadeira oligarquia, e pelo menos algumas pessoas começaram a entender que a "centralização" não é apenas uma velha panaceia socialista, e sim um processo prático dos mercados financeiros e das grandes corporações capitalistas, cada vez maiores e mais concentradas. O poder de Estado, nesse meio-tempo, embora tentando recuar de seus compromissos anteriores em prover ao bem-estar social, ampliou-se nas esferas militares, nos novos sistemas armamentistas e em suas definições da lei, da ordem e da segurança (amparando-se num certo grau de vigilância intensiva). Assim, temos um claro exemplo de *duplipensamento* quando a direita radical, agora ocupando o poder em tantos países, denunciava o Estado no plano da assistência social ou da justiça econômica e aplaudia o mesmo Estado no plano do militarismo patriótico, da lealdade policial e do controle sobre as instituições democráticas locais. Ouvindo alguns dos mais estridentes defensores desse duplo critério, entendemos o que significa *patofalosoduplomaisbom* na Novafala.

Mas e os "proletas"? A esse respeito também Orwell errou muito em sua previsão, embora existam alguns desiludidos achando que ele pode ter acertado. Pois a característica central da nova oligarquia capitalista é que ela não deixou "oitenta e cinco por cento da população" entregue a si mesma. Pelo contrário, tem tido sucesso em organizá-los como mercado, chamando-os não mais de "proletas" e sim de "consumidores" (os dois termos são igualmente degradantes). É verdade que os jornais e outros meios de comunicação da oligarquia garantem o abastecimento maciço de semipornografia, de jogos de apostas e obras ficcionais produzidas mecanicamente, que caberia ao Partido fornecer. Mas os verdadeiros controles são outros. Ofereceu-se um contrato direto entre a mão de obra assalariada e disciplinada e o consumo com financiamento de crédito, e esse contrato teve ampla aceitação. Mesmo quando, durante a depressão, deixou de ser acessível aos muitos milhões de trabalhadores que se tornaram, naquele cruel termo oligárquico, "redundantes", seu controle social e político, como a própria essência de qualquer ordem social, não sofreu qualquer abalo de início. Na verdade, a reação ideológica da oligarquia foi dar mais segurança ao contrato: submetendo os sindicatos que representavam um elemento de negociação independente, para além do controle oligárquico, e apontando como inimigos públicos, em seus veículos de imprensa, as figuras políticas dissidentes (não a "oposição oficial apropriada", mas os Vermelhos, Demolidores e Extremistas "não oficiais" que, ao bom estilo de *Mil novecentos e oitenta e quatro*, eram vistos como loucos ou culpados de *pensamentos-crime*).

PODER E MOTIVAÇÃO

Isso nos traz à mais difícil de todas as questões numa reavaliação de *Mil novecentos e oitenta e quatro*. Preocupado e fascinado com os argumentos de Burnham de que o poder é a única realidade política, qualquer que seja o qualificativo que o acompanhe, Orwell observou:

> É curioso que, em todo o seu discurso sobre a luta pelo poder, Burnham nunca se detenha para perguntar *por que* as pessoas querem o poder.

Ele parece supor que a sede de poder, embora seja dominante num número relativamente pequeno de indivíduos, é um instinto natural que não carece de explicação.[17]

"Um instinto natural que não carece de explicação"? Esse é o irracionalismo assustador do clímax de *Mil novecentos e oitenta e quatro*, e não é fácil, em meio à devoção e ao terror, ater-se ao real e à própria questão de Orwell. O cerne da posição de Burnham consiste em desacreditar todas as aspirações e crenças políticas concretas, visto que são invariavelmente disfarces do puro poder ou do desejo de poder. Mas, se assim for, não há apenas um apagamento da história — como Orwell observou a seguir, no mesmo ensaio. As variações reais nos acontecimentos, nas palavras e nas convicções são aplainadas numa uniformidade degradante e sem sentido da ação humana. Há também um apagamento da indagação e da argumentação e, portanto, da possibilidade de verdade, visto que qualquer coisa que se diga pode ser instantaneamente transposta para a realidade sórdida e cruel a fim de encobri-la. Não é preciso negar a existência e nem mesmo a ocorrência frequente de perseguições, de aplicações do poder e de torturas "por elas mesmas" (isto é, mais para a gratificação íntima dos executantes do que para qualquer causa objetiva) para continuar a resistir ao apagamento de todos os vínculos entre poder e política. E *é preciso* resistir a esse apagamento, se não por outro motivo, porque, do contrário, seria inútil tentar distinguir entre sistemas sociais ou examinar distintivamente se este ou aquele sistema deu certo ou errado.

PASSIVIDADE DA INEVITABILIDADE

Há muito espaço para discordâncias sobre os sistemas sociais e políticos que facilitam em maior ou menor grau o poder arbitrá-

---

[17] Ibid., p. 177.

rio, as perseguições e as torturas. No mundo do ano real de 1984, é tão grande a extensão dessas práticas em sistemas sociais que, sob outros aspectos, são muito distintos — do Chile ao Kampuchea, da Turquia e de El Salvador à Europa Oriental, e com exemplos muito próximos de nós, como Belfast — que é tentador passar por cima das diferenciações e recuar da ideia de um embrutecimento do homem. Todavia, o que corre maior risco é o raciocínio de tipo dois mais dois — obstinadamente factual e verdadeiro, por mais complexas que as somas possam se tornar. *Há* razões, como bem sabia Orwell fora do campo da ficção, para que existam sistemas e fases de sistemas, ao longo de toda a história registrada, em que os adversários e mesmo os elementos inconvenientes são presos, torturados e assassinados; assim como existem outros sistemas e fases de sistemas — quase todos modernos, quase todos alcançados após longas discussões e lutas políticas — em que esses atalhos brutais são reduzidos e submetidos a controle. Claro que Orwell está alertando contra um sistema totalitário moderno, desenvolvido mesmo além de Stálin ou Hitler. Mas há uma maneira totalitária de alertar contra o totalitarismo, excluindo precisamente aquelas análises históricas diferenciadoras, aquelas distinções políticas verídicas, aquelas crenças e aspirações autênticas e não meramente presumidas, que constituem uma proteção muito melhor contra ele do que a projeção irracional inspirando terror ou ódio. Vale lembrar o que Orwell disse sobre Burnham:

> Burnham tenta construir um quadro de um poder aterrorizante e irresistível, e o fato de converter uma manobra política normal como a infiltração em Infiltração se soma à superioridade geral.[18]

O mesmo pode acontecer com o Socing. Como ele repetiu, ao comentar a tese de Burnham:

---

[18] Ibid., p. 170.

O culto ao poder distorce o discernimento político porque leva quase inevitavelmente à crença de que as tendências do presente prosseguirão.[19]

No entanto, o próprio Orwell, sempre adversário do privilégio e do poder, na ficção engajou-se justamente nessa crença submissa. O alerta de que o mundo poderia tomar aquele rumo se tornou, no próprio caráter absoluto da ficção, uma submissão imaginativa à sua inevitabilidade. E, portanto, insistir nessa questão é mostrar pouco respeito por aqueles inúmeros homens e mulheres, inclusive o próprio Orwell, que lutaram e lutam contra as tendências destrutivas e ignorantes que ainda são tão poderosas, e que mantiveram forças para imaginar e trabalhar pela paz, pela liberdade e pela dignidade humana.

RAYMOND WILLIAMS nasceu em 1921, em Monmouthshire, País de Gales. Escritor, professor universitário, intelectual militante, crítico literário e romancista, sua obra foi extremamente importante na constituição da nova esquerda britânica e na consolidação e expansão dos estudos culturais. Entre seus principais livros, estão *Cultura e sociedade*, de 1958, e *O campo e a cidade*, de 1973. Williams morreu na Inglaterra, em 1988.

---

[19] Ibid., p. 174.

RUMO A 1984

THOMAS PYNCHON

Introdução à edição publicada
pela Plume (Penguin), 2003.

George Orwell nasceu Eric Arthur Blair em 25 de junho de 1903, em Motihari, uma pequena cidade em Bengala, próxima à fronteira com o Nepal, no meio de uma região com farta produção de ópio. Seu pai trabalhava lá como agente do Departamento Britânico de Ópio, não prendendo os cultivadores, mas supervisionando o controle de qualidade do produto, do qual a Grã-Bretanha havia muito detinha o monopólio. Um ano depois, o jovem Eric estava de volta à Inglaterra com sua mãe e sua irmã, não retornando àquela região até 1922, na qualidade de oficial júnior da Polícia Imperial Indiana na Birmânia. O emprego pagava bem, mas Orwell decidiu abandoná-lo quando voltou para casa de licença em 1927, para desespero de seu pai, porque o que ele realmente queria fazer da vida era ser escritor, e foi o que se tornou. Em 1933, com a publicação de seu primeiro livro, *Na pior em Paris e Londres*, adotou o pseudônimo de George Orwell, nome pelo qual ficou conhecido desde então. Orwell fora um dos nomes que havia utilizado enquanto vagabundeava pela Inglaterra, e cuja inspiração pode ter sido um rio homônimo em Suffolk.

1984 foi seu último livro — quando foi lançado, em 1949, Orwell já havia publicado outros doze, incluindo o muito aclamado e popular *A Fazenda dos Animais*. Num ensaio datado do verão de 1946, "Por que escrevo", ele recordou que "*A Fazenda dos Animais* foi o primeiro livro em que tentei, com plena consciência do que fazia, amalgamar os propósitos político e artístico. Faz sete anos que não escrevo um romance, mas espero escrever outro muito em breve. Será fatalmente um fracasso, todo livro é um fracasso, porém tenho uma clara noção do tipo de livro que pretendo escrever".[1] Logo depois estava trabalhando em *1984*.

De certa forma, esse romance foi uma vítima do sucesso de *A Fazenda dos Animais*, lido por muitas pessoas como uma franca alegoria do destino melancólico da Revolução Russa. Desde o minuto em que o bigode do Grande Irmão surge no segundo parágrafo de *1984*, muitos leitores, lembrando imediatamente de Stálin, mantiveram o hábito de tecer analogias ponto a ponto, como haviam feito na obra anterior. Embora o rosto do Grande Irmão certamente seja o de Stálin, do mesmo modo que o rosto de Emmanuel Goldstein, o desprezado herege do Partido, é o de Trótski, os dois não se alinham a seus modelos de maneira tão elegante quanto Napoleão e Bola de Neve em *A Fazenda dos Animais*. Isso não impediu que o livro fosse vendido nos Estados Unidos como uma espécie de tratado anticomunista. O romance foi publicado no auge da era McCarthy, quando o "comunismo" era oficialmente condenado como uma ameaça mundial, monolítica, e não havia motivo até mesmo para distinguir Stálin de Trótski, assim como não haveria motivo para que pastores ensinassem às ovelhas sobre as nuances do reconhecimento de lobos.

O conflito da Coreia (1950-3) logo lançaria um foco sobre a pretensa prática comunista de imposição ideológica através da "lavagem cerebral", um conjunto de técnicas supostamente baseado no trabalho de I. P. Pavlov, que treinara cães para salivar respondendo a estímulos, de modo que os tecnocratas soviéticos que vieram depois dele estariam condicionando seus espécimes humanos a

---

[1] George Orwell, *Dentro da baleia e outros ensaios*. Org. de Daniel Piza. Trad. de José Antonio Arantes. São Paulo: Companhia das Letras, 2005. (N. E.)

reflexos políticos úteis ao Estado. Presumia-se que os russos estavam compartilhando esses métodos com seus fantoches, os comunistas chineses e norte-coreanos. Que algo muito parecido com o processo de lavagem cerebral aconteça com Winston Smith, o herói de *1984*, em longos e aterrorizantes detalhes, não causou surpresa aos leitores determinados a interpretar o romance como uma simples condenação das atrocidades stalinistas.

Essa não era exatamente a intenção de Orwell. Embora *1984* tenha fornecido apoio e encorajamento a gerações de ideólogos anticomunistas detentores de reações pavlovianas próprias, a política de Orwell não apenas era de esquerda, mas à esquerda da esquerda. Ele fora à Espanha em 1937 para lutar contra Franco e seus fascistas simpáticos ao nazismo, e lá aprendeu rapidamente a diferença entre o antifascismo real e o falso. "A guerra espanhola e outros eventos de 1936-7", escreveu dez anos mais tarde, "fizeram a balança pender, e depois disso eu sabia onde estava. Cada linha de trabalho sério que redigi desde 1936 foi escrita, direta ou indiretamente, *contra* o totalitarismo e *a favor* do socialismo democrático, tal como o conheço."

Orwell via a si mesmo como um membro da "esquerda dissidente", distinta da "esquerda oficial", que significava basicamente o Partido Trabalhista Britânico, do qual boa parte ele passara a enxergar, bem antes da Segunda Guerra Mundial, como potencialmente, se não já fascista. Mais ou menos de forma consciente, fez uma analogia entre o Partido Trabalhista e o Partido Comunista sob o domínio de Stálin, os quais, sentia, eram movimentos que professavam a luta das classes trabalhistas contra o capitalismo, mas que na verdade estavam preocupados apenas em estabelecer e perpetuar seu próprio poder. As massas só existiam para ser manobradas: por seu idealismo, seus ressentimentos de classe, sua disposição para trabalhar em troca de pouco — e para ser vendidas repetidas vezes.

Pois bem, aqueles com disposição fascista — ou simplesmente aqueles de nós sempre dispostos a justificar qualquer ação governamental, certa ou errada — irão imediatamente insinuar que esse é um raciocínio típico do período pré-guerra e que, no instante em que as bombas do inimigo começam a cair em sua pátria-mãe, alterando a paisagem e produzindo vítimas entre amigos e vizinhos, todo esse tipo de coisa, na verdade, torna-se irrelevante, se não de fato subversivo. Com a pátria-mãe em perigo, uma liderança forte e medidas eficientes tornam-se indispensáveis, e se você quer chamar isso de fascismo, muito bem, chame como preferir, é provável que ninguém esteja ouvindo, pois estão na expectativa de que os ataques aéreos terminem e de que o alarme que anuncia o fim dos bombardeios soe. Mas o fato de um argumento — para não dizer uma profecia — ser inconveniente no calor de alguma emergência posterior não o torna necessariamente errado. Pode-se certamente argumentar que o conselho de guerra de Churchill se comportou de maneira semelhante a um regime fascista: censurando notícias, controlando salários e preços, restringindo viagens, subordinando as liberdades civis às autodefinidas necessidades de tempos de guerra.

A crítica de Orwell à esquerda oficial da Inglaterra sofreria algumas modificações em julho de 1945, quando, na primeira oportunidade que lhe foi concedida, o eleitorado britânico, com uma vitória esmagadora, rejeitou seus governantes dos tempos de guerra e instalou um governo trabalhista que permaneceria no poder até 1951 — além do que restava de vida a Orwell —, período durante o qual o Partido Trabalhista finalmente teve sua chance de reformar a sociedade britânica de acordo com a orientação "socialista". Orwell, um eterno dissidente, deve ter se deleitado em prestar auxílio ao partido no enfrentamento de suas contradições, notavelmente das que surgiram de sua aquiescência a um governo repressivo e conservador, no qual teve participação na época da guerra. Tendo desfrutado e exercido esse tipo de poder, quão provável seria que o Partido Trabalhista escolhesse não ampliar seu campo de ação e se manter fiel aos ideais de seus fundadores, voltando a lutar ao lado dos oprimidos? Projetando essa vontade de poder quatro décadas no futuro, poderíamos facilmente chegar ao Socing, à Oceânia e ao Grande Irmão.

É claro o desespero de Orwell a respeito da condição do "socialismo" no pós-guerra a partir de cartas e artigos da época em que trabalhava em *1984*. O que havia sido, na época de Keir Hardie, uma luta honrada contra o comportamento sem dúvida criminoso do capitalismo em relação àqueles que usou para o lucro, tornou-se, na época de Orwell, algo vergonhosamente institucional, comprado e vendido, em muitos casos preocupado apenas em se manter no poder. E isso apenas na Inglaterra — no exterior, esse impulso tinha se corrompido ainda mais, de maneiras incomensuravelmente mais sinistras, levando por fim aos gulags de Stálin e aos campos de concentração nazistas.

Orwell parece ter ficado particularmente incomodado com a fidelidade generalizada da esquerda ao stalinismo, mesmo diante de evidências esmagadoras da natureza maldosa do regime. "Por razões um tanto complexas", escreveu ele em março de 1948, no início da revisão do primeiro esboço de *1984*, "quase toda a esquerda inglesa foi levada a aceitar o regime russo como 'socialista', embora reconhecesse em silêncio que o espírito e a prática daquele regime eram inteiramente diferentes de tudo que significava 'socialismo' neste país. Por consequência, surgiu uma espécie de sistema de pensamento esquizofrênico, no qual palavras como 'democracia' podem comportar dois significados irreconciliáveis, e coisas como campos de concentração e deportações em massa podem ser ao mesmo tempo certas e erradas."

Reconhecemos essa "espécie de sistema de pensamento esquizofrênico" como a fonte de uma das grandes realizações desse romance, que entrou na linguagem cotidiana do discurso político — a identificação e a análise do duplipensamento. Tal como descrito em *Teoria e prática do coletivismo oligárquico*, de Emmanuel Goldstein, um texto perigosamente subversivo, proscrito na Oceânia e conhecido somente como *o livro*, o duplipensamento é uma forma de disciplina mental cujo objetivo, desejável e necessário para todos os membros do Partido, é ser capaz de acreditar em duas verdades contraditórias ao mesmo tempo. Claro está que isso não é nenhuma novidade. Todos fazemos isso. Na psicologia social, é conhecido há muito tempo como "dissonância cognitiva". Outros gostam de chamá-lo de "compartimentalização". Alguns, notoriamente F. Scott Fitzgerald, o consideravam uma prova de genialidade. Para Walt Whitman ("Eu me contradigo? Pois muito bem, eu me contradigo"), era ser grande e conter multidões; para Yogi Berra, era ir até uma bifurcação na estrada e seguir por ela; para o gato de Schrödinger, era o paradoxo quântico de estar vivo e morto ao mesmo tempo.

A ideia parece ter exposto Orwell a seu próprio dilema, uma espécie de metaduplipensamento, provocando nele repulsa com seu potencial ilimitado para o mal e ao mesmo tempo fascinando-o com sua promessa de ser uma maneira de transcender os contrários — como se uma forma aberrante de zen-budismo, cujos koans fundamentais fossem os três slogans do Partido, "Guerra é Paz", "Liberdade é Escravidão" e "Ignorância é Força", estivesse sendo aplicada com propósitos malignos.

A encarnação consumada do duplipensamento no romance é o oficial O'Brien, o sedutor e traidor, protetor e destruidor de Winston. Ele acredita com toda a sinceridade no regime a que serve, podendo todavia perfeitamente se fazer passar por um revolucionário dedicado, comprometido com a deposição do regime. O'Brien pensa em si como uma mera célula do organismo maior do Estado, mas é de sua individualidade convincente e contraditória que lembramos. Embora seja um porta-voz calmamente eloquente do futuro totalitarista, O'Brien revela aos poucos um lado desequilibrado, um desprendimento da realidade que emerge com toda a sua repugnância durante a reeducação de Winston Smith, no local de dor e desespero conhecido como Ministério do Amor.

O duplipensamento também está por trás dos nomes dos superministérios que regem as coisas em Oceânia — o Ministério da Paz promove a guerra, o Ministério da Verdade conta mentiras, o Ministério do Amor tortura e chega a matar aqueles que considera uma ameaça. Se isso parece excessivamente perverso, lembre-se que nos Estados Unidos dos dias de hoje poucos veem problemas num aparato de guerra chamado "Departamento de Defesa", assim como não temos problemas em pronunciar "Departamento de Justiça" a sério, apesar dos abusos bem documentados contra os direitos humanos e constitucionais cometidos por seu mais temível braço, o FBI. De nossa chamada imprensa livre é exigida a apresentação de uma cobertura "balanceada", na qual toda "verdade" é imediatamente neutralizada por outra igual e oposta. Todos os dias a opinião pública é alvo da história reescrita, da amnésia oficial e da mentira deslavada, chamadas benevolentemente de *"spin"*, como se isso não fosse algo mais perigoso que uma volta no carrossel. Sabemos mais do que nos dizem, mas torcemos para estarmos enganados. Acreditamos e duvidamos ao mesmo tempo; parece ser uma condição do pensamento político no superestado moderno que se tenha sempre duas opiniões sobre muitas questões. Desnecessário dizer que isso é de uso inestimável para aqueles no poder que desejam lá permanecer, de preferência para sempre.

Além da ambivalência da esquerda em relação às realidades soviéticas, outras oportunidades para o duplipensamento entrar em ação surgiram no despertar da Segunda Guerra Mundial. Em seu momento de euforia, o lado vencedor cometia, na visão de Orwell, erros tão fatais quanto qualquer um dos cometidos pelo Tratado de Versalhes depois da Primeira Guerra Mundial. Não obstante as intenções sobretudo honradas, na prática a divisão dos despojos entre os antigos aliados tinha potencial para erros fatais. O desconforto de Orwell em relação à "paz" é na verdade um importante subtexto de *1984*.

"O que realmente pretendemos fazer", escreveu Orwell a seu editor no fim de 1948 — até onde sabemos, o início da fase de revisão do romance —, "é discutir as implicações da divisão do mundo em 'zonas de influência' (pensei nisso em 1944, como um resultado da Conferência de Teerã)..."

Bem, é claro que não se deve confiar nos romancistas quando revelam as fontes de sua inspiração. Mas esse processo de invenção em particular suporta o exame. A Conferência de Teerã, realizada no fim de 1943, foi o primeiro encontro da cúpula dos aliados na Segunda Guerra Mundial, e contou com a presença de Roosevelt, Churchill e Stálin. Entre os tópicos discutidos, estava o modo como, depois que a Alemanha nazista fosse derrotada, os aliados iriam dividi-la em zonas de ocupação. Quem levaria quanto da Polônia era outro assunto. Ao imaginar a Oceânia, a Eurásia e a Lestásia, Orwell parece ter dado um salto em escala em relação aos diálogos de Teerã, projetando a ocupação de um país derrotado na de um mundo derrotado. Embora a China não tenha sido incluída — em 1948 a revolução chinesa ainda estava em curso —, Orwell estivera no Extremo Oriente e fez melhor do que ignorar o peso da Lestásia quando preparou seu próprio esquema de zonas de influência. O pensamento geopolítico naqueles tempos estava encantado com o conceito de "ilha mundial" do geógrafo britânico Halford Mackinder — que considerava a Europa, a Ásia e a África como uma única massa terrestre cercada por água, "o eixo da história", cujo coração do mundo era a "Eurásia" de *1984*. "Aquele que governa o coração do mundo comanda a ilha mundial", explicou Mackinder, e "aquele que governa a ilha mundial comanda o mundo", uma declaração válida para Hitler e para outros teóricos da *realpolitik*.

Um desses mackinderistas com conexões nos círculos de inteligência era James Burnham, um ex-trotskista americano que por volta de 1942 havia publicado uma provocadora análise da crise mundial conhecida então como *A revolução gerencial*, que Orwell discutiu mais tarde num extenso artigo de 1946. Burnham, na época, quando a Inglaterra ainda cambaleava sob o ataque nazista e tropas alemãs estavam nos arredores de Moscou, argumentou que, com a conquista iminente da Rússia e do coração da terra mundial, o futuro iria pertencer a Hitler. Mais tarde na guerra, quando servia à OSS e os nazistas caminhavam para a derrota, Burnham mudou de ideia numa longa reflexão posterior, *O herdeiro de Lênin*, no qual passara a argumentar que, a menos que os Estados Unidos fizessem algo a respeito, o futuro, na realidade, iria pertencer a Stálin e ao sistema soviético, e não a Hitler no fim das contas. A essa altura, Orwell, que levara Burnham a sério mas não de maneira acrítica, pode ter percebido que o pensamento do homem era algo leviano — muito embora alguns traços da geopolítica de Burnham possam ser encontrados no equilíbrio de poder do mundo tripartite de *1984*, no qual o Japão vitorioso de Burnham torna-se a Eurásia; a Rússia faz as vezes de coração do mundo, controlando a massa terrestre da Eurásia; e a aliança anglo-americana se transforma em Oceânia, que é o cenário de *1984*.

Esse agrupamento da Grã-Bretanha com os Estados Unidos num único bloco revelou-se uma profecia certeira ao prever a resistência da Grã-Bretanha à integração com a massa terrestre da Eurásia e também sua continuada subserviência aos interesses ianques — o dólar, por exemplo, é a unidade monetária da Oceânia. Londres ainda é reconhecível como a Londres do período de austeridade do pós-guerra. Desde o início, com seu frio e súbito mergulho no sinistro dia de abril em que Winston Smith comete seu ato decisivo de desobediência, as texturas da vida distópica são incessantes — os encanamentos defeituosos, os cigarros que perdem seu tabaco, a comida horrível —, embora isso talvez não exigisse um grande esforço de imaginação para alguém que vivenciara a escassez dos tempos de guerra.

Profecia e prognóstico não são exatamente a mesma coisa, e, no caso de Orwell, confundir os dois não seria uma boa ideia nem para o leitor nem para o autor. Há um jogo que alguns críticos gostam de jogar, que proporciona talvez um minuto e meio de diversão, no qual se faz uma lista do que Orwell "acertou" e "errou". Olhando à nossa volta neste momento, por exemplo, notamos a popularidade do uso de helicópteros como um recurso de "imposição da lei", algo que nos é familiar pelas incontáveis séries policiais televisivas, elas próprias formas de controle social — e, nesse sentido, da própria ubiquidade da televisão. A teletela de dois lados guarda certa semelhança com as telas planas de plasma conectadas a sistemas a cabo "interativos", que já existem em 2003. As notícias são o que o governo diz que são, a vigilância de cidadãos comuns entrou na rotina da atividade policial, operações razoáveis de busca e apreensão constituem uma piada. E assim vai. "Uau, o governo se transformou no Grande Irmão, *do jeito que Orwell previu*! Que coisa, hein?" "Orwelliano, cara!"

Bem, sim e não. Previsões específicas são apenas detalhes, afinal. O que talvez seja mais importante, necessário de fato, a um profeta em atividade, é estar apto a enxergar mais fundo a alma humana do que a maioria de nós. Em *1984*, Orwell compreendeu que, apesar da derrota do Eixo, a vontade de fascismo não havia desaparecido; que, longe de ter conhecido seu fim, ela talvez ainda não tivesse nem alcançado seu ápice: a corrupção do espírito e a irresistível dependência humana do poder já estavam havia muito estabelecidas — todos aspectos bem conhecidos do Terceiro Reich e da URSS de Stálin, e até mesmo do Partido Trabalhista Britânico — como os primeiros esboços de um terrível futuro. O que poderia impedir que o mesmo acontecesse à Grã-Bretanha e aos Estados Unidos? Superioridade moral? Boas intenções? Estilo de vida limpo?

O que progrediu de forma insidiosa e estável desde então, tornando os argumentos humanistas quase irrelevantes, foi, é claro, a tecnologia. Não devemos nos distrair muito com a qualidade tosca dos meios de vigilância em voga na era de Winston Smith. Afinal, no "nosso" 1984 o chip de circuito integrado tinha menos de dez anos de vida e era embaraçosamente primitivo se comparado às maravilhas da tecnologia de computadores por volta de 2003, em especial à internet, uma criação que promete controle social numa escala com que aqueles singulares tiranos do século xx com seus bigodes engraçados nem sonhavam.

Por outro lado, Orwell não previu progressos exóticos como as guerras religiosas com as quais estamos tão familiarizados, envolvendo diversos tipos de fundamentalismo. O fanatismo religioso está estranhamente ausente da Oceânia, exceto na forma de devoção ao Partido. O regime do Grande Irmão exibe todos os elementos do fascismo — o ditador carismático, o controle total do comportamento, a absoluta subordinação do individual ao coletivo —, exceto a hostilidade racial e o antissemitismo em particular, um traço tão proeminente do fascismo que Orwell conheceu. Isso há de deixar perplexo o leitor moderno. O único personagem judeu no romance é Emmanuel Goldstein, e talvez apenas porque o original, Liev Trótski, fosse judeu também. Ele é uma presença que permanece fora da ação, cuja função real em *1984* é fornecer uma voz expositiva, como o autor de *Teoria e prática do coletivismo oligárquico*.

Muito se comentou recentemente sobre a própria atitude de Orwell em relação aos judeus, com alguns críticos chegando ao ponto de chamá-lo de antissemita. Se examinarmos sua escrita da época à procura de referências abertas ao assunto, encontramos relativamente pouco — as questões judaicas não parecem ter chamado muito a sua atenção. Fato é que o material publicado parece indicar ou uma espécie de entorpecimento diante da enormidade do que aconteceu nos campos de concentração, ou uma incapacidade em algum nível de se compreender seu significado mais amplo. Sente-se uma reserva, como se com tantos outros assuntos importantes com que se preocupar, Orwell preferisse que o mundo não tivesse que arcar com a inconveniência adicional de ter que pensar muito sobre o Holocausto. O romance pode até mesmo ter sido seu modo de redefinir um mundo no qual o Holocausto não tivesse existido.

O mais próximo que *1984* chega de um momento antissemita é a prática ritual dos Dois Minutos de Ódio, apresentada no início do romance, quase como um mecanismo da trama para apresentar Julia e O'Brien, os dois outros personagens principais. Mas a exibição de antigoldsteinismo descrita com imediatez tóxica nunca é generalizada como algo de caráter racial. A estratégia de se colocar raça contra raça não parece estar presente na caixa de ferramentas do Partido. "Tampouco existe qualquer tipo de discriminação racial", confirma Emmanuel Goldstein no *livro*. "Judeus, negros, sul-americanos de pura origem índia são encontrados nos mais altos escalões do Partido..." Ao que tudo indica, Orwell considerava o antissemitismo "uma variação da grande doença moderna que é o nacionalismo", e o antissemitismo britânico em particular como outra forma de estupidez britânica. Ele pode ter acreditado que, na época da coalescência tripartite do mundo que imaginou para *1984*, os nacionalismos europeus aos quais estava acostumado não existiam mais, talvez porque as nações, e por consequência as nacionalidades, teriam sido abolidas e absorvidas em identidades mais coletivas. Em meio ao pessimismo geral do romance, isso pode parecer a nós, sabendo o que sabemos hoje, uma análise injustificadamente jovial. Os ódios que Orwell nunca considerou muito mais que ridículos determinaram muito da história desde 1945 para serem tão facilmente rejeitados.

Além da presença inesperada da tolerância racial na Oceânia, a estrutura de classes também é um pouco atípica. Oceânia deveria ser uma sociedade sem classes, mas não é. Ela se divide em Núcleo do Partido, Partido Externo e proletas. Mas como a história é contada do ponto de vista de Winston Smith, que pertence ao Partido Externo, os proletas são amplamente ignorados, assim como o são pelo próprio regime. Apesar de sua admiração pelos proletas como uma força de salvação, e de sua fé no triunfo final deles, Winston Smith não parece conhecer nenhum proleta — seu único contato pessoal, e indireto, é com a senhora que canta do lado de fora da sala nos fundos do antiquário que serve de refúgio amoroso para ele e Julia. "Fazia várias semanas que só se ouvia aquilo em

Londres. Era uma das inúmeras canções, todas muito parecidas, compostas para uso dos proletas por uma subseção do Departamento de Música." Pelos padrões poéticos do Núcleo do Partido, a canção era uma "bobagem", uma "porcaria intragável". Orwell, porém, cita a canção três vezes, quase palavra por palavra. Há algo mais acontecendo aqui? Não podemos ter certeza, mas gostamos de imaginar que Orwell, um compositor disfarçado que amava escrever versos melodiosos com uma cadência, também tenha criado uma melodia real para essa letra, e que, enquanto escrevia *1984*, andava por aí cantarolando e assobiando a melodia, talvez por dias a fio, levando os vizinhos à loucura. Seu próprio julgamento artístico não era o mesmo de Winston Smith, um burguês do fim da década de 1940 projetado no futuro. Orwell apreciava o que agora chamamos de cultura pop — sua fidelidade, tanto em música quanto em política, pertencia ao povo.

Numa crítica de um romance de John Galsworthy publicada no *New Statesman* em 1938, Orwell comentou, quase de passagem, que "Galsworthy foi um escritor ruim, e algum problema interno, que aguçava sua sensibilidade, quase fez dele um bom escritor; depois que sua insatisfação curou a si mesma, ele voltou a ser um escritor ruim. Vale fazer uma pausa para se perguntar de que modo isso acontece conosco".

Orwell se divertia com seus colegas de esquerda que viviam com medo de ser chamados de burgueses. Mas em algum lugar entre seus próprios temores poderia estar a possibilidade de que ele, como Galsworthy, pudesse um dia perder sua raiva política e se tornar mais um apologista das coisas como elas são. Sua raiva, permitimo-nos dizer, era preciosa para ele. Orwell a adquiriu ao longo da vida — na Birmânia, em Paris e Londres e no caminho para Wigan Pier, na Espanha, onde foi baleado e ferido pelos fascistas —, investindo sangue, dor e trabalho duro para conquistá-la, e foi tão apegado a sua raiva quanto qualquer capitalista a seu capital. Esse medo de se acomodar demais, de se vender, pode ser uma preocupação própria dos escritores. Quando se ganha a vida escrevendo, esse certamente é um dos riscos, embora nem todo escritor se oponha a ele. A habilidade que o elemento de poder tem de cooptar dissidentes sempre foi um perigo — na verdade, de modo não muito diferente do processo pelo qual o Partido, em *1984*, é eternamente capaz de se renovar de baixo para cima.

Tendo vivido junto dos trabalhadores pobres e desempregados da Depressão de 1930 e aprendido o valor verdadeiro e imperecível deles, Orwell concedeu a Winston Smith uma fé similar nos equivalentes de *1984*, os proletas, como a única esperança de libertação do inferno distópico da Oceânia. Na mais bela passagem do romance — belo na definição de Rilke, o início de um terror capaz de ser suportado —, Winston e Julia, pensando estarem a salvo, olham através da janela para a mulher que canta no pátio, e Winston, fitando o céu, tem uma visão quase mística dos milhões que vivem debaixo dele, "pessoas que não tinham aprendido a pensar, mas que acumulavam em seus corações, ventres e músculos a força que um dia subverteria o mundo. Se é que há esperança, ela está nos proletas!". É o momento que antecede a prisão de Winston e Julia, quando tem início o clímax frio e terrível do livro.

Antes da guerra, Orwell demonstrara em algumas ocasiões seu desprezo por cenas gráficas de violência na ficção, particularmente na literatura policial americana disponível em revistas *pulp*. Em 1936, na crítica de um livro de detetives, ele cita uma passagem que descreve um espancamento brutal e metódico, o qual prenuncia de modo quase sobrenatural as experiências de Winston Smith no Ministério do Amor. O que aconteceu? A Espanha e a Segunda Guerra Mundial, é o que parece. O que era uma "porcaria intragável" em tempos mais retraídos torna-se, na era do pós-guerra, parte do vernáculo da educação política, que será institucionalizado na Oceânia em 1984. No entanto, Orwell não pode se dar ao luxo de insultar a carne e o espírito de qualquer personagem de maneira irrefletida, como um escritor *pulp* qualquer. A escrita é por vezes difícil de acompanhar, como se o próprio Orwell estivesse sentindo cada momento do suplício de Winston.

Num romance detetivesco, porém, a motivação — tanto do escritor como dos personagens — normalmente é financeira, quase sempre por valores baixos. "O fato de que um homem deve ser assassinado não é algo divertido", escreveu Raymond Chandler, "mas às vezes é divertido que ele deva ser assassinado por tão pouco, e que sua morte seja a moeda do que chamamos de civilização." O que já não é tão divertido é quando essa motivação financeira não está presente. Podemos confiar num policial que aceita suborno, mas o que acontece quando nos deparamos com um fanático da lei e da ordem que não aceitará? O regime da Oceânia parece imune ao poder de sedução da riqueza. Seus interesses estão em outro lugar, no exercício do poder em si mesmo, na guerra inexorável contra a memória, o desejo e a linguagem como veículo do pensamento.

É relativamente fácil lidar com a memória, do ponto de vista totalitário. Sempre há alguma agência como o Ministério da Verdade para negar as lembranças de alguém, para reescrever o passado. Em 2003, tornou-se comum que os funcionários do governo ganhem mais que nós para aviltar a história, trivializar a verdade e aniquilar o passado diariamente. Aqueles que não aprendem com a história *costumavam* ter que revivê-la, mas isso foi apenas até que os que estão no poder pudessem encontrar um modo de convencer a todos, inclusive a eles mesmos, de que a história nunca aconteceu, ou que aconteceu de uma maneira que servisse melhor aos seus propósitos — ou, ainda melhor, de que a história afinal não tem importância senão como um tolo documentário de TV destinado a uma horinha de entretenimento.

Controlar o desejo, entretanto, é uma tarefa mais problemática. Hitler era conhecido por suas preferências sexuais pouco convencionais. Só Deus sabe o que Stálin curtia. Até os fascistas têm necessidades, as quais o desfrute do poder ilimitado permitirá que saciem — ou ao menos eles assim sonham. De modo que, embora possam estar dispostos a atacar o perfil psicossexual daqueles que os ameaçam, pode haver ao menos algum momento de hesitação antes do ataque. Naturalmente que, quando todo o aparato de imposição for atribuído aos computadores, os quais, pelo menos da forma como são feitos atualmente, não experimentam desejos de nenhum tipo que consideraríamos interessante, aí será outra história. Mas em *1984* isso ainda não havia acontecido. Como o desejo em si não pode ser sempre facilmente cooptado, o Partido não tinha escolha senão adotar, como meta final, a abolição do orgasmo.

O fato de que o desejo sexual, tomado em seus próprios termos, é *intrinsecamente subversivo* é perseguido no romance por meio de Julia, com sua abordagem alegremente lasciva da vida. Se *1984* fosse realmente apenas um ensaio político disfarçado de romance, muito provavelmente Julia seria obrigada a simbolizar algo — o princípio do prazer, o senso comum da classe média, ou coisa assim. Mas como este é antes de tudo um romance, sua personagem não está necessariamente sob o controle firme de Orwell. Romancistas podem ter vontade de se entregar aos caprichos mais totalitários contra a liberdade de suas personagens. Porém, com frequência, eles planejam em vão, porque as personagens sempre conseguem escapar do olhar de quem tudo vê, tempo suficiente para que possam elaborar pensamentos e diálogos completos que não se poderia inventar se a trama fosse tudo o que houvesse. Uma das muitas alegrias de se ler *1984* é podermos ver Julia se transformar, de uma sedutora com personalidade difícil, numa jovem mulher apaixonada, assim como uma das principais tristezas surgem quando seu amor é desarmado e destruído.

A história de Winston e Julia, nas mãos de outro, poderia ter degenerado em bobagens comuns do tipo "sonho jovem de amor" — exatamente como algo que a máquina de escrever romances do Ministério da Verdade produziria. Julia, que trabalha afinal no Departamento de Ficção, presumivelmente sabe a diferença entre bobagem e realidade, e é através dela que a história de amor de *1984* é capaz de manter sua qualidade adulta e incisiva de mundo real, apesar de que à primeira vista o romance parece seguir a fórmula familiar de garoto não gosta da garota, garoto e garota descobrem o que têm em comum, de repente garoto e garota estão apaixonados, então são separados e finalmente voltam a ficar juntos. Isso *é* o que parece... mais ou menos. Mas não há final feliz. A cena perto do fim, em que Winston e Julia se reencontram depois que o Ministério do Amor forçou ambos a traírem um ao outro, é uma das mais desanimadoras da ficção. E o pior é que entendemos. Além da compaixão e do terror, não ficamos realmente surpresos, não mais que o próprio Winston, quando deparamos com o modo como as coisas acabaram. No instante em que ele abre seu caderno ilegal e começa a escrever, passa a carregar consigo sua ruína, conscientemente culpado de *crimepensar*, esperando apenas que as autoridades o alcancem. A inesperada chegada de Julia à sua vida nunca será milagrosa o suficiente para que ele acredite num final diferente. No momento de máximo bem-estar, de pé em frente à janela que dá para o pátio, fitando vastidões sem fim de súbita revelação, a coisa mais esperançosa que ele consegue dizer a ela é: "Nós somos os mortos", uma avaliação que a Polícia das Ideias fica mais que feliz em repetir um minuto depois.

O destino de Winston não é nenhuma surpresa, mas sobre quem nossa preocupação recai mesmo é sobre Julia. Ela acredita até o último minuto que pode, de algum modo, desbancar o regime e que seu anarquismo bem-humorado é capaz de resistir a tudo que lançarem contra ela. "E não precisa ficar tão desanimado", diz a Winston, "sou muito boa em saber me manter viva." Julia entende a diferença entre confissão e traição. "Eles podem fazê-lo dizer qualquer coisa — *qualquer coisa* —, mas não podem fazê-lo acreditar nisso. Não podem entrar em você." Pobre criança. Dá vontade de agarrá-la e sacudi-la. Porque é exatamente isso o que eles fazem — eles entram em você e põem em dúvida a questão da alma, uma dúvida cruel e terminal, sobre o que acreditamos ser o nosso âmago inviolável. Depois que saem do Ministério do Amor, Winston e Julia estão permanentemente condicionados ao duplipensamento, nas antessalas da aniquilação, não mais apaixonados, mas capazes de ao mesmo tempo odiar e amar o Grande Irmão. É o final mais sombrio que se pode imaginar.

De modo curioso, porém, esse não é exatamente o fim. Viramos a página para encontrar o que parece ser algum tipo de ensaio crítico, "Os princípios da Novafala". Lembramos que na p. 46 nos foi dada a opção, numa nota de rodapé, de avançar diretamente até o fim do livro e começar a leitura por esse texto. Alguns leitores fazem isso e outros, não — podemos enxergar essa opção hoje em dia como um exemplo precoce de hipertexto. Em 1948, essa seção final aparentemente incomodou o American Book of the Month Club, a ponto de eles exigirem que ela fosse eliminada junto com os capítulos que reproduzem o livro de Emmanuel Goldstein, como condição para que o clube publicasse o romance. Mesmo arriscando perder quarenta mil libras em vendas nos Estados Unidos, Orwell recusou-se a fazer as mudanças, escrevendo a seu agente:

"Um livro é construído como uma estrutura balanceada e não se pode simplesmente remover grandes pedaços daqui e dali, a menos que se esteja disposto a refazer tudo. [...] Realmente não posso permitir que minha obra seja emporcalhada além de um certo ponto, e tenho dúvidas se isso vale a pena a longo prazo". Três semanas mais tarde o Book of the Month Club cedeu, mas a questão permanece: por que terminar um romance tão apaixonado, violento e sombrio quanto esse com um apêndice acadêmico?

A resposta pode estar simplesmente na gramática. Desde a primeira frase, "Os princípios da Novafala" é escrito integralmente no passado, como se fosse um artigo histórico escrito depois de 1984, quando então a Novafala teria se tornado literalmente coisa do passado — como se de algum modo o autor anônimo desse artigo estivesse livre para discutir, de forma crítica e objetiva, o sistema político do qual a Novafala tivesse sido a essência em sua época. Além disso, nossa própria língua inglesa pré-Novafala é utilizada na redação desse ensaio. A Novafala teria se tornado a língua de todos no ano de 2050, e, no entanto, é como se não tivesse durado muito tempo, muito menos triunfado; como se as antigas formas humanistas de pensar inerentes ao inglês padrão tivessem persistido, sobrevivido e finalmente prevalecido; como se as ordens moral e social associadas a essas formas tivessem sido, de algum modo, restauradas.

No artigo de 1946, "James Burnham e a revolução gerencial", Orwell escreveu: "O enorme, invencível, eterno império de escravidão com o qual Burnham parece sonhar não será estabelecido, e, caso seja, não irá permanecer, porque a escravidão não é mais uma base estável para a sociedade humana". Em suas insinuações de restauração e redenção, "Os princípios da Novafala" talvez sirva para iluminar um final desolador e pessimista — mandando-nos de volta às ruas de nossa própria distopia para assobiar uma canção ligeiramente mais alegre do que a que o fim da narrativa teria indicado.

Há uma fotografia, tirada por volta de 1946 em Islington, de Orwell com seu filho adotivo, Richard Horatio Blair. O garotinho, que devia ter uns dois anos na época, está radiante, repleto de felicidade. Orwell segura-o gentilmente com as duas mãos, também sorridente, satisfeito, mas não eufórico — é mais complexo que isso, como se tivesse descoberto algo ainda mais valioso que a raiva —, com a cabeça um pouco inclinada, um olhar prudente que pode trazer aos cinéfilos a lembrança de um personagem de Robert Duvall, em cuja história pregressa havia visto muito mais do que alguém poderia desejar. Winston Smith "acreditava ter nascido em 1944 ou 1945...". Richard Blair nasceu em 14 de maio de 1944. Não é difícil adivinhar que, em *1984*, Orwell estava imaginando um futuro para a geração de seu filho — não um mundo que desejava para ela, mas um contra o qual queria alertá-la. Ele não tinha paciência para previsões do inevitável e permanecia confiante na habilidade das pessoas comuns de mudar as coisas, se quisessem. Em todo caso, é para o sorriso do garoto que retornamos, um sorriso direto e radiante, saído da fé inabalável de que o mundo é bom, no fim das contas, e de que podemos sempre confiar na decência humana, assim como no amor paterno — uma fé tão honrada que quase podemos imaginar Orwell, e talvez nós mesmos, por um instante que seja, jurando fazer tudo o que deve ser feito para mantê-la livre de traição.

THOMAS PYNCHON nasceu em 1937, em Nova York, nos Estados Unidos. É um dos maiores nomes da literatura mundial. Entre seus títulos publicados no Brasil pela Companhia das Letras, estão *Contra o dia*, *Vício inerente*, *O arco-íris da gravidade* e *Mason e Dixon*.

O *DUPLIFALAR* E A MINORIA DE UM

HOMI K. BHABHA

Publicado originalmente em
Abbott Gleason, Jack Goldsmith
e Martha C. Nussbaum (Orgs.),
*On Nineteen Eighty-Four: Orwell
and Our Future*. Princeton:
Princeton University Press, 2005.

Um dos consolos interessantes de nossa vida é que preferimos os virtuosos que não são virtuoses. Para mim, não fica muito claro por que há de ser uma estranha anomalia que "a força na bondade" acompanhe a fluência e a aclamação do gênio. Na opinião de vários críticos literários e ensaístas políticos, George Orwell era um indivíduo virtuoso, sem muito gênio. Essa apresentação de Orwell como homem virtuoso é central no ensaio de Lionel Trilling em *The Opposing Self*. A virtude não o torna menos importante do que os grandes escritores de sua época; mas, segundo Trilling, *não* ser um "gênio" é o que faz dele uma "figura".[1] Orwell observa "as coisas de maneira simples e direta, tendo em mente apenas nossa intenção de descobrir o que [as coisas] realmente são, e não o prestígio de nosso grande gesto intelectual de observá-las [...]. [Orwell] nos diz que podemos entender nossa vida política e social meramente observando ao nosso redor", controlando

---

[1] Lionel Trilling, *The Opposing Self: Nine Essays in Criticism*. Nova York; Londres: Harcourt Brace Jovanovich, 1955, p. 136.

a "tendência à abstração e ao absoluto".² Seu virtuosismo consiste em preservar a integridade concreta da língua, que assegura a autoridade do "corpo inteiro" e permite que a pessoa se coloque corajosamente no lugar da "minoria de um":

> Orwell usava a imaginação de um homem cujas mãos, olhos e o corpo inteiro faziam parte de seu aparato pensante [...]. Ele dizia a verdade, e dizia de maneira exemplar, simples e serena, avisando devidamente ao leitor que era apenas a verdade de um homem só.³

Como reconhecemos essa virtuosidade na língua? Que força e que bondade precisamos exercer para nos proteger da doutrinação ideológica ou do deleite utopista de nossa imaginação?

Orwell sugere que a reforma da língua é nossa melhor proteção contra a hegemonia política e a corrupção da virtude pública. No ensaio "A política e a língua inglesa", ele frisa a importância de dar prioridade a objetos concretos e imagens mentais na construção de nosso discurso.⁴ É preciso conter as palavras: "é provavelmente melhor protelar o uso de palavras pelo máximo tempo possível e deixar claro o que queremos dizer, na medida do possível, por meio de imagens e sensações",⁵ escreve. Esse processo de esclarecimento linguístico permite que a consciência mantenha o foco e seja capaz de sustentar "a verdade de um homem só". A concretude do pensamento cumpre seu papel garantindo que o aparato intelectual — o corpo inteiro — fique imune a abstrações já prontas, a expressões pré-fabricadas e, sobretudo, à epidemia de eufemismos. Os eufemismos, como "pacificação" para o bombardeamento de

---

2   Ibid., pp. 139, 143.
3   Ibid., pp. 144, 151.
4   George Orwell, *Como morrem os pobres e outros ensaios*. Seleção de João Moreira Salles e Matinas Suzuki Jr. Trad. de Pedro Maia Soares. São Paulo: Companhia das Letras, 2011, p. 157.
5   Ibid.

povoados indefesos ou "retificação das fronteiras"[6] para o saque de populações ou a limpeza étnica, são "eufônicos",[7] aquela característica entorpecedora e dissimulada da Novafala que permite a evolução do duplifalar. A eufonia permite que termos e expressões escorreguem facilmente pelos lábios ou venham deslizando com suavidade pelo teleprompter dos políticos, de uma maneira que permite "nomear coisas sem evocar imagens mentais delas".[8]

Ao considerarmos as imagens mentais projetadas pelos textos do próprio Orwell, quando ele propõe uma cura para a língua do corpo político, logo percebemos que suas metáforas de base lançam imagens de algumas coisas bastante nefastas, que são infligidas ao corpo da língua na tentativa de reformá-la. Suas próprias metáforas para o esclarecimento e a cura da língua que se tornou decadente por obra de dez ou quinze anos de ditadura europeia são saturadas com a imaginação da violência totalitária e até com uma espécie de entusiasmo eugenista. Cito Orwell:

> Eu disse antes que a decadência de nossa
> linguagem provavelmente tem cura. [...]
> Palavras e expressões tolas já desapareceram,
> não por meio de um processo evolutivo,
> mas graças à *ação consciente de uma minoria*. [...]
> Há uma longa lista de metáforas apodrecidas que
> poderiam ser igualmente *enterradas* se um número
> suficiente de pessoas se dedicasse a isso [...]
> *reduzir* a quantidade de latim ou grego na frase
> média, *banir* as locuções estrangeiras e palavras
> científicas extraviadas [...] *jogar no lixo* [...] *todas
> as palavras e expressões que esgotaram sua utilidade*.
> (Grifos nossos)[9]

---

6 Ibid., p. 154.
7 Ibid., p. 151.
8 Ibid., p. 154.
9 Ibid., p. 155.

"A ação consciente de uma minoria", "[curar] a decadência de nossa língua", [banir] expressões estrangeiras", "jogar no lixo [...] todas as palavras e expressões que esgotaram sua utilidade"[10] — tudo isso, proposto como uma espécie de solução provisória, se não "final", para a língua inglesa, deveria despertar sensações e imagens mentais bastante estranhas em 1946, quando Orwell escreveu o ensaio.

Ora, antes que me acusem de "politicamente correto", de ingenuidade metafórica ou de incapacidade de perceber uma intenção paródica, digo desde já que estou aqui não para demolir, mas para louvar Orwell. O que proponho não é condenar seu imaginário de violência, e sim tentar entender sua identificação narrativa com condições extremas. Na verdade, quero sustentar que é justamente quando Orwell narra o mal que sua virtuosidade se converte numa espécie de virtuosismo. É quando o proselitista descamba para o paranoico a serviço da boa causa que Orwell mostra maior criatividade e perspicácia. "Essa invasão de nossa mente por expressões prontas (*lançar os alicerces, realizar uma transformação radical*)", escreve Orwell (como que demonstrando meu argumento), "só pode ser evitada se estivermos constantemente em guarda contra elas, e cada expressão dessas anestesia uma parte de nosso cérebro".[11] É essa vigilância constante que requer que a cura da língua se dê pela *ação de uma minoria*, matando *isso*, livrando-se *daquilo*, expulsando o "outro". A imagem mental que formamos sobre a figura orwelliana — como um estilo de escrita e como um *gênero* de homem — é muito mais complexa do que a do honesto artífice de palavras e coisas, o *Homo faber*, que chegou a nós como o virtuoso entre os gênios mais demoníacos de nossos tempos — Joyce, Stein, Woolf, Lawrence e Conrad, para citar apenas alguns.

Se *Mil novecentos e oitenta e quatro* trata do declínio da "boa sociedade" na esteira da decadência e do engano do duplipensamento, levando a uma espécie de paranoia controlada entre seus personagens e leitores, ele também é, por seu lado, escrito de uma

---

10 Ibid., pp. 155-6.
11 Ibid., p. 155.

perspectiva quase paranoica. Não chego ao ponto de dizer, como Raymond Williams, que o próprio Orwell era tão pessimista e paranoico que se esquivou à responsabilidade de traçar as filiações positivas e produtivas entre indivíduos e classes progressistas.[12] Quero sugerir que o projeto de reformar o uso da língua demonstrando *incessante e reiteradamente* as estruturas dúplices e redutoras do duplipensamento e da Novafala não deixa de criar uma espécie de paranoia no *escritor*, não na pessoa, enquanto elabora para si uma persona na narrativa. Essa opinião é sustentada num ensaio de 1940, chamado "New Words", em que Orwell afirma que "qualquer ataque a uma coisa tão fundamental como a língua, um ataque, por assim dizer, à própria estrutura de nossas mentes, é uma blasfêmia e, portanto, um perigo".[13] E prossegue afirmando que uma reforma da língua é, na prática, uma interferência na obra de Deus e gera aquele tipo de crença paranoica e supersticiosa das crianças, de "que o ar está cheio de demônios vingadores esperando para punir a arrogância".[14] Aliás, o paranoico favorito de Freud, o juiz Schreber, presidente do Supremo Tribunal da Saxônia, possuía ambas, a arrogância e a paranoia. Vale a pena citar sua descrição da "invenção" da língua fundamental (*Grundsprache*), como precursora do método-na-loucura do duplipensamento. Eis um trecho do que Schreber escreveu sobre sua doença, em 1903:

> As almas a serem purificadas aprendiam,
> durante a purificação, a língua falada pelo
> próprio Deus, a chamada "língua fundamental"
> ["*Grundsprache*"], um alemão algo arcaico,
> mas ainda vigoroso, que se caracteriza

---

12 Ver Raymond Williams, *George Orwell*. Nova York: Columbia University Press, 1971.

13 George Orwell, "New Words". In: Id., *The Collected Essays, Journalism and Letters of George Orwell*, v. 2, *My Country Right or Left, 1940-1943*. Org. de Sonia Orwell e Ian Angus. Nova York; Londres: Harcourt Brace Jovanovich, 1968, p. 9.

14 Ibid., p. 8.

principalmente por uma grande riqueza de
eufemismos (assim, p. ex., recompensa com o
sentido oposto, de punição, veneno por alimento,
suco por veneno, profano por sagrado etc.).[15]

O que Orwell descreve como "exercícios deliberados de *duplipensamento*" (p. 266) leva a surtos recorrentes de uma espécie de paranoia "ficcional" enquanto Winston é incessantemente perseguido por seu pensamento-crime particular, sua crença na "minoria de um". A destruição do "aparato intelectual" de Winston, seu corpo inteiro, resulta na manipulação de seus pensamentos ou memórias. Segredos passam de mente para mente; ordens vêm da "voz truculenta" na parede ou pela tela. O duplipensamento destrói o evento da memória e a capacidade de se verificar a história ao prender a língua e a consciência num infindável presente "congelado": um "presente" que se constitui pelo ato de manter ao mesmo tempo duas crenças contraditórias na mente do indivíduo. Num determinado momento, os intelectuais do Partido precisam estar *conscientes da contradição* a fim de manipular a realidade com precisão estratégica e controlar o processo do "duplipensamento"; no momento imediatamente seguinte, o uso da palavra "duplipensamento" sugere que a realidade foi adulterada e é preciso submeter o duplipensamento ao *duplipensar*, para que se apague a consciência de manter crenças contraditórias. O efeito, tal como o descreve Orwell, é um processo infinito "com a mentira sempre um passo adiante da verdade. Em última instância, foi graças ao *duplipensamento* que o Partido foi capaz [...] de deter o curso da história" (pp. 264-5).

Depois daquela cena horrenda de tortura elétrica, quando Winston sente sua resistência a ponto de se quebrar e a máquina regis-

---

15 Daniel Paul Schreber, *Memoirs of my Nervous Illness*. Trad. de Ida Macalpine e Richard A. Hunter. Londres: W. H. Dawson and Sons, 1955, p. 50. [Ed. bras.: *Memórias de um doente dos nervos*. Trad. de Marilene Carone. Rio de Janeiro: Graal, 1984.]

tra quarenta numa escala de cem, O'Brien dá início ao processo do duplipensamento. Adverte Winston contra a doença liberal de acreditar na virtude da minoria de um ou, como ele diz, a crença na "*sua* verdade" (p. 299). Acusa Winston de ter adotado a posição traidora de que o Partido executara três filiados cuja inocência fora demonstrada pela fotografia de um jornal de Nova York. O'Brien apresenta a foto num exemplar do jornal amarelado, expondo-o de forma insinuante no campo de visão de Winston. Este se retorce, grita, esquece o medidor da tortura e exclama triunfante: "Ela existe!" (p. 300).

O'Brien, então, incinera a fotografia incriminadora no buraco da memória, reduzindo-a a cinzas, e nega que tenha algum dia existido.

> "Mas existiu! Ainda existe! Existe na memória. *Eu* me lembro. *Você* se lembra."
> "Eu não me lembro", disse O'Brien.
> O coração de Winston se apertou. *Aquilo era duplipensamento*. [...] Se pudesse ter certeza de que O'Brien estava mentindo, isso, ao que parecia, não teria feito diferença. Mas era perfeitamente possível que O'Brien tivesse de fato esquecido a fotografia. E, se fosse assim, já teria se esquecido de que afirmara não se lembrar dela, teria se esquecido do próprio esquecimento. Como ter certeza de que aquilo não passava de um embuste? Talvez o desequilíbrio mental pudesse mesmo acontecer: foi esse o pensamento que selou sua derrota. (p. 300, grifo nosso)

Nesse breve momento, o processo do duplipensamento não é mais um programa didático nem uma teoria totalitária; ele está entranhado na forma viva e convulsiva de sua atuação como *prática* de manipulação e tortura mental. *Aquilo era duplipensamento!* Contra todas as probabilidades, esse diálogo pavoroso oferece à vítima um leve vislumbre da ação "imaginada", uma futuridade que talvez apenas a ficção permita — ou talvez não.

Embora Winston tenha certeza de que acabou de ser "duplipensado", ainda consegue se pôr de lado e refletir sobre o procedimento que não conseguiu apagar aquele movimento da memória que lhe permite elaborar uma explicação sobre o que lhe aconteceu — *ele escapou parcialmente ao esquecimento do esquecimento e agora está estranhamente próximo do ocorrido.* Essa explicação do duplipensamento, por insuficiente e assustadora que seja, revela algo que impele Orwell a avançar além da "minoria de um" (p. 127), a figura que se põe *ao lado,* se põe *a favor* da "verdade de um homem só". A grande preocupação de Winston, nesse caso, não é o círculo vicioso do engodo que estrutura *o duplipensamento como o discurso que mantém* "a mentira sempre um passo adiante da verdade". Como admite Winston, existe uma sólida possibilidade de que O'Brien tenha de fato esquecido a fotografia, e assim *ele* não poderia estar simplesmente mentindo. Se "esqueceu o esquecimento", pode então ter reprimido ou rejeitado a verdade, e quem sabe, desse lado do divã do analista, quais seriam ou onde se apresentariam os sintomas dessa repressão? A questão que preocupa Winston não é tanto o "conteúdo" da mentira e da verdade, embora *não* exclua esse aspecto importante da relação entre a língua e a realidade. Por que Winston queria tanto que O'Brien estivesse mentindo *e que tivesse consciência disso*? Se fosse verdade, isso provaria que, apesar dos "exercícios deliberados de *duplipensamento*" (expressão de Orwell), mantinha-se uma distinção entre verdade e falsidade, por mais distorcida que fosse a linha divisória entre elas. Nesse caso, haveria alguma base para continuar com a discussão sobre a existência e a importância dos documentos exoneradores.

Há, porém, outra possibilidade intrigante. Se O'Brien tivesse de fato "esquecido o esquecimento", como, então, Winston — na minoria de um — poderia ter certeza de que *ele, Winston,* lembrava e continuaria a lembrar? *Nessa folie à deux, a minoria de um só existiria sem o outro?* Assim surge a questão sobre as condições fundamentais da enunciação ou elocução social, agora lutando para serem reconhecidas mesmo quando são irremediavelmente transgredidas. Qualquer transformação ou deslocamento da realidade social expresso em/*como* discurso social — seja como manipulação ou mútuo apoio — requer uma identificação ou uma relação dialógica entre pessoas. Emprego o conceito nos vários sentidos sugeridos pela obra de Bakhtin e Benveniste e propostos, em data mais recente, por Charles Taylor. A existência e a expressão humanas são marcadas de maneira crucial por seu caráter fundamentalmente dialógico porque, como sugere Taylor, "as pessoas não adquirem sozinhas as línguas necessárias para a autodefinição".[16] Taylor sugere que estamos em diálogo constante com, ou em luta contra, as coisas que os entes que nos são caros querem ver em nós — e nós neles — e, mesmo quando desaparecem, continuamos a conversar com eles. Agora, o que se passa entre O'Brien e Winston dificilmente chega a ser uma conversa mútua, mas não se pode negar que eles são, na visão de Orwell, "entes caros" um ao outro.

Breyten Breytenbach, o grande escritor sul-africano, apontou algo sobre a possibilidade de um dialogismo demoníaco numa situação de coerção, dirigindo os poemas escritos no cárcere a seu carcereiro, que percebia a tremenda ironia e queria ser "reconhecido" neles. A língua pode ter seu campo referencial — factual, concreto, racional —, mas ela tem também seu "destinatário" dialógico, que pode ser uma pessoa real, uma presença virtual, uma musa inspiradora, um superego, um gnomo ou um espírito. Em cada caso, a importância do dialógico consiste em apresentar o discurso social ao princípio da diferença e da pluralidade — a defender ou a combater —, a fim de "autorizar" uma perspectiva ou "assumir uma posição", ou se render à posição de outrem. É esse processo dialógico que O'Brien tanto quer eliminar; é esse princípio dialógico que Winston, igualmente, tanto quer preservar. Ele pode perceber durante a luta que faz parte de uma "minoria de um", mas há também a percepção de que é preciso haver pelo menos dois em qualquer luta pela "verdade"; e que dentro de cada um é provável que hajam tensões dialógicas internas daquela espécie que W. E. B. Du Bois chamou de "consciência dupla".

Uma das estranhas assimetrias da condição humana é nosso desejo de nos relacionarmos no nível do inconsciente, com projeções,

---

[16] Charles Taylor, *Multiculturalism and "The Politics of Recognition"*. Princeton: Princeton University Press, 1992, p. 32.

fantasias e estratégias defensivas e de compensação. O processo dialógico mostra a qualidade da *alteritas*, aquele princípio da "alteridade" que, certa vez, Hannah Arendt definiu como a "paradoxal pluralidade de seres únicos".[17] *Queremos* acesso a nós e aos outros nos níveis em que somos menos acessíveis e mais vulneráveis. Nosso desejo de sociabilidade brota muitas vezes de uma intimidade baseada na ininteligibilidade. E nossa necessidade de afirmar a simples virtude humana da *afeição* — sentir pelo outro — e da filiação — ser parte do outro — requer que agucemos nossa imaginação e nossos instintos para "ler" a opacidade dos outros, para ir além da superfície significante. Winston tem uma esperança ou uma "crença secreta", como diz ele, de que a ortodoxia política de O'Brien não é impecável: "Em seu rosto ainda era possível notar o arrebatamento, o entusiasmo delirante" (p. 308). E, de maneira igualmente irresistível, somos levados a perguntar: essa é uma crença sobre si mesmo que Winston projeta em O'Brien? E por que é uma crença secreta? O que há de tão irresistível no rosto de O'Brien que não pode ser descrito? Winston tem apenas uma mera esperança vazia, como descobriremos mais tarde? Por que não se encontra nenhuma imagem concreta, mental, que represente essa sensação? Quando O'Brien tenta dobrar Winston, convencendo-o de que sofre de distúrbios mentais, ele procede atacando o que o próprio Winston confessara antes a si mesmo, como seu credo íntimo: "O fato de ser uma minoria, mesmo uma minoria de um, não significava que você fosse louco. Havia verdade e havia inverdade, e se você se agarrasse à verdade, mesmo que o mundo inteiro o contradissesse, não estaria louco" (p. 267). Longe de buscarmos entender e reagir às intenções e objetivos do ato de fala, temos de nos lançar em uma forma de interpretação intersubjetiva que opera por meio daqueles signos gestuais e figurativos da linguagem que precisam ser interpretados como se houvesse uma espécie de "inconsciência" operando em seu interior. O'Brien *é* louco *e* mau? É um trapaceiro?

17 Hannah Arendt, *The Human Condition*. Chicago; Londres: University of Chicago Press, 1958, p. 176. [Ed. bras.: *A condição humana*. Trad. de Roberto Raposo. São Paulo: Forense Universitária, 1987.]

Está mentindo ou encenando um jogo? Winston precisa fazer essas perguntas para garantir sua própria sobrevivência, mas elas não se resumem a meras questões de interpretação de texto ou ao astuto cálculo do caráter e da estratégia de jogo do outro. São dialógicas num sentido ao mesmo tempo autoindagador e interlocutório: convidam-nos a enfrentar nosso próprio "esquecimento do ato de esquecimento", a tentar "superar", mesmo que de modo incompleto e imperfeito, nossas próprias repressões e projeções a fim de "ler" a mente do outro e a maneira como manter ou esconder suas crenças *até mesmo de si próprio*.

Isso não é invasão de privacidade. É a aceitação das complexas negociações psíquicas que acompanham nossas interações e enunciações. Essas "determinações inconscientes" talvez nem sempre se encaixem em explicações racionais ou sensatas, mas isso não significa que não possam ser representativas do caráter ou da personalidade em sentido público, ou que não sejam úteis para as finalidades do diálogo democrático. O objetivo de subsumir todos os outros eus ao Ego Ideal do Grande Irmão é, justamente, encerrar o debate sobre o sentido e o ser que está no cerne do discurso da condição dialógica. É o que o próprio Orwell aponta em "Os princípios da Novafala", apêndice a *Mil novecentos e oitenta e quatro*: "Palavras concisas e de sentido inequívoco" como "Socing", "bompensar" ou "papaproleta", eram recomendadas porque provocavam "um mínimo de ecos na mente do falante. [...] A intenção era transformar a fala, sobretudo quando o assunto não fosse ideologicamente neutro, em algo *tão independente quanto possível da consciência*" (pp. 363-4, grifo nosso). O que apresentei como o desejo atenuado, mas inequívoco, de Winston de estabelecer uma relação dialógica seria visto como tentativa de restaurar no processo de fala o debate em curso sobre a "consciência". Se se conseguisse, seria possível retirar a mordaça verbal redutora do "vocabulário A", imposto às pessoas comuns entregues aos afazeres do cotidiano:

> Todas as ambiguidades e nuances de sentido
> haviam sido expurgadas [...] [assim] os
> vocábulos desta classe se limitavam a sons
> curtos, exprimindo, cada um deles, *um* conceito

de compreensão clara e simples. Teria sido praticamente impossível usar o vocabulário A com propósitos literários ou em discussões políticas e filosóficas. (p. 357)

A liberdade prevista pelo discurso dialógico é, ao mesmo tempo, frágil e irresistível: é uma disputa sobre a qualidade e a igualdade da consciência; fica evidente na revisão e na representação da realidade; está presente nos usos da ambiguidade e das nuances de sentido. Uma perspectiva dialógica sugere que a pessoa tem capacidades, habilidades e qualidades — conscientes e inconscientes — que acolheriam a lógica imaginativa e futurista da justiça poética, pois ela nos põe em contato com a "paradoxal pluralidade de seres únicos". Mas o que são essas formas paradoxais de justiça poética?

Talvez uma história sobre porcos capazes de se entregar aos jogos de poder que os regimes políticos consideram como área reservada exclusivamente à inteligência humana — isso certamente converteria os porcos em seres únicos e os seres humanos em animais paradoxais. Ou talvez se encontre justiça poética na tentativa de escrever a história do futuro, *Mil novecentos e oitenta e quatro*, como se já tivesse ocorrido em 1949, de modo que o novo também era velho e o que pensávamos saber ainda estava por vir. Nessa trama temporal, a História é abafada pela fantasia e a Ficção é permeada de fatos. Juntas, elas criam uma "paradoxal pluralidade", uma espécie de duplifalar que não hesita em condenar a ficção e a história a um diálogo em que ambas têm dificuldade em recuperar o que há de único em suas vozes ou o que há de singular em suas visões.

———

HOMI K. BHABHA nasceu em Mumbai, Índia, em 1949. É um dos mais influentes autores da corrente intelectual que, em meados dos anos 80, ficou conhecida como pós-colonialismo. Professor e crítico, sua obra mais célebre, *O local da cultura*, de 1994, reúne ensaios produzidos entre 1985 e 1992, e é um marco nas análises sobre o projeto pós-colonial.

A MORTE DA PIEDADE: ORWELL E A VIDA POLÍTICA AMERICANA

MARTHA C. NUSSBAUM

Publicado originalmente em
Abbott Gleason, Jack Goldsmith
e Martha C. Nussbaum (Orgs.),
*On Nineteen Eighty-Four:
Orwell and Our Future*.
Princeton: Princeton
University Press, 2005.

Era um sonho vasto, luminoso, no qual sua vida inteira parecia estender-se diante dele como uma paisagem depois da chuva numa tarde de verão. Tudo o que acontecera, acontecera no interior do peso de papel de vidro, mas a superfície do vidro era a abóbada celeste, e no interior da abóbada celeste tudo estava inundado de uma luz muito clara e suave que permitia que se visse a distâncias intermináveis. O sonho também estava embutido num gesto com o braço feito por sua mãe — na verdade, em certo sentido o sonho era exatamente aquele gesto —, e repetido trinta anos depois pela mulher judia que vira no noticiário tentando proteger o garotinho das balas, antes que os helicópteros os atingissem e destroçassem. Mil novecentos e oitenta e quatro (pp. 211-2)

"[...] *As velhas civilizações diziam basear-se no amor ou na justiça. A nossa se baseia no ódio. No nosso mundo as únicas emoções serão o medo, a ira,*

> *o triunfo e a autocomiseração.* [...] *O único amor será o amor ao Grande Irmão. O único riso será o do triunfo sobre o inimigo derrotado."*
> Mil novecentos e oitenta e quatro, O'Brien a Winston (p. 319)

> *O paciente ficou muito comovido com a ideia de que o rouxinol da vida real finalmente voltou, para cantar à janela do imperador agonizante, e assim salvou sua vida.* [...] *A sobrevivência do bom e real rouxinol na história reafirmou a fé do paciente na existência de um ser bondoso que ainda era acessível e não tinha sido morto, apesar de toda a ganância e capacidade de destruição do imperador — e do paciente.*
> *O imperador foi salvo porque mantivera dentro de si um objeto tão bondoso e clemente.*
> Otto Kernberg, *Borderline Conditions and Pathological Narcissism*

Sou muito grata a Felicia Ackerman, John Deigh, Abbott Gleason, Jack Goldsmith, Ian Malcolm, Richard Posner e Cass Sunstein pelos comentários valiosos em uma versão anterior deste artigo.

UM BRAÇO PROTETOR, UMA CÚPULA DE LUZ

Um gesto persegue esse romance como persegue o espírito de Winston Smith. Corriqueiro, diário, impensado, o gesto também é inapelavelmente distante, e seu brilho é da matéria dos sonhos. Ninguém mais pode fazer esse gesto. A política o destruiu.

É um gesto do braço: uma mãe envolve os filhos, protegendo-os do perigo. Esse gesto é a primeira coisa que Winston registra em seu diário: no meio de triunfantes filmes de guerra sobre o bombardeio no Mediterrâneo, ele vê um bote salva-vidas cheio de crianças, prestes a ser bombardeado por um helicóptero no alto — e no bote há uma judia, que envolve o filhinho assustado nos braços e o protege, "como se achasse que seus braços iam conseguir protegê-lo das balas" (p. 50). O registro no diário logo passa aos sentimentos de ódio e triunfo, de maior aceitação, quando Winston aclama a "tomada sensacional de um braço de criança subindo subindo pelo ar" (p. 50), mas o gesto persegue seu espírito, o que leva a seu sonho posterior sobre o local luminoso.

O sonho posterior é um sonho de "sua vida inteira" (p. 211) — que imagina se passar inteiramente dentro do peso de papel de vidro que ele comprou do velho na loja. Esse peso de papel, uma "coisa arredondada e lisa" (p. 141) que Winston ama por causa de sua beleza e inutilidade, encerra dentro de si um pedaço de coral rugoso, "um objeto esquisito, cor-de-rosa e espiralado que lembrava uma rosa ou uma anêmona-do-mar" (p. 141). No sonho, toda a sua vida está no interior daquele objeto mágico. Dentro da cúpula, "tudo estava inundado de uma luz muito clara e suave" (p. 211). Para Winston, o sonho da cúpula é compreendido no gesto, na verdade consiste no gesto do braço que sua mãe fez, protegendo a ele e à irmã, o mesmo gesto que a mulher judia fez tantos anos depois. Ao que parece, foi "a última vez que viu a mãe" (p. 214), e horas depois o sonho está "nítido em sua mente, sobretudo o gesto protetor com que a mãe envolvera a filha com o braço — e que parecia conter todo o seu significado" (p. 215).

Mas o peso de papel acaba se quebrando. O fragmento de coral, "uma minúscula ondulação rosa que parecia um confeito de bolo" (p. 274), rola pelo tapete. "Que pequeno, pensou Winston, que pequeno ele sempre fora!" (p. 274). Seu fascínio pela beleza do objeto era uma armadilha, o velho que o vendeu era membro da Polícia das Ideias. O peso de papel e o gesto do braço no qual ele consiste são aniquilados, não só pelo Estado, mas, num nível mais profundo, pela capacidade de traição e destruição do próprio Winston. E o único "peito amoroso" que ele encontra, no final, é o amor ao Grande Irmão.

UMA NAÇÃO ORWELLIANA?

Depois dos trágicos eventos de 11 de setembro de 2001, o romance de Orwell continua aflorando, enquanto as pessoas tentam entender o atual clima político em nossa nação. Muitos associaram o tema da guerra perpétua no romance a aspectos da atual retórica política, o que sugere que estamos envolvidos numa "guerra" que não tem um fim definido e pode ser nada menos do que uma guerra contra o "mal" em si. Com esse inimigo perpétuo, o que se sugere é: como não supor que a guerra precisa ser perpétua, como na Oceânia, e que, de fato, apenas a Guerra é Paz?

Outros autores que discutem eventos recentes nos Estados Unidos têm chamado a atenção para as questões orwellianas da história, da memória e da verdade. Em "The Memory Hole" [O buraco da memória],[1] o economista Paul Krugman, concentrando-se nas declarações do governo Bush sobre o déficit orçamentário, recorre ao romance para acusar o governo de reescrever retrospectivamente a história. Um mês depois, Krugman voltou a evocar *Mil novecentos e oitenta e quatro*, citando a linguagem enganosa do governo sobre a Previdência Social como um exemplo clássico de "duplipensamento" e de "Novafala, a redefinição das palavras para eliminar pensamentos desleais".[2]

Essas conexões merecem análise e debate. Mas há outro elemento orwelliano no ar, algo mais insidioso e mais inquietante, creio eu, do que o fato de os políticos mentirem (num clima de liberdade de expressão, em que as mentiras podem ser desmascaradas publicamente). Embutida em alguns grandes exemplos de retórica pública em reação ao Onze de Setembro, mas radicada numa série maior de mudanças que remontam à Revolução Reagan dos anos 1980, surge uma abordagem política das emoções em geral e da compaixão em particular. Essa abordagem lembra muito o romance e o projeto político apresentado ali: o projeto de extinguir a compaixão e as formas complexas de amor e lamento pessoal que são suas fontes, e de substituí-las por formas simples e despersonalizadas de ódio, agressão, triunfo e medo. Expressões como "Eixo do Mal" e "Nova Guerra da América", bem como a frase de nosso presidente, "Eles começaram, nós acabaremos", condensam atitu-

---

[1] *The New York Times*, coluna de opinião, 6 ago. 2002.
[2] "The Bully Pulpit", *The New York Times*, coluna de opinião, 6 set. 2002.

des baseadas no unilateralismo e no confronto que nos lembram, como um mau presságio, o estimado objetivo de O'Brien. Somos implicitamente instados a não ver complexidades em uma nação ou em sua história, a não ter emoções que reconheçam a presença da pobreza, da miséria e da injustiça em nações distantes, ou mesmo nossa possível cumplicidade na origem desses problemas. Só valerá uma visão do mundo em termos de nós-eles, com o objetivo de atacar qualquer um que ameace nossa "supremacia". As emoções próprias a essa visão de mundo são, de fato, como diz O'Brien, o medo, o ódio e o triunfo. Às vezes, essas emoções podem ser acompanhadas — e, depois do Onze de Setembro, certamente foram — de uma profunda compaixão pelos Estados Unidos e pelo povo americano; mas mesmo essa compaixão tem seus limites, como veremos adiante. E essa compaixão limitada pode se interpor e impedir o reconhecimento da realidade de povos distantes.[3] Retornarei mais tarde a essas questões atuais; elas estão no centro do romance de Orwell.

Mil novecentos e oitenta e quatro não trata apenas de mentiras e projetos totalitários de dominação. Trata do fim dos seres humanos como os conhecemos, da derrocada política do coração humano. Winston Smith é o último ser humano. O gesto de proteção compassiva é o sonho no qual se ancora sua humanidade. O motivo de orgulho de O'Brien não é apenas o êxito do regime; é o fato de ter reformulado a natureza humana. Ora, acredito que algumas coisas que Orwell tem a dizer a esse respeito são equivocadas — baseando-se, por exemplo, numa distinção simplista entre a esfera pública e a esfera privada, além de uma visão ingênua da sexualidade (como mencionam outros críticos) como elemento instintivo e resistente à moldagem social. Também creio e sustentarei que sua conclusão é sombria demais e, mesmo nos próprios termos do romance, improcedente: o colapso de Winston não é o colapso do humano como tal, condenando a todos nós, mas o triste estilhaçamento de uma alma já perseguida e carregada de culpa que

---

[3] Ver a respeito meu "Compassion and Terror", *Daedalus*, vol. 132, n. 1, pp.10-26, inverno de 2003.

nunca conseguiu encontrar perdão para seus desejos agressivos. Podemos esperar mais de nós mesmos e de nosso futuro. Mas é melhor ficarmos atentos.

"A TRAGÉDIA... PERTENCIA AOS TEMPOS DE ANTIGAMENTE"

Chamei o gesto maternal de gesto de compaixão; mas poderíamos chamá-lo também de gesto de piedade, a emoção central na tragédia grega. (Embora o termo "*pity*" em inglês tenha adquirido em tempos recentes nuances de condescendência diante do sofrimento, o termo grego não tinha essas conotações; com efeito, Aristóteles diz que ele requer um sentimento de solidariedade, uma crença de que as possibilidades e vulnerabilidades individuais de uma pessoa são semelhantes às da pessoa sofredora. Rousseau, usando o termo francês "*pitié*", faz uma afirmação análoga. Logo, deixemos claro que estamos discutindo a morte dessa emoção, a *eleos* de Aristóteles, a *pitié* de Rousseau, qualquer que seja a interpretação mais adequada do termo em inglês.)[4]

Por que Winston pensa que essa emoção e o gesto a expressá-la pertencem aos "tempos de antigamente" (p. 72), junto à dor profunda, junto às tragédias que representam a dor e despertam piedade? A morte de sua mãe "fora trágica e dolorosa de um modo que já não seria possível. Ele se dava conta de que a tragédia pertencia aos tempos de antigamente [...]. Eram coisas que, ele percebia, não poderiam acontecer agora. Agora havia medo, ódio e dor, mas não dignidade na emoção, não tristezas profundas ou complexas" (p. 72). Winston associa seu anseio por gestos antigos ao nome "Shakespeare", acordando com esse nome nos lábios (p. 73). Qual a razão dessas ligações?

Por que, de maneira análoga, O'Brien afirma ter eliminado a arte e a literatura, bem como a ciência? E por que ele, tanto quanto Wins-

---

[4] Tudo isso é abordado detalhadamente em meu *Upheavals of Thought: The Intelligence of Emotions* (Nova York; Cambridge: Cambridge University Press, 2001), cap. 6.

ton, associa a morte da arte à morte de um tipo particular de amor, o tipo que não está contido no amor ao Grande Irmão (p. 319)?

Mil novecentos e oitenta e quatro é um romance, não um debate filosófico; mas é possível criar teoricamente um debate para entender essas conexões. A tragédia requer e se baseia em um senso da enorme importância dos afetos humanos particulares. Muito embora, em última análise, a piedade trágica possa ter muitos objetos — *Júlio César*, afinal, é uma tragédia sobre a morte da República romana —, as emoções que a sustentam fundam-se, pelo menos geneticamente, num senso de profundo amor e lealdade a um número restrito de pessoas, lealdade essa que não se altera com os caprichos de mudanças nas circunstâncias políticas. O que gera a tragédia é justamente aquele senso do enorme valor intrínseco de algo ou de alguém que pode ser ferido e modificado. A piedade, a emoção trágica depende da ideia de que algo ou alguém que tem grande importância para toda a concepção e o significado de vida de uma pessoa está passando por grande sofrimento. A emoção trágica registra internamente a magnitude e o significado do sofrimento, não apenas para a pessoa que sofre, mas também para a pessoa que se apieda. O gesto protetor é fruto natural da piedade: quando uma pessoa vê o desastre recair sobre alguém a quem já dá profundo valor em seu esquema próprio de fins, todo o seu ser acorre para lhe dar proteção e abrigo.

Esta é minha análise pessoal, mas acho que ela explica o que Winston sente e pensa. Pois ele acredita que a tragédia só é possível numa época que contenha um senso do valor intrínseco irredutível da pessoa a quem se ama e, assim, "uma concepção de lealdade privada e inalterável" (p. 72). E essa concepção de lealdade pertence a uma época em que ainda havia "privacidade, amor e amizade, e em que os membros de uma família se amparavam uns aos outros sem precisar saber por quê" (p. 72). O afeto profundo e incondicional por um pequeno número de pessoas, visto como algo presente na própria raiz da existência individual: é isso o que "os tempos de antigamente" continham e que os tempos atuais erradicaram. Antes, "eram pessoas regidas por lealdades particulares, as quais não eram questionadas. O que importava eram as relações individuais, e um gesto completamente desamparado, um abraço, uma lágrima, uma palavra dirigida a um moribundo podiam ter seu próprio valor" (p. 216).

Embora Orwell associe reiteradamente essas emoções a uma distinção simples entre as esferas "privada" e "pública", nada em meu argumento pessoal exige essa distinção tão generalizada: o que se exige são afetos intensos por um número restrito de pessoas, cujo início se dá normalmente na infância, dentro do contexto familiar. Não é preciso imaginar a família de todo separada da lei, ainda que, sem dúvida, certo grau de proteção do espaço pessoal e da escolha pessoal faça parte desse quadro do amor que estamos examinando.

Por que Winston e Orwell relacionam dessa maneira as intensas lealdades da família e a própria possibilidade de piedade? Seria possível pensar que não precisam necessariamente caminhar juntas; na verdade, poderíamos até pensar que as emoções da família subvertem um tipo valioso de piedade, aquele em que vinculamos nossa imaginação aos sofrimentos de pessoas distantes. A forma de piedade necessária para uma boa política moderna não precisaria ser aquela que cria uma ligação incontestável entre mães e filhos: por que não uma atitude mais ampla e mais geral de piedade/compaixão pelos sofrimentos de todos os sofredores?

O interessante é que, nesse ponto, Orwell concorda com os estoicos antigos: por mais ampla que seja, a piedade tem raízes particularistas. Não pode nascer sem intensos afetos particularistas, e esses afetos continuam presentes mesmo na forma mais extensa e madura de piedade. Quando os estoicos passaram a formular uma moralidade justa e imparcial e a estender a preocupação moral a todos os seres humanos com base na igualdade, viram então que o empreendimento exigia não a reforma e sim a total remoção da piedade e da tragédia. Os estoicos têm várias razões para contestarem a tragédia, mas uma delas, ao menos, é a ideia de que as emoções da tragédia nos ensinam a dar excessiva importância a essa ou aquela pessoa, a essa ou aquela mãe, pai e até cidade. Isso porque, segundo eles, a tragédia se baseia numa ideia do caráter insubstituível e do grande valor intrínseco daquilo que pode sofrer danos — e, para eles, esses afetos são normalmente ou até necessariamente mediados por uma imaginação moral que é erótica, particularista, ligada ao senso agudo de uma vida compartilhada e de possibilidades em comum que, de fato, une os membros de uma família. Mesmo que essas emoções intensas, como uma criança em crescimento, venham a se estender a uma cidade ou até a grupos humanos maiores, elas sempre têm início em casa, mantêm-se em certa medida profundamente radicadas no lar e, portanto, ao se estenderem, podem se desestabilizar devido àquelas origens iniciais radicadas no afeto familiar. O resultado, segundo os estoicos, é que a piedade é irregular e não confiável, um mau guia para quem busca justiça imparcial.

O projeto estoico não é o de O'Brien. A remoção deliberada da piedade dos estoicos advém de motivos moralmente elevados. Longe de quererem remover a piedade para construir uma sociedade sobre o ódio e o medo, eles querem removê-la para eliminar algumas fontes muito destrutivas de ódio e de medo, o particularismo local que com tanta frequência gera o sectarismo, a rivalidade, o conflito civil e assim por diante. O objetivo dos estoicos é uma sociedade que estenda igualmente o cuidado a todos os seres humanos. No entanto, ao observarmos o que acontece com a ligação humana quando esses afetos locais são sistematicamente erradicados, temos alguma base para contestar esses programas tão elevados de reforma emocional e para concordar com a posição de Orwell de que as emoções da família ocupam o centro de nossa humanidade moral. Platão eliminou a família em sua cidade ideal para tornar o amor mais amplo e imparcial, antecipando a ideia estoica. Aristóteles protesta: "Há duas coisas acima de tudo que fazem alguém amar e cuidar de alguma coisa: a ideia de que ela é toda sua e a ideia de que é a única coisa que tem. Nenhuma delas estará presente naquela cidade" (*Política*, 1262b21-24, tradução minha). O estudo dos textos estoicos antitrágicos oferece base sólida para a crítica de Aristóteles: pois realmente vemos em Marco Aurélio, por exemplo, uma solidão que é como um sorvedouro, um senso de falta de sentido em todas as ações humanas, uma imparcialidade sem qualquer noção que justifique sua importância. Quando se erradicam as paixões locais e familiares, talvez se perca o contato com a humanidade e com as fontes da moralidade que se encontram nela. Mesmo que a piedade seja uma ameaça à imparcialidade, é prematuro desfazer-se dela se o resultado provável é a impotência moral.[5]

No estoicismo, a morte da piedade pode levar a uma definitiva falta de energia motivacional, mas isso não conduz ao mal. Na verdade, há muito a se admirar no compromisso de respeitar todos os seres humanos como iguais, independentemente das dificuldades motivacionais e psicológicas que isso acarreta. Na sociedade apresentada em *Mil novecentos e oitenta e quatro*, por outro lado, a eliminação da piedade é acompanhada da eliminação de toda e qualquer preocupação moral e da construção deliberada de emoções antimorais. O'Brien nega que uma civilização que erradica a tragédia e seus amores particularistas seja necessariamente impotente em termos motivacionais. Ela pode alimentar cuidados intensos e ter, de fato, uma vida emocional rica. Outras fontes de motivação política sobrevivem à morte da tragédia: "O medo, a ira, o triunfo e a autocomiseração". Mas por que O'Brien — e, em última instância, Orwell e Winston — pensa que essas emoções podem sobreviver à eliminação do amor familiar, ao contrário da piedade e da dor?

O que falta ao povo da Oceânia é qualquer senso de que qualquer ser humano seja um fim em si. Nenhum ser humano individual e nenhum grupo de seres humanos são dotados de valor intrínseco. Sem as intensas emoções da família, tão imbuídas de tensão e admiração erótica, sem a visão do pequeno fragmento de coral dentro da cúpula luminosa, nunca aprendem a sentir admiração ou amor profundo por qualquer coisa no mundo. São criados na ideia de que tudo pode ser sacrificado e que é preciso estar preparado para sacrificar qualquer coisa e qualquer pessoa a qualquer momento. A traição não é traição, a deslealdade não é deslealdade; no lugar delas, temos o útil cumprimento das exigências públicas. No lugar do amor aos pais, temos os filhos espionando e denunciando os pais; no lugar do amor erótico, temos a traição

---

5 Abordo mais detalhadamente a questão em "The Worth of Human Dignity: Two Tensions in Stoic Cosmopolitanism", em G. Clark e T. Rajak (Orgs.), *Philosophy and Power in the Graeco-Roman World: Essays in Honour of Miriam Griffith* (Oxford: Oxford University Press, 2002), pp. 31-49.

dos amantes e do amor. Ao exigir que todos os afetos sejam de caráter provisório e instrumental, mantidos apenas na medida em que são úteis ao Estado, a Oceânia extirpa o amor profundo e a possibilidade da dor.

Mas não extirpa o medo. O medo pela segurança pessoal, um medo estreito, egoísta e instrumentalizador, é o motor que põe tudo em operação. De fato, podemos sentir medo sem amor e sem dor — se estivermos encerrados num narcisismo tão aterrorizado e tão envolvente que não reconhece a plena realidade de nenhuma outra entidade além do eu. Também podemos ter raiva e a sensação de triunfo, de certa forma.

Claro que não podemos sentir o tipo de raiva que está intimamente ligado ao amor — a raiva que reage a um ataque contra o genitor, contra o filho ou contra o país, a raiva que reage a uma traição do amor. Essas formas de raiva exigem um senso de valor intrínseco. Mas existe um tipo de raiva que é primo do medo egoísta: a raiva contra aquilo que ameaça a segurança da pessoa e a segurança da entidade política com a qual ela identifica seu senso de segurança. Este é o tipo de raiva que os psicanalistas chamam de raiva narcisista, raiva contra qualquer ameaça ao domínio e ao pleno controle do eu. E, claro, existe uma espécie narcisista correspondente de triunfo — não a alegria que confere valor e realidade a outra pessoa, cidade ou nação, mas a alegria de remover um obstáculo ao controle total do eu.

Em suma, o senso de valor intrínseco de um ser humano não é inato. É uma conquista que se dá ao longo do desenvolvimento, e pode ser impedida. O que a Oceânia faz, com uma astúcia cruel, é obstruir o desenvolvimento da infância num ponto crítico, impedindo essa conquista. Quando bebês, somos todos narcisistas. Os bebês não apreendem a realidade das pessoas externas a eles, e tampouco distinguem com clareza entre o eu e o não eu. Absortos em suas próprias experiências, concebem o mundo exclusivamente do ponto de vista delas — ora como feliz simbiose, ora como dolorosa falta. Oscilando entre o senso de onipotência bem captado na famosa expressão de Freud — "Sua Majestade, o Bebê" — e um senso aterrador de desamparo, ainda não captam a realidade de qualquer outra pessoa em sua inteireza. Os outros estão ali apenas para atender a suas necessidades. Na verdade, os outros não são inteiramente outros nem inteiramente inteiros. Não são inteiros, porque são apenas instrumentos de satisfação ou não satisfação, de conforto ou não conforto. Como bem coloca Melanie Klein, a mãe não é uma mãe inteira, mas apenas o "peito bom" que alimenta e o "peito mau" que não aleita. Não inteiramente outra porque, para reconhecer uma pessoa como outra, é preciso reconhecer que ela tem uma vida à parte, uma vida não exclusivamente dedicada às necessidades do bebê.

Essa vida infantil ainda contém medo, quando o alimento e o conforto não chegam no momento certo. Contém ira contra qualquer retenção, ira contra a existência de qualquer obstáculo que ameace a supremacia e a completude do eu. Contém triunfo, quando a criança consegue pôr a realidade a serviço de suas necessidades. E também contém um tipo rudimentar de vergonha ou autocomiseração, quando o desamparo se faz demasiado evidente.

O desenvolvimento humano poderia, de fato, interromper-se nesse ponto. O reconhecimento da realidade da outra pessoa é penoso: significa abrir mão da onipotência e reconhecer que as demandas por atenção e amor constantes e o desejo de ser o centro do universo são exigências descabidas. Ver uma genitora em sua inteireza e alteridade significa que ela tem direitos legítimos, incluindo o de ter uma existência separada. Mas, se ela tem esses direitos a uma vida própria, segue-se a tristeza: pois a era dourada da onipotência chegou ao fim. E, pior do que a tristeza, segue-se a culpa: pois a criança agora precisa reconhecer que seus desejos agressivos de dominação e controle são exigências impróprias. Aqui se inicia a moralidade, na luta para expiar e se redimir por ter dirigido a agressão contra o mesmo objeto integral que também se ama.

Essa fase do desenvolvimento emocional é absolutamente imprescindível para a própria possibilidade de uma cultura política liberal. Pois essa cultura política se baseia no reconhecimento do valor e da independência de cada um, e os direitos de cada um a existir, a seguir seu próprio caminho, a restringir as demandas ávidas sobre os outros ou sobre a coletividade, em nome da dignidade pessoal. Um paciente adulto de Donald Winnicott, que estava começando a conseguir ingressar nessa fase de desenvolvimento, fez um comentário memorável ao terapeuta — que foi o primeiro que ele conseguiu ver como uma pessoa separada: "O alarmante é que somos então ambos filhos, e a pergunta é: Onde está o pai? Sabemos onde estamos, se um de nós é o pai".[6] Em outras palavras, reconhecer outra pessoa como um fim em si converte o indivíduo num eu infantil vulnerável, e não num eu onipotente. E isso é alarmante de uma maneira que não ocorre no medo narcisista da criança. O liberalismo acarreta esse medo profundo e traz com ele dor e sofrimento.

O que a Oceânia faz é interromper o desenvolvimento antes de chegar a essa fase. A única coisa que há é o narcisismo primário. Cada um, numa combinação de terror, necessidade e onipotência, vê os outros como meros instrumentos. Assim, os outros não são inteiros nem de todo separados.

E a coletividade?, podemos perguntar. Sem dúvida o povo da Oceânia tem uma forte identificação com o Estado e considera os triunfos oficiais como triunfos pessoais. Exatamente. Não tendo uma noção clara das fronteiras entre o eu e o outro, não tendo, na verdade, qualquer noção sólida do *outro*, eles obtêm a vitória narcisista por meio da absorção no Estado. São alimentados no peito onipotente do Grande Irmão. O desamparo se faz sentir diariamente na estrutura da vida cotidiana: faltam lâminas de barbear, falta café, o frio e a umidade são terríveis. Mas, com o Estado oferecendo a todo momento a mensagem da vitória e da satisfação, não há necessidade de sofrer profundamente ou sentir a vulnerabilidade real do ser humano separado e incompleto. Pois o ego alcança um senso de invulnerabilidade com sua sujeição e total aliança com o Estado. Amar o Grande Irmão significa, na verdade, apegar-se a um "peito amoroso"; o indivíduo se torna completo, onipotente, invulnerável. A coletividade é um veículo do triunfo narcisista, não uma entidade política de verdade pela qual as pessoas sentem emoções complexas de amor, raiva e dor. Sabemos, de fato, onde estamos quando um de nós é o Grande Irmão.

---

6 D. W. Winnicott, *Holding and Interpretation: Fragment of an Analysis*. Nova York: Grove Press, 1986. [Ed. bras.: *Holding e interpretação*. Trad. de Sonia Maria Tavares Monteiro de Barros. São Paulo: Martins Fontes, 1991.]

Falamos do medo, da ira e do triunfo, menos da autocomiseração, a quarta emoção no catálogo de O'Brien. Paradoxalmente, porém, o triunfo narcisista exige uma contínua autocomiseração. O eu frágil (que nunca alcançou sequer um senso claro de sua diferenciação em relação aos outros) só pode alcançar o triunfo com a total sujeição à vontade da coletividade e, assim, com uma contínua renúncia à sua identidade distinta, às suas legítimas pretensões. A afirmação individual significa ser, em primeiro lugar, um indivíduo separado, e isso acarreta uma espécie de vulnerabilidade assustadora. A única segurança consiste na fusão simbiótica com o peito amoroso.

O narcisismo faz parte do desenvolvimento humano. Mas a maioria dos seres humanos, em nossos tempos ainda antigos (que, esperamos, assim continuarão), acaba por superá-lo — pelo menos em certa medida, visto que a idade adulta é uma conquista difícil e instável — rumo a um reconhecimento da realidade de outros seres humanos. De modo geral, esse reconhecimento se dá na família; mas, onde quer que se dê, sempre requer um afeto íntimo por um número restrito de pessoas. Somente quando há algum grau de renúncia aos objetivos narcisistas é que se vê o surgimento do amor, da dor e a compreensão de narrativas de profunda tristeza.

Os psicólogos que tratam de distúrbios de personalidade narcisista chamam a atenção para a íntima ligação entre a grandiosidade narcisista e um tipo patológico de raiva — não a ira em reação a um senso de injustiça ou malfeito, mas uma raiva cega que investe contra todos os obstáculos aos frágeis projetos do eu. Essa raiva é a emoção que ancora a guerra na Oceânia. Seu pano de fundo é o medo constante alimentado pela percepção de que sempre se está desamparado em alguns aspectos fundamentais. Aterrorizados, sem qualquer senso de valor pessoal ou de riqueza da vida que os sustente, os narcisistas atacam.[7]

Uma observação recorrente na bibliografia sobre o narcisismo é que esses pacientes não reagem à poesia nem, em termos mais

---

[7] Ver, por exemplo, Otto Kernberg, *Borderline Conditions and Pathological Narcissism*. Northvale: Jason Aronson, 1985; e Andrew Morrison, *Shame, the Underside of Narcissism*. Hillsdale: The Analytic Press, 1989.

gerais, a criações literárias. Agora podemos entender a razão disso: obras como essas convidam o espírito a entrar no mundo de outrem e, assim, a povoar o mundo com diferentes portadores de identidade e valor. Para quem considera que não existe nada real fora do eu, isso não faz nenhum sentido.

Logo, a tragédia pertence aos tempos de antigamente, aos tempos em que os seres humanos se viam como seres parciais, vulneráveis, limitados pelo acaso e pelas legítimas necessidades e demandas de terceiros. Aos tempos da tragédia e da moral, entrando no mundo da criança junto com um real e inequívoco amor do outro.

"SUGADAS PARA A MORTE"

Winston Smith não é um narcisista. De fato, ele nos é apresentado por Orwell como o último ser humano, o último sobrevivente dos tempos de antigamente. Winston entende as emoções trágicas; aprecia as obras literárias trágicas que expressam e fortalecem essas emoções. E, no entanto, é possível alquebrar Winston Smith. Ele acaba se rendendo ao amor ao Grande Irmão. A meu ver, Orwell está sugerindo que Winston é um bom exemplo de aspiração humana e, assim, seu destino corresponde ao destino da humanidade, pelo menos sob a coerção aqui retratada. Orwell está correto? Na derrota de Winston, realmente vemos a derrota da humanidade como um todo ou vemos apenas a triste rendição de um homem muito incompleto e infeliz?

Para responder a essa pergunta, examinemos o papel da culpa na vida de Winston. Veremos, penso eu, que, embora o desenvolvimento de Winston avançasse além das emoções narcisistas primitivas, mesmo assim era interrompido num ponto crítico, deixando-o muito propenso ao retraimento e ao colapso narcisistas.

Toda a vida de Winston é dominada pela culpa quanto ao papel que desempenhou na morte da mãe e da irmã. Seu primeiro sonho no romance se refere à morte delas:

> Naquele momento a mãe estava sentada em
> algum lugar muito abaixo dele com sua irmã

> mais moça no colo [...]. As duas estavam no salão de um navio que naufragava, de olhos fixos nele, lá em cima, através da água que se turvava [...]. Ele estava fora, na luz, no espaço, enquanto elas eram sugadas para a morte, e estavam lá embaixo *porque* ele estava aqui em cima.
> Ele sabia e elas sabiam, ele via no rosto delas que elas sabiam [...] simplesmente a consciência de que teriam de morrer para que ele pudesse continuar vivo [...]. (pp. 71-2)

Esse sonho expressa um tipo particular de culpa: a culpa ligada à sua liberdade, à sua capacidade de ação e à sua agressividade infantil. Winston se pune reiteradamente por não ter amado a mãe da maneira adequada: "ela morrera amando-o, quando ele era jovem e egoísta demais para poder retribuir seu amor" (p. 72). Seu gesto egoísta, pegando o chocolate da irmã mais moça, é perdoável num garotinho faminto. Mas ele mesmo nunca se perdoou, em parte pelo puro azar de a mãe e a irmã terem sido levadas (para a morte, presume-se) logo depois daquilo (p. 214). Ele estabelece mentalmente uma ligação causal, ainda que irracional, entre os dois episódios; como nunca mais voltou a vê-las, nunca encontrou uma maneira de expiar ou de restaurar o grupo amoroso. Está, de fato, num "autoexílio do peito amoroso" (p. 351). Não pode voltar a ele e, portanto, não surpreende que recorra no final a um substituto disforme.

Orwell chama a atenção para o intenso amor erotizado de Winston pela mãe e sua incapacidade de expiar a morte dela, como tema ubíquo em toda a vulnerabilidade de Winston. O peso de papel, o objeto físico que ele ama e que, no sonho bom, representa toda a sua vida, simboliza, em seu rosa ondulante envolto em uma luz radiante, a carne materna. A água em que mãe e filha soçobram é, talvez, uma imagem da passividade e da sexualidade femininas, em contraste com a livre agressividade masculina dele. Os ratos que parecem prestes a lhe devorar o rosto, o medo que acaba por alquebrá-lo têm um poder que está intimamente ligado ao horror por sua capacidade de traição e destruição. E o Café da Castanheira, onde

Winston vive o resto de sua vida desgraçada — aquele lugar onde "Sob a ramada da castanheira/ Vendi você, e você a mim após..." (p. 347) —, parece remeter à imagem de um menino abrigado entre os cabelos ou mesmo os pelos púbicos da mãe, e a uma profunda culpa ligada a esse amor. Ao mesmo tempo, lembremos que o poema original a qual remetem esses versos é "The Village Blacksmith" [O ferreiro da aldeia], de Longfellow, que após o primeiro verso, citado por Orwell, prossegue com: "o ferreiro da aldeia se posta;/ O ferreiro, homem forte ele é/ com mãos grandes e vigorosas". Desse modo, a referência é, ao mesmo tempo, uma referência à força masculina, ligando essa força à destruição e à traição — ligação essa confirmada pela forma como Winston relembra seu gesto egoísta — como o gesto de um menino forte e destemperado tirando algo de duas mulheres fracas.

Em termos de desenvolvimento, como comentei, Winston não é narcisista. Mas foi abandonado pelas fontes de amor e conforto num momento crítico: bem na hora em que reconhece sua agressividade e sua culpa, mas antes de encontrar uma maneira de obter a reconciliação e o perdão. Todas as crianças que avançam além do narcisismo reconhecem em algum momento que a mesma pessoa que amam é também a pessoa contra a qual dirigiram a raiva e a agressividade. Não "o peito bom" e "o peito mau", mas uma pessoa inteira a quem amam e odeiam. Esse reconhecimento da ambivalência costuma ser muito assustador, e as crianças geralmente reagem a ele com um período de profunda tristeza e lamento, quando se sentem incapazes de encontrar uma maneira de voltar àquele mundo dourado em que outrora viviam ou, na verdade, uma maneira de avançar para um novo mundo que não é dourado, mas, em certo sentido, é melhor do que dourado, no qual existe moralidade e a culpa pode encontrar perdão.[8]

Essa é, penso eu, a situação de Winston, expressa com tanta vividez em suas fantasias recorrentes de um "lugar dourado", um lugar de luz e liberdade, e, ao mesmo tempo, em sua sensação de estar na luz só porque outros estão se afogando. Ele não consegue

---

[8] Ver minha discussão, com várias referências à bibliografia clínica, em *Upheavals of Thought*, cap. 4.

encontrar um caminho que o conduza a um mundo onde as pessoas aceitam mutuamente suas falhas e aprendem a se desculpar e procurar perdão por suas palavras e ações agressivas. (Não seria implausível designá-lo como o mundo do liberalismo.) Portanto, fica extremamente vulnerável às forças destrutivas dentro de si próprio e à destruição de sua personalidade a partir da ideia de si mesmo como aquele que traiu e condenou outras pessoas. Em vez de se entender como pessoa imperfeita, capaz de boas e más ações, capaz de reparar o mal com o bem, ele fica entregue à sensação envolvente e aterrorizante de uma maldade ilimitada em si mesmo — porque o objeto clemente simplesmente desapareceu de sua vida. Ao contrário do paciente de Kernberg que apresentei em epígrafe,[9] Winston não tem objetos bons e clementes dentro de si. Seus objetos bons estão mortos, mortos por causa de seu egoísmo.

Assim, ele vive sempre à beira do colapso narcisista. Não admira muito que O'Brien consiga maquinar esse colapso.

Por que Winston fica nesse estado? Em certo sentido, apenas por azar: a mãe desapareceu justamente num momento crucial, antes de poder se tornar agente de clemência e perdão e lhe mostrar como ser clemente consigo mesmo. Mas cabe também mencionar a coerção política sob a qual passou toda a infância. Na véspera do desaparecimento da mãe, ele se divertia muito brincando com um jogo de tabuleiro, o Snakes & Ladders: é sua lembrança feliz mais sólida. E, de fato, muitas vezes é num jogo imaginativo que as crianças encontram uma saída da prisão da culpa e chegam a um senso mais construtivo de reciprocidade e interação. Winston nunca teve real oportunidade de aprender a jogar. E então a cultura da Oceânia assume o controle, enviando continuamente mensagens de narcisismo em vez de qualquer mensagem vinculada a uma cidadania moral responsável, a tentativas de reparação e à consideração pelos direitos dos outros. De modo que ele não tem nenhum esteio para seu senso frágil e acuado de um eu.

---

9 Ver Kernberg, *Borderline Conditions*, pp. 259-60. Prossigo a discussão do caso em *Hiding from Humanity: Disgust, Shame, and the Law* (Princeton: Princeton University Press, 2004).

Mesmo o senso trágico de Winston é, na verdade, muito incompleto. Contém uma dor profunda e uma espécie de piedade pela mãe e pela irmã. No entanto, a piedade está tão mesclada com a culpa e a aversão por si mesmo que não chega a emergir plenamente como piedade por outro ser separado. Pode-se dizer que só pode haver piedade em forma plenamente desenvolvida onde há também clemência em relação ao eu: pois o eu engolfado por um senso de sua profunda maldade nunca consegue chegar a um reconhecimento suficiente dos sofrimentos do outro como outro.

Sugiro, então, que a fuga de Winston para o absoluto egoísmo e para o completo narcisismo antitrágico, ao final do romance, não seja uma inversão total. É um colapso ao qual sua personalidade sempre esteve propensa. Um bom apoio da família e da sociedade poderia mudar o final; mas ele é um frágil caniço incapaz de sustentar nossas esperanças para a humanidade.

Orwell também pensava assim? Tenho minhas dúvidas. Há em Winston muitos elementos que sugerem a tristeza do próprio George Orwell, demais, talvez, para tomarmos o retrato de Winston como um indivíduo que deve ser visto como exemplo falho e fraco da aspiração humana. Além disso, se Winston fosse visto dessa maneira, o romance inteiro teria de ser considerado profundamente estranho em sua construção: pois o que poderíamos ou haveríamos de concluir do fracasso de um indivíduo que deve ser visto ao longo de todo o romance como um ser peculiar, triste e profundamente incompleto? Logo, sugiro que Orwell realmente pretendia que Winston fosse um bom exemplo do espírito humano e das possibilidades de criatividade e resistência de que esse espírito é capaz.

Quanto a isso, acredito que Orwell está totalmente errado. Se Winston, como sugiro, é um menino triste que nunca teve verdadeira oportunidade de se desenvolver como personalidade madura e bem-sucedida, então não podemos concluir grande coisa de seu colapso. E se nenhuma civilização teve sucesso tão pleno em seus projetos totalitários quanto a Oceânia do romance, é em larga medida porque o espírito humano não se quebra tão facilmente, porque artistas, pensadores e pessoas de todas as condições resistem repetidas vezes às tentativas de alquebrá-los, criando subculturas de resistência que mostram formas complexas de reciprocidade e piedade trágica.

UM "AMBIENTE PROPÍCIO"?

Mesmo assim, há muitas coisas preocupantes. Se o romance não mostra de maneira convincente que é possível alquebrar todo e qualquer ser humano, por outro lado convence mais ao sugerir que muitos podem ser alquebrados. Nossas personalidades sempre são frágeis, equilibrando-se delicadamente entre exigências narcisistas que continuam se reafirmando e o reconhecimento do valor e da dignidade dos outros. A moralidade e a cidadania liberal são realizações que devem ser construídas e reconstruídas constantemente; exigem o que Donald Winnicott chamou de "ambiente propício",[10] tanto na família quanto no mundo social mais amplo. Assim, faz sentido perguntar em que medida a cultura dos Estados Unidos oferece, hoje, esse tipo de ambiente propício.

A cultura pública americana tem aspectos que apresentam riscos permanentes, reforçando o narcisismo: uma ênfase excepcional sobre o orgulho e o controle masculinos; uma tendência persistente em considerar todas as ameaças à sua supremacia como obstáculos a serem removidos; a sugestão de uma gratificação sem limites nem custos; a negação da mortalidade e dos limites em favor da ideia de que podemos ser e fazer qualquer coisa; a sugestão de que nem a idade e talvez nem mesmo a morte hão de nos derrotar.[11]

---

[10] Donald Winnicott, *The Maturational Processes and the Facilitating Environment*. Madison: International Universities Press, 1965.

[11] Morrison descreve uma fantasia comum de pais americanos da seguinte maneira: "O filho terá uma vida melhor do que a dos pais; não ficará sujeito às necessidades que reconhecem ser dominantes na vida. Doença, morte, renúncia ao prazer, restrições à sua vontade não o atingirão; as leis da natureza e da sociedade serão revogadas em seu favor; ele realmente será mais uma vez o centro e o cerne da criação — 'Sua Majestade, o Bebê', como antes nos imaginávamos... No ponto mais sensível do sistema narcisista, a imortalidade do ego, que é tão duramente pressionado pela realidade, alcança-se a segurança refugiando-se na criança". (Andrew P. Morrison, *Essential Papers on Narcissism*. Nova York; Londres: New York University Press, 1986, pp. 33-4.)

Esses traços muitas vezes vêm acoplados, assim como na Oceânia, ainda que não de forma tão extrema, a uma aversão ou mesmo a uma falta de compreensão do trágico. Todo e qualquer obstáculo pode ser vencido — e assim não existe uma verdadeira tragédia.[12] A forma clichê do faroeste, em que o mocinho simplesmente acaba com os vilões, é uma forma antitrágica, sem qualquer piedade real, sem lamento e nem mesmo ambivalência. Ela incentiva a ideia de que o mal é simples e totalmente exterior, podendo ser derrotado pela agressão pura e simples. A arte antinarcisista, por seu lado, seria a arte que incentiva o desenvolvimento da capacidade de imaginar o sofrimento dos outros, de ver a ambivalência em si e nos outros, de observar de modo crítico e, mesmo assim, não inclemente as forças de agressão em si mesmo e o dano que queriam causar ou causaram. A tragédia grega era uma forma de arte antinarcisista. Povoava o espírito com seres inteiros fazendo reivindicações distintas, pedindo-nos para imaginar o sofrimento de seres distintos em circunstâncias criadas pelo destino e pela maldade humana. Não temos arte trágica suficiente em nossas vidas.

Há estudos recentes sobre jovens, sobretudo rapazes, nos Estados Unidos que reforçam a ideia de que o narcisismo é um perigo ao qual devemos ficar atentos. Os psicólogos Dan Kindlon e Michael Thompson, no impressionante livro *Raising Cain*,[13] sobre garotos problemáticos na adolescência, mostram a quantidade assombrosa de meninos que crescem como analfabetos emocionais, incapazes de imaginar o sofrimento de outras pessoas e, por conseguinte, incapazes de captar plenamente a alteridade distinta dessas pessoas. Ao mesmo tempo, esses garotos

---

12 Jonathan Lear, "A Counterblast in the War on Freud: The Shrink Is In", *New Republic*, 25 dez. 1995; uma versão levemente diferente foi publicada, com o nome de "On Killing Freud (Again)", em Lear, *Open Minded: Working Out the Logic of the Soul* (Cambridge: Harvard University Press, 1998), pp. 16-32.

13 Dan Kindlon e Michael Thompson, *Raising Cain: Protecting the Emotional Lives of Boys*. Nova York: Ballantine Books, 1999.

também são obtusos em relação a seu próprio mundo interior. Não reconhecem o medo e a falta de controle que, sendo humanos, sentem continuamente, e costumam canalizá-los para a agressão. Subjugar o outro é uma maneira de não enfrentar o próprio desamparo. Kindlon e Thompson veem a atuação desse narcisismo emocional na humilhação de outras crianças. Observam que ele leva a relações brutas e exploradoras com mulheres, moldando-se por fantasias masturbatórias de dominação e controle.

O livro mais recente de Kindlon, *Too Much of a Good Thing*,[14] concentra-se na ligação entre a personalidade narcisista e uma cultura de acumulação material. Os adolescentes em escolas de elite competem exibindo roupas de grife, férias em caras estações de esqui, carros de luxo. Humilham os meninos que não possuem essas coisas. Raramente parecem entender que a vida pode conter valores de mais respeito pelos outros; parecem nunca se orgulhar de realizar algum serviço importante de utilidade pública ou de compromisso com a justiça.

Tais quadros nos contam apenas uma parte da história. É evidente que a cultura americana também contém valores religiosos e seculares que enfatizam o serviço ao próximo, o sacrifício e a filantropia, e que os cidadãos americanos têm um sólido senso de justiça e de direitos civis, valores liberais que exigem um senso de valor e dignidade de cada um. Nossa cultura jurídica e constitucional encarna essas normas.

No entanto, os últimos vinte anos têm presenciado uma grande mudança nos rumos do narcisismo. A era Reagan marcou o início de uma profunda transformação na cultura política americana. Invocar a justiça e a equidade saiu de moda; entrou na moda invocar o interesse próprio e a competitividade. Hoje, a retórica da Grande Sociedade (e, antes, do New Deal) parece distante, esquisita, dificilmente uma linguagem capaz de mobilizar os americanos. Não porque os seres humanos não podem

---

14 Dan Kindlon, *Too Much of a Good Thing: Raising Children of Character in an Indulgent Age*. Nova York: Miramax, 2001.

ser mobilizados pelo ideal rooseveltiano de direitos econômicos e sociais para todos e de libertação do medo e da necessidade. E sim porque os cidadãos dos Estados Unidos se tornaram, em certa medida, diferentes dos seres humanos que eram outrora, diferentes nos valores que lhes importam e no que é capaz de motivá-los. "Pergunte-se se você está em situação melhor neste ano em comparação ao ano passado", disse Reagan no final de um de seus debates com Walter Mondale. E a resposta de Mondale — que o bem-estar tem muitos componentes, sendo um deles a equanimidade — caiu em ouvidos moucos. Hoje, para começo de conversa, nenhum assessor encarregado de escrever discursos, se quisesse conservar o emprego, escreveria algo nessa linha.[15]

A guinada para o narcisismo se destaca não só na política interna, mas também na política internacional. Os dois partidos são culpados. Grande parte de nossa retórica política recente faz lembrar um filme de caubói nas relações externas: entramos a toda num lugar, matamos os maus e saímos galopando ao pôr do sol — sem nenhum compromisso de longo prazo com a complexa tarefa de ajudar uma sociedade devastada a avançar para a estabilidade econômica e a governança democrática. A expressão "Eixo do Mal" sugere um poder das trevas unitário, em vez daquilo que temos na realidade: três nações distintas com problemas e histórias totalmente diferentes. E mesmo que o termo "Mal" se aplique apenas aos governos, e não às pessoas, a polarização implícita entre "Eles" maus e "Nós" bons é decididamente orwelliana ao reduzir um conflito complexo a uma cruzada moral. "O inimigo do momento sempre representava o mal absoluto, com o resultado óbvio de que todo e qualquer acordo passado ou futuro com ele era impossível" (p. 76). Isso desestimula a ideia de que o objetivo de nossa interação deva ser um compromisso de longo prazo em construir instituições fortes no Afeganistão ou no Iraque. Em vez disso, a ideia passa a

---

15 O principal redator de discursos de Mondale na época era o filósofo político William Galston.

ser: acabe com o vilão e puxe o carro, e tudo vai ficar numa boa. É claro que assim obscurece também a percepção de que grande parte do sofrimento humano no mundo atual é causada não por gente ruim, mas pela fome, pela doença e pela ignorância — problemas, pelo menos alguns deles, cuja responsabilidade cabe, ao menos em parte, às nações ricas e a seu narcisismo. (Assim, o número de mortes por aids na África está diretamente relacionado à ganância de algumas empresas farmacêuticas americanas e europeias.)

O que é extremamente necessário para os cidadãos americanos nesta época é desenvolver uma maior capacidade de imaginar as experiências de muitos tipos de pessoas em outros países, cuja vida é diariamente afetada pelas ações de cidadãos americanos — como consumidores e empresários numa era de globalização, como membros de um corpo político que mantém relações com outras nações. Nossa liderança e nossos meios de comunicação, de modo geral, não têm feito quase nada para promover essa relação construtiva, imaginativa e multifacetada com o mundo. Em decorrência disso, nossas próprias personalidades se mantêm superficiais, sem terem sequer uma ideia do que nosso consumismo significa para as pessoas de locais distantes, sem terem sequer uma ideia do que é o cotidiano para muitos pobres em nossa própria nação. Com o aumento das desigualdades entre ricos e pobres, os ricos parecem viver cada vez mais em outro mundo, isolados da realidade do sofrimento ou da luta para sobreviver.[16] Como os reis e os nobres apresentados por Rousseau ao falar da piedade em *Emílio*, nunca chegaram a entender plenamente que são humanos, sujeitos aos mesmos problemas de todos os seres humanos. (É claro que essa incapacidade de imaginar nasce da negação, não da mera ignorância. Portanto, é previsível que as fronteiras dessa recusa narcisista sejam policiadas e defendidas agressivamente.)

16 Ver Paul Krugman, "For Richer: How the Permissive Capitalism of the Boom Destroyed American Equality", *The New York Times Magazine*, 20 out. 2002, pp. 62-67, 76-77, 141.

O que Kindlon informa sobre os limites da imaginação dos adolescentes de famílias ricas se aplica em termos mais gerais a vários aspectos da sociedade americana, em que os muito ricos estão cada vez mais isolados do resto da sociedade e em que os valores competitivos e aquisitivos são cada vez menos questionados. Nota-se, por exemplo, a cultura que surgiu nos grandes escritórios de advocacia: a Ordem dos Advogados exige cursos de ética, mas os valores centrais da maioria dos escritórios são os da concorrência e da acumulação.[17]

Essa cultura poderia ser contestada pela cultura política, mas hoje em dia isso quase não acontece. Os valores de igual dignidade humana, vitais para a saúde de uma democracia, estão sem dúvida ameaçados pela cultura política (dos dois partidos, de modo geral), que procura angariar o apoio dos super-ricos, fala de seus excessos quando há a necessidade política, mas então retoma diretamente os negócios como sempre (por exemplo, cortando os fundos adicionais que foram reservados para a supervisão da Comissão de Títulos e Câmbio [SEC]). A Oceânia de Orwell não surgiu por causa da influência política desproporcional de um pequeno grupo de super-ricos; mas pode surgir algo semelhante à Oceânia conforme os processos democráticos perderem cada vez mais a importância e os reais detentores

---

[17] Elmer Johnson, o advogado criterioso e extremamente ético que foi por muitos anos o diretor executivo do Instituto Aspen, renunciou tanto ao instituto quanto a seu escritório de advocacia original por razões dessa ordem, tendo de enfrentar o problema de perseguir uma missão ética num ambiente dedicado a valores competitivos. Em sua carta de renúncia de 23 de agosto de 2002, ele fala em "diferenças filosóficas fundamentais" que contribuíram para "atritos consideráveis" na implantação de programas baseados em ideais éticos. (Agradeço a Johnson a permissão de citar passagens dessa carta.) Ele se transferiu para um escritório (Jenner and Block) que, a seu ver, tem valores diferentes; atualmente está formando um grupo de ética para refletir por que os advogados que deveriam ser guardiões da justiça permitiram a ocorrência de atos de ganância criminosos.

de influência política se distanciarem cada vez mais da vida das pessoas comuns.

E é claro que, mesmo se deixarmos de lado as questões sobre a desigualdade nos Estados Unidos, existem desigualdades entre os Estados Unidos e nações mais pobres que exigem nosso engajamento imaginativo, visto que nossas ações afetam diariamente essas nações por meio do mercado global. Ignorar essas desigualdades é uma espécie de narcisismo de grupo, e esse narcisismo de grupo é reforçado dia após dia por nossos meios de comunicação, que estão muito mais interessados no estilo de vida dos ricos do que na realidade da vida cotidiana em alguma nação que os americanos mal conhecem. Nossa liderança, para dizer o mínimo, não dirige nossa atenção para esses assuntos. Nossa relação com o mundo é quase sempre apresentada em termos narcisistas, como uma relação de controle e domínio — não de responsabilidade, e certamente não de culpa.

A Oceânia não está à nossa porta. Mas existem alguns sinais preocupantes. Orwell foi um grande gênio justamente porque sabia conferir a sinais preocupantes uma forma indelével e aterrorizante. Se não chegamos ao ponto de sentir piedade e terror por Winston Smith, podemos nos sentir motivados a fazer um exame crítico dos elementos oceânicos em nossa sociedade. Seria ótimo, a meu ver.

O EXÍLIO DO PEITO AMOROSO

O que faríamos se quiséssemos reagir de modo construtivo a essas preocupações? Para que funcionasse, a resposta teria de começar pelo desenvolvimento de cada criança em sua família e no mundo social mais amplo. O que o desenvolvimento precisaria produzir é nada menos do que um ser humano adulto.

E o que é isso?, alguém pode perguntar. Por "ser humano adulto" refiro-me a um ser humano que aceita a realidade do exílio do peito amoroso e, portanto, não procura na política e no relacionamento com os outros um substituto da plenitude, do controle e da perfeição. É um ser humano que aceita a humanidade. Bom, isso não é fácil, principalmente quando significa aceitar o fato de que vamos morrer. Mas, quando digo "aceitar", não me refiro a "ficar feliz com". Refiro-me apenas a "enfrentar a realidade de" ou mesmo "debater-se continuamente com a realidade de". Esse ser humano logo perceberia que o peito amoroso não é apenas um peito, mas parte de uma pessoa inteira que é separada do eu. Um retorno à simbiose com esse peito, portanto, é não só impossível, mas realmente errado: pois aquela pessoa separada tem vida e direitos próprios, e não devemos tentar converter outro ser humano em fonte e agente de nossa completude. Esse reconhecimento da separação viria junto — sempre vem junto — com a dor, o lamento pelo "país dourado" do êxtase e da simbiose que não existem mais, e também com a culpa do indivíduo pelo desejo persistente, que nenhum ser humano jamais deixa de sentir, de obter de volta aquele êxtase e de *fazer* daquela pessoa obstinadamente separada um mero agente de sua própria vontade.

Mas esperemos que essa criança que estamos imaginando tenha recursos em seu ambiente que lhe permitam avançar mais do que o pobre Winston Smith conseguiu — ajudando-a a encontrar dentro de si um objeto clemente e misericordioso que possa curar a dor e a ambivalência da descoberta de sua própria agressão culpada. Esses recursos incluem, sobretudo, jogos, brincadeiras e histórias, e, à medida que a criança cresce, obras de arte que desenvolvam um mundo interior rico, a capacidade de imaginar as experiências separadas de outrem, a capacidade de transformar o lamento em piedade e em atos construtivos com vistas à justiça. A educação deveria se concentrar continuamente nesse objetivo, desenvolvendo a capacidade das crianças de imaginar a realidade de outras vidas em formas sempre mais complexas. Isso significa aprender, muito mais do que é usual entre os americanos, sobre as vidas das pessoas em outros lugares fora dos Estados Unidos e considerá-las complexas, ricas, plenamente humanas. Os Estados Unidos são tão isolados e tão poderosos que os americanos são capazes de passar a vida inteira sem conhecer muito outras nações; nesse ponto, enfrentam um obstáculo à compreensão que é menos usual para os não americanos. Esse obstáculo precisa ser tratado como Orwell procurou tratá-lo: por meio de um contato constante com a história e os fatos referente à situação em partes distantes do mundo. Tanto os meios de comunicação quanto as instituições de ensino precisam se concentrar nessa tarefa.

Em todas as fases da educação, a derrota da Oceânia dentro de nós também exige um compromisso com as artes, sobretudo as artes trágicas, e com o desenvolvimento de emoções complexas adequadas para enfrentar as ambivalências da vida humana. A arte da comédia também é da máxima importância, pois favorece um reconhecimento de nossa situação bastante impotente neste mundo — mas um reconhecimento que encerra mais alegria do que aversão. As pessoas que sabem rir de si mesmas têm menor probabilidade de precisarem dominar os outros.

A derrota da Oceânia também exigirá incentivar uma cultura crítica da argumentação e da contra-argumentação, em que as pessoas moldem o valor liberal de respeito pelos outros mostrando respeito pelo argumento de um oponente, ao mesmo tempo mostrando respeito por seu próprio pensamento independente e por sua própria vida interior.

A liderança de nossa nação e sua abordagem geral do mundo reforçarão a Oceânia se nosso governo apresentar os Estados Unidos como um peito bom e totalmente envolvente, que eclipsa e sufoca qualquer contestação do mundo de outras nações e povos separados. Inversamente, uma política anti-Oceânia se concentraria nas necessidades e limitações comuns a todos os seres humanos, apresentando a relação dos Estados Unidos com o mundo como uma relação de responsabilidade e interdependência. Construiria uma política externa em termos do reconhecimento do direito de todos os seres humanos de viver e desfrutar uma vida decente. O compromisso dos Estados Unidos seria o de dar apoio a essas vidas, e não só à segurança nacional. A ideia de supremacia e de remoção de todos os obstáculos à autossuficiência seria substituída por uma ideia (já presente na tradição dominante do internacionalismo do direito natural, pelo menos desde Grócio) do mundo como sociedade de seres humanos, na qual as nações desempenham um papel muito importante, protegendo os direitos e expressando os valores das pessoas, mas em que a comunidade mundial mais ampla também desempenha um papel. Os líderes educariam o público americano a se enxergar como parte desse mundo interligado. Nessa visão da humanidade, a riqueza extrema seria tida como fonte de vergonha pública, e não de triunfo narcisista.[18]

Internamente, uma política anti-Oceânia apoiaria uma cultura crítica empenhada em expressar respeito por aqueles que são diferentes da maioria, tanto nas ideias quanto em seus direitos legítimos. Também apoiaria as artes, mesmo e sobretudo quando as artes questionam as visões complacentes sobre a autossatisfação e a supremacia americanas. Como seria bom ter líderes, talvez até um presidente do qual se pudesse esperar que um dia acordasse com a palavra "Shakespeare" nos lábios, após um sonho doloroso ou esperançoso feito de vidro e uma luz clara e suave...

Existem muitos recursos nos Estados Unidos para derrotar a Oceânia. Mas a derrota da Oceânia não requer apenas um compromisso com a verdade, uma vigilância sobre a história e uma ciosa defesa das liberdades civis. Ela exige, num nível muito mais profundo, um compromisso com a formação de uma personalidade que se reconhece incompleta e carente, mas não sem recursos, capaz de piedade e clemência. Como a história e Orwell nos mostram, é um compromisso realmente muito difícil de assumir e ainda mais difícil de cumprir.

MARTHA C. NUSSBAUM nasceu em 1947, em Nova York, nos Estados Unidos. Escritora e filósofa, foi professora em Harvard e, atualmente, leciona na Universidade de Chicago. De 1986 a 1993, foi conselheira de pesquisa do Instituto Mundial de Pesquisa em Economia do Desenvolvimento, órgão da ONU fundado pelo Nobel Amartya Sem. Entre seus livros, destacam-se *A fragilidade da bondade: Fortuna e ética na tragédia e na filosofia grega*, de 1986, e *Sem fins lucrativos: Por que a democracia precisa das humanidades*, de 2010.

[18] Basta morar algum tempo na Finlândia ou em algum dos demais países nórdicos para ver que isso não é mera fantasia. As pessoas realmente sentem vergonha por terem muito mais do que as outras, e às vezes até por terem um carro. É, pelo menos, uma indulgência que demanda constantes justificativas permeadas de sentimento de culpa.

MIL NOVECENTOS E OITENTA E QUATRO: CONTEXTO E CONTROVÉRSIA

BERNARD CRICK

Publicado originalmente
em John Rodden (Org.),
*The Cambridge Companion
to George Orwell.*
Cambridge: Cambridge
University Press, 2007.

Mil novecentos e oitenta e quatro não é bem compreendido se não for lido no contexto de sua época — por volta de 1948: um mundo do pós-guerra brutal e arbitrariamente dividido pelas grandes potências em esferas de influência; a explosão da bomba atômica; a Londres ficcional de Winston Smith como caricatura visível da Londres real do pós-guerra por onde Orwell caminhara e que relembra vividamente. Em primeiro lugar, *Mil novecentos e oitenta e quatro* não foi seu testamento nem sua última vontade: foi apenas o último livro que escreveu antes de morrer. Em segundo lugar, não foi uma obra de excepcional intensidade que saiu num jorro de um homem quase sufocando com um desejo de morte subconsciente e, enquanto escrevia o romance, regredindo a lembranças de infância na escola preparatória (o que, segundo alguns, estaria demonstrado em seu ensaio sobre os tempos de escola, "'Tamanhas eram as alegrias'" — como se o mundo de Stálin e Hitler não existisse). Em terceiro lugar, o livro não representa a renúncia de Orwell ao socialismo democrático, como supuseram tantos resenhistas americanos, pois ele continuou a escrever para o *Tribune* e para jornais americanos de esquerda até a fase terminal da doença, durante o período da composição de *Mil novecentos e oitenta e quatro*.[1]

No entanto, para alguém que se empenhava deliberadamente em se tornar o mestre do estilo simples e direto, é surpreendente a quantidade de interpretações variadas de *Mil novecentos e oitenta e quatro* — sua obra mais famosa, embora eu não a considere a melhor. Tem sido lida como profecia determinista, como uma espécie de ficção científica ou uma distopia, como projeção condicional do futuro, como sátira humanista aos acontecimentos da época, como rejeição total de qualquer espécie de socialismo e como protesto socialista libertário — quase anarquista — contra tendências totalitárias e abusos de poder tanto em sua sociedade quanto em outras sociedades possíveis. A maioria dessas interpretações errôneas ou parciais se dá por elas não captarem o contexto de época — o período do imediato pós-guerra.

Talvez ajude se escrevermos "Mil novecentos e oitenta e quatro" por extenso, como título mesmo, tal como saiu na primeira edição em Londres, em vez de uma data — *1984* —, como acontece com tanta frequência. Pois não é uma profecia; é claramente uma sátira, e sátira de um tipo específico, até peculiar — uma sátira swiftiana. Ao lermos o livro seja no lançamento, seja agora, faria tanto sentido supor que o futuro seria exatamente aquele quanto, lendo *Gulliver*, de Swift, supor que encontraríamos as ilhas de Lilliput ou Brobdingnag — mesmo que, olhando em volta, possa-

---

[1] Ver Bernard Crick (Ed.), *George Orwell: Nineteen Eighty-Four with a Critical Introduction and Annotations* (Oxford: Clarendon Press, 1984); id., *George Orwell: A Life*, ed. rev. (Londres: Secker & Warburg, 1981); e "Reading *Nineteen Eighty-Four* as Satire", em Bernard Crick, *Essays on Politics and Literature* (Edimburgo: Edinburgh University Press, 1989), de onde foram extraídas algumas passagens deste texto. Assim, discordo de William Steinhoff, em seu livro sob os demais aspectos magistral, quando considera *Mil novecentos e oitenta e quatro* "como uma obra culminante que expressa, quase sintetiza, as ideias, atitudes, fatos e leituras de toda uma vida" (Steinhoff, *George Orwell and the Origins of* 1984. Ann Arbor: University of Michigan Press, 1975).

mos ver por todos os lados homenzinhos e mulherzinhas simulando grandeza e poder, e homenzarrões e mulheronas pisoteando displicente ou indiferentemente os menores.

FÚRIA SATÍRICA

Quanto ao gênero e às generalidades, é o que basta; mas, observando a época em que o livro foi escrito, encontramos, além de questões mais duradouras, alguns objetos específicos de sátira, alvos para sua fúria swiftiana. Orwell escreveu ao editor criticando o rascunho inicial de uma peça de divulgação:

> Fica parecendo que o livro é um thriller misturado com uma história romântica, e eu não pretendia que ele fosse unicamente isso. O que ele quer na verdade é discutir as implicações de dividir o mundo em "Zonas de influência" (pensei nisso em 1944, como resultado da Conferência de Teerã), e de quebra parodiar as implicações intelectuais do totalitarismo.[2]

Isso é bem específico. Mas claro que não é uma listagem completa de suas intenções ou alvos de "paródia" ou de sátira. Uma leitura atenta do texto sugere sete amplos temas satíricos.

1. A divisão do mundo feita em Teerã por Stálin, Roosevelt e Churchill.
2. Os meios de comunicação de massa e a proletarização (o que agora chamamos de *dumbing-down*, a simplificação dos conteúdos).
3. A sede de poder e o totalitarismo — além de condenar moralmente os que acreditam no

---

[2] Peter Davison (Org.), *The Complete Works of George Orwell*, v. 9. Londres: Secker & Warburg, 1998, p. 487.

"poder pelo poder", o satirista mostra, na figura de O'Brien, que a sede de poder os enlouquece.
4. A traição dos intelectuais: todos os retratados no Partido Externo que prostituem seus talentos na propaganda e temem demais pela vida (ou, na verdade, pelo emprego) para contestarem o Núcleo do Partido (o patrão).
5. A degradação da língua no avanço para a Novafala, a fim de tornar linguisticamente impossível a crítica ao Partido (mas note-se na última frase do Apêndice sobre a Novafala que o projeto teve de ser adiado para 2050: o satirista sugere que não há como controlar a língua e a literatura demóticas).
6. A destruição empreendida pelo Ministério da Verdade de qualquer história e verdade objetiva — mais uma vez, um exagero satírico sobre a maneira como figuras históricas como Trótski e Bukharin haviam simplesmente desaparecido dos arquivos históricos e até fotográficos soviéticos.
7. A tese de James Burnham, outrora bastante conhecida, sobre a convergência entre comunismo e capitalismo por meio da esfera administrativa — nem o capitalismo nem o comunismo venceria, mas seus administradores desenvolveriam uma cultura comum.[3]

Talvez a quantidade de temas diferentes fosse grande demais para se acomodarem bem numa mesma narrativa, o que ajudaria a explicar por que há tantas interpretações variadas. Uma sátira em múltiplas camadas pode despertar algumas reações pro-

---

[3] Bernard Crick (Ed.), *George Orwell: Nineteen Eighty-Four*, pp. 55-84.

fundas, mas mesmo assim míopes. O poeta e escritor polonês Czesław Miłosz, em 1953, tendo acabado de sair do Partido Comunista, escreveu em *Mente cativa*:

> Por ser difícil de conseguir e perigoso de ter [*Mil novecentos e oitenta e quatro*], só alguns membros do Núcleo do Partido o conhecem. Eles ficam fascinados com a percepção de Orwell de detalhes que conhecem muito bem e com sua utilização da sátira swiftiana. Essa forma de escrita é proibida pelo Novo Credo porque a alegoria, de múltiplos significados por natureza, transgrediria as prescrições do realismo socialista e as exigências da censura. Os que conhecem Orwell só de ouvir falar se espantam que um escritor que nunca viveu na Rússia tenha entendido o funcionamento da máquina de construção tão incomum de que fazem parte. A compreensão de Orwell sobre o mundo deles os deixa pasmos e desmente a "burrice" do Ocidente.[4]

Entre os pontos de vista apresentados acima, poucos podem ser totalmente rejeitados, mais ou menos como aquelas famosas múltiplas causas da Revolução Francesa ou da Revolução Americana sobre as quais os estudantes são convidados a exercer seu julgamento redigindo um ensaio: é uma questão de proporção e peso relativos. Não há uma mensagem única em *Mil novecentos e oitenta e quatro*: o livro contém múltiplas mensagens. Afinal, é um *romance*, não uma monografia, embora de tipo peculiar e o mais complexo a que Orwell se aventurou em toda a sua vida; e mais complexo na *variedade* de temas do que a maioria dos leitores e críticos costuma perceber. Se ele quisesse escrever algo mais direto ou mesmo não

---

4 Czesław Miłosz, *The Captive Mind*. Trad. de Zielonko. Nova York: Knopf, 1953, p. 40. [Ed. bras.: *Mente cativa*. Trad. de Dante Nery. São Paulo: Novo Século, 2010.]

muito ficcional, teria escrito, como já fizera antes. Mas um problema habitual com as sátiras é que elas dependem muito de referências da época, que o tempo pode corroer ou distorcer, e os alertas dependem da plausibilidade nas circunstâncias do momento (agora amiúde incompreendidas, subestimadas ou reimaginadas).[5] E há ainda o problema adicional de que é difícil criar uma mescla de sátira e alerta: é difícil julgar o grau de precisão e especificidade do autor. H. G. Wells escreveu esses dois tipos de romance, mas, de modo geral, mantinha uma coisa bem separada da outra. Orwell se propôs um empreendimento muito difícil em termos artísticos. É por isso que, em meu *George Orwell: A Life*, chamei esse livro excepcionalmente vigoroso, complexo e inquietante de "uma obra-prima imperfeita".

Além de ser uma sátira das aspirações ao totalitarismo, *Mil novecentos e oitenta e quatro* é uma sátira clara das sociedades hierárquicas em geral. Isso tem gerado uma tola incompreensão. Se Orwell ainda era socialista democrático, dizem, onde é que ele apresenta no livro seus valores libertários e igualitários? Alguns fazem a pergunta apenas retoricamente e, como Orwell não menciona essas coisas de maneira explícita, supõem que então ele as abandonou e certamente abandonou seu igualitarismo. Esse ponto de vista é reforçado quando o leitor, num exercício acadêmico que virou rotina, "situa" *Mil novecentos e oitenta e quatro* na mesma linhagem de *Admirável mundo novo* de Huxley, *Nós* de Zamiátin, *O tacão de ferro* de Jack London e *O dorminhoco* de H. G. Wells. A questão é complicada. Claro que há empréstimos e ressonâncias de todos esses livros — e de muitos outros — em *Mil novecentos e oitenta e quatro*. Mas, no fundo, é uma arbitrariedade e uma bobagem ler o texto com a camisa de força mental de um curso

---

5 Escrevendo a Orwell para agradecer por *A Fazenda dos Animais*, o poeta William Empson comentou que seu precoce filho de dez anos considerara o livro como "propaganda *tory*" [conservadora], ao passo que Empson sabia que Orwell pretendia que fosse um lamento socialista pela revolução traída por gente sequiosa pelo poder. (Carta de 24 de agosto de 1945, citada em Bernard Crick, *George Orwell: A Life*, p. 340.)

sobre a literatura utópica e antiutópica. *Mil novecentos e oitenta e quatro* deve o mesmo tanto ao *Gulliver* de Swift e, de todo modo, também é preciso situá-lo tanto nos eventos políticos dos anos 1930 e 1940 quanto nas leituras não ficcionais de Orwell, como *Managerial Revolution* [Revolução gerencial], de James Burnham. Mas brinquemos um pouco de currículos de graduação. Comparemos *Mil novecentos e oitenta e quatro* a *Admirável mundo novo*. É como comparar alhos com bugalhos. Aldous Huxley estava satirizando a igualdade; não gostava e tinha medo do igualitarismo e, por isso, apresenta uma igualdade paródica como tema explícito de sua sátira, que mostra os extremos a que chega a igualdade por meio de uma felicidade compulsória. Orwell também não gostava da "felicidade", ou melhor, muitas vezes criticava o hedonismo como motivo adequado para a vida e como explicação suficiente da conduta humana, embora, certamente para o horror de Huxley, dissesse encontrar uma felicidade autêntica na vida comum e honesta de um trabalhador ativo — o "homem comum" idealizado de Kant, Jefferson e William Morris —, e não nos momentos de maior pico da intelectualidade literária. Orwell nem de longe satiriza a igualdade: o que ele satiriza são as pretensões hierárquicas. A boa sátira não é cética nem totalmente pessimista (e é por isso que grande parte da chamada sátira atual é, no melhor dos casos, apenas frívola e, no pior dos casos, niilista — negando que haja qualquer alternativa melhor). O satirista diz: a humanidade pode não ser perfeita, mas pelo menos tem a capacidade de melhorar.

A hierarquia destrói a fraternidade. A sátira de Orwell é tão coerente que, de fato, o ditador é chamado de "Grande Irmão". "O Grande Irmão está de olho em você", mas não olhando *por* você, como faria um irmão. As sátiras viram as verdades morais de ponta-cabeça. Essa configuração do amistoso em ameaçador é um exemplo perfeito de *duplipensamento*. Nela há traços da distorção stalinista do comunismo inicial, mas há também traços da *Volksgemeinschaft* e da *Bruderschaft* dos nazistas, com sua falsa fraternidade e o desprezo pela liberdade individual. Na sátira, os valores positivos do escritor surgem como o contrário daquilo que ele está atacando ou daquele mundo fanático e geralmente repulsivo que retrata.

CONFIANÇA MÚTUA

Consideremos *Mil novecentos e oitenta e quatro*, por um instante, apenas como a história de um homem, Winston Smith, tentando lutar contra um novo despotismo. A história deixa claro desde o começo que uma resistência efetiva é impossível — se é que se permite sequer chegar a isso. Num determinado nível, Winston tenta resistir pelo ativismo, pela rebelião, procurando os inimigos do regime; mas, em outro nível, luta simplesmente para manter a individualidade (o título original era *O último homem na Europa*). Nessa luta — que esse homem, que não tem muita saúde nem heroísmo, empreende com coragem e persistência surpreendentes até a tortura final —, a *memória* e a *confiança mútua* se tornam temas positivos. O fato de terminar derrotado é inevitável nessa sátira do poder total. Um final feliz seria um esvaziamento satírico das pretensões de uma sátira inflexível. Mas Orwell crê que só é possível destruir a individualidade quando estamos absolutamente sozinhos. Enquanto tivermos alguém em quem confiar, não será possível destruir nossa individualidade. Pois o homem é um animal social, e nossa identidade nasce da interação, não da autonomia. "Não te faças nenhum mal, que todos aqui estamos."[6]

A "confiança mútua" é aquela virtude louvada por Aristóteles, tida como necessária aos verdadeiros cidadãos, sendo justamente aquilo que o tirano precisa esmagar (ele nos diz no Livro v de *Política*) se quiser se manter no poder. A confiança mútua é um componente daquela palavra elaborada, daquele conceito essencial em Orwell, "decência" (seu equivalente para a "equidade" na filosofia moral de John Rawls ou para o "respeito mútuo" de Kant). Decência é confiança mútua, tolerância, comportamento responsável em relação aos outros, ação dotada de empatia — tudo isso ao mesmo tempo. A confiança mútua é de suma importância numa cultura cívica, pois, sem ela, a ação política é impossível. E a "confiança mútua" continua tão pouco explícita quanto a "igualdade". Numa sátira, apenas a negação ou o contrário fica ex-

---

[6] Atos 16,28. (N. T.)

plícito, mas aí fica absolutamente explícito. O'Brien, o interrogador, torturador integrante do Núcleo do Partido, diz a Winston Smith: "Já estamos destruindo os hábitos de pensamento que sobreviveram da época anterior à Revolução. Cortamos os vínculos entre pai e filho, entre homem e homem, e entre homem e mulher. Ninguém mais se atreve a confiar na mulher ou no filho ou no amigo".[7]

> Alguém que o velho amava, uma netinha, talvez, havia sido morto. O velho repetia a pequenos intervalos de tempo:
> "A gente não devia ter confiado neles.
> Bem que eu falei, Mãe, não foi?
> É nisso que dá confiar neles. Eu disse e repeti.
> A gente não devia ter confiado naqueles canalhas."[8]

E quando Winston e Julia se reencontram, depois de torturados, vencidos e liberados, ela diz:

> "[Você] *Quer* que aquilo aconteça com a outra pessoa. Não está nem aí para o sofrimento dela. Na hora, você só pensa em si mesmo." "Só pensa em si mesmo", repetiu Winston. "E depois você não sente mais o que sentia antes em relação à pessoa." "Não", disse ele, "não sente mais o que sentia antes."[9]

Assim, a exigência mínima para continuarmos humanos é a "confiança mútua", mas é também uma exigência máxima: basta tratar todos os concidadãos com confiança mútua, respeito e decência, e só. Não é preciso amar igualmente a todos, o que seria impossível ou uma degradação do "amor"; mas há o imperativo categórico de tratar igualmente as pessoas, como se todos fossem um fim em si mesmos, e não um meio para os fins de outrem.

---

[7] Cf. p. 319 desta edição.
[8] Cf. p. 75.
[9] Cf. p. 346.

Alguns críticos afirmam que o "amor" é apresentado como valor positivo em *Mil novecentos e oitenta e quatro*, e que ele é necessário para uma sociedade boa, como mostra o romance entre Winston e Julia. E então dizem — e não admira — que o amor é retratado de forma canhestra e superficial. Mas esse amor tem início como mero desejo sexual, como um "caso"; só perto do final é que começa a crescer entre eles algo parecido com um amor de verdade — traídos por alguém em quem confiavam, e depois um pelo outro. Com efeito, a narrativa mostra que Winston se engana ao pensar que Julia realmente sente amor por ele. Ela cai no sono enquanto ele lê o depoimento de Goldstein e fica entediada quando ele conta o caso da fotografia; para Julia, a promiscuidade é um gesto de desprezo pelo regime (ela se vangloria de ter mantido relações sexuais com membros do Partido muitas vezes, e isso excita Winston outra vez). Em sua conduta, Julia está mais próxima dos proletas do que Winston, pois provém dos proletas, mas não em suas simpatias — ela quer se afastar deles. Não é uma intelectual, mas é esperta, firme e corajosa. Já Winston é mais como o intelectual de classe média, decidido a encontrar esperanças entre as pessoas comuns. Se o romance entre eles não é amor na acepção genuína do termo, mesmo assim é um caso exemplar de "confiança mútua" até o final, quando são torturados. Confiança mútua, companheirismo, fraternidade, decência são temas recorrentes em todos os textos de Orwell a partir de *O caminho para Wigan Pier* e *Homenagem à Catalunha*. Esses temas alteram seu individualismo anterior.

MEMÓRIA E HISTÓRIA

O segundo grande tema positivo, a *memória*, está explícito na sátira e cria uma ligação entre *Mil novecentos e oitenta e quatro* e *Um pouco de ar, por favor*, e também com a visão geral de Orwell sobre a moral. Ele sustentava (certo ou errado, não vem ao caso) que já existia na tradição um modo de vida bom e decente: uma sociedade pós-revolucionária autêntica ou igualitária não transfiguraria os valores nem esperaria que fossem diferentes (aqui aparece seu antimarxismo), mas apenas acabaria com a exploração e retomaria o que havia de melhor no passado. Em termos muito simples, Orwell não achava que a pobreza e a opressão de classe (que acreditava convictamente serem forças efetivas na história do Ocidente) haviam desumanizado as pessoas por completo. Pelo contrário, essas forças haviam criado entre as classes populares um companheirismo autêntico e uma fraternidade autêntica que faltavam às classes médias, corroídas pelo individualismo competitivo. Daí a importância dos proletas na narrativa, caracterizados de forma muito mais positiva (embora, talvez, de maneira demasiado breve para ganhar ênfase) do que sempre se considera. Winston Smith, ao andar entre os proletas, observa:

> O que importava eram as relações individuais,
> e um gesto completamente desamparado,
> um abraço, uma lágrima, uma palavra dirigida
> a um moribundo podiam ter seu próprio valor.
> Os proletas — ocorreu-lhe de repente — haviam
> permanecido nesse estado. Não eram leais nem
> a um partido, nem a um país, nem a uma ideia:
> eram leais uns aos outros. Pela primeira vez na vida
> não desprezou os proletas nem pensou neles apenas
> como uma força inerte que um dia despertaria
> para a vida para reformar o mundo. Os proletas
> haviam permanecido humanos. Não estavam
> enrijecidos por dentro. Haviam se aferrado às
> emoções primitivas que ele próprio era obrigado a
> reaprender mediante um esforço consciente.[10]

Essa é uma passagem essencial no livro, em plena coerência com as perspectivas morais e sociais que Orwell apresenta em outros lugares. Daí a autenticidade da memória, daí o diário: a decisão de escrever o diário dá início ao fio principal da trama, em que se defende a memória pessoal contra as tentativas oficiais de reescrever a história, e estas se tornam temas paralelos.

---

10 Cf. p. 216 desta edição.

Minha sugestão é que os temas referentes à importância da memória, à confiança mútua e à linguagem simples e direta operam juntos como sátira dos textos modernos produzidos em massa. Orwell chega a ver os textos nominalmente apolíticos de entretenimento barato (*papaproleta*) e da cultura proletária (*prolecult*) como dotados de efeito político, entorpecedor, deturpador e pacificador de modo geral. Se os lemos basicamente como parte de uma futura sociedade totalitária, de fato conseguimos nos esquivar dessa investida sobre nós. Veja-se esta passagem de seu ensaio de 1946, "A prevenção contra a literatura":

> É provável que escrever livros por processo mecânico não esteja além da engenhosidade humana. Um processo desse tipo já pode ser visto em funcionamento no cinema e no rádio, na publicidade e na propaganda e nas camadas mais baixas do jornalismo. Os filmes da Disney, por exemplo, são produzidos por um processo quase industrial: o trabalho é feito em parte mecanicamente e em parte por equipes de artistas que têm de abrir mão de seu estilo individual. Os programas de rádio costumam ser escritos por escritores assalariados aos quais o tema e seu tratamento são ditados de antemão; mesmo assim, o que escrevem é apenas uma espécie de matéria-prima que é retalhada por produtores e censores. O mesmo acontece com os inumeráveis livros e folhetos encomendados por órgãos governamentais.[11]

Uma das fúrias satíricas que moviam Orwell resultava claramente da amarga decepção de que quase um século de sufrágio democrático e de ensino secundário obrigatório não tivesse concretizado o sonho liberal de um corpo de cidadãos instruídos, ativos e politicamente informados, mas que a sociedade indus-

---

[11] George Orwell, *Como morrem os pobres e outros ensaios*. Seleção de João Moreira Salles e Matinas Suzuki Jr. Trad. de Pedro Maia Soares. São Paulo: Companhia das Letras, 2011, p. 217.

trial tivesse convertido as pessoas em proletas: "... filmes, futebol, cerveja e, antes de mais nada, jogos de azar, preenchiam o horizonte de suas mentes. Não era difícil mantê-los sob controle". Vários de seus ensaios transbordavam de desdém pelo que ainda chamava de "imprensa marrom" e, como jornalista profissional, certamente pensara que, escrevendo num inglês simples e direto, seria possível, se não houvesse censura ou impedimento, levar questões importantes às pessoas comuns. Dava a entender que a maioria dos intelectuais agora vivia às custas de uma ralé rebaixada, fornecendo entretenimento barato, e não tentando mais "educar e agitar" — aquela boa e velha máxima dos radicais britânicos.

A única coisa em que ele se enganou na sátira foi ao ver o desenvolvimento da televisão de dois lados como, basicamente, um mecanismo de vigilância; mas, apesar disso, aquelas outras coisas tinham degradado tanto os proletas que "a vasta maioria dos proletas não tinha nem sequer uma teletela em casa". Não precisavam assistir; estavam tão degradados que não constituíam ameaça política. O efetivo desenvolvimento atual da televisão de massas teria dado mais gás à sátira de Orwell: entretenimento barato, *papaproleta*, de fato.

Visto como projeção modelar de sociedades "totalitárias" pretensas ou reais, o texto narrativo de *Mil novecentos e oitenta e quatro* não funciona muito bem. Os proletas são deixados em posição passiva, não são sistematicamente mobilizados, coisa que quase todos os cientistas sociais ou historiadores da época que usaram o termo "totalitário" pensavam ser a própria essência do conceito — inclusive o próprio Orwell, em todo um conjunto de ensaios do tempo de guerra e do pós-guerra. *Mil novecentos e oitenta e quatro* não é um modelo exato da sociedade totalitária real, como ele bem sabia, simplesmente porque os alvos satíricos específicos na sociedade do próprio Orwell exigem que os proletas sejam rebaixados pelo Estado, em vez de se tornarem material humano propício à mobilização política com vistas à transformação revolucionária. Claro que os detalhes do regime do Socing não podem ser vistos como modelo exato, mas apenas como partes de uma história satírica. Seria quase tão absurdo contestar Orwell em relação à obscura ou contraditória estrutura de classes na Oceânia quanto dizer a Swift que os bebês dos pobres irlandeses estariam magros demais para servir de alimento aos famintos.

SE NÃO PROFECIA, AO MENOS ALERTA

Todavia, tanto a intensidade do texto quanto as reações imediatas despertadas nos resenhistas hão de nos convencer de que, mesmo não sendo uma profecia do totalitarismo (e menos ainda um cronograma e um modelo exato), o livro é, sem dúvida, em parte um alerta de que "mesmo aqui poderia acontecer algo parecido com isso". Orwell ficou incomodado quando uma primeira onda de resenhistas americanos (especialmente dos periódicos da Time-Life Corporation) saudou *Mil novecentos e oitenta e quatro* como um ataque explícito, do começo ao fim, contra o socialismo. Não que se esperasse o contrário, mas os comunistas adotaram a mesmíssima linha. Assim, Orwell ditou dois conjuntos de notas para um comunicado à imprensa:

> Alguns resenhistas de *Mil novecentos e oitenta e quatro* têm sugerido que a posição do autor é de que isso, ou algo parecido com isso, é o que acontecerá nos próximos quarenta anos nos mundo ocidental. Não é o caso. Penso que, descontando que o livro, afinal, é uma paródia, *poderia* acontecer algo como *Mil novecentos e oitenta e quatro*. Este é o rumo que o mundo está tomando no presente, e a tendência está arraigada nas bases políticas, sociais e econômicas da situação mundial contemporânea.
> O perigo reside especificamente na estrutura que foi imposta nas comunidades socialistas e capitalistas liberais pela necessidade de se prepararem para a guerra total com a URSS e os novos armamentos, entre os quais, evidentemente, a bomba atômica é a mais poderosa e a mais divulgada. Mas o perigo reside também na

aceitação de uma perspectiva totalitária por parte
de intelectuais de todas as cores.
A moral a se extrair desse pesadelo perigoso é
simples: *Não deixe que aconteça. Depende de você.*[12]

George Orwell supõe que, se surgirem sociedades
como a apresentada em *Mil novecentos e oitenta
e quatro*, haverá diversos superestados. Ele trata
disso extensamente nos capítulos pertinentes de
Mil novecentos e oitenta e quatro. James Burnham
também discute o tema em *The Managerial
Revolution*, por outro ângulo. Esses superestados
naturalmente estarão em oposição um contra o
outro, ou (um tema do romance) fingirão uma
oposição muito maior do que a efetiva. Dois desses
superestados serão, obviamente o mundo
anglo-americano e a Eurásia. Se esses dois grandes
blocos se colocarem como inimigos mortais, é
evidente que os anglo-americanos não adotarão
o nome dos adversários e não se apresentarão
no palco da história como comunistas. Assim,
precisarão encontrar um nome novo. O nome
sugerido em *Mil novecentos e oitenta e quatro* é,
claro, o de Socing, mas na prática há um amplo
leque de escolhas. Nos Estados Unidos, a designação
"americanismo" ou "cem por cento americanismo"
é adequada e o adjetivo correspondente é o mais
totalitário que se possa desejar.
Se o Partido Trabalhista fraquejar e ceder na
tentativa de enfrentar as dificuldades que se
apresentarão, sujeitos mais rijos do que os atuais
líderes trabalhistas inevitavelmente assumirão
o comando, vindo provavelmente das fileiras da
Esquerda, mas sem compartilhar as aspirações

---

12 Bernard Crick, *George Orwell: A Life*, p. 395.

> liberais dos que estão agora no poder. Membros do atual governo britânico, desde o sr. Attlee e Sir Stafford Cripps até Aneurin Bevan, *nunca* passarão voluntariamente para o inimigo, e os homens de mais idade, criados numa tradição liberal, de modo geral são firmes, mas a geração mais jovem é suspeita e os germes do pensamento totalitário já estão provavelmente muito disseminados entre ela.[13]

Portanto, Orwell pensava que *poderia* acontecer algo parecido, mas note-se como ficam datados os elementos específicos da sátira (a divisão do mundo entre as grandes potências e seus receios quanto ao Partido Trabalhista), e note-se também sua afirmativa de que, "afinal, é uma paródia". O problema permanece: paródia de quê? Aqui, o livro como texto simples e direto talvez não fale diretamente ao leitor moderno se não houver uma nota do editor. Pois um tema importante é uma paródia da tese de James Burnham em particular e da sede de poder dos intelectuais (velho tema de Orwell) em geral. "Quem era James Burnham?", poderão perguntar muitos leitores de *Mil novecentos e oitenta e quatro*.

Burnham defendia uma tese dupla: que as duas grandes ideologias das superpotências um dia convergiriam, e nem os comissários, nem os congressistas venceriam; e que o Estado seria tomado não por políticos nem por homens de partido (de qualquer ideologia), e sim por tecnocratas. Estes estavam desenvolvendo uma cultura comum e interesses comuns. Essas duas ideias deixaram Orwell fascinado. Ele escreveu dois ensaios importantes sobre Burnham, como que desenvolvendo o raciocínio; se bem que, ao final, acabou rejeitando as duas ideias. Mesmo assim, Orwell parecia ver os intelectuais como uma subclasse de administradores, e era bastante ambivalente em relação a eles. Embora defenda as liberdades intelectuais, parece desconfiar dos intelectuais como classe e suspeita que a maioria deles está mais

---

[13] Peter Davison (Org.), *The Complete Works of George Orwell*, v. 20, pp. 134-5.

interessada no poder e na posição do que no livre pensamento. Seu receio, depois da experiência na BBC durante a guerra, é que os intelectuais se vendam com excessiva facilidade à máquina estatal: "os motivos daqueles intelectuais ingleses que apoiam a ditadura russa são, penso eu, diferentes daqueles que admitem publicamente, mas tem lógica tolerar a tirania e o massacre quando se supõe que o progresso é inevitável".[14] Orwell inseriu muitas coisas dentro desse aparte curto e jovial, não só sua ininterrupta polêmica contra os Companheiros de Percurso do comunismo, mas também uma posição filosófica aos moldes de Karl Popper: a de que a profecia e a crença em teorias da inevitabilidade histórica se tornam inevitavelmente pretextos para a tirania necessária para que elas se tornem realidade. "A falácia é crer que, sob um governo ditatorial, pode-se ter liberdade interior. Muita gente se consola com esse pensamento, agora que o totalitarismo sob uma ou outra forma está em visível ascensão em todos os lugares do mundo."[15]

CONTROLANDO O PASSADO E O FUTURO?

Em *Mil novecentos e oitenta e quatro*, o Ministério da Verdade certamente não se limita a rebaixar as massas, mas também reescreve a história: quem controla o presente controla o passado e o futuro. Num certo nível, a sátira é muito evidente: qualquer pessoa naquela época que se interessasse em saber podia acompanhar o humor negro das sucessivas edições da *Enciclopédia Soviética* que, primeiro, apresentava Trótski como herói da Guerra Civil, depois condenava-o como agente dos mencheviques e do Serviço Secreto britânico, e então lhe dava o tratamento mais simples e ameno, eliminando-o por completo dos registros históricos, convertendo-o numa *despessoa*. É esse o trabalho cotidiano de Winston Smith no ministério.

No entanto, num nível mais profundo, Orwell tenta atacar o pro-

---

14 Ibid., v. 17, p. 343.
15 Ibid., v. 16, p. 172.

blema epistemológico da *possibilidade* de controlar o passado, destruir ou distorcer o registro e a memória. Winston se esforça em autenticar lembranças vagas, mas o que ele encontra entre os proletas é extremamente inquietante: eles têm lembranças curtas, aleatórias, errantes e muitas vezes ridículas; é preciso ter a mente treinada para ter memória treinada em circunstâncias opressoras. Nota-se em alguns ensaios anteriores de Orwell: (a) que ele teme que os regimes totalitários acreditem em sua própria propaganda e sejam capazes de criar uma falsa realidade plausível e coerente; (b) que, num tema contraditório, os regimes totalitários não teriam como funcionar se não houvesse alguns chefes ou funcionários, alguns cientistas ou burocratas sabendo o que realmente se passava. Orwell nunca resolveu esse profundo e difícil problema epistemológico.

Tampouco resolveu plenamente se estava ou não satirizando a concepção de Burnham sobre a impossibilidade da primazia do puro poder: "É curioso que, em todo o seu discurso sobre a luta pelo poder, Burnham nunca se detém para perguntar *por que* as pessoas querem o poder" ("Second Thoughts on James Burnham", 1946); ou se julga mesmo possível que líderes partidários e servidores públicos que começam como seres civilizados acabem como um mero regime de ocupantes de cargos, brutalmente interessados apenas no poder pelo poder. O'Brien, ao permitir que Winston lhe pergunte para que serve tudo aquilo, fornece a resposta niilista: "Se você quer formar uma imagem do futuro, imagine uma bota pisoteando um rosto humano — para sempre".[16]

E pode haver poder sem ideologia? A história pode ser totalmente reescrita? Vejamos duas reflexões bastante diferentes sobre a possibilidade de um controle completo do pensamento, ambas no mesmo extenso parágrafo do ensaio "A prevenção contra a literatura" (1946).

> A mentira organizada praticada pelos Estados totalitários não é, como se alega às vezes, um expediente temporário da mesma natureza

---

16 Cf. p. 319 desta edição.

que o ardil militar. Trata-se de algo inerente ao totalitarismo. Entre os comunistas inteligentes corre uma lenda clandestina segundo a qual, embora seja obrigado agora a fazer propaganda mentirosa, julgamentos forjados e assim por diante, o governo russo está registrando em segredo os fatos verdadeiros e os publicará em algum momento no futuro. Creio que podemos ter certeza de que esse não é o caso, porque a mentalidade explícita numa ação desse tipo é a do historiador liberal que acredita que o passado não pode ser alterado e que um conhecimento correto da história é naturalmente valioso. Do ponto de vista totalitário, a história é algo a ser criado, em vez de aprendido. Um Estado totalitário é, na realidade, uma teocracia, e sua casta dominante, para manter sua posição, deve ser considerada infalível. Mas como na prática ninguém é infalível, muitas vezes é necessário rearranjar os eventos do passado a fim de mostrar que este ou aquele erro não foi cometido, ou que este ou aquele triunfo imaginário aconteceu de fato. Daí que cada mudança importante na política exige uma mudança correspondente de doutrina e uma reavaliação de figuras históricas de proa. *Esse tipo de coisa acontece em todos os lugares*, mas é mais provável que leve a falsificações completas em sociedades nas quais se permite somente uma opinião a qualquer momento.
O totalitarismo exige, na realidade, a alteração contínua do passado, e a longo prazo requer provavelmente uma descrença na própria existência da verdade objetiva.[17]

---

[17] George Orwell, *Como morrem os pobres e outros ensaios*, pp. 208-9.

No entanto, no mesmo parágrafo, ele sustenta uma opinião contraditória.

> Os simpatizantes do totalitarismo em nosso país tendem a argumentar que, uma vez que a verdade absoluta é inatingível, uma grande mentira não é pior que uma pequena. Afirma-se que todos os registros históricos são tendenciosos e inexatos, ou, por outro lado, que a física moderna provou que aquilo que parece ser o mundo real é uma ilusão, de tal modo que acreditar nas provas de nossos sentidos não passa de filisteísmo vulgar. Uma sociedade totalitária que conseguisse se perpetuar provavelmente estabeleceria um sistema de pensamento esquizofrênico no qual as leis do senso comum seriam consideradas boas na vida cotidiana e em certas ciências exatas, mas poderiam ser desconsideradas pelo político, pelo historiador e pelo sociólogo. Já existem muitas pessoas que considerariam escandaloso falsificar um manual científico, mas não veriam nada de errado na falsificação de um fato histórico.
> É nesse ponto em que literatura e política se cruzam que o totalitarismo exerce sua maior pressão sobre o intelectual.[18]

Ele parece se contradizer — ou de fato se contradiz — porque agora supõe não um sistema total de falso pensamento, mas um sistema esquizofrênico. O ensaísta especulativo percebe a plausibilidade dos dois pontos de vista. A teoria esquizofrênica ou de duas verdades é talvez a mais plausível e um pouco menos assustadora. Orwell simplesmente não tinha certeza quanto a essas duas grandes questões: pode haver uma dissociação completa entre o poder e a moral, e entre a história e ideologia e a verdade?

---

18 Ibid., pp. 209-10.

Poucos tinham certeza na época em que ele escreveu, quando o poder soviético, ainda que fosse refreável, parecia inexpugnável, e o poder nazista era uma lembrança muito recente que muitos temiam que se repetisse. Agora apenas a Coreia do Norte coloca esse dilema. Orwell o sentia agudamente. Talvez não tivesse a capacidade filosófica de resolver se todas as verdades são ou não são socialmente condicionadas, mas tinha o gênio literário para chegar diretamente ao cerne do problema. Como eram dilemas em aberto, ele optou por escrever um romance, não um tratado, ainda que agora tanta gente o leia fora de contexto, como se fosse um tratado válido para todos os tempos, a ser julgado como verdade literal ou não em todos os seus detalhes, e não como uma terrível caricatura satírica das condições de sua época.

Mas o ensaio "A prevenção contra a literatura", em alguns aspectos, ainda chega a nós como crítica e advertência, como toda grande sátira é capaz de fazer.

> Para manter a questão em perspectiva, repito o que disse no início deste ensaio: na Inglaterra, os inimigos imediatos da honestidade, e portanto da liberdade de pensamento, são os barões da imprensa, os magnatas do cinema e os burocratas, mas, numa visão de longo prazo, o enfraquecimento do desejo de liberdade entre os próprios intelectuais é o sintoma mais grave de todos.[19]

Orwell irradia desconfiança quanto ao efeito degradante da imprensa, e receava que os intelectuais estivessem traindo seus princípios. Esses dois ataques satíricos são os que conservam uma pertinência tópica duradoura em *Mil novecentos e oitenta e quatro*. Mas, após todo o sombrio pessimismo da narrativa, o livro termina num tom otimista — não com Winston amando o Grande Irmão e, a seguir, o desfecho com "Fim", mas o último parágrafo do apêndice "Os princípios da Novafala". Este é o verdadeiro

---

19 Ibid., p. 210.

fim do livro. E nos diz que as traduções de "Diversos escritores, como Shakespeare, Milton, Swift, Byron, Dickens..." (o panteão de Orwell) se mostraram tarefas inesperadamente "difíceis e demoradas", e por isso a "adoção definitiva da Novafala foi marcada para o longínquo ano de 2050". Se lemos *Mil novecentos e oitenta e quatro* como sátira swiftiana, seria o mesmo que dizer "este ano, o ano que vem, algum dia, nunca". A linguagem coloquial, as pessoas comuns e o senso comum sobreviverão às mais decididas tentativas de controle total.

BERNARD CRICK nasceu em 1929, em Londres, na Inglaterra. Foi um dos maiores filósofos políticos do século xx. Três livros foram decisivos para construir essa reputação: *The American Science of Politics*, de 1958, *In Defence of Politics*, de 1962, e *The Reform of Parliament*, de 1964. Em 1980, escreveu *George Orwell: A Life*, uma das mais célebres biografias do autor de *1984*. Morreu em Edimburgo, na Escócia, em 2008.

O *DUPLIPENSAMENTO* É MAIS FORTE DO QUE ORWELL IMAGINAVA: O QUE *1984* SIGNIFICA ATUALMENTE

GEORGE PACKER

Publicado originalmente na revista *The Atlantic*, jul. 2019.

Nenhum romance do século XX teve maior influência do que *1984*, de George Orwell. O título, o adjetivo criado a partir do sobrenome do autor, o vocabulário do Partido onipotente que governa o superestado da Oceânia com a ideologia do Socing — *duplipensamento, buraco da memória, despessoa, pensamento-crime, Novafala, Polícia das Ideias, quarto 101, Grande Irmão* —, todos eles ingressaram na língua inglesa como signos imediatamente identificáveis de um futuro assustador. É quase impossível falar sobre propaganda, vigilância, política autoritária ou distorções da verdade sem fazer uma referência a *1984*. Durante toda a Guerra Fria, o romance teve sôfregos leitores clandestinos por trás da Cortina de Ferro, que se perguntavam: *Como é que ele sabia?*

Também foi leitura obrigatória para várias gerações de estudantes secundaristas americanos. Meu contato inicial com *1984* se deu no curso de inglês no primeiro ano do ensino médio. O romance de Orwell era apresentado junto com *Admirável mundo novo* de Aldous Huxley, cuja distopia hedonista e farmacêutica parecia mais cabível para um adolescente da Califórnia nos anos 1970 do que o desolado sadismo da Oceânia. Eu era jovem e ignorante demais em história para entender de onde vinha *1984* e a que, exatamente, se dirigiam suas advertências. Nem o livro nem o autor me impressionaram muito. Na casa dos vinte anos, descobri os ensaios e livros de não ficção de Orwell, que reli tantas vezes que meus exemplares começaram a se desmanchar, mas não voltei a *1984*. Desde o ensino médio, eu já tinha vivido mais uma década do século XX, inclusive o ano do título, e imaginava que já "conhecia" o livro. Era familiar demais para voltar a ele.

Por isso, quando reli o romance pouco tempo atrás, sua força me pegou desprevenido. A gente precisa esquecer o que pensa que sabe, toda a terminologia, a iconografia e os subprodutos culturais, para captar a genialidade original e a grandeza duradoura de *1984*. É ao mesmo tempo um ensaio político profundo e uma obra de arte impressionante e dilacerante. E, na era Trump, é um sucesso de vendas.

The Ministry of Truth: The Biography of George Orwell's 1984, do crítico musical britânico Dorian Lynskey, faz uma sólida e convincente defesa do romance como síntese de toda a obra de Orwell e como chave mestra para entendermos o mundo moderno. O romance saiu em 1949, quando Orwell estava morrendo de tuberculose, mas Lynskey remonta a data das fontes biográficas a mais de dez anos antes, durante os meses que Orwell passou na Espanha como voluntário das forças republicanas na guerra civil do país. Sua apresentação ao totalitarismo se deu em Barcelona, quando agentes da União Soviética criaram uma elaborada mentira para desacreditar os trotskistas no governo espanhol como espiões fascistas.

Os jornalistas de esquerda prontamente aceitaram a invenção, útil como era para a causa do comunismo. Orwell não, e desmascarou a mentira com testemunhos oculares no jornalismo, precedendo seu clássico *Homenagem à Catalunha* — o que o converteu num herege da esquerda. Foi estoico quanto ao tédio e aos desconfortos da guerra de trincheiras — recebeu um tiro no pescoço e por pouco não sairia vivo da Espanha —, mas levou muito a sério o apagamento da verdade. Era uma ameaça ao que, para ele, garante nossa sanidade e dá sentido à vida. "A história parou em 1936", disse depois a seu amigo Arthur Koestler, que sabia muitíssimo bem do que Orwell estava falando. Depois da Espanha, praticamente todos os seus textos e leituras levaram à criação de sua obra-prima definitiva. Como escreve Lynskey: "A história parou e *Mil novecentos e oitenta e quatro* começou".

A história biográfica de *1984* — a corrida do moribundo contra o tempo para terminar seu romance num chalé distante na ilha de Jura, na costa escocesa — é conhecida por muitos leitores de Orwell. Uma das contribuições de Lynskey é demolir a ideia de que a visão aterradora do livro pode ser atribuída e, de certa forma, descartada como desejo de morte de um tuberculoso. De fato, a doença terminal despertou em Orwell um ardente desejo de viver — casou-se pela segunda vez no leito de morte —, assim como o pessimismo do romance é atenuado, até as páginas finais, pelo gosto de Winston Smith em apreciar a natureza, os objetos antigos, o cheiro de café, a melodia cantada por uma proletária e, sobretudo, a amante, Julia. *1984* é esmagadoramente opressivo, mas tem uma clareza e um rigor que servem de estimulantes para a consciência e a resistência. Segundo Lynskey, "Nada na vida e obra de Orwell certifica um diagnóstico de desespero".

Lynskey traça a gênese literária de *1984* até as ficções utópicas do século XIX com seu otimismo — *Daqui a cem anos* (1888), de Edward Bellamy; os romances de ficção científica de H. G. Wells, que Orwell leu na infância — e suas sucessoras distópicas no século XX, incluindo *Nós* (1924), do russo Ievguêni Zamiátin, e *Admirável mundo novo* (1932), de Huxley. As páginas mais interessantes de *The Ministry of Truth*, de Lynskey, retratam o que aconteceu com o romance depois de publicado. A luta reivindicando *1984* começou logo depois do lançamento, com disputas sobre seu significado político. Os resenhistas americanos conservadores concluíram que o alvo principal de Orwell era não apenas a União Soviética, mas a esquerda em geral. Orwell, que definhava rapidamente, interveio com uma declaração explicando que o romance não era um ataque a qualquer governo em particular, mas uma sátira das tendências totalitárias na sociedade ocidental e dos intelectuais: "A moral a se extrair desse pesadelo perigoso é simples: *Não deixe que aconteça. Depende de você*". Mas toda obra de arte escapa ao controle do artista — quanto mais conhecida e complexa, maiores os mal-entendidos.

A apresentação do alcance de *1984* feita por Lynskey é reveladora. O romance inspirou filmes, séries de TV, peças de teatro, um balé, uma ópera, um álbum de David Bowie, imitações, paródias, continuações, réplicas, Lee Harvey Oswald, o Partido dos Panteras Negras e a Sociedade John Birch. Ele adquiriu um pouco da ubiquidade asfixiante do próprio Grande Irmão: *1984* está de olho em você. Com a chegada do ano de 1984, as apropriações culturais aumentaram a um nível assombroso. Em janeiro, 96 milhões de pessoas assistiram durante o Super Bowl a um anúncio do Macintosh da Apple, que se tornou uma lenda do marketing. O Mac, representado por uma atleta, atira uma marreta contra uma tela gigante e destrói o rosto de um homem gritando — tecnologia opressora — para o assombro de uma multidão de zumbis cinzentos. A mensagem: "Você vai ver por que 1984 não será *1984*".

A cada década, a discussão se repete: Orwell entendeu errado. As coisas não saíram tão mal. A União Soviética agora é passado. A tecnologia é libertadora. Mas Orwell nunca pretendeu que o romance fosse uma previsão, apenas um alerta. E é como alerta que *1984* sempre ganha nova atualidade. Na semana da posse de Donald Trump, quando a conselheira presidencial Kellyanne Conway justificou as falsas estimativas de Trump sobre o número de presentes utilizando a expressão "fatos alternativos", o romance voltou à lista dos mais vendidos. Uma adaptação teatral foi montada às pressas na Broadway. O vocabulário da Novafala viralizou. Um presidente autoritário que subverteu a expressão "fake news", dizendo certa vez: "O que vocês estão vendo e lendo não é o que está acontecendo", deu a *1984* toda uma nova vida.

O que o romance significa para nós? Não o quarto 101 no Ministério do Amor, onde Winston é interrogado e torturado até perder tudo o que preza. O sistema em que vivemos nada tem de totalitário. "Por definição, um país no qual se é livre para ler *Mil novecentos e oitenta e quatro* não é o país descrito em *Mil novecentos e oitenta e quatro*", reconhece Lynskey. Em vez disso, passamos os dias sob a vigilância ininterrupta de uma tela que compramos na

Apple Store, que carregamos por toda parte e para qual contamos tudo, sem qualquer coerção imposta pelo Estado. O Ministério da Verdade é o Facebook, o Google e os canais de telejornais. Encontramos o Grande Irmão, e ele somos nós.

A eleição de Trump gerou uma onda de livros de alerta com títulos como *Sobre a tirania*, *Fascismo: Um alerta* e *Como funciona o fascismo*. A livraria do meu bairro realizou uma mesa-redonda temática sobre totalitarismo e dispôs livros novos ao lado de *1984*. Os convidados apontaram para o século XX — se aconteceu na Alemanha, pode acontecer aqui — e alertaram os leitores sobre a facilidade com que as democracias chegam ao fim. Eram sinais de alarme contra a complacência e o fatalismo — "a política da inevitabilidade", como diz o historiador Timothy Snyder, "a ideia de que o futuro é apenas uma continuação do presente, que as leis do progresso são conhecidas, que não há alternativas e, portanto, nada realmente a ser feito". Os alertas eram justificados, mas a ênfase sobre os mecanismos de ditaduras anteriores desviava a atenção do cerne da malignidade — não o Estado, e sim o indivíduo. A questão crucial não era que Trump pudesse acabar com a democracia, mas que os americanos o tivessem colocado em condições de tentar. A não liberdade hoje é voluntária. Vem de baixo.

Estamos convivendo com um novo tipo de regime que não existia na época de Orwell. Ele soma um rígido nacionalismo — a canalização da frustração e do ceticismo para a xenofobia e o ódio — a confusão e distração amenas: uma mistura de Orwell e Huxley, crueldade e entretenimento. O estado mental que o Partido impõe pelo terror em *1984*, em que a verdade se torna tão instável que deixa de existir, agora produzimos em nós mesmos. A propaganda totalitária unifica o controle sobre toda a informação, até que a realidade seja o que o Partido diz que ela é — o objetivo da Novafala é empobrecer a língua para que os pensamentos politicamente incorretos não sejam mais possíveis. Hoje, o problema é o exagero de informações a partir de um exagero de fontes, com a resultante praga da fragmentação e divisão — não o excesso, mas o desaparecimento da autoridade, restando às pessoas comuns entender os fatos por si mesmas, à mercê de seus enganos e preconceitos.

Durante a campanha presidencial americana de 2016, propagandistas de um exército de trolls russos utilizaram as mídias sociais para disseminar um meme: "'O povo acreditará no que a mídia lhe disser para acreditar' — George Orwell". Mas Orwell nunca disse isso. Roubaram a autoridade moral de seu nome e a transformaram numa mentira para o mais orwelliano dos fins: a destruição da crença na verdade. Os russos precisavam de parceiros nessa empreitada e os encontraram aos milhões, principalmente entre as não elites americanas. Em *1984*, os trabalhadores são chamados de "proletas", e Winston crê que eles são a única esperança para o futuro. Como ressalta Lynskey, Orwell não previu "que o homem comum e a mulher comum adotariam o duplipensamento com o mesmo entusiasmo dos intelectuais e, sem necessidade de terror ou de tortura, decidiriam acreditar que dois mais dois era qualquer coisa que quisessem que fosse".

Cambaleamos sob a carga diária de duplipensamento que jorra de Trump, daqueles no Núcleo do Partido que possibilitaram sua ascensão, de seus porta-vozes no Ministério da Verdade e de seus apoiadores fanáticos entre os proletas. Muito mais difícil é detectar o duplipensamento dentro de nós mesmos. "Enxergar o que está bem diante de nosso nariz exige um esforço constante", escreveu Orwell. Diante de meu nariz, no mundo de gente esclarecida e progressista em que vivo e trabalho, o que se generalizou foi outra espécie de duplipensamento. Não é a alegação de que o verdadeiro é falso ou que dois mais dois é igual a cinco. O duplipensamento progressista — que piorou em reação ao duplipensamento de direita — cria uma irrealidade mais insidiosa porque opera em nome de tudo o que é bom. Sua palavra-chave é "justiça" — palavra que ninguém deveria querer eliminar. Mas hoje a demanda por justiça nos obriga a aceitarmos contradições que são a própria essência do duplipensamento.

Por exemplo, hoje muita gente da esquerda tem como pressuposto tácito que uma boa obra de arte é feita de boa política e que a boa política é uma questão identitária. A visão progressista de um livro ou de uma peça depende de sua posição política, e sua posição — e até seu próprio tema — é examinada à luz da filiação de grupo do artista: identidade pessoal + posição política = valor estético. Essa mistura de categorias orienta os juízos em todos os mundos da mídia, das artes e da educação, desde críticas de filmes a comitês de patrocínio. Alguns que identificam o pressuposto como um duplipensamento podem ser sentir incomodados privadamente, mas não o dizem publicamente. Logo, a autocensura se converte em autoengano, até que a própria identificação desaparece — uma mentira que aceitamos se torna uma mentira que esquecemos. Desse modo, pessoas inteligentes realizam a tarefa de eliminar sua própria não ortodoxia sem precisar da Polícia das Ideias.

A ortodoxia também é imposta pela pressão social, e o local onde ela é exercida com mais intensidade é no Twitter, onde o fantasma de ser repreendido ou "cancelado" gera conformidade, tanto quanto a perspectiva de aumentar seu número de seguidores. Essa pressão pode ter mais poder do que um partido ou Estado, porque fala em nome das pessoas e na linguagem da indignação moral, contra a qual, em certo sentido, não há defesa. Certos comissários com grandes séquitos patrulham os recintos das mídias sociais e punem os que cometem pensamentos-crime, mas inúmeros progressistas aceitam sem problemas o consenso asfixiante do momento e a intolerância alimentada por esse consenso — não por medo, mas porque querem ser vistos ao lado da justiça.

Essa restrição voluntária da liberdade intelectual causará danos duradouros. Ela corrompe a capacidade de pensar com clareza e corrói a cultura e o progresso. A boa arte não vem de uma suposta conscientização [*wokeness*], e problemas sociais não discutidos não podem encontrar soluções reais. "Não se ganha nada ensinando uma palavra nova a um papagaio", escreveu Orwell em 1946. "O que é necessário é o direito de publicar o que se crê ser verdade, sem precisar temer intimidações ou chantagens de qualquer lado." Dos anos 1940 para cá, não mudou muita coisa. A vontade de poder ainda permeia o ódio na direita e a virtude na esquerda.

1984 sempre será um livro fundamental, independentemente das mudanças ideológicas, por retratar um indivíduo lutando para se agarrar ao que é real e valioso. "Sanidade mental não é uma coisa estatística", pensa Winston certa noite, logo antes de adormecer. A verdade, afinal de contas, revela-se a coisa mais frágil do mundo. O drama central da política é o que está dentro de nosso cérebro.

GEORGE PACKER nasceu na Califórnia em 1960. É repórter da revista *The New Yorker* e autor de *Desagregação: Por dentro de uma nova América*, ganhador do National Book Award de 2013, e *The Assassins' Gate: America in Iraq*, finalista do prêmio Pulitzer em 2006. Também escreveu romances e uma peça de teatro, além de ser o responsável por uma edição em dois volumes reunindo os ensaios de George Orwell.

**SOBRE O AUTOR
E OS COLABORADORES**

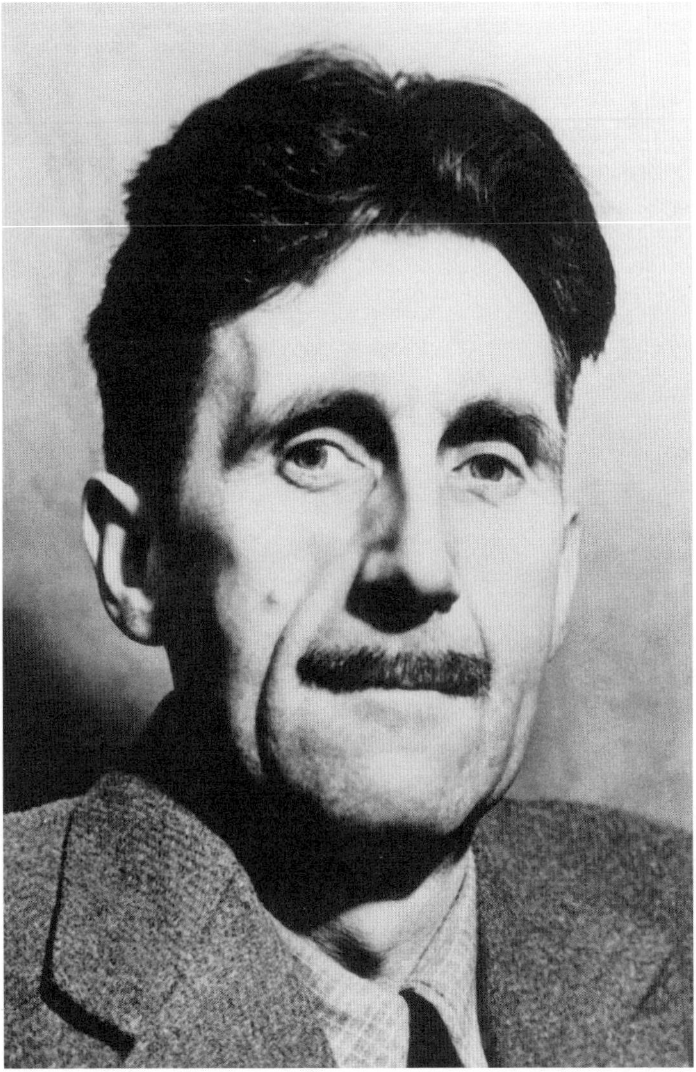

GEORGE ORWELL, pseudônimo de Eric Arthur Blair, nasceu em 25 de junho de 1903, em Motihari, Bengala, Índia. Já em seu primeiro livro, *Na pior em Paris e Londres*, de 1933, passou a assinar como George Orwell (o sobrenome é derivado do rio Orwell, na região da Ânglia Oriental).

Orwell nasceu na classe dos administradores coloniais de Bengala. O pai era um funcionário subalterno no serviço público indiano; a mãe, de ascendência francesa, era filha de um malsucedido negociante de teca na Birmânia (atual Mianmar). As atitudes dos pais eram as da "aristocracia sem terra", como Orwell mais tarde chamaria a classe média baixa cujas pretensões a privilégios sociais tinham pouca relação com seu nível de renda. Desse modo, Orwell foi criado numa atmosfera de esnobismo empobrecido.

Após retornar com os pais para a Inglaterra, foi enviado em 1911 a um internato no litoral de Sussex. Posteriormente, recebeu bolsas para dois dos mais conceituados colégios do país, Wellington e Eton. Depois de frequentar o primeiro por um breve período, continuou os estudos no segundo, onde permaneceu de 1917 a 1921. Aldous Huxley foi um de seus mestres em Eton, onde

Orwell teve um texto publicado pela primeira vez, numa revista acadêmica.

Em vez de se matricular numa universidade, Orwell preferiu seguir a tradição familiar e, em 1922, mudou-se para a Birmânia a fim de ocupar o cargo de vice-superintendente distrital da Polícia Imperial Indiana. Serviu ali em diversos postos e, a princípio, parecia ser um funcionário imperial exemplar. No entanto, desde pequeno queria ser escritor e, ao se dar conta do quanto o domínio britânico era contrário à vontade dos birmaneses, passou a se envergonhar cada vez mais de seu papel como oficial da polícia colonial.

Em 1927, gozando de licença na Inglaterra, Orwell decidiu não retornar à Birmânia. Em 1º de janeiro de 1928, tomou a decisão de se demitir da polícia imperial. Já no outono do ano anterior havia se lançado no tipo de vida que lhe iria determinar o caráter como escritor. Mergulhou no mundo dos miseráveis e dos párias da Europa. Vestindo roupas surradas, passou a viver, no East End londrino, em albergues baratos frequentados por trabalhadores e mendigos; morou um tempo nos cortiços de Paris, trabalhando como lavador de pratos em hotéis e restaurantes da capital francesa; percorreu os caminhos do interior da Inglaterra ao lado de vagabundos profissionais, e juntou-se aos moradores das áreas pobres de Londres em seu êxodo anual para trabalhar na colheita de lúpulo na região de Kent.

Tais experiências proporcionaram a Orwell o material de *Na pior em Paris e Londres*, no qual incidentes verídicos são rearranjados em algo similar à ficção. O primeiro romance de Orwell, *Dias na Birmânia*, de 1934, estabeleceu o padrão das obras de ficção posteriores, ao retratar um indivíduo sensível, consciencioso e emocionalmente isolado que não se adapta a um ambiente social opressivo ou desonesto. O protagonista dessa obra é um administrador subalterno que procura escapar da influência tacanha de seus companheiros colonialistas britânicos na Birmânia. A simpatia que sente pelos birmaneses, porém, termina numa imprevista tragédia pessoal. No romance seguinte, *A filha do reverendo*, de 1935, a personagem central é uma solteirona infeliz e oprimida pelo pai que alcança uma breve e acidental liberação após sofrer um ataque de amnésia. A *flor da Inglaterra*, de 1936, tem como tema um vendedor de livraria, de inclinações literárias, que despreza o materialismo vazio da existência de classe média, mas no fim acaba reconciliado com a prosperidade burguesa ao se ver forçado a casar com a jovem que ama.

A repulsa de Orwell ao imperialismo levou-o não só a rejeitar para si o modo de vida burguês, como também a uma reorientação política. Logo após voltar da Birmânia, passou a se considerar anarquista, e assim continuou por vários anos. Durante a década de 1930, contudo, começou a se definir como socialista. A primeira obra socialista de Orwell, publicada em 1937, foi um original e pouco ortodoxo tratado político, intitulado *O caminho para Wigan Pier*. O livro começa pela descrição de suas experiências da época em que viveu entre os mineiros despossuídos e desempregados no norte da Inglaterra, partilhando e observando a vida que levavam, e termina com uma série de críticas incisivas aos movimentos socialistas existentes. A obra mescla uma reportagem mordaz e um tom de ira generosa que viriam a marcar as produções subsequentes de Orwell.

Quando *O caminho para Wigan Pier* foi lançado, Orwell estava na Espanha, aonde fora com a intenção de cobrir a Guerra Civil. Contudo, lá ficou e alistou-se na milícia republicana, servindo nas frentes de Aragão e Teruel, onde acabou ferido na garganta, o que afetou para sempre sua fala. Mais tarde, em maio de 1937, depois de lutar em Barcelona contra os comunistas que tentavam eliminar seus opositores políticos, viu-se obrigado a fugir do país para não ser morto. Dessa experiência saiu com horror ao comunismo, que expressou no vívido relato de suas tribulações espanholas, *Lutando na Espanha*, de 1938.

De volta à Inglaterra, em 1939 publica *Um pouco de ar, por favor!*, no qual usa as lembranças de um homem de meia-idade para exprimir os temores diante de um futuro ameaçado pela guerra e pelo fascismo. Quando de fato eclodiu a Segunda Guerra Mundial, Orwell, incapacitado para o serviço militar, tornou-se um dos responsáveis pelos programas radiofônicos do Serviço Indiano da BBC. Em 1943, deixou a emissora e tornou-se editor de literatura no jornal socialista *Tribune*. Nesse período, produziu muitos artigos e resenhas para várias publicações, e também críticas de maior fôlego, além de obras sobre a Inglaterra (em especial *O leão e o unicórnio*, de 1941) que combinavam o sentimento patriótico com a defesa de um socialismo libertário.

Em 1944, concluiu *A Fazenda dos Animais*, no qual um grupo de animais se revolta e expulsa da granja os senhores humanos e exploradores, estabelecendo eles mesmos uma sociedade igualitária. No final, os líderes dos animais, porcos inteligentes e sequiosos de poder, subvertem a revolução e impõem uma ditadura ainda mais opressiva e impiedosa que a anterior ("Todos os animais são iguais, mas alguns são mais iguais que os outros"). Orwell encontrou dificuldade para achar uma editora para essa pequena obra-prima, mas quando foi lançado, em 1945, o livro trouxe-lhe muita fama e, pela primeira vez na vida, dinheiro. *A Fazenda dos Animais*, no entanto, acabou sendo ofuscada por seu livro derradeiro, *1984*. Publicado em 1949, *1984* é um romance monumental que Orwell escreveu após anos de meditação sobre as ameaças do nazismo e do stalinismo. A ação se passa num futuro imaginário no qual o mundo encontra-se sob o domínio de três Estados policiais totalitários sempre em guerra. O herói do romance, o inglês Winston Smith, é um pequeno funcionário do partido num desses Estados. A sua nostalgia pela verdade e pela decência o leva a se rebelar secretamente contra o governo, cujo domínio se perpetua por meio da sistemática deturpação da verdade e da incessante reescrita da história de modo que atenda a seus propósitos.

O alerta de Orwell em *1984* sobre os perigos do totalitarismo causou forte impressão em seus contemporâneos e em seus leitores subsequentes. Tanto o título do livro como as palavras e expressões cunhadas pelo autor ("O Grande Irmão está de olho em você", "Novafala", "Duplipensamento") tornaram-se termos correntes para os modernos abusos políticos. Orwell escreveu as páginas finais de *1984* numa casa remota, na ilha de Jura, nas Hébridas. Lá ele trabalhou febrilmente entre períodos internado por causa de uma tuberculose pulmonar, que o levou à morte em 21 de janeiro de 1950, em um hospital de Londres, aos 46 anos.

REGINA SILVEIRA nasceu em Porto Alegre, no Rio Grande do Sul, em 1939. É artista multimídia, gravadora, pintora e professora. Em 1959, bacharelou-se em pintura no Instituto de Artes da Universidade Federal do Rio Grande do Sul, onde estudou com Aldo Locatelli e Ado Malagoli. No início da década de 1960, teve aulas de pintura com Iberê Camargo. Como bolsista do Instituto de Cultura Hispânica, em 1967, foi aluna na Faculdade de Filosofia e Letras de Madri. De 1973 a 1985, já em São Paulo, coordenou o setor de gravura da Faculdade de Artes Plásticas da Fundação Armando Álvares Penteado. Em 1974, passou a lecionar na Escola de Comunicações e Artes da Universidade de São Paulo, onde se tornou doutora em 1984. De 1991 a 1994, viveu em Nova York, com bolsas de estudo concedidas pelas fundações Guggenheim, Pollock-Krasner e Fullbright. Entre os principais prêmios que recebeu, estão os da Associação Paulista de Críticos de Arte, por sua carreira, da Fundação Bunge e do Museu de Arte de São Paulo.

MARCELO PEN nasceu em São Paulo, em 1966. É tradutor, crítico literário e professor de teoria literária e literatura comparada, na Universidade de São Paulo. Fez pesquisa de pós-doutoramento na Universidade da Califórnia, em Berkeley, e na Universidade de Harvard, Cambridge, Massachusetts. Autor de *Realidade possível: Dilemas da ficção em Henry James e Machado de Assis* (Ateliê Editorial), organizou e traduziu *A arte do romance*, volume com os prefácios críticos de Henry James (Globo). Do mesmo autor, também traduziu o romance *Os embaixadores* (Cosac Naify).

HELOISA JAHN nasceu no Rio de Janeiro e cresceu em Montenegro e Porto Alegre, no Rio Grande do Sul. Viveu fora do Brasil entre 1970 e 1977, e desde 1985 mora em São Paulo. Editora há mais de trinta anos, trabalhou em três casas editoriais da capital paulista: Brasiliense, Companhia das Letras e Cosac Naify. Foi editora de cerca de 80 autores brasileiros, sobretudo ficcionistas e poetas. Tradutora literária, tem cerca de cem títulos traduzidos para todas as idades – sobretudo do espanhol, francês e inglês. Hoje trabalha como editora e tradutora independente.

ALEXANDRE HUBNER nasceu em São Paulo, em 1966. É formado em Ciências Sociais pela Faculdade de Filosofia, Letras e Ciências Humanas da Universidade de São Paulo. Traduz ficção desde 2001, tendo vertido para o português obras de Herman Melville, Tennessee Williams, V. S. Naipaul e Philip Roth, entre outros autores de língua inglesa. Atualmente é aluno do programa Formação de Escritores do Instituto Vera Cruz, na capital paulista.

1ª EDIÇÃO [2019] 6 reimpressões

ESTA OBRA FOI COMPOSTA EM NOE TEXT E IMPRESSA PELA
GEOGRÁFICA EM OFSETE SOBRE PAPEL PÓLEN SOFT DA SUZANO S.A.
PARA A EDITORA SCHWARCZ EM MAIO DE 2021

A marca FSC® é a garantia de que a madeira utilizada na fabricação do papel deste livro provém de florestas que foram gerenciadas de maneira ambientalmente correta, socialmente justa e economicamente viável, além de outras fontes de origem controlada.